AGENTES DE LA TRAICIÓN

Selección e introducción
de Otto Penzler

Agentes de la traición

Traducción de Martín R-Courel Ginzo

Plata **negra**

Argentina • Chile • Colombia • España
Estados Unidos • México • Perú • Uruguay • Venezuela

Título original: *Agents of Treachery*
Editor original: Vintage Crime/Black Lizard (Vintage Books),
A Division of Random House, Inc., New York
Traducción: Martín R-Courel Ginzo

1.ª edición Febrero 2011

Copyright © 2010 *by* Otto Penzler
All Rights Reserved
© de la traducción, 2011 *by* Martín R-Courel Ginzo
© 2011 *by* Ediciones Urano, S. A.
 Aribau, 142, pral. – 08036 Barcelona
 www.plataeditores.com

ISBN: 978-84-92919-05-5
Depósito legal: B - 3.191 - 2011

Fotocomposición: A.P.G. Estudi Gràfic, S.L. – Torrent de l'Olla, 16-18, 1.º 3.ª
08012 Barcelona
Impreso por Romanyà Valls, S.A. – Verdaguer, 1 – 08786 Capellades (Barcelona)

Impreso en España – *Printed in Spain*

Para Steve Ritterman, con recuerdos entrañables
del baile de máscaras en Vladivostok
y el temible sombrío bar de Praga

Índice

Introducción

Otto Penzler

El de intriga internacional es uno de los géneros literarios de mayor
éxito en todo el mundo, y sus principales exponentes se han convertido en nombres muy conocidos, en la medida en que el nivel de fama
de un escritor pueda competir con el de un artista, una figura del
deporte o un delincuente de talla internacional. Ian Fleming, John le
Carré, Graham Greene, Lee Child, Nelson DeMille, Frederick Forsyth, Robert Ludlum, Ken Follet y Eric Ambler, entre muchos otros,
son nombres con los que están familiarizados los lectores de todo el
mundo. Y a casi nadie le sorprenderá saber que durante muchos años
una de cada cuatro novelas vendidas en Estados Unidos entraba de
lleno en la categoría de aventura internacional o espionaje.

Lo que sí puede ser sorprendente, cuando no rotundamente in-
dignarte, es que hasta el momento presente nunca haya habido una
recopilación de relatos originales dedicada a este género tan respeta-
do y difícil. Ha habido, eso sí, un reducido número de antologías
individuales de autores dedicados en gran medida a lo que solía de-
nominarse relatos de intriga y misterio. *Sólo para tus ojos*, de Fleming
recogía cinco aventuras de James Bond; *Cobra Trap* de Peter
O'Donnell reunía cuentos de Modesty Blaise; E. Phillips Oppen-
heim, el tremendamente popular escritor de intriga que desarrolló
una prolífica obra en el período de entreguerras (y también antes)
sacó a la luz un sinfín de recopilaciones. Existen unos cuantos libros
más, la mayoría poco conocidos, y bastantes antologías variadas de

escritores como Greene, Ambler, John Buchan, H. C. McNeile, y Forsyth, en las que un reducido número de relatos de espías aparecen rodeados de otro tipo de obras de ficción.

El número de autores importantes de este género tan vasto que ni siquiera han escrito jamás un solo relato breve forman legión. Ludlum jamás escribió uno, ni tampoco Dan Brown, Tom Clancy, Follett, Alan Furst, Robert Littell, Daniel Silva, W. E. B. Griffin, Thomas Glifford o Trevanian.

Las escasas antologías dedicadas a los relatos de espías e intriga son todas reediciones de recopilaciones que se dan de tortas por el derecho a reeditar el relato corto del espía solitario de Le Carré y varios cuentos conocidos, junto con algunas narraciones crípticas (aunque a menudo muy buenas). La excelente antología de Alan Furst, *The Book of Spies*, está dedicada a extractos de novelas.

Uno podría preguntarse, y sería razonable hacerlo, acerca del porqué de la persistencia de esta escasez de relatos cortos salidos de la pluma de autores que por lo demás suelen ser prolíficos, y la explicación es sencilla: los relatos cortos ambientados en el complejo mundo del espionaje y la aventura internacional son muy, pero que muy difíciles de escribir. Ya habrán reparado en que un número desproporcionado de novelas pertenecientes a dicha categoría son libros extensos y voluminosos, y aunque rara vez resultan una lectura pausada, no obstante son más largos que la mayoría de las novelas. La creación de los personajes y los lugares, el desarrollo de unas tramas que complican otras tramas que a su vez se insertan en otras más, la planificación de la villanía y la doblez de una manera verosímil que encaje en las alianzas y traiciones políticas del momento, todo ello exige sutileza y explicaciones… y un montón de páginas. Intentar contener todos estos elementos dispares, aunque necesarios en un relato de veinte o treinta páginas es un reto que pocos pueden conseguir. Lo que a menudo cautiva al lector de esta narrativa apremiante no es el desenlace de la disputa, la que quiera que haya sido ésta. Sabemos que la Segunda Guerra Mundial estallará; sabemos que De Gaulle no será asesinado; sabemos que Hitler no será eliminado por unos oficiales alemanes. Lo que resulta tremendamente cautivador es contemplar a los personajes principales debatiéndose con los compromisos morales a los que están obligados a través del miedo o el conformismo.

Todos los relatos que están a punto de leer versan, en mayor o menor grado, sobre estas cuestiones. Algunos adoptan una teología básica sobre el bien y el mal, del propio país contra el estado enemigo, mientras que otros asumen la posición filosófica de gran parte de la narrativa de espionaje contemporánea, llena de ambigüedad y relativismo. El traidor a un país es el héroe de otro; el que para una organización es un canalla mentiroso y deshonesto, es considerado una figura incondicional de destreza y valor por otra. En estas páginas está representado un amplio espectro de ideologías filosóficas y políticas, aunque rara vez son palpables o evidentes. La única cualidad que los contribuyentes a esta antología única comparten es la habilidad para contar una historia compleja de una manera sencilla. En una ocasión se le preguntó a Eric Ambler cuál consideraba él que era el elemento más difícil en la creación de la clase de novelas que escribía, y dijo: «La sencillez». El señor Ambler, creo, habría dado sus bendiciones a los relatos aquí reunidos por estos distinguidos autores, un auténtico quién es quién de los escritores de intriga más reconocidos de la actualidad, además de los más leídos.

En un tiempo relativamente breve, Lee Child se ha consolidado como uno de los escritores de intriga más vendidos del mundo. Sus novelas sobre Jack Reacher, el gigantesco y poderoso hombre que se comporta temeraria y heroicamente, alcanzan una y otra vez el número uno de la lista de éxitos de *The New York Times*, y gozan de idéntico éxito en Gran Bretaña.

Dan Fesperman ha desarrollado una distinguida carrera como periodista que le ha llevado a cubrir acontecimientos en treinta países, empezando con la primera Guerra del Golfo en 1991. La Crime Writers' Association británica designó a *Lie in the Dark* como mejor primera novela de 1999, y *The Small Boat of Great Sorrows* como mejor novela de intriga de 2003; *USA Today* eligió como mejor novela de intriga de 2006 a *The Prisoner of Guantanamo*.

La primera elección profesional de Joseph Finder fue la de espía, e incluso fue reclutado por la CIA, aunque no tardó mucho en descubrir que la vida en el mundo de la burocracia no era tan excitante como la retrataban en la ficción. Su primera novela, *The Moscow Club*, fue designada como una de las mejores novelas de espionaje de todos los tiempo por *Publishers Weekly*. «Vecinos» es su primer relato corto.

Una de la media docena de las más famosas novelas de espionaje de todos los tiempos es *Los seis días del Condor*, de James Grady, llevada al cine con gran éxito como *Los tres días del Condor*, con Robert Redford. Su trabajo como periodista de investigación para el columnista independiente Jack Anderson y el senador Lee Metcalf le proporcionó los antecedentes que hacen tan verosímil su relato.

Como uno de los críticos cinematográficos más reputados de Norteamérica, Stephen Hunter ganó un Premio Pulitzer en 2003, pero es aún más conocido por sus exitosas y enrevesadas novelas de intriga, sobre todo las que versan sobre el machista francotirador, veterano de Vietnam, Bob Lee Swagger, conocido como «El remachador». La primera novela de Swagger, *Punto de impacto*, fue llevada al cine en 2007 con el título de *Shooter (El tirador)*, protagonizada por Mark Wahlberg.

El controvertido Andrew Klavan escribe *blogs* y artículos de opinión a un ritmo prodigioso, pero es en la ficción policíaca, en particular con novelas como *Don't Say a Word (Ni una palabra)*, llevada luego al cine con Michael Douglas en el papel estelar, y *True Crime (Ejecución inminente)*, dirigida y protagonizada por Clint Eastwood, la que lo ha situado en lo más alto de las listas de éxitos de todo el mundo. Su primera obra de intriga políticamente incorrecta fue *Empire of Lies*.

Aunque el inspector jefe Troy de John Lawton trabaja para Scotland Yard, casi siempre se ve envuelto en alguna intriga internacional. Su primer caso, *Black Out*, ganó el WHSmith Fresh Talent Award. *A Little White Death* fue libro del año 2007 de *New York Times*. «Los 50 autores policíacos que tienes que leer antes de morirte», de *Daily Telegraph,* incluía a Lawton, uno de los seis únicos escritores ingleses vivos de la lista.

Miembro de la Asociación Norteamericana de Agentes de Inteligencia, Gayle Lynds es cofundadora (junto con David Morrell) de International Thriller Writers. Entre sus éxitos de ventas, se cuentan *Masquerade*, considerada una de las diez mejores novelas de espías de todos los tiempos por *Publishers Weekly*; *Mosaic*, elegida como novela de intriga del año por *Romantic Times*; y tres libros de la serie Covert-One, en colaboración con Robert Ludlum.

Después de servir como agente infiltrado de la CIA durante una década, Charles McCarry pasó a escribir discursos para la administración de Eisenhower antes de convertirse en editor de *National Geographic*. A menudo ha sido descrito como el más importante escritor norteamericano de ficción de espionaje, autor de obras maestras tan poéticas como *The Tears of Autumn, The Secret Lovers* y *The Last Supper*, todas ellas protagonizadas por su héroe, Paul Christopher.

Aunque ha publicado más de treinta libros, si David Morrell hubiera dejado de escribir después de su primera novela, su legado habría quedado igualmente asegurado. En *First Blood* presentó a Rambo, que tanto en los libros como en las películas de Sylvester Stallone se ha convertido en uno de los héroes de aventuras norteamericanos de culto. Morrell también escribió *The Brotherhood of the Rose*, que sirvió de base para que la NBC realizara la que se convertiría en la miniserie más vista de la historia.

Después de más de tres décadas prestando servicio en las tres ramas del Servicio Secreto británico (MI5) —contraespionaje, antisubversión y antiterrorismo—, Stella Rimington fue nombrada directora general de la agencia, la primera mujer en desempeñar tal cargo y en el que se mantuvo de 1992 a 1996; fue nombrada Dama Comandante de la Orden de Bath (DCB) el año de su jubilación. Tras jubilarse, escribió unas sinceras memorias, *Open Secret*, a las que siguieron cinco novelas de espionaje.

La primera novela de Olen Steinhauer, *The Bridge of Sighs*, fue el comienzo de una serie de intriga compuesta de cinco libros que constituyeron una crónica de Europa oriental durante la Guerra Fría a lo largo de una década, hasta la caída del comunismo. La obra fue nominada para cinco premios, incluido el Edgar Mystery Award, al igual que su cuarto libro, *Liberation Movements*. Los derechos para el cine de *The Tourist*, su primera novela no incluida en una serie, fueron adquiridos por George Clooney, que tiene planeado protagonizar la película.

Uno de los escasos autores que han figurado en la lista de éxitos de *New York Times* como escritor de ficción y ensayista, John Weisman, fue coautor de *Rogue Warrior*, la historia, basada en la vida real, de la unidad antiterrorista de élite de los SEALS de la Armada norteamericana y de su comandante, que se mantuvo en la lista durante ocho meses, y cuatro semanas en el primer puesto. Cinco secuelas lograron figurar en la lista. Sus libros han sido dos veces el tema de los episodios de Mike Wallace en *60 minutos*.

La neutralidad de Portugal durante la Segunda Guerra Mundial es el telón de fondo de *A Small Death in Lisbon*, de Robert Wilson, que ganó la Daga de Oro de la Asociación [Británica] de Escritores de Novelas Policíacas a la mejor novela de 1999, y de su novela de suspense de espías *The Company of Strangers*. Fue nominado para otra Daga de Oro por la primera de sus cuatro novelas de Javier Falcón ambientadas en España, *The Blind Man of Seville*.

El único encargo hecho a los contribuyentes de esta colección única fue engañosamente franco y sencillo: escribe un relato de suspense o espionaje internacional y ambiéntalo en el lugar del mundo y en la época que quieras. Ningún tema fue prohibido, ninguna extensión prefijada, ninguna postura política proscrita, ninguna doctrina impuesta ni rechazada. La amplitud de estilos y enfoques contenidos en este libro es una muestra de que los hombres y mujeres que trabajaron diligentemente en estos relatos y crearon unos cuentos tan magistrales aceptaron la invitación con el ánimo adecuado.

El extremo de la cuerda

Charles McCarry

La primera vez que reparé en el hombre al que llamaré Benjamin fue en el bar del hotel Independence de Ndala. Estaba sentado solo, bebiendo una naranjada sin hielo. Era alto y corpulento, con bíceps nudosos y manos enormes. Su camisa blanca de manga corta y los pantalones caqui estaban tan limpios y almidonados como un uniforme. En lugar del habitual Omega o Rolex tercermundista, llevaba un barato reloj de plástico japonés en la muñeca derecha. Ni anillos ni oro ni gafas de sol. No reconocí los tatuajes tribales de sus mejillas. No hablaba con nadie, no miraba a nadie. Por lo que concernía al resto de clientes, podría haber sido invisible. Nadie hablaba con él ni le ofrecía una copa ni le hacía preguntas. Parecía preparado para saltar de su taburete y matar a cualquiera sin previo aviso.

Era la única persona en el bar a la que todavía no conocía de vista. En aquellos días, hace más de medio siglo, cuando un norteamericano era un bicho raro en toda la costa de Guinea, llegabas a conocer a todo el mundo del bar de tu hotel con bastante rapidez. Yo estaba de pie en el bar, dándole la espalda a Benjamin, aunque podía verlo por el espejo. Me estaba observando. Supuse que estaba reuniendo información, más que calibrándome para robarme o algún otro propósito oscuro.

Llamé al barman, puse un billete de diez chelines sobre la barra y le pedí que me preparara un *pink gin* con Beefeater de verdad. Se rió alegremente, metiéndose el dinero en el bolsillo, y se puso a agitar la angostura y la ginebra en el vaso mezclador. Cuando volví a mirar al espejo, Benjamin se había ido. Cómo un hombre de su tamaño pudo levantarse e irse sin reflejarse en el espejo es algo que no sé, pero lo consiguió de alguna manera. No lo aparté de mis pensamientos, era demasiado digno de recordar para eso, pero tampoco me detuve demasiado en el episodio. Sin embargo, no me pude librar de la sensación de que había sido sometido al escrutinio de un profesional. Para un agente secreto con una tapadera permanente, eso es siempre una experiencia incómoda, sobre todo si tienes la sensación, como la tuve entonces, de que el hombre que te está echando el ojo es un profesional que está haciendo un trabajo que ya ha realizado antes muchas veces.

Yo había ido a Ndala para entrevistarme con un agente. Éste no había acudido a las dos primeras reuniones, pero no hay nada de raro en eso, incluso si no estás en África. Al tercer intento apareció cerca de la hora convenida en el lugar convenido: a las dos de la madrugada en una calle sin pavimentar en la que cientos de personas, todas profundamente dormidas, estaban tumbadas unas junto a otras. Era una noche sin luna. Ninguna luz eléctrica, farol o una vela siquiera alumbraba en al menos kilómetro y medio en ninguna dirección. Yo no podía ver a los durmientes, aunque podía sentir su presencia y oírlos inspirar y espirar. El agente, miembro de parlamento, no tenía nada que contarme, aparte de los habituales cotilleos insustanciales. De todas formas le entregué su dinero, cuya recepción firmó con la huella del pulgar junto a la luz de mi linterna de bolsillo. Al alejarme, le oí rasgar el sobre y contar los billetes en la oscuridad.

No había llegado muy lejos cuando un coche apareció por una esquina de la calle con los faros encendidos. Los durmientes se despertaron y se fueron incorporando de golpe uno tras otro como en una coreografía de Busby Berkeley. El miembro del parlamento había desaparecido. Sin duda se había limitado a tumbarse con los demás, y dos de los ojos desorbitados y una de las anchas sonrisas que vi ir disminuyendo en la oscuridad le pertenecían.

El coche se detuvo. Seguí caminando hacia él, y cuando llegué a su lado, el conductor, que era un agente de policía, se apeó de un salto e hizo refulgir una linterna en mi cara.

—Amo, por favor, entre —dijo.

Los ingleses sólo se habían ido de aquel país hacía poco, y los lugareños seguían dirigiéndose a los hombres blancos por el tratamiento preferido de sus antiguos gobernantes coloniales. La vieja etiqueta sobrevivía en inglés, francés y portugués en la mayoría de los treinta y dos países africanos que habían conseguido la independencia en un período de dos años y medio…, menos tiempo que el que tardó Stanley en encontrar a Livingstone.

—¿Entrar? ¿Para qué? —pregunté.

Mi salvador iba impecablemente vestido con la indumentaria tropical británica: gorra azul de servicio, guayabera con galones de sargento en las hombreras, voluminosos pantalones cortos de color caqui, calcetines azules de lana hasta la rodilla, relucientes zapatos de cordones y correaje negro. La porra que colgaba de su cinturón parecía ser la única arma que llevaba. Me metí en el asiento trasero. El sargento se puso detrás del volante y, utilizando el retrovisor en lugar de mirar por encima del hombro, retrocedió marcha atrás por la calle a una velocidad escalofriante. Sin apartar la mirada del parabrisas, esperé a que se estrellara contra los durmientes de un momento a otro. Éstos no dieron muestras de preocupación, y cuando la luz de los faros los recorrió por encima, se fueron tumbando uno tras otro con la misma precisa coordinación que antes.

El sargento condujo a toda velocidad por callejuelas que en su gran mayoría eran otros dormitorios al aire libre. Nuestro destino resultó ser el Equator Club, el club nocturno más famoso de Ndala. La construcción en cuestión no era más que un zona vallada abierta al cielo. Dentro, una banda tocaba *highlife* —una especie de calipso estruendoso— de forma tan ruidosa que tenías la impresión de que la música se hacía visible mientras ascendía hacia la noche negra como el azabache.

La música se hizo aún más ruidosa. El aire estaba a la temperatura de la sangre. El olor del sudor y la cerveza derramada era fuerte y penetrante. Unos cirios parpadeantes producían un sucedáneo de luz. Las siluetas bailaban en el suelo de tierra apisonada y los cigarrillos brillaban. La sensación era algo parecido a estar siendo digerido por un tiranosaurio rex.

Benjamin, de nuevo solo, estaba sentado en otra mesa pequeña. Volvía a estar bebiendo una naranjada. También llevaba uniforme. Aunque de una tela de mejor calidad, era una réplica del uniforme del sargento, excepto que él iba equipado con un bastón de mando en lugar de una porra y la placa de su hombrera mostraba los laureles, los bastones cruzados y la corona de un comisario jefe. Según parecía, Benjamin era el jefe de la policía nacional. Me hizo un gesto de bienvenida. Me senté. Un camarero colocó un *pink gin* con hielo delante de mí con tal eficiencia, e iba vestido con tanta pulcritud, que supuse que él también era un policía, aunque de incógnito. Levanté el vaso hacia Benjamin y le di un sorbo a mi bebida.

—¿Es usted marino? —preguntó Benjamin.

—No —contesté—. ¿Por qué lo pregunta?

—El *pink gin* es la bebida tradicional de la marina británica.

—¿No es el ron?

—El ron es para la tripulación.

Tuve dificultades para reprimir una sonrisa burlona. Nuestro cruce de palabras se parecía tanto a un código de reconocimiento de los usados por los espías que me pregunté si no era eso lo que realmente era. ¿Se había equivocado Benjamin de norteamericano? No parecía el tipo que cometiera un error tan elemental. Me miró despectivamente —incluso sentado me sacaba como poco una cabeza— y dijo:

—Bienvenido a mi país, señor Brown. Llevo algún tiempo esperando a que viniera aquí de nuevo, porque creo que usted y yo podemos trabajar juntos.

Brown era uno de los nombres que había utilizado en mis anteriores visitas a Ndala, aunque no era el que aparecía en el pasaporte que estaba utilizando en esa ocasión. Hizo una pausa y estudió mi cara; la suya no mostró la más mínima expresión.

Sin mayor preámbulo, añadió:

—Tengo en mente un proyecto que requiere el apoyo de los Estados Unidos de Norteamérica.

La dramaturgia de la situación sugería que mi siguiente frase debía ser: «¿En serio?» o «¿Cómo es eso?» Sin embargo, no dije nada, esperando que Benjamin llenara el silencio.

Para ser sincero, yo estaba perplejo. ¿Se estaba presentando voluntario para algo? La mayoría de los agentes reclutados por cualquier servicio de inteligencia son voluntarios, y el agente de inteligencia medio es una especie de Marcel Proust de los tiempos modernos; suele estar tumbado en la cama, en una habitación forrada de corcho, esperando beneficiarse de los secretos que otras personas deslizan por debajo de su puerta. La gente entra sencillamente en la habitación y, por cualquier motivo, por lo general algún mezquino resentimiento por haber sido relegado en algún ascenso o cosa parecida, se ofrece a traicionar a su país. También era posible, por insólito que pudiera parecer, que Benjamin esperase reclutarme.

Sus ojos se clavaron en los míos. Él estaba de espaldas a la pared, yo se la daba a la pista de baile. Detrás de mí podía sentir aunque no ver a los bailarines, que se movían como un solo organismo; a través de la suela de los zapatos percibía la vibración causada por centenares de pies que pisoteaban al unísono el suelo de tierra. A la luz amarilla de las velas pude ver con más detalle la cara de Benjamin.

Pasaron muchos segundos antes de que él rompiera el silencio.

—¿Qué opinión le merece el presidente de este país?

De nuevo volví a tomarme mi tiempo para responder. El problema con aquella conversación era que en ningún momento supe lo que tenía que decir a continuación.

Finalmente, dije:

—El presidente Ga y yo nunca nos hemos visto.

—Sin embargo, ha de tener alguna opinión.

Y por supuesto que la tenía. Como la tenían todos los que leían los periódicos. Akokwu Ga, presidente vitalicio de Ndala, era un hombre de apetitos desmedidos. Gozaba de su puesto y de las muchas oportunidades que éste proporcionaba para el placer con un entusiasmo que resultaba excepcional incluso para los estándares habituales de los dictadores. Tenía una bañera y un cabezal de cama de oro macizo; tenía un zoológico privado; se decía que a veces sentía el impulso irrefrenable de alimentar a los leones con sus enemigos. Había depositado decenas de millones de dólares del tesoro nacional en cuentas numeradas de bancos suizos a su nombre.

Su comida y la de sus invitados era enviada en avión todos los días desde un restaurante de París calificado con tres estrellas por la Guía Michelin. Un chef francés calentaba la comida y la disponía en los platos, y un mayordomo inglés la servía; se daba por supuesto que ambos eran agentes secretos empleados por sus respectivos gobiernos. Ga tenía un nidito de amor en cada uno de los barrios de la capital; aquellos lechos eran ocupados por mujeres de todo el mundo. Las que más le gustaban recibían lujosas mansiones antaño ocupadas por europeos y se les proporcionaban coches alemanes, champán francés y criados (en realidad, policías de incógnito) que no les quitaban ojo de encima.

—Hable —me conminó Benjamin.

—Sinceramente, comisario jefe —repuse—, esta conversación me está poniendo nervioso.

—¿Por qué? Nadie puede colocarnos un micrófono oculto. Con este ruido.

Y qué razón tenía. Nos estábamos gritando para poder oírnos por encima del barullo. La música hacía que me zumbaran los oídos, y ningún micrófono entonces conocido podría atravesarla.

—No obstante, preferiría discutir esto en privado. Los dos a solas.

—¿Y cómo sabrá entonces que no le he puesto un micrófono oculto? ¿O que alguien más no nos está escuchando a los dos?

—No lo sabré. Pero ¿importaría?

Benjamin me examinó durante un buen rato, y entonces dijo:

—No, no importaría. Porque soy yo el que estará diciendo las cosas peligrosas.

Se levantó, aunque «desenrolló» sería más preciso. Al instante el sargento que me había llevado allí y otros tres agentes de paisano surgieron de las sombras. Todos los demás estaban bailando, con los ojos cerrados, aparentemente en otro mundo y otro tiempo. Benjamin se puso la gorra y cogió su bastón.

—Mañana pasaré a buscarle —dijo.

Diciendo eso, desapareció, dejándome sin medio de transporte. Al final encontré un taxi que me llevó de vuelta al hotel. El taxista estaba tan espabilado, y tenía el taxi tan pulcro, que di por sentado que también debía de ser uno de los hombres de Benjamin.

El mozo que me llevó la jarra de té a las seis de la mañana también me entregó una nota de Benjamin. La caligrafía era preciosa; la nota, breve y concisa: «A las nueve, en la puerta principal».

Tras el cristal de la puerta delantera del hotel, el panorama exterior de la calle era digno de Goya: leprosos y amputados, víctimas de la polio, la viruela o la psoriasis, y entre los niños mendigos, unos cuantos ejemplares mutilados por los padres, que necesitaban los ingresos que un niño lisiado podía llevar a casa. Un turista llegó en un taxi y esparció un puñado de calderilla para dispersar a los mendigos mientras salía disparado hacia la entrada. A todas luces un novato. El viajero experimentado de África sólo repartía dinero después de pagar la factura del hotel; hacerlo a la llegada te garantizaba ser sobado por los leprosos cada vez que entraras o salieras. Un joven especialmente guapo y risueño que había perdido los dedos de las manos y de los pies por la lepra cogía las monedas con la boca.

A la hora convenida exacta, *¿seguía estando en África?*, el sargento de Benjamin se detuvo en su reluciente Austin negro. Gritó una orden en una de las lenguas locales, y una vez más la multitud se apartó. Me cogió de la mano con la cordialidad africana y me condujo hasta el coche.

Nos dirigimos al norte, fuera de la ciudad, haciendo sonar la metálica bocina a cada giro de volante; de lo contrario, me explicó el sargento, los peatones supondrían que el conductor estaba intentando matarlos. A la luz del día, cuando todo el mundo estaba despierto e iba de aquí para allá en lugar de estar durmiendo en el borde del camino, Ndala parecía la obertura de *Un americano en París*. Después de un recorrido espeluznante en el que dejamos atrás los flamantes edificios gubernamentales y los bancos del centro, recorrimos ruidosas calles flanqueadas de tiendas y llenas del humo de las parrillas de los vendedores ambulantes. Cruzamos laberínticos barrios de chozas bajas hechas de trozos de madera, hojalata y cartones, y llegamos por fin al África propiamente dicha, una planicie de tierra oxidada calcinada por el sol, salpicada aquí y allá por arbustos raquíticos, que corría de un horizonte a otro. Al cabo de un kilómetro y medio o así de vacío, nos encontramos con un policía sentado en una moto aparcada. El sargento detuvo el coche, se apeó y, dejando el motor en marcha y la puerta delantera abierta, abrió la de atrás para dejarme salir. Me entregó un mapa, se cuadró, y después de golpear el pie derecho contra el polvo, me hizo un tembloroso y británico saludo militar con la mano. Luego subió a la motocicleta detrás del motorista, que aceleró sin moverse, derrapó para cambiar de sentido y se dirigió de nuevo hacia la ciudad seguido de un remolino de polvo rojo.

Me metí en el Austin y empecé a conducir. La carretera pronto se convirtió en un camino sin pavimentar cuyo polvo ocre se arremolinaba en oleadas y se pegaba al coche como la nieve, lo que hacía necesario poner los limpiaparabrisas. Era imposible conducir con las ventanillas bajadas. La temperatura dentro del vehículo cerrado (el aire acondicionado era algo futurista) no sería inferior a los treinta y ocho grados centígrados. Con las manos resbaladizas por el sudor, seguí las indicaciones del mapa, y después de doblar a la derecha en lo que parecía ser un impenetrable soto de calotropis, me desvié por un sendero que con el tiempo se abrió a un claro donde se levantaba un pequeño poblado. Otro coche, un polvoriento Rover negro, estaba aparcado delante de una de las chozas cónicas de adobe. Aquel lugar estaba desierto. La hierba había cubierto las veredas. No había ninguna señal de vida.

Aparqué al lado del otro coche y me metí en la choza de adobe. Benjamin, solo como siempre, estaba sentado dentro. Iba vestido con el traje nacional: el vestido blanco tipo toga inventado por los misioneros del siglo XIX para vestir a los nativos en provecho de las hilaturas inglesas. Iba descalzo. Parecía estar sumido en sus pensamientos y no me dirigió ninguna palabra o gesto de saludo. Un revólver Webley calibre 455 descansaba a su lado sobre el suelo de tierra apisonada. La luz era escasa, y como quiera que había entrado al interior en penumbra desde el intenso sol del exterior, tardé algún tiempo en poder verle la cara lo bastante bien como para estar absolutamente seguro de que el silencioso indígena que tenía ante mí, era realmente el comisario jefe con quien había compartido una agradable hora la noche previa en el Equator Club. En cuanto al revólver, todavía no me puedo explicar por qué confié en que aquel ceñudo gigantón no me dispararía, pero el caso es que lo hice.

—¿Es un lugar de reunión suficientemente íntimo? —preguntó Benjamin.

—Es perfecto —respondí—. Pero ¿adónde se ha ido toda la gente?

—A Ndala, hace mucho tiempo.

Por todo África había poblados abandonados como aquél, cuyos habitantes habían hecho el petate y se habían largado a la ciudad en busca de dinero y emociones y de la nueva vida de oportunidades que prometía la independencia. Casi todos dormían entonces en las calles.

—Como le dije anoche —prosiguió Benjamin—, estoy pensando en hacer algo que es necesario para el futuro de este país, y me gustaría contar con el aliento de Estados Unidos.

—Ha de ser algo impresionante si necesita el aliento de Washington.

—Lo es. Planeo destituir al Gobierno actual de este país y sustituirlo por uno nuevo libremente elegido.

—Eso es impresionante. ¿Y a qué se refiere exactamente con lo del «aliento»?

—A la voluntad de mantenerse al margen, de no hacer tonterías y, a posteriori, de prestar su ayuda.

—¿A posteriori? ¿Antes, no?

—Antes es un problema local.

Las posibilidades de que ese a posteriori pudiera ser un problema gordo para Benjamin eran, como poco, del cincuenta por ciento. El presidente Ga tenía un instinto de supervivencia muy desarrollado. Otros, incluido su propio hermano, ya habían intentado derrocarlo. Ahora estaban todos muertos.

—Lo primero de todo, le recomiendo que olvide esa idea. Y si no puede, entonces debería hablar con alguien de la embajada norteamericana. Estoy seguro de que ya conoce a la persona adecuada.

—Prefiero hablar con usted.

—¿Por qué? ¿No soy miembro del Ministerio de Alientos?

—Aunque es eso exactamente lo que es, señor Brown. Es famoso por eso. Se puede confiar en usted. Y ese hombre de la embajada norteamericana al que llama «la persona adecuada» es, de hecho, un idiota. Es un rendido admirador del presidente vitalicio Ga, con el que colabora estrechamente. No se puede confiar en él.

Me disponía a responder a aquella majadería, pero Benjamin me interrumpió con un gesto de la mano.

—Por favor, nada de declaraciones de inocencia. Tengo todas las pruebas que necesitaría sobre sus buenas obras en mi país, si es que llegara a necesitarlas alguna vez.

Aquello me hizo parpadear. A buen seguro que tenía un interesante expediente sobre mí. Yo había hecho una buena cantidad de travesuras en aquel país, aun antes de la salida de los británicos, y por lo que sabía su galanteo no era más que una farsa. Era muy posible que estuviera intentando tenderme una trampa.

—Me siento halagado. Pero no creo que fuera un buen ayudante en este asunto en concreto —repuse.

Una especie de ceño cruzó la frente de Benjamin. Lo había enfadado. Y puesto que estábamos en medio de ninguna parte y era él el que tenía el revólver, aquello no era una buena señal.

—No necesito ningún ayudante —protestó Benjamin—. Lo que necesito es un testigo. Un observador cualificado en cuya palabra confíen las altas instancias de Estados Unidos. Alguien que pueda contarle a las personas adecuadas de Washington lo que he hecho, cómo lo he hecho y, por encima de todo, que lo he hecho por el bien de mi país.

No se me ocurrió nada que decir que no hiciera aquella conversación aún más incómoda de lo que ya era.

Benjamin me espetó:

—Veo que no confía en mí.

Cogió el revólver y lo amartilló. El Webley es una antigualla de tiempos de la Guerra de los Bóeres. Era el arma corta reglamentaria de los oficiales británicos. Es grande y feo, aunque también efectivo, y lo bastante potente para matar a un elefante. Benjamin me miró intensamente a los ojos durante un rato, y al cabo, sujetando el arma por el cañón, me la entregó.

—Si cree que no soy sincero con usted, dispáreme.

Era un milagro que el revólver no se hubiera disparado ya, sujetándolo amartillado con la despreocupación que lo hacía. Le quité el arma de la mano, bajé el percutor, abrí el tambor y sacudí el revólver para extraer los cartuchos. No eran de fogueo. Lo volví a cargar y le devolví el arma a Benjamin. Limpió las huellas dactilares, las mías, con los faldones de su túnica y lo volvió a colocar en el suelo.

En la jerga del espionaje, el reclutamiento de un agente recibe el nombre de seducción. Al igual que en una seducción real, y suponiendo que las cosas van a ir bien, llega un momento en que la resistencia se convierte en aliento. Habíamos llegado al momento en que era necesaria una palabra de aliento.

—¿Cuál es exactamente el plan? —pregunté.

—Cuando atentas contra un príncipe —dijo Benjamin—, has de matarlo.

Completamente cierto. No me sorprendió que hubiera leído a Maquiavelo. Llegados a ese punto, no me habría sorprendido si se hubiera puesto a hablar en sánscrito con fluidez. A pesar de todo el cuento con el Webley, seguía sin confiar en él, y probablemente no lo hiciera nunca, pero estaba haciendo el trabajo para el que se me pagaba, así que decidí seguir presionando con el asunto.

—Ése es un excelente principio —dije—, pero es un principio, no un plan.

—Se hará todo lo apropiado —dijo Benjamin—. La emisora de radio y los periódicos serán confiscados, el ejército colaborará, se cerrará el aeropuerto y se impondrá el toque de queda.

—No se olvide de cercar el palacio presidencial.

—Eso no será necesario.

—¿Por qué?

—Porque el presidente no estará en el palacio —contestó Benjamin.

De repente, se estaba poniendo críptico, y la verdad, a mí me encantó que lo hiciera, porque lo que estaba proponiendo con semejante claridad me había metido el miedo en el cuerpo. Igual que la expresión de su cara, tan apacible como la de un Buda.

Se puso de pie. Con su uniforme británico me había parecido impresionante, aunque algo incómodo; con su vestido, su aspecto era sencillamente majestuoso, un César negro con una túnica blanca.

—Ahora ya sabe lo suficiente para pensárselo —dijo—. Hágalo, por favor. Hablaremos un poco más antes de que coja su avión.

Se agachó para salir de la choza y se alejó en su coche. Esperé algunos minutos, al cabo de los cuales también salí. Una gran mamba negra estaba tumbada al sol delante de mi coche. Se me heló la sangre en las venas. Aquella mamba medía entre tres metros y medio y cuatro de largo. Esta especie es la más rápida de las serpientes conocidas, capaz de recorrer, reptando, veinticuatro kilómetros en una hora; más deprisa de lo que la mayoría de los hombres puede correr. Y aún es más rápida atacando. Por lo general, su veneno matará a un hombre adulto en unos quince minutos. Confiando en que aquélla no estuviera totalmente despierta, entré en el coche y encendí el motor. La serpiente se movió, aunque no se alejó. Podría haberle pasado por encima sin ningún problema, pero al final opté por dar marcha atrás y rodearla. En la zona, aquella serpiente estaba considerada un augurio de mala suerte, y yo no andaba buscando más desgracias de las que ya tenía en el plato.

Aquella noche, después de la cena, pasé una hora de más en el bar del hotel. Noté el alcohol después de subir a mi habitación y de meterme en la cama, y casi inmediatamente me sumí en un profundo sueño. El coñac acarrea malos sueños, y estaba en medio de uno cuando el chasquido del pestillo me despertó. Durante un instante pensé que debía ser el mozo, que me traía el té de la mañana, y me pregunté adónde se había ido la noche. Pero cuando abrí los ojos, afuera seguía estando oscuro. La puerta se abrió y se cerró; no se filtró ninguna luz, lo que significaba que el intruso había apagado las mortecinas bombillas del pasillo. En ese momento estaba dentro de la habitación. No podía verlo, aunque sí olerlo: jabón, comida especiada, betún. *¿Betún?* Me levanté subrepticiamente de la cama, llevando las almohadas y la colcha conmigo, con las que hice una pelota, como si aquello fuera a ayudarme a defenderme del intruso que creía a punto de atacarme con un machete en la oscuridad.

A oscuras, el tipo corrió las cortinas de la ventana; un instante después las luces se encendieron.

—Lamento molestarlo —dijo Benjamin.

Llevaba puesto su impecable uniforme, con el bastón de mando metido debajo del brazo izquierdo, la gorra en la cabeza, las insignias, los zapatos y el correaje relucientes. El reloj marcaba las 4.23; era un viejo despertador de cuerda con dos campanas en la parte superior. Marcó los segundos ruidosamente mientras yo esperaba a estar seguro de que podía confiar en mi voz para contestar. Estaba desnudo, y me sentí un poco idiota sujetando en los brazos un fardo de ropa de cama, aunque al menos eso me permitía mantener el recato.

Por fin, dije:

—Creí que ya habíamos tenido nuestra conversación del día.

Benjamin ignoró mi imitación de Bogart.

—Hay algo que quiero que vea —anunció—. Vístase de inmediato, por favor. —Benjamin nunca olvidaba un por favor o un gracias; al igual que su caligrafía, los buenos modales victorianos parecían haber sido grabados en su alma en el colegio de los misioneros.

En cuanto me hube atado los zapatos, Benjamin se dirigió a las escaleras traseras. Se desplazaba a un paso veloz. En la calle nos esperaba un Rover sedán negro con el motor en marcha. El sargento se cuadró a su lado. Abrió la puerta trasera cuando Benjamin y yo nos acercamos y, tras un fugaz instante cediéndonos cortés y recíprocamente el paso, subimos al coche.

Cuando el vehículo se puso en movimiento, Benjamin se volvió hacia mí y dijo:

—Usted parece querer darle al presidente Ga el beneficio de la duda. Dentro de un rato verá algunas cosas con sus propios ojos, y luego podrá decidir qué es lo que cristianamente hay que hacer.

Seguía siendo de noche. Es normal que en las latitudes ecuatoriales no haya un prolongado y colorista amanecer; el sol, enorme y blanco, se materializa sin más en el horizonte y el día empieza. En la oscuridad, los miserables de Ndala seguían durmiendo en hileras a ambos lados de las calles, aunque la luz de los faros del coche iluminaron a pequeños grupos de gente en movimiento.

—Mendigos —anunció Benjamin—. Van a buscarse la vida. —Los mendigos cojeaban o se arrastraban; los que no podían moverse en absoluto eran transportados por otros—. Se ayudan entre sí —añadió.

Se dirigió entonces al sargento en un dialecto tribal. El sargento enfocó un reflector sobre un hombre grande que transportaba a un leproso que había perdido los pies. El leproso miró por encima del hombro de su amigo y sonrió. El hombretón siguió caminando hacia delante como si no fuera consciente del foco.

—¿Se da cuenta? —prosiguió Benjamin—. Un ciego carga a un tullido, y éste le dirá adónde ir. Mire bien, señor Brown. Es una visión que jamás volverá a ver en Ndala.

—¿Por qué no?

—Ya lo verá.

Al final de la calle estaba aparcado un camión del ejército. Un pelotón de soldados armados con rifles con la bayoneta calada, que sujetaban en posición de prevengan, formaban una fila a lo ancho de la calle. Benjamin dio una orden. El sargento detuvo el coche y los alumbró con el foco; no se movieron ni abrieron los ojos, igual que cuando el sargento había pasado por esa misma calle la noche anterior. Ocurriera lo que ocurriera, aquella gente no quería ser testigo. Los soldados no prestaron más atención al coche de Benjamin que el que la gente tumbada en el suelo prestaba a los soldados.

Cuando los mendigos llegaron, los soldados los rodearon y los empezaron a arrear al interior del camión como si fueran ganado. El ciego protestó, una única sílaba; antes de que pudiera decir algo más, un soldado lo golpeó en la región lumbar con la culata del rifle. El ciego dejó caer al leproso tullido y se desplomó sin conocimiento. Los soldados no los tocaron, así que los demás mendigos los levantaron y los metieron en el camión, y luego subieron ellos. Los soldados bajaron la lona y se metieron en otro camión más pequeño. Todo eso sucedió en medio de un silencio sobrecogedor, sin que se diera una orden ni se alzara una protesta, en un país en el que la confrontación humana más insignificante desataba maremotos de gritos y risas entre las multitudes.

Seguimos adelante. Presenciamos la misma escena una y otra vez; por toda la ciudad, los mendigos eran rodeados por los soldados. Nuestra última parada fue en el hotel Independence, mi hotel, donde vi que los mendigos que conocía, incluido el sonriente y atractivo leproso que cogía las monedas con la boca, eran conducidos a la parte trasera de un camión. Cuando el vehículo se alejó, el sol apareció por el este.

Benjamin comentó:

—Parece un poco mareado, amigo mío. Deje que le cuente una cosa: esa gente jamás va a volver a Ndala. Dan una mala imagen de nuestro país, y dentro de dos semanas llegarán cientos de extranjeros para asistir a la Conferencia Panafricana. Gracias al presidente Ga, no tendrán que ver a esas criaturas repulsivas, así que quizá lo elijan presidente de la Conferencia. Piense en ello. Hablaremos cuando vuelva.

Dos días más tarde, en Washington, encontré a mi jefe a la seis de la mañana sentado a su mesa, bebiendo café en una jarra desportillada y leyendo el *Wall Street Journal*. Le conté mi historia. Enseguida supo quién era exactamente Benjamin. Me preguntó cuánto dinero quería Benjamin, que cuál era su calendario, cuáles sus cómplices, que si tenía planeado sustituir él mismo al abominable Ga como dictador después de derrocarlo, que cuál sería su política hacia Estados Unidos… y, a propósito, ¿cuáles eran sus intenciones ocultas? Fui incapaz de responder a la mayoría de esas preguntas.

—Todo lo que ha pedido hasta el momento es aliento —dije.

—¿Aliento? —preguntó mi jefe—. Eso sí que es una novedad. ¿No ha hecho ninguna sugerencia acerca de pasar una noche de amor con la primera dama en la habitación Lincoln?

En una ocasión, cierto general del Tercer Mundo había hecho una petición de parecido jaez a cambio de sus servicios como espía en un país cuyo producto nacional anual era más pequeño que el del condado de Cuyahoga, Ohio. Le dije que Benjamin no me había parecido del tipo que anhelara acostarse con la señora Eisenhower.

—¿Te tomaste en serio lo que dijo? —volvió a la carga mi jefe.

—Es una persona vehemente.

—Entonces vuelve y habla con él un poco más.

—¿Cuándo?

—Mañana.

—¿Y qué hay de lo del aliento?

—Es barato. Y Ga es un tipo sin escrúpulos. Dáselo a paletadas.

Yo también era barato, un cabo suelto al final de la cuerda. Si tenía problemas, no recibiría ayuda del jefe ni de nadie más de Washington. El viejo caballero en persona cortaría la cuerda. No me debía nada. «¿Brown? ¿Brown?», diría, en el improbable caso de que le preguntaran por lo que había sido de mí. «El único Brown que conozco es Charlie.»

La perspectiva de regresar a Ndala en el siguiente vuelo no era nada tentadora. Acababa de pasar ocho semanas viajando por África, entrando y saliendo de países, alternando idiomas, zonas horarias e identidades. Tenía las tripas abarrotadas de parásitos que andaban desesperados por escapar, y a mi hígado le pasaba algo: el blanco de mis ojos estaba amarillo. En el avión de Londres había tenido un ataque de malaria que aterrorizó a la mujer que se sentaba a mi lado. Las cuatro aspirinas que tomé —desparramé sólo unas veinte o así al intentar sacarlas del frasco con mano temblorosa— controlaron la fiebre y el sudor. Doce horas después seguía teniendo casi treinta y nueve de fiebre; todavía tenía escalofríos, aunque sólo de manera irregular.

Al jefe le dije:

—De acuerdo.

—Esta vez consigue «todos» los detalles —dijo—. Pero nada de telegramas. Guárdalo todo en tu cabeza, y trae la información volando para dármela a mí personalmente. No les cuentes nada a los nativos.

—¿A qué nativos? ¿A los de aquí o a los de allí?

—A los de ningún sitio.

Su tono fue de indiferencia, aunque conocía a aquel hombre desde hacía mucho tiempo. Estaba interesado; veía una oportunidad. Era un tipo mayor que fumaba en pipa, vestido de *tweed*, con el pelo blanco, bigotito a lo Charlot y chispeantes ojos azules. Su especialidad era hacer las cosas que los presidentes norteamericanos querían que se hiciesen sin que necesitaran dar realmente la orden. Sonrió mostrando unos grandes dientes torcidos; era rico, aunque demasiado viejo para hacerse la ortodoncia.

—Hasta que yo lo diga, nadie sabe nada, excepto nosotros dos. ¿Te parece bien?

Asentí con la cabeza como si mi aprobación fuera realmente necesaria. Después de respirar una o dos veces, dije:

—¿Y cuánto aliento puedo ofrecerle a este tipo?

—A tu criterio. Llévate también algún dinero. Puede que tengas que echarle una mano hasta que consiga hacerse con el tesoro nacional. No hagas ninguna promesa en absoluto. Escúchalo hasta el final. Conoce cómo piensa. Valora las posibilidades. No queremos un fracaso. Ni un bochorno.

Me levanté para marcharme.

—Espera un momento —dijo el jefe.

Hurgó en un cajón de la mesa, y después de examinar varios objetos idénticos y de descartarlos, me entregó un sobre grande y abultado color marrón. Llevaba sujeto un recibo con cinta adhesiva; decía que el sobre contenía cien mil dólares en billetes de cien. Lo firmé con el nombre ficticio que mi patrón me había asignado cuando me enrolé. Cuando abrí la puerta para marcharme, vi que el viejo caballero había vuelto a su *Wall Street Journal*.

Benjamin y yo no habíamos convenido ninguna manera segura de comunicarnos, así que no tuve que notificarle que iba a regresar a Ndala. Sin embargo, el sargento se reunió conmigo en la pista del aeropuerto. No me sorprendió que Benjamin supiera que llegaba. Como todos los buenos policías, estaba pendiente de las listas de pasajeros de los vuelos que entraban y salían de su jurisdicción. Después de enviar a un mozo de equipaje a recoger mi maleta a la bodega del avión, el sargento me llevó en coche hasta una casa franca situada en el barrio europeo de la ciudad. Eran las cinco de la mañana cuando llegamos allí. Benjamin me estaba esperando. El sargento preparó y sirvió un desayuno inglés completo: huevos, beicon, salchicha, patatas fritas, tomate a la parrilla, pan tostado, mermelada de naranja al estilo de Dundee y un ácido café de puchero. Benjamin comió con ganas, aunque no dijo esta boca es mía. El aire acondicionado zumbaba en todas las ventanas.

—Es mejor que se quede en esta casa que en el hotel —dijo cuando terminó de rebañar el plato—. Así no quedará ninguna constancia de que ha estado en el país.

Eso era indudablemente cierto, y desde luego no la menor de mis preocupaciones. Viajaba con pasaporte canadiense como Robert Bruce Brown, que había muerto de meningitis en Baddeck, Nueva Escocia, treinta y cinco años antes a la edad de dos. Gracias al sargento, había sorteado los controles de aduana y de pasaportes; eso significaba que en el pasaporte no había ningún sello de entrada. En teoría, no podía abandonar el país sin uno, pero por otro lado llevaba cien mil dólares americanos en metálico en una bolsa de líneas aéreas, y aquél era un país en el que mandaba el dinero. Si yo desaparecía, desaparecería sin dejar rastro. De una u otra manera, también lo haría el dinero.

—Hay algo que quiero que vea —dijo Benjamin. Según parecía, aquélla era su frase habitual cuando tenía algo desagradable que enseñarme. Después de limpiarse los labios con una servilleta blanca de hilo, plegarla pulcramente y dejarla caer sobre la mesa, me condujo al salón. Las cortinas estaban corridas. El sol estaba en lo alto. Una estrecha franja de sol de intenso blanco se colaba entre medias. Benjamin llamó al sargento, que le llevó su maletín y acabó de correr las cortinas. Antes de dejarnos puso un elepé en el aparato de alta fidelidad y subió el volumen para frustrar a los micrófonos ocultos. Sinatra cantaba «In the Still of the Night».

Benjamin sacó un sobre grande del maletín y me lo entregó. Contenía unas veinte lustrosas fotografías en blanco y negro: camiones del ejército aparcados en un campo; soldados con las bayonetas caladas; una gran zanja vacía con dos excavadoras paradas cerca; mendigos obligados a bajar del camión; los mendigos al ser arrojados a la zanja; los mendigos, cercados por las bayonetas, enterrados vivos por las excavadoras; las excavadoras apisonando la tierra con sus orugas.

—El ejército está muy disgustado con esto —comentó Benjamin—. El presidente Ga no le dijo a los generales que los soldados serían obligados a hacer este trabajo. Pensaron que se limitarían a quitar de la vista a esos mendigos hasta después de la Conferencia Panafricana. En su lugar, se ordenó a los soldados que resolvieran el problema de una vez por todas.

Yo tenía la garganta seca. Carraspeé y dije:

—¿Cuántas personas fueron enterradas vivas?

—Nadie las contó.

—¿Por qué se hizo esto?

—Ya se lo he dicho. Los mendigos molestaban a la vista.

—¿Y ése es motivo suficiente para enterrarlos vivos?

—Se suponía que los soldados tenían que haberles disparado primero. Pero se negaron. Ahora Ga puede ejecutar a cualquier general por asesinato con sólo sacar a la luz el crimen y castigar a los culpables en nombre de la justicia y el pueblo. Los generales no le han dicho al presidente que los soldados se negaron a obedecer sus órdenes, así que ahora están en peligro. Si alguna vez se entera, enterrará vivos a los soldados. Y también a uno o dos generales. O más.

—¿Y quién se lo diría? —dije.

—Exactamente, ¿quién? —preguntó Benjamin con cara de palo. Le devolví las fotos, y levantó la palma de la mano—. Consérvalas.

—No, gracias —respondí.

Las fotos eran un seguro de muerte para cualquiera que fuera detenido en posesión de ellas.

Benjamin me ignoró. Hurgó en su maletín y me entregó un radiotransmisor de mano. Tecnológicamente hablando, aquéllos eran tiempos primitivos, y el artilugio no era mucho más pequeño que una botella de Beefeater, quitando el cuello de la botella. Sin embargo, era una maravilla para su tiempo. Estaba hecho en Estados Unidos, así que supuse que se lo había suministrado el jefe local de la agencia, el hombre que estaba a partir un piñón con Ga, como quien le da una chuchería a un indígena.

Benjamin dijo:

—Su contraseña es Moztaza Uno. La mía es Mostaza. Esto es para las emergencias. Y esto, también. —Me entregó un Webley y una caja de cartuchos de punta hueca.

Me conmovió su preocupación. Aunque el transmisor era inútil; si la situación fuera lo bastante desesperada para llamarlo, sería hombre muerto antes de que pudiera venir a rescatarme. El Webley, no obstante, me serviría para dispararme en caso de necesidad. Disparar a alguien en aquel país sería el equivalente a suicidarse.

Benjamin se levantó.

—Volveré —dijo—. Pasaremos la noche juntos.

Cuando regresó a eso de la medianoche, yo estaba leyendo *Vagabundeos por el oeste de África*, de Richard Burton, el único libro de la casa. Era una primera edición, publicada en 1863. Los márgenes estaban salpicados de puntos hechos a lápiz; supuse que había sido utilizado por algún británico romántico como libro de claves. Benjamin iba tan elegantemente correcto como siempre: camisa blanca almidonada y corbata con estampado de cachemira, americana azul marino con doble botonadura, pantalones deportivos grises y relucientes zapatos Oxford. Lanzó una reprobatoria mirada a mis arrugados pantalones cortos, mi camisa sudada y mis pies descalzos.

—Debería lavarse y afeitarse y vestirse con la ropa adecuada —dijo—. Nos han invitado a cenar.

Benjamin no me dio más información. Y yo no le hice ninguna pregunta. El sargento condujo a toda velocidad, sin los faros encendidos, por los estrechos senderos del monte. Llegamos a la garita de un guardia. Éste, un soldado muy perspicaz, saludó y nos hizo gestos con la mano sin mirar el interior del coche. La carretera se ensanchó hasta convertirse en un amplio camino de acceso para vehículos. La grava crujió bajo los neumáticos. Llegamos a lo alto de una pequeña colina, y vi ante mí el palacio presidencial, iluminado como un estadio de fútbol por las torretas de iluminación que lo rodeaban. Las banderas de todos los países recientemente creados ondeaban en sus mástiles formando un círculo.

Los soldados que vigilaban la puerta principal —cinturones blancos, guantes blancos, cordones de las botas blancos, correas de los rifles blancas— presentaron armas. Pasamos junto a ellos y entramos en un inmenso vestíbulo desde el que ascendía majestuosamente una escalera doble, antes de separarse en un rellano decorado por un enorme retrato iluminado del presidente Ga con la banda de su cargo.

Un lacayo con librea nos condujo escaleras arriba pasando por una galería de retratos de Ga ataviado indistintamente con el uniforme de general del ejército, de almirante de la Armada, de teniente general jefe del Ejército del Aire, jefe del partido y otros cargos que no fui capaz de identificar.

Entramos sin más en el despacho presidencial. No había ningún guardia a la vista. El presidente Ga estaba sentado detrás de una mesa al fondo de la inmensa habitación. Dos perros de ataque, dos pitbull, estaban parados con las orejas levantadas a ambos lados de la descomunal mesa. El techo no podría haber tenido menos de cinco metros de altura. Ga, que para empezar no era una persona grande, resultaba tan empequeñecido por aquellas brobdingnagienses* proporciones que parecía un títere. Estaba leyendo lo que supuse era un documento oficial, pluma en ristre por si necesitaba añadir o tachar algo. Al aproximarnos por el suelo de mármol blanco como la nieve, nuestros pasos resonaron. Los de Benjamin fueron especialmente sonoros a causa de los tacones de cuero que llevaba, aunque parecía que nada podía quebrar la concentración del presidente.

Nos detuvimos a unos tres metros de la mesa, con las puntas de los pies tocando una tira de bronce encastrada en el mármol. Ga nos ignoró. No así los pitbull. Ga pulsó un botón. Una puerta oculta se abrió detrás de la mesa, y un joven oficial del ejército con uniforme de gala salió por ella. Detrás de él pude ver a media docena más de soldados, armados hasta los dientes y en posición de firmes, en el espacio más o menos de un armario empotrado que apenas era lo bastante amplio para acogerlos a todos.

Sin mediar palabra, Ga le entregó el documento al oficial, que lo cogió, dio media vuelta con elegancia y volvió a meterse en el armario desfilando. El presidente se levantó, todavía sin reparar en nosotros, y se dirigió con despreocupación al gran ventanal situado detrás de la mesa. La vista daba a los jardines brillantemente iluminados y sin sombras del palacio. A una corta distancia alcancé a ver un recinto en el que estaban encerradas varias especies diferentes de gacelas. En otros cercados —demasiados para ser vistos a simple vis-

---

* Brobdingnag, la tierra de los gigantes de *Los viajes de Gulliver*. (*N. del T.*)

ta— deambulaban otros animales salvajes. Ga contempló la visión durante un rato largo, luego se giró y se acercó a Benjamin y a mí a paso de marcha rápida, como si llevara uno de sus muchos uniformes en lugar de la guayabera blanca, los pantalones deportivos negros y las sandalias que realmente llevaba. Benjamin no me presentó. Enseguida comprobé que no necesitaba hacerlo, porque Ga, mirándome a los ojos, me estrechó la mano y dijo:

—Confío en que le guste la cocina francesa, señor Brown.

Me gustaba. El menú consistió en una terrina de lenguado gris servida con un Corton Charlemagne de 1953, ternera guisada acompañada de un Pommard de 1949, queso y uvas. El presidente comió con avidez, hablando sin parar, pero sólo le dio un sorbo a los vinos.

—El alcohol me produce pesadillas —me dijo—. ¿Ha tenido pesadillas alguna vez?

—¿No las tiene todo el mundo, señor?

—Mi mejor amigo, que murió demasiado joven, jamás tuvo pesadillas. Era demasiado bueno de mente y de corazón para que le preocuparan semejantes cosas. Ahora él está en mis sueños. Me visita casi todas las noche. ¿Quién aparece en sus sueños?

—En la mayoría, gente que no conozco.

—Entonces es usted afortunado.

Durante la cena, Ga habló sobre Norteamérica. La conocía bien. Había obtenido un título en una universidad para negros de Missouri; los misioneros baptistas lo habían enviado allí con una beca. Había sido el segundo de su promoción, por detrás de su mejor amigo, que ahora lo visitaba en sueños. Cuando Ga se dirigía a su gente hablaba en el inglés africanizado estándar, la lengua habitual de su país, donde se utilizaban más de cien lenguas tribales que no se comprendían entre sí. A mí me habló en un inglés norteamericano que hizo que me acordara de Harry S. Truman. Se lo había pasado de maravilla en la universidad: los partidos de fútbol americano, las bromas de las fraternidades, la música, la maravillosa comida, las fiestas inaugurales del año académico, los bailes de etiqueta, ¡aquellas estudiantes norteamericanas! Su amigo había sido el deportista estrella de la facultad; Ga había sido el entrenador del equipo; ambos habían ganado el campeonato de su liga dos años seguidos.

—Desde la época de nuestra infancia allá en nuestro pueblo, mi amigo siempre fue la estrella, y yo siempre el administrador —dijo—. Hasta que nos metimos en política y cambiamos los puestos. Mi amigo era tartamudo. Era su único defecto. Ésa es la razón de que yo sea presidente. Si hubiera podido hablar a la gente sin moverla a risa, él estaría viviendo en esta casa.

—Le tenía mucho cariño a ese hombre —dije.

—¿Tenerle cariño? Era mi hermano.

Las lágrimas aparecieron en los ojos del presidente. Pese a todo lo que sabía sobre sus crímenes, sin darme cuenta Akokwu Ga empezó a gustarme.

Llegaron los criados con el café y un cuenco de plata con el postre.

—¡Ah, fresas y nata fresca! —exclamó el presidente, sonriendo por primera vez en toda la noche.

Después de las fresas, otro criado ofreció puros y oporto, mostrándome discretamente las etiquetas. Ga rechazó con un gesto de la mano esas tentaciones como un buen baptista. Yo hice lo mismo, no sin pesar.

—Vamos, amigo mío —dijo el presidente, levantándose y hablando de repente en africano occidental, en lugar de en el inglés de Missouri—, es hora de dar un paseo. ¿Hace suficiente ejercicio?

—Ojalá hiciera más —respondí.

—Ah, pero debería sacar tiempo para mantenerse en buena forma —insistió Ga—. Yo monto a caballo todas las mañanas y camino con el fresco de la noche. Ambos son ejercicios excelentes, y además empiezas el día con la compañía del caballo, que nunca dice estupideces. Debe hacerse con un caballo. Y si está demasiado ocupado para un caballo, un masajista. No una masajista. Son una distracción excesiva. El masaje es igual que un ejercicio vigoroso si el masajista es fuerte y conoce su oficio. Esto me lo dijo Bob Hope. El masaje lo mantiene joven.

Estábamos ya en la entrada principal. El joven e impecable capitán del ejército que había salido antes del armario de detrás de la mesa de Ga nos esperaba. Parado rígidamente en posición de firmes, alargó un documento al presidente. Benjamin dio marcha atrás inmediatamente, reculando para retirarse del alcance de la vista y el oído de Ga, mientras éste leía el documento y le hablaba a su ordenanza. Seguí el ejemplo.

Con la mirada fija al frente y sin apenas mover los labios, Benjamin dijo en voz baja:

—Esta noche está encantador. Tenga cuidado. —Aquéllas eran las primeras palabras que había pronunciado en toda la velada. A lo largo de la cena, Ga lo había ignorado por completo, como si fuera un tercer pitbull tumbado a sus pies.

En el exterior, bajo la iluminación del estadio, el presidente abrió la marcha a través de los jardines sin sombras hasta su parque de animales. Tres hombres caminaban delante, barriendo el suelo para ahuyentar las serpientes. Como sabía por los rumores y los informes de inteligencia, Ga sentía un temor enfermizo por las serpientes. Otro porteador cargaba el rifle deportivo del mandatario, un arma preciosa que me pareció un Churchill, que al por menor se vendía en Londres a diez mil libras la unidad.

La luz de las torretas era tan fuerte que todo parecía una fotografía sobreexpuesta. Ga señaló las gacelas, identificándolas todas una por una.

—Algunos de estos especímenes son bastante raros —dijo—, o eso me han dicho las personas que los venden. Los estoy preservando para la gente de este país. La mayoría de estos animales ya no viven en esta parte de África, pero antes de que los europeos llegaran con sus escopetas y los mataran por deporte, las conocíamos como hermanos nuestros.

Ga sostenía la utopía que elevaba un pasado mítico africano a la condición de realidad. Los edificios públicos que había hecho construir durante su breve reinado mostraban murales y mosaicos que representaban a los africanos de una civilización perdida que habían inventado la agricultura, las matemáticas, la arquitectura, la medicina, la electricidad, el avión e incluso los sellos postales. En su imaginación, era de una lógica aplastante que los antepasados también habían vivido en paz con el león, el elefante, la jirafa…, con todos, excepto con la serpiente, a la que Ga había exiliado de su utopía.

Seguimos deambulando un poco, hasta que llegamos a un cercado vacío.

—Ahora verá algo —dijo—. Verá la naturaleza salvaje.

Aquel cercado no estaba iluminado. El presidente levantó la mano, y las luces se encendieron. Solo, en medio de un espacio abierto, estaba un animal que incluso fui capaz de reconocer como una gacela Thomson por su tamaño diminuto y su precioso pelaje canela y blanco, así como por la caligráfica franja negra de su costado. Aquel ejemplar era un macho de apenas algo más de noventa centímetros de alzada, una obra de arte como tantos otros animales africanos.

—Esta clase de gacela es frecuente —dijo Ga—. Hay cientos de miles de ellas en manadas en Tanganika. Son capaces de correr más que un león. Observe.

La palabra «súbitamente» no se compadece con la velocidad de lo que ocurrió a continuación. Saliendo de la deslumbrante luz de la que había conseguido esconderse mientras acechaba a la Tommy, se materializó un guepardo, moviéndose a más de noventa y cinco kilómetros por hora. Un guepardo puede recorrer cien metros en menos de tres segundos. La Tommy vio o percibió aquella borrosa imagen de la muerte que se precipitaba hacia ella y de un salto se elevó un metro o un metro veinte en el aire y aterrizó en el suelo corriendo. La Tommy era un poquito más lenta que su depredador, pero bastante más ágil. Cuando el guepardo se acercaba lo suficiente para atacar, la pequeña gacela hacía un rápido giro y escapaba. Esto ocurrió una y otra vez. El tamaño del cercado —o terreno de juego, como Ga debía de imaginarlo— era una ventaja para la Tommy, que guiaba al guepardo directamente hacia la valla y luego hacía un quiebro en el último segundo. El guepardo se estrelló una o dos veces contra la alambrada.

—Esto casi ha llegado a su fin —dijo Ga—. Generalmente, dura sólo un minuto o así. Si el felino no gana enseguida, se le acaban las fuerzas y renuncia.

Al cabo de un segundo, el guepardo ganó. La gacela giró en la dirección equivocada, y el felino la derribó. El guepardo no tiene la fuerza suficiente para romperle el cuello a su presa, así que la mata por asfixia, mordiéndole el cuello y aplastándole la tráquea. La Tommy se debatió, y finalmente quedó inerte. Los ojos del guepardo relucieron. Igual que los de Ga.

Radiante, me echó un brazo por los hombros.

—Maravilloso, ¿eh?

Olí la comida y el vino en su aliento y sentí el alborotado latido de su corazón contra mi hombro. Entonces, sin un buenas noches ni mostrar siquiera la menor expresión facial, giró sobre sus talones y, rodeado por sus barredores de serpientes y el porteador de su rifle, se alejó con paso firme y desapareció en el interior del palacio. La velada se había acabado. Sus invitados habían dejado de existir.

No perdimos tiempo en irnos. Al cabo de unos minutos, cuando nos dirigíamos a la ciudad despierta en el Rover de Benjamin, le hice una pregunta.

—¿Es siempre tan hospitalario?

—Esta noche ha visto a un Ga —respondió Benjamin—. Hay miles de ellos.

No me lo podía creer. En aquella única noche lo había visto en media docena de encarnaciones: Mussolini redivivo, gastrónomo, típico universitario yanqui, amigo cariñoso, zoólogo, mitólogo y dios juerguista que montaba sacrificios animales para sí.

El Rover ronroneaba por una bien pavimentada aunque desierta carretera, arbustos a izquierda y derecha, la noche bochornosa negra como el macadán. Unos faros aparecieron por detrás de nosotros y se acercaron a una gran velocidad. El sargento apagó las luces del

Rover y se salió de la carretera. Los neumáticos mordieron una tierra blanda. Benjamin y yo chocamos violentamente con la cadera y el hombro. Estábamos siendo adelantados por una caravana de automóviles. Un Cadillac, el coche de la cabeza, pasó por nuestro lado majestuosamente a toda velocidad, luego un Rolls-Royce, y luego otro Cadillac cerrando la comitiva.

—El presidente —dijo Benjamin tranquilamente cuando el Rover dejó de rebotar—. Siempre se tira a una mujer o dos antes del amanecer. Es rápido con ellas, nunca más de quince minutos, y luego vuelve al palacio presidencial. Nunca acude a la misma mujer dos veces el mismo mes.

—¿Mantiene a treinta y una mujeres?

—A más, por si una de ellas está indispuesta en una noche determinada.

—¿Y cómo escoge cuál?

—Cada mujer tiene un número. Todos los meses Ga recibe de alguien de San Luis, Missouri, lo que llaman un libro de los sueños. En Estados Unidos lo utilizan para rellenar las quinielas. Él utiliza los números del libro de los sueños para determinar el día.

—Así que si quieres encontrarlo en una noche dada, emparejas el número de la mujer con el número de ese día en concreto que aparece en el libro de los sueños.

—Sí, si conoces la dirección de todas las mujeres, ésa es la clave.

Sonrió y me puso una mano en el hombro, tan complacido como un padre orgulloso por la velocidad de mi mente.

Durante los siguientes días no hubo la menor señal de Benjamin. Yo no estaba prisionero, pero en la práctica aquello significaba que estaba confinado en la casa franca durante las horas diurnas. Allí no había ningún sitio al que ir de noche. Al igual que cualquier otro prisionero me inventé las maneras de matar las horas vacías. La soledad y la pérdida de tiempo no me preocupaban; estaba acostumbrado a ellas; ambas eran gajes del oficio. Sí me preocupaba la falta de ejercicio, porque no quería quedarme sin resuello en el supuesto de que tuviera que salir por pies. Lo cual parecía un desenlace probable. ¿Cómo, si no, podía acabar aquella situación?

Corría en el sitio durante una hora todas las mañanas, y por la tarde corría los cien y los doscientos metros esprintando, también en el sitio aunque a toda máquina. Hacía flexiones y abdominales, y ejercicios de abrir y cerrar piernas y brazos simultáneamente. Daba puñetazos y golpes de kárate a los cojines del sofá hasta que les sacaba la última mota de polvo. Bailaba el *jitterbug* en calcetines hasta agrietar los discos de setenta y ocho revoluciones que encontré en un armario: Louis Armstrong, los Harmonica Rascals, las Andrews Sisters. El «Muskrat Ramble» de Satchmo y el «Boogie Woogie Bugle Boy of Company B» de las hermanas proporcionaban los mejores ejercicios.

El sargento se pasaba todos los días para hacer la comida y la cena y fregar los platos después. Traía provisiones de calidad, y era un buen cocinero, especialista en curris y platos de piri piri locales llenos de cayena que hacían que el corazón retumbara en el cráneo. Le pedí que me trajera libros. Rechazó el dinero para pagarlos o pagar los alimentos —al parecer, yo disponía de una cobertura presupuestaria a cargo de fondos reservados— y al día siguiente regresó del mercado africano con al menos un ejemplar en rústica de Penguin de todos los escritores que le había nombrado, además de unos cuantos más. Los libros tenían las puntas dobladas y estaban manchados de comida y café, y a la mayoría les faltaban páginas.

Estaba en la cama, leyendo un relato corto de W. Somerset Maugham sobre unos adúlteros en Malasia, cuando por fin apareció Benjamin. Como siempre, escogió una hora avanzada de la madrugada para su visita. Fue tan sigiloso como lo había sido cuando me visitó en el hotel, y no oí ningún coche ni ningún otro ruido que revelara su llegada.

Aun así, sentí su presencia antes de que saliera de la oscuridad. Parecía estar solo. Llevaba una maltrecha bolsa de viaje de piel, una de esas que tienen una parte superior con bisagras que se abre como una boca cuando se suelta el pestillo. La maleta parecía saltar en su mano, como si contuviera un músculo desmembrado. Busqué una explicación racional a aquello pensando que debía de estar temblando por algún motivo. Quizás había tenido un ataque de fiebre y no estaba lo bastante recuperado. Eso explicaría el porqué no le había visto durante una semana.

Luego, en el instante en que me di cuenta de que había algo vivo dentro de la maleta y que estaba intentando salir, Benjamin sostuvo la bolsa boca abajo sobre mi cama y apretó el pestillo. La bolsa se abrió de golpe y una enorme mamba negra y azul se desenrolló desde su interior. Aterrizó sobre mis piernas. Con una rapidez deslumbrante la serpiente se enroscó y atacó. Sentí el golpe, una suave punzada aunque sin picadura, en el pecho, justo encima del corazón. Supe que era hombre muerto. Según pareció, también la mamba. Me miraba fijamente a los ojos, esperando (o eso pensé) a que mi corazón se detuviera, a que la facultad de pensamiento se apagara. No había transcurrido más de un segundo. Ya sentía frío. Una calma inefable se apoderó de mí. El afanoso aire acondicionado de la ventana casi se sumió de pronto en el silencio. Parecía que mi oído era lo primero en desaparecer. A continuación, pensé, los ojos. No sentía ningún dolor. Pensé: quizá, después de todo, haya un Dios, o había un Dios, si el último instante de vida había sido dispuesto de una manera tan benévola y tierna.

Vi como en sueños cuando la mano de Benjamin, negra como la mamba, agarró a la serpiente por detrás de la cabeza. El animal se debatió, sacudiendo el cuerpo y enroscándose en su brazo. El sargento apareció, saliendo de la oscuridad a la luz de mi flexo como había hecho Benjamin. Requirió la fuerza combinada de aquellos dos hombres poderosos volver a meter aquella cosa en la bolsa de viaje y cerrarla. Lo hicieron sin la menor muestra de temor. Bajo la luz del amanecer, con las caras muy juntas, más que nunca parecían hermanos. Que extraño era, pensé, que aquella escena surrealista en aquel lugar espurio fuera lo último que vería jamás. Benjamin entregó la bolsa de viaje al sargento. Saltó violentamente en su mano. El sargento sacó una llave y, con mano absolutamente firme, cerró la bolsa con ella. Tenía los ojos clavados en mí. Sonreía abiertamente con lo que sólo puedo describir como un placer absoluto. Lean placer impío.

Un Benjamin serio me dijo:

—Debe de estar preguntándose por qué no está muerto todavía.

No estaba sonriendo. El sargento, que me observaba por encima del hombro de Benjamin, lo hacía por él, sus grandes dientes blancos reflejaban más luz de la que parecía haber en la habitación.

Hasta ese momento no había mirado mi herida fatal. De hecho, no me había movido en absoluto desde que la serpiente me atacara. Algo me decía que cualquier movimiento podría acelerar la acción del veneno y robarme las fracciones de segundos de vida que pudieran haberme quedado. Además, no quería ver la herida que imaginaba, dos pinchazos hechos por los colmillos de la mamba, quizás una gota o dos de sangre y, lo más horrible, el veneno rezumando por los agujeros de mi piel. Al final encontré el valor para echarle una ojeada a mi pecho. No había ninguna marca.

Me levanté de un salto de la cama, me precipité al interior del baño y me examiné el torso sudoroso. Me quité los calzoncillos, la única prenda que llevaba puesta, y me retorcí y giré bajo la luz miserable, buscando lo que seguía temiendo fuera una herida mortal. Pero no vi ninguna escoriación en mi piel, ni siquiera una magulladura. Los síntomas de muerte que había estado sintiendo —el mareo, la falta de aire y la sensación de pérdida tan intensa que parecía que se me iba a parar el corazón— desaparecieron.

Sin molestarme en ponerme de nuevo los calzoncillos, volví a entrar en el dormitorio.

—¡Míralo! —se rió el sargento, señalándome con un dedo.

Al principio pensé que se estaba burlando de mi desnudez. Había pasado algún tiempo en una playa de Sudáfrica, y la parte que antes había estado cubierta por los calzoncillos estaba completamente blanca. No tardé en darme cuenta de que se estaba riendo de otra cosa y no de las marcas de mi bronceado. Era la víctima de la inocentada más sádica desde que Harry Flashman fuera echado a patadas del Rugby College, y aquellos dos eran los autores de la inocentada. No hay un regocijo como el regocijo africano, y tanto Benjamin como el sargento se estaban partiendo de risa por ello. Daban alaridos de risa, tenían los ojos llenos de lágrimas, jadeaban, se abrazaban como si bailaran dando brincos de alegría, perdían el equilibrio y lo recuperaban entre tambaleos.

—¡Míralo! —decían una y otra vez—. ¡Míralo!

La bolsa cerrada con llave había sido colocada encima de la cama. Las contorsiones del enfurecido músculo de casi dos metros que estaba intentando escapar de ella hacía que se moviera errática- mente por las sábanas. Intenté rodear a los dos hombres indefensos, pero no paraban de tambalearse en mi camino, así que no pude lle- gar hasta el Webley, el regalo que me había hecho Benjamin, que estaba escondido debajo del colchón. Mi plan era vaciar el revólver, si podía ponerle las manos encima, sobre la bolsa palpitante. No estaba en absoluto seguro de que pudiera ceñirme a este plan si real- mente tuviera el arma en mis manos y a aquella pareja de graciosos a tiro para dispararles a bocajarro.

Respirando lentamente, conseguí sobreponerme. También lo hi- cieron Benjamin y el sargento, aunque les costó un poco más de tiem- po. Era evidente lo que había ocurrido. Algún curandero había cap- turado la serpiente y le había extirpado los colmillos y el saco del veneno. Conociendo a Benjamin —y para entonces me pareció que lo conocía íntimamente, a pesar de la brevedad de nuestra amistad—, él habría encargado la captura y la intervención del veterinario. Cono- ciendo también el pánico que el presidente Ga sentía hacia las ser- pientes, no podía suponer sino que la mamba descolmillada estaba destinada a ser un actor en el derrocamiento del tirano. Quizá, si el golpe tenía éxito, Benjamin haría que el animal formara parte de la bandera, al igual que hiciera doscientos años antes un grupo de pa- triotas con otra serpiente venenosa en otra colonia británica.

Benjamin no dio ninguna explicación por la inocentada. Y que me ahorcaran si le iba a preguntar nada. Ni por asomo estaba seguro de que pudiera controlar la voz. Para entonces la broma se había enfriado. Benjamin había dejado de sonreír, y su grave dignidad había retornado. Hizo un ademán insignificante, y el sargento recogió la bolsa.

—Vuelvo enseguida —dijo Benjamin.

Con un chirriante sonido gutural, dije:

—Está bien.

Los dos salieron por la puerta delantera después de abrirla. Eché el cerrojo tras ellos, y cuando intentaba meterme la llave en el bolsillo de los pantalones, recordé que estaba en cueros. La desnudez era tremendamente ofensiva para los africanos convertidos al cristianismo como Benjamin. Quizás ésa fuera la razón de que hubiera dejado de reírse antes de que los efectos de la broma hubieran pasado realmente.

Metí la mano debajo del colchón, saqué el Webley y lo amartillé. Es un arma muy pesada, que llega casi al kilo y medio cuando está totalmente cargada, y cuando sentí su peso en mi mano, empecé a temblar. No podía parar. Empecé a temer que el arma pudiera dispararse, pero tenía tan poco control sobre mis músculos que no podía dejarla con seguridad. Con los dientes castañeteándome y sintiendo escalofríos en todo el cuerpo en una habitación en la que la temperatura no bajaba de treinta y dos grados, comprendí por completo y por primera vez qué clase de hijo de puta genial era Benjamin.

Dos días después, a las cinco de la mañana, apareció en la casa franca a desayunar. Dijo que había estado levantado toda la noche. No había ningún signo externo de tal cosa. Estaba recién duchado, su uniforme almidonado todavía olía a plancha y se sentó tan erguido en su silla como un cadete. Pero no era su habitual yo enmascarado; le embargaba una especie de agitación que no se molestó en ocultar.

Se comió las yemas de sus huevos fritos con una cuchara, tras lo cual se pasó suavemente la servilleta por las comisuras de los labios.

—El presidente de la República está muy alterado —dijo.

Hablaba en voz baja. Me resultaba difícil entenderle porque el disco de Benny Goodman estaba sonando en el fonógrafo —la precaución habitual contra los fisgones— y Harry James y el resto de la sección de trompetas estaban tocando como si sus cuatro o cinco instrumentos fueran uno solo.

—¿Alterado? ¿Por qué?

—Ha descubierto los colmillos y el saco del veneno de una mamba negra en su mesa.

—¡Válgame Dios! —dije—. No es de extrañar que esté alterado.

—Sí. Encontró esas cosas anoche, al regresar después de estar con una de sus mujeres. Estaban dentro de su taza de café. Si alguien hubiera echado café en la taza, podría habérselo bebido inadvertidamente. Palabras textuales suyas.

No se me ocurrió nada que decir. Desde luego, Benjamin no necesitó que nadie lo animara a seguir con su historia.

Continuó:

—Perdió los estribos y me llamó inmediatamente. A gritos por el teléfono. Estaba rodeado de traidores, dijo. ¿Cómo era posible que alguien hubiera accedido a su despacho en su ausencia, ya no digamos que introdujera la taza de café a escondidas? ¿Cómo podía ser que nadie hubiera reparado en aquella taza de café y en lo que había dentro? En el palacio presidencial hay soldados por todas partes. O había.

—¿Ya no están allí?

—Como es natural, los ha destituido. ¿Cómo podría confiar en ellos después de esto? También ordenó el arresto del jefe del Estado Mayor del Ejército. Su orden, como es natural, ha sido obedecida.

—¿Tiene bajo su custodia al jefe del Estado Mayor del Ejército?

—Por el momento, sí. Eso nos da la oportunidad de sincerarnos el uno con el otro.

—¿Y quién está a cargo de la seguridad, en caso de que no sea el ejército?

—La Policía Nacional. Lo cual es un honor, aunque supone un esfuerzo para nuestro personal, sobre todo con el comienzo del Congreso Panafricano pasado mañana. Miles de personas inundarán Ndala, incluidos veintiséis jefes de Estado y quién sabe cuántos otros dignatarios y don nadies. Pero, por supuesto, la seguridad de nuestro propio jefe de Estado y de Gobierno es la prioridad número uno.

—Y usted está investigando, claro.

—Oh, sí —dijo Benjamin—. Los sospechosos, algunos de ellos de muy alta graduación, están siendo interrogados, se llevan a cabo registros en los cuarteles, todas las cajas fuertes del país se están abriendo, estamos recopilando información, así como huellas dactilares y otras pruebas físicas, y todos los procedimientos policiales habituales están en funcionamiento, aunque a una escala mayor y más apremiante que la habitual. El acceso al palacio presidencial está vetado a todo el mundo, excepto al presidente y a la policía.

Tenía un control absoluto sobre su voz y sus músculos faciales. Pero bajo su conducta imperturbable, rebosaba alegría. Tenía al alcance de la mano algo que deseaba muchísimo.

—Los colmillos y el resto no es de lo único que hemos de preocuparnos —prosiguió Benjamin—. El presidente vitalicio también ha recibido una carta anónima, colocada misteriosamente debajo de su almohada por una mano desconocida, que afirma que se ha entregado una muestra de sus secreciones corporales a un famoso brujo de Costa de Marfil.

Aquélla era una noticia trascendental. Haciéndome el ingenuo, el papel que tenía asignado en aquella pantomima, dije:

—¿Secreciones corporales?

—Creemos que fueron obtenidas de una de las mujeres de Ga. Está absolutamente consternado. Esto sólo puede significar que un enemigo le ha echado un maleficio. Y el maleficio sólo puede ser anulado si encontramos al culpable que contrató al brujo.

Mientras daba a conocer estas noticias, permaneció impasible. Ninguna sonrisa, nada que se pareciera a un guiño, ninguna expresión de ningún tipo afloró a la superficie. El propio Benjamin, por supuesto, era el artífice de todo lo que me estaba informando: los colmillos, el veneno, la carta anónima con su mensaje estremecedor. Pero describió aquellas cosas como si no tuviera la menor idea de quién demonios era el responsable de atormentar al presidente Ga.

El maleficio del brujo era la piedra angular de la conspiración. Había conocido africanos, uno de ellos un agente mío que se había licenciado en Cambridge con sobresaliente, que se había ido marchitando hasta morir a causa de la brujería. La secreción corporal era el elemento esencial para que un brujo echara un maleficio. Era necesario disponer de ciertos productos corporales de la víctima para invocar un sortilegio realmente efectivo, un mechón de pelo, un poco de orina, una cucharadita de saliva, heces... Cuanto más íntimo fuera el producto, mayor su poder. No había un fetiche más efectivo que el semen de un hombre. No era de extrañar que Ga estuviera fuera de sí. Y no resultaba sorprendente que en ese momento se encontrara en poder de Benjamin.

A esas alturas, más de treinta jefes de Estado africanos habían llegado en avión a Ndala para asistir a la Conferencia Panafricana del presidente Ga. Aquél era el día en que todos atravesarían en coche la ciudad en sus Rolls-Royce, Mercedes Benz y Cadillac, saludando con la mano a la inmensa multitud que había sido reunida para darles la bienvenida. Que alguno de aquellos espectadores tuviera la menor idea de quiénes eran los dignatarios y de qué estaban haciendo en Ndala, era harina de otro costal. Tribus enteras habían sido metidas en autobuses o camiones o arreadas a pie hasta la ciudad desde el interior. Muchos estaban bailando. Los jefes de Estado habían llevado con ellos guerreros armados con escudos y lanzas para protegerlos de los enemigos, esposas para que los sirvieran y enanos que los divirtieran. Todos y cada uno de aquellos seres humanos por separado parecían estar gruñendo o gritando o cantando o, en su mayor parte, riéndose, y el ruido producido por todas aquellas voces, sumado al golpeo de los tambores y el sonido de los instrumentos musicales y los bocinazos de los cláxones de los automóviles, hacía temblar el aire. El vino de palma y la cerveza tibia corrían a raudales, y el olor a especias de los guisos y las cabras asadas se elevaba de los cientos de fuegos que los cocinaban.

Por fin, el sargento encontró el lugar exacto que había estado buscando, un espacio vacío delante del edificio del parlamento, y aparcó el coche a la sombra de un enorme baobab. Una pareja de policías ya estaba dispuesta, y apartaron a la multitud para que tuviéramos una visión perfecta.

—Llegarán enseguida —dijo el sargento.

Era poco antes de las cinco de la tarde. El desfile iba ya con casi noventa minutos de retraso, pero en Ndala o en cualquier otro lugar de África no existía nada parecido al concepto de «puntualidad». Tal vez fuera al cabo de cuarenta minutos cuando oímos el remoto y distorsionado sonido de una banda de metal que interpretaba «The British Grenadiers». La música se hizo más fuerte, y la banda pasó desfilando ante nosotros. El tambor mayor blandía unos palillos tan altos como él, y los ojos de todos los músicos aparentemente estaban fijos en el Austin mientras los hombres que desfilaban volvían los suyos a la izquierda, hacia el parlamento y las banderas de los países africanos que ondeaban en su círculo de mástiles. Luego pasó desfilando un batallón de infantería, empapados en sudor, balanceando los brazos, las botas levantando la tierra polvorienta. A la infantería siguieron varios carros de combate, vehículos blindados y obuses. Por último, apareció una sección de gaiteros, con sus kilt a cuadros escoceses y las escarcelas moviéndose oscilantemente. Las notas de «Scotland the Brave» hendían el aire calcinado por el sol. Aunque los británicos no hubieran enseñado nada más a aquellas gentes en un siglo de colonialismo, sí que les habían enseñado cómo organizar un desfile.

—Ahora vienen los presidentes —señaló el sargento—. El presidente vitalicio Ga será el primero, y luego los demás. —Entonces, aunque estábamos solos en el coche con las ventanillas subidas, bajó la voz hasta convertirla en un susurro y añadió—: Observe con mucha atención la calle por delante de su coche.

El níveo y majestuoso Rolls-Royce de Ga apareció entre el polvo. De entre los espectadores se escapó algún gruñido, aunque ningún aullido ni otro comportamiento similar. Las masas se limitaron a observar aquel fenómeno extraño y ajeno, y sin duda habrían reaccionado de la misma manera si una nave espacial hubiera aterrizado entre ellos. No es que la ocasión estuviera del todo exenta de ceremonia. Los soldados apostados a lo largo de la calle a intervalos de tres metros presentaron armas. El sargento salió del coche, y él y los dos agentes de policía se pusieron firmes, saludando. Yo también salí. Nadie me prestó la más mínima atención. Sin embargo, sólo unos cuantos espectadores prestaban verdadera atención al presidente Ga. El Rolls-Royce prosiguió, majestuoso, su acercamiento, las banderolas ondeando al viento, los faros resplandecientes. La multitud se agitó, cuchicheando.

Entonces, sin previo aviso, el gentío se desparramó repentinamente y empezó a correr en todas las direcciones; hombres, mujeres, niños, los ancianos decrépitos llevados en volandas por sus hijos e hijas, todos, excepto los danzantes, que para entonces habían caído en un trance colectivo y siguieron bailando sin parar, ajenos al pánico que los rodeaba. Todos los demás se desperdigaron tan deprisa como sus piernas se lo permitieron. El Rolls-Royce presidencial frenó en seco. En su interior, el presidente Ga o uno de sus dobles, vestido con un uniforme blanco, fue sacudido como si fuera un muñeco de trapo.

Era imposible no ver la mano de Benjamin en todo aquello. Una única idea llenó mi mente: asesinato. Iba a matar a aquel hombre a plena vista de otros treinta presidentes vitalicios.

Subí de un salto sobre el capó del Austin y trepé al techo como pude. Desde aquel lugar privilegiado vi a qué se debía todo aquel miedo. Una mamba negra de al menos tres metros de largo se deslizaba con una rapidez casi increíble por la calzada, cruzándose en el camino del Rolls-Royce blanco. De pronto, media docena de tipos valientes, todos medio desnudos, salieron de entre la muchedumbre de un salto y atacaron a la serpiente con machetes, cortándola en pedazos que se retorcieron violentamente como si intentaran volver a unirse en un reptil vivo. El gentío lanzó un ruidoso y ronco gruñido colectivo. Fue aquél un descomunal aunque tenue sonido, como un susurro amplificado por diez mil en algún enorme altavoz de alta fidelidad todavía por inventar.

El Rolls-Royce, haciendo sonar el claxon, se alejó a toda velocidad. El sargento dijo:

—Métase en el coche. Hemos de irnos.

Hice lo que se me ordenaba. Dentro del sofocante Austin cerrado a cal y canto, le pregunté si la mamba que se había cruzado en el camino del presidente Ga en su día triunfal sería considerada un mal augurio.

—Oh, sí —dijo el sargento, sonriéndome abiertamente por el retrovisor—. Muy malo. Nadie que la haya visto lo olvidará jamás.

La noche cayó. El sargento no me llevó a casa, pero me condujo a una casa franca diferente en las afueras de la ciudad. En cuanto estuvimos dentro encendí la radio de habla inglesa. Las ceremonias inaugurales de la Conferencia Panafricana se desarrollaban entonces en el estadio de fútbol. Los locutores gritaban para que se les oyera por encima del estruendo de las bandas y los coros, el retumbar de los fuegos artificiales y el ruido de la muchedumbre. Huelga decir que en las ondas no se dijo ni una palabra de la mamba que se interpuso en el camino del blanco Rolls-Royce de Ga. De una u otra manera, todo el mundo lo sabía todo acerca del suceso por el boca a boca, los tambores o una de las muchas lenguas bantúes que, además de hablarse, utilizaban los silbidos para comunicarse.

En todas aquellas mentes, al igual que en la mía, las preguntas eran: ¿qué ocurrirá a continuación y cuándo ocurrirá? Dejé la radio encendida, sabiendo que la primera noticia del golpe llegaría por sus altavoces. Sólo superado por la detención o asesinato del príncipe, la estación radiofónica era el objetivo más importante de cualquier golpe de Estado. Era evidente que Benjamin y sus cómplices, suponiendo que tuviera alguno, debían atacar esa noche. Nunca volvería a tener una oportunidad semejante de destruir al tirano delante de los mismísimos ojos de África. Querría matar a Ga de la manera más humillante posible; querría mostrarlo como alguien débil, impotente y solo, sin una sola persona que estuviera dispuesta a defenderlo o pudiera hacerlo.

A las ocho, sin mayor demora, el sargento se presentó en la casa con una nevera, hizo sonar cazuelas y sartenes en la cocina y me sirvió la cena, los cinco platos al mismo tiempo. La comida era francesa.

—Ésta es la misma comida que comerán todos los presidentes en la cena de Estado —dijo el sargento. Comí sólo el plato fuerte recalentado, unos medallones de ternera en una salsa de nata que se había fundido porque el sargento la había dejado hervir.

A eso de las dos de la madrugada, el radiotransmisor del sargento graznó estridentemente. Se lo llevó a la oreja, oyó lo que me pareció una única palabra y contestó con lo que también pareció ser una sola palabra. La conversación duró menos de un segundo. Dijo:

—Venga, señor Brown. Es hora de irse.

Nos dirigimos por un laberinto de calles, pero aquella noche de jarana no vi a nadie durmiendo en el borde del camino. Todos seguían de fiesta. Las lámparas de aceite y las velas brillaban en la oscuridad como ojos rojos y amarillos, como si el género *carnivora* al completo se estuviera congregando en un círculo de hambrientos en los alrededores de la fiesta. La música atronaba por los altavoces, la gente bailaba, miles de conversaciones a gritos agitaban el aire ardiente y la noche sin brisa. La ciudad se había convertido en una Equator Club enorme y palpitante. El sargento conducía el Austin entre el pandemonio con una mano en el volante y la otra en el claxon, pitando sin cesar para que la gente supiera que no estaba intentando acercarse sigilosamente a ellos y matarlos. Desde la Noche de la Independencia, pensé, no podía haber habido tantos testigos despiertos a aquella hora, listos para observar lo que Benjamin fuera a hacer a continuación.

Por fin dejamos atrás a la multitud y entramos en el barrio euro-peo. Por la ventanilla trasera alcancé a ver el rojo resplandor humo-so y distorsionado de la ciudad. Imaginé que podía sentir la tierra estremecerse al ritmo de los innumerables pies descalzos que la pa-teaban al unísono, a eso de un kilómetro y medio de allí. La música y el griterío eran muy fuertes incluso a semejante distancia.

El sargento condujo entonces con su habitual rapidez, como siempre sin luces. Aparcó el coche y apagó el motor. Para entonces mis ojos se habían acostumbrado a la oscuridad, y pude ver otro coche de policía aparcado a unos cuantos centenares de metros. Es-tábamos parados en lo alto de una colina baja, y el resplandor rojo de la ciudad se reflejaba en sus componentes metálicos como en un espejo. Enseguida apareció un tercer coche, que aparcó cerca, a nuestro lado. Era el Rover de Benjamin, identificable por el ronro-neo de barítono de su motor. En la placa de la gorra del conductor se reflejó una tenue luz. Un hombre grande que podría haber sido Benjamin iba sentado a solas en el asiento trasero.

Moviéndose con rapidez, Benjamin se metió en el asiento trasero conmigo. La luz del techo parpadeó. Iba vestido con el uniforme de gala que supuse había llevado durante la cena de Estado: pantalones largos, camisa blanca con pajarita, chaquetilla corta con esas charre-teras que los británicos llaman «congela culos» y condecoraciones. Como siempre, olía a almidón, limpia metales, jabón y a su propio almizcle.

Unos faros barrieron la colina, giraron de golpe a la izquierda para meterse en la calle paralela a aquella en la que nuestros coches estaban aparcados y se detuvieron. Las puertas de varios coches se cerraron con fuerza, unos hombres se movieron a paso rápido, una llave giró en una cerradura, una puerta chirrió al abrirse y se oyeron cinco o seis acordes de «Les amants de Paris» de un rasposo elepé de Edith Piaf .

Estábamos aparcados detrás de la casa a la que Ga había acudi-do a mantener su cita de esa noche. Una luz nerviosa apareció en una ventana del piso de arriba, débil y amarillenta, como si se filtrara por un pasillo desde otra habitación. La puerta trasera se abrió. Una linterna parpadeó. Los faros del Rover se encendieron intermitentemente en respuesta.

—Vamos —dijo Benjamin. Salió del coche y se adentró en la oscuridad a grandes zancadas. Le seguí. El sargento sacó algo del maletero y cerró la portezuela. Le oí corretear con sus botas militares detrás de mí. En el interior de la casa, el disco cambió en el tocadiscos y Piaf empezó a cantar «Il Pleut». Benjamin, sintiéndose totalmente en su casa, recorrió el pasillo sin perder el tranco y subió una escalera. Arriba, medio oculto en las sombras del exterior de la puerta entreabierta del dormitorio, un policía permanecía en posición de firmes como si no supiera muy bien qué se esperaba exactamente de él ni lo que iba a ocurrir a continuación.

En un espejo vi a un hombre y a una mujer ocupados en un enérgico coito y oí los gemidos y exclamaciones de ella. El sargento entró en la habitación con paso firme. Benjamin me dio un pequeño empujón y avancé detrás de él. La habitación estaba llena de velas encendidas. Había un intenso olor a incienso. El humo flotaba en el aire. La mujer gritó algo en lo que me pareció sueco. Era bastante bajita; el presidente Ga, tumbado encima de ella, la cubría completamente. Las piernas de ella le rodeaban la cintura, los tobillos cruzados, los pies enfundados en unos zapatos dorados con tacones de aguja. Miré en el espejo con la esperanza de ver la cara de la chica. Mis ojos encontraron los de Ga. La luz de las velas exageró el tamaño de sus asombrados ojos abiertos de par en par. Su cara se contrajo en una máscara de ira furiosa y se apartó de la mujer rodando, quitándole uno de los zapatos de un golpe. Entonces le vi la cara a la chica. Era una rubia como otra cualquiera, tan perfecta como un maniquí.

Sabía lo que iba a ocurrir a continuación, claro está. El sargento avanzó un paso. En sus manos extendidas sujetaba la bolsa de viaje que tan bien recordaba yo. Era evidente que era eso lo que había cogido del maletero del Austin. El chasquido de los cierres de latón sonaron como el uno-dos metálico del cerrojo de una pistola automática. El sargento abrió el maletín de viaje y le dio la vuelta. La mamba salió de la bolsa con la misma increíble rapidez de siempre, como si se creara ante nuestros ojos. Intenté retroceder de un salto, pero Benjamin se paró inmediatamente detrás de mí, obstruyéndome el paso. El presidente Ga y la rubia se quedaron inmovilizados, como si hubieran sido captados en una fotografía en blanco y negro por el fogonazo de una luz estroboscópica.

La serpiente, una mancha borrosa cuando atacó, golpeó el blanco más cercano, el presidente Ga. El hombre gruñó como si una bala hubiera penetrado en su cuerpo. Abrió la boca desmesuradamente y gritó en inglés: «¡Ay, Dios!» Fue una oración, no una blasfemia. En el mismo aliento emitió un tremendo sollozo. Entre aquellos dos sonidos primales, la mujer, gritando, se impulsó sobre la cama; no sé cómo, aterrizó detrás de nosotros a cuatro patas en el pasillo. Sin dejar de gritar, todavía con sólo un zapato dorado, salió corriendo por el pasillo a toda velocidad. El policía del pasillo la persiguió uno o dos pasos, recogió el zapato después de que ella se lo quitara y la cogió por el pelo, que era muy largo. La cabeza de la rubia retrocedió con una sacudida, pero ella siguió adelante, dejando al policía con un puñado de hebras rubias en la mano. El hombre se las quedó mirando desconcertado, y entonces hizo sonar su silbato. Al pie de las escaleras la mujer fue atrapada por un segundo agente, un hombre casi tan grande como Benjamin. El policía la acarreó, entre contorsiones, pataleos y gritos, de vuelta al dormitorio. La piel de la rubia era tan blanca que casi esperé que de ella se desprendiera polvo. La chica mordió al policía en la cara. El hombre retorció la mandíbula hasta que ella le soltó, y cuando vio su sangre en los dientes de la rubia, la golpeó con gran violencia dos veces contra la pared y la soltó, tras lo cual abrió completamente los brazos indignado por que una mujer lo hubiera atacado, ¡por que lo hubiera mordido! El cuerpo inerte e inconsciente de la mujer se deslizó hasta el suelo. Aterrizó con el redondo trasero, produciendo un ruido sordo, la espalda contra la pared y la cabeza colgando dentro de su cortina de pelo. Se movió nerviosamente como si estuviera soñando, y me pregunté si no tendría la columna vertebral rota. Tenía unos pechos hermosos, unas piernas preciosas, el pubis oxigenado y parecía como si se hubiera pintado los pezones con carmín. Por alguna razón, quizá debido a aquel detalle de perversidad tan poco imaginativo, tan inocente, como el truco de una aprendiz, me compadecí de ella, aunque sólo un instante.

Oí un disparo detrás de mí. En el reducido espacio del dormitorio pareció como la explosión de un cañonazo. El hedor de la cordita se mezcló con el incienso. Benjamin estaba parado encima de la cama con un Webley humeante en la mano. La serpiente descabezada, en la agonía de su muerte, se agitaba sin control sobre la cama, rociando de sangre a Ga y las sábanas. Con las manos protegiéndose los genitales, el presidente retrocedió rápidamente sobre la cama para escapar de la serpiente, aunque debía de haber sabido que el reptil ya era inocuo. ¡Menuda semilla plantó Dios en la mente humana el día que Adán comió de la manzana! Por la expresión en la cara de Ga, resultaba evidente que creía que se estaba muriendo con la misma rapidez con que lo acababa de hacer la serpiente, pero su instinto, del que no podía liberarse, le ordenaba que se cubriera su desnudez y saliera huyendo para salvar la vida.

En ese momento, el presidente tenía los ojos fijos en Benjamin. La pregunta que contenían era fácil de leer: ¿éste lo había asesinado o lo había rescatado? Benjamin le hizo un gesto: *Vamos.*

Ga, atragantándose con las palabras, dijo:

—¡Un médico!

Benjamin lo ignoró. En silencio, primero apuntó con un dedo al sargento, y luego al presidente. Entonces giró sobre sus talones y salió del cuarto. El sargento recogió a la convulsa serpiente y la arrojó al pasillo, luego cogió a Ga por el brazo izquierdo, le obligó a ponerse boca abajo y le esposó las manos a la espalda con pericia.

Sorprendido primero, luego furioso, el presidente gritó:

—Te ordeno…

El sargento le asestó un fuerte puñetazo en los riñones. Ga soltó un alarido de dolor y se calmó, jadeando. El sargento gritó una orden en su lengua. Dos agentes —el que había estado apostado en el pasillo todo el tiempo y el que había sido mordido por la rubia—entraron en la habitación, levantaron al presidente y le obligaron a avanzar por el corredor, donde estaban la mamba descabezada y la rubia desmadejada, hasta sacarlo por la puerta trasera. La mamba, que seguía sacudiéndose, sería lo primero que vería la chica cuando abriera los ojos.

En el dormitorio, el tocadiscos reproducía las últimas palabras de la canción de Piaf que había empezado cuando entramos en la casa; Benjamin había necesitado tres minutos y veinte segundos para llevar a cabo su golpe de Estado.

Fuera, Ga se resistía a los dos agentes de policía que estaban intentando meterlo en el maletero del Rover de Benjamin: pataleaba, se retorcía, daba cabezazos. Uno de los policías le golpeó en la cadera con su porra, y se desplomó como una marioneta a la que le hubieran cortado los hilos. Los policías lo arrojaron dentro del maletero y cerraron de un portazo. Uno de ellos le echó la llave, y luego, en su entusiasmo, golpeó el capó con los nudillos en plan de broma. El sargento le dijo algo en tono airado.

Benjamin ya había ocupado su lugar en el asiento trasero del Rover. Esperaba que me introdujeran en otro coche o que me dejaran allí, pero el sargento me abrió la puerta, y entré y me senté al lado de Benjamin. Oíamos a Ga en el maletero detrás de nosotros: gruñidos, sollozos aniñados, susurros, ruegos a Jesucristo, un explosivo grito llamando a Benjamin por su nombre, un sonido gutural tan áspero en su sonoridad que me imaginé la saliva saliendo despedida de la boca de Ga. Si Benjamin obtenía alguna satisfacción de aquellas pruebas del total sometimiento de su enemigo, no dio muestras de ello, ni con gestos ni con sonidos. Estaba sentado firme, con su uniforme de gala victoriano, en silencio, inmóvil, la mirada al frente.

El Austin del sargento, conducido por uno de los agentes de policía, nos siguió sin despegarse de nosotros cuando atravesamos la ciudad completamente despierta. Estaba igual de ruidosa que antes, aunque la gente estaba más borracha y descontrolada. ¿Qué debía de estar pensando Ga mientras yacía en total oscuridad, encogido como un feto, desnudo y engrilletado? Diez minutos antes había sido el hombre más poderoso de África. Ya no. Estaba callado. ¿Por qué? ¿Tenía miedo de que la multitud lo descubriera, lo sacaran a rastras del maletero y lo hicieran desfilar desnudo entre los rugidos de la turba? ¿Se imaginaba las fotografías y la noticia de aquella atroz humillación al ser vistas en todo el mundo?

Llegamos a un edificio envuelto en sombras que no reconocí. En alguna parte por encima de nosotros palpitaba una luz roja, y cuando salí del coche, miré hacia arriba y caí en la cuenta de que era una baliza de alerta de la torre de transmisiones de la radio nacional. Distinguí el perfil de un vehículo blindado y de quizás una docena de hombres uniformados.

Los agentes sacaron en vilo a Ga del maletero. Se resistió y gritó algunas palabras en un idioma que yo no entendía. Se abrió una puerta que dejó escapar un haz de luz; para mis ojos, que durante toda la noche no habían visto nada más brillante que la llama de una vela, resultó de una intensidad cegadora. Cruzamos la puerta, una entrada trasera, y nos encontramos en el hueco de una estrecha escalera. Un joven oficial de policía se cuadró y saludó. Se parecía, y comportaba notablemente igual, al acicalado capitán del ejército que había conocido en el palacio presidencial. Otros agentes de policía estaban apostados a lo largo de la escalera, un hombre por peldaño. Para unos hombres que vestían igual que los *bobby* británicos y que eran entrenados para comportarse igual que ellos, todos iban armados con subfusiles, lo que resultaba incongruente. Me pregunté qué ocurriría si todos empezaban a disparar al mismo tiempo en aquella cámara de hormigón.

—¿Sabéis quién soy? —preguntó Ga a gritos.

Nadie respondió.

En un tono autoritario, dijo:

—Soy el presidente de esta república, elegido por el pueblo. He sido secuestrado por estos criminales. Os ordeno que los detengáis de inmediato.

La voz de Ga sonó como sonaba siempre en los noticiarios, como la campana de una iglesia, y a pesar de su miserable condición, tenía el mismo aspecto de siempre, con la mirada ardiente y los modales imperiosos. Sin embargo, la realidad era que dos fornidos policías lo sujetaban por los brazos. Estaba desnudo y encadenado y con el cuerpo salpicado de la sangre de la mamba. Un hilillo de baba le colgaba de la comisura de la boca. Los policías lo empujaron hacia las escaleras. Ga se golpeó los dedos descalzos en el escalón de hormigón y aspiró profundamente a través de los dientes apretados. Aquel sonido se convirtió en un sollozo de frustración. Los hombres a los que estaba dando órdenes no lo miraban.

Yo no tenía muy claro si el siguiente acontecimiento en aquel escenario de *Alicia en el País de las Maravillas* incluiría el sentar a Ga delante del micrófono y obligarle a decirle al país que había sido destituido del mando. Pero no, fue conducido arriba dando saltos como una rana e introducido en la sala de controles por sus acompañantes. Me quedé con Benjamin y el sargento en el estudio. La sala de control estaba intensamente iluminada, y resultaba extraño mirar a través del cristal insonorizado y ver a Ga, desnudo, despeinado y con la mirada iracunda, como uno de sus antepasados del neolítico.

El ingeniero de sonido conectó su micrófono y dijo:

—Cuando usted diga, jefe de policía.

Por el micrófono abierto Ga gritó:

—¡Moriréis, todos vosotros! ¡Y morirán vuestras familias! ¡Y vuestras tribus! ¡Todos moriréis!

El ingeniero, con un graznido de miedo, apagó el micrófono, aunque la boca de Ga siguió moviéndose hasta que el agente más grande se la tapó con una mano, amordazándole. Con los ojos en blanco y el pecho subiendo y bajando agitadamente, como si respirara con dificultad, siguió gritando. El policía le apretó los orificios nasales con dos dedos, y el ruido de pantomima de detrás del cristal insonorizado se extinguió.

Al detectar un movimiento cerca de mi mano, moví la mirada. Un hombre en pijama estaba sentado al micrófono. Como poco estaba tan nervioso como el ingeniero. Benjamin le entregó una hoja de papel. Estaba cubierta por su perfecta caligrafía. Benjamin, un hombre que no delegaba nada, excepto, según parecía, el anuncio más importante hecho jamás por Radio Ndala, le hizo un gesto al ingeniero alzando el pulgar. Éste empezó la cuenta atrás de los segundos con los dedos levantados. Entonces, señaló al locutor, que empezó a leer en un melifluo inglés de presentador de radio.

—Presten atención a este mensaje del alto mando de Ndala para todo el pueblo de nuestro país —dijo con voz firme, aunque moviendo nerviosamente la cabeza y las manos temblorosas—. El tirano Akokwu Ga ya no es presidente de Ndala. Ha sido acusado de asesinato, traición, corrupción y otros delitos graves y será juzgado y castigado de acuerdo con la ley. Las funciones de gobierno han sido temporalmente asumidas por el alto mando de las Fuerzas Armadas y la Policía Nacional. Las Naciones Unidas y las embajadas de los países amigos han sido informados de estos acontecimientos. El pueblo tiene que permanecer en calma, obedecer a la policía y volver a sus casas inmediatamente. A su debido tiempo se celebrarán elecciones para escoger a un nuevo jefe de Estado. El pueblo no corre peligro. El país no corre peligro. Las inversiones extranjeras no corren peligro. El tesoro robado al pueblo por Akokwu Ga será recuperado. Todos los visitantes de nuestro país están seguros, y tienen libertad absoluta para permanecer en Ndala o abandonarla cuando deseen. El alto mando irá emitiendo nuevos comunicados periódicamente. Larga vida a Ndala. Larga vida a la independencia y la libertad. Larga vida a la justicia. Larga vida a la democracia.

Mientras el locutor leía, Ga, que escuchaba con suma atención, se fue quedando muy quieto, cada vez más concentrado, con la mirada clavada en lo que debía haber sido un altavoz dentro de la sala de control. Podría haber sido un niño que escuchara un cuento para irse a dormir, tal era su concentración en lo que se estaba diciendo. Tenía los ojos muy abiertos, y en su cara había una expresión de asombro, con la boca ligeramente abierta. Un fotógrafo de la policía le hizo varias fotos. Ga se irguió y posó, la cabeza echada hacia atrás, uno de los pies engrilletados adelantado, como si llevara puesto uno de sus resplandecientes uniformes.

Después de esto, fue llevado de nuevo hasta el Rover y metido una vez más en su maletero. No se resistió ni hizo ningún sonido. La cámara, parecía, le había devuelto su dignidad.

En la carretera que conducía al palacio presidencial los militares habían levantado controles de carretera. Al ver aproximarse el Rover de Benjamin, abrían las barricadas y nos saludaban al pasar. Éramos una fuerza exigua: dos turismos normales en los que ni siquiera ondeaban unas banderolas, cuatro agentes de policía y un espía norteamericano con un pasaporte falso, además del prisionero en el maletero del coche, que era la razón de la intimidación de los soldados.

El palacio se hizo visible, inundado igual que antes por los megavatios de las torres de iluminación. Una docena de limusinas, con los distintivos de los altos cargos pintados en las puertas, estaban aparcadas en el camino circular del palacio presidencial. Las puertas del palacio estaban vigiladas por agentes de policía armados con Kalashnikov. En el tejado, más agentes controlaban las ametralladoras y los cañones antiaéreos que les habían quitado al ejército.

Benjamin esperó a que los agentes encargados sacaran a Ga del maletero, y entonces salió del coche. No me dio ninguna orden, así que lo seguí mientras entraba a grandes zancadas en el palacio. Subimos la majestuosa escalinata. Todos los bustos, estatuas y retratos al óleo de Ga en sus muchos uniformes habían sido retirados. Menos de una hora antes había bajado aquellas escaleras como presidente vitalicio de la república. Ahora las subía como un prisionero cargado de cadenas. La escena tenía un no sé qué de onírico, como si no perteneciéramos a ella ni la mereciéramos, como si fuera una reconstrucción de un acontecimiento de la vida de alguien distinto al tirano que hubiera vivido y muerto en algún otro momento de la historia. ¿Se acordaría César, cuando sintió el cuchillo, de algún griego asesinado que hubiera fallecido de una muerte más auténtica?

Se había organizado una especie de corte en el inmenso y magnífico despacho de Ga. Su mesa y todo lo que recordara a él también habían sido retirados de aquella habitación. La bandera de Ndala seguía, flanqueada por lo que supuse eran las banderas de las Fuerzas Armadas y otros organismos estatales, aunque no de la bandera presidencial. La mesa de conferencias presidencial, enorme, reluciente y con olor a cera, colocada diagonalmente, ocupaba el lugar donde antes había estado la mesa de Ga. A través de la ventana que había detrás se podían ver los antílopes y las gacelas bañados por la luz incandescente mientras saltaban por los cercados de su reserva natural. Media docena de hombres de aspecto grave con los uniformes de estilo británico de la aviación, la marina y el ejército estaban sentados a la mesa como miembros de una corte marcial. Los rodeaban media docena más con togas de jueces y pelucas blancas, a todas luces miembros del Tribunal Supremo, y un puñado más de dignatarios que vestían el traje nacional o a la europea.

Todos, excepto los militares, parecieron confundidos por la entrada del prisionero. En algunos casos se hizo evidente que aquello era lo último que habían esperado ver. A algunos, cuando no a todos, probablemente no se les habría dicho la razón de su presencia allí. Algunos, quizá, sencillamente no reconocieron a Ga. ¿Quién, de entre ellos, había imaginado alguna vez ver en su lamentable estado actual a la invulnerable criatura que había sido el presidente de la República?

Si, en efecto, hubo algunas dudas sobre su identidad, Ga las disipó al instante. Con su voz inconfundible, gritó:

—Como presidente vitalicio de la República, os ordeno a todos vosotros, generales, que detengáis a este hombre bajo la acusación de alta traición.

Intentó señalar a Benjamin, aunque, como era natural, no pudo hacerlo, encadenadas las manos como las tenía a la cintura. No obstante, fue una actuación impresionante. Con la voz tonante y la mirada ardiente, Ga era la imagen misma de la autoridad. Durante un instante pareció estar completamente vestido de nuevo. Dio todas las muestras imaginables de que esperaba ser obedecido sin ningún cuestionamiento. Pero no fue así, y cuando siguió gritando, el fornido policía hizo lo que había hecho antes, en la emisora de radio. Le tapó la boca con una mano y le apretó los orificios nasales, y esta vez prolongó el tratamiento hasta que los esfuerzos de Ga por respirar produjeron unos agudísimos jadeos que se parecieron mucho al llanto de un bebé.

El juicio duró menos de una hora. Algunos podrían haberlo calificado de parodia, aunque todos los presentes sabían que Ga era culpable de los crímenes de los que estaba acusado, y también de algunos otros aún más atroces. Además de eso, sabían que debían matarlo una vez que habían presenciado su humillación, o los mataría si recuperaba el poder. El juicio en sí siguió las formalidades prescritas. Benjamin, en su calidad de jefe de la Policía Nacional, había preparado un buen montón de pruebas que fueron presentadas por un fiscal y rebatidas por un abogado designado para defender a Ga. Tanto uno como otro llevaban puestas las pelucas de juristas. Se tomó el debido juramento a los testigos. Prestaron declaración sobre la masacre de los mendigos. El inmaculado y joven capitán testificó que Ga había malversado no menos de cincuenta millones de dólares americanos del tesoro nacional, los cuales había depositado en cuentas secretas en Ginebra, Zúrich y Liechtenstein. El tribunal oyó las grabaciones de conversaciones del ex presidente, en reuniones secretas con embajadores y empresarios extranjeros, en las que aceptaba hacer ciertos altos nombramientos y conceder ciertos contratos a cambio de determinadas sumas de dinero. Se presentó la prueba irrefutable de que Ga había ordenado matar a su propio hermano arrojándolo vivo a las hienas de su parque natural.

Sin retirarse a deliberar, el tribunal dictó una sentencia de culpabilidad de todas las acusaciones. Benjamin, que no era miembro de la corte marcial, no se sentó con los demás a la mesa ni fue llamado a declarar. No dijo ni un sola palabra durante el juicio. Cuando a Ga, que también había permanecido en silencio, le preguntaron si tenía algo que decir antes de que se pronunciara la sentencia, se echó a reír. Aunque fue una risa muy breve.

El detenido fue entregado a Benjamin para su ejecución inmediata. Después la corte marcial volvió a convocarse como Consejo del Alto Mando, y en presencia de Ga —o más exactamente, como si Ga ya no existiera y se hubiera vuelto invisible— eligió al jefe del Alto Estado Mayor del Ejercito como jefe de Estado y del Gobierno interino. Benjamin conservaba su antiguo empleo, su antiguo tratamiento, sus antiguos poderes y, presumiblemente, su pensión.

Ojalá pudiera decirles en beneficio de la simetría que Ga recibió la misma clase de muerte bárbara que había ordenado para otros, que Benjamin se lo dio a comer, como si de una gacela Thomson se tratara, a los guepardos, o que le cortó la carne y le echó encima una manada de hienas bajo las luces de campo de fútbol. Pero no ocurrió nada de eso.

Lo que ocurrió fue esto. Los generales y almirantes, así como los jueces y los demás, se metieron en sus coches y se fueron. Ga, Benjamin, el sargento, los dos policías y yo salimos fuera. Echamos a andar por los jardines del palacio, Ga cojeando con sus cadenas, alejándonos del edificio por el césped. Los animales del zoológico se agitaron. Algo gruñó al percibir nuestro olor. Sólo los animales tenían algún interés en lo que estaba ocurriendo. Los policías que vigilaban el palacio permanecieron en sus puestos. Los criados habían desaparecido. Al volver la vista hacia el palacio, tuve la sensación de que estaba completamente vacío.

Cuando llegamos a un lugar que casi estaba fuera de la vista del palacio —la blanca mansión resplandecía como un juguete en la distancia—, nos paramos. Los policías soltaron a Ga y se apartaron de él. El ex presidente le dijo algo a Benjamin en lo que me pareció el mismo idioma en el que se hablaban éste y el sargento. Benjamin se acercó a Ga e inclinó la cabeza. Ga le susurró algo al oído.

Benjamin hizo un gesto. El sargento se esfumó. Igual que los dos policías. Hice el ademán de irme. Benjamin dijo:

—No. Quédese.

Las luces de campo de fútbol se apagaron. El sol estaba justo por debajo de la línea del horizonte, en el Este. Podía sentir su masa tirándome de los huesos y, aun antes de que se hiciera visible, su calor en la piel.

Seguimos caminando, hasta que ya no podíamos ver el palacio presidencial ni ninguna luz del tipo que fuera, daba igual hacia donde miráramos. Sólo quedaban unos momentos de oscuridad. Ga se arrodilló, con dificultad a causa de las cadenas y se quedó mirando fijamente el lugar por donde saldría el sol. Durante un breve instante Benjamin le colocó una mano en el hombro. Ninguno de los dos hombres habló.

El borde del sol apareció en el horizonte. Y entonces, con una ingravidez y una refulgencia increíbles, como si fuera izado desde los cielos, todo el astro se hizo visible de repente. Benjamin retrocedió un paso, apuntó su Webley a la parte posterior de la cabeza de Ga y apretó el gatillo. El ruido no fue fuerte. El cuerpo fue lanzado hacia delante por el impacto de la bala. Un vaho rojo procedente de la herida permaneció rezagado, suspendido en el aire, y pareció como arrojado desde el borde del sol, aunque no fue más que un efecto luminoso.

Benjamin no examinó el cadáver y ni siquiera lo miró. Me di cuenta de que se lo iba a dejar a las hienas y a los chacales, a los buitres y a las otras muchas criaturas que lo encontrarían.

—Lo ha visto todo. Cuéntelo en Washington —me dijo Benjamin.

—De acuerdo —dije—. Pero dígame por qué.

—Ya sabe por qué, señor Brown.

Se alejó. Le seguí, no teniendo ninguna certeza de que pudiera encontrar el camino en aquella frondosa jungla sin él, aunque también sin la certeza de que Benjamin estuviera volviendo a la civilización o simplemente retrocediendo.

Sección 7 (A) (Operativa)

Lee Child

El equipo se reunió por primera vez un martes por la noche, ya tarde, en mi apartamento. Todo sucedió como de improviso; no tenía a ninguno, y de repente los tenía a todos. Su repentina aparición como unidad completa fue sin duda gratificante, aunque también inesperada, y por consiguiente de entrada me sentí menos agradecido de lo que quizá podría haberlo estado, o debería haberlo estado, porque de inmediato me puse en guardia ante las implicaciones negativas. ¿Me estaban robando la cartera? ¿Habían venido con unos objetivos ya establecidos? Yo había iniciado el proceso unos días antes, de la manera normal, que consistía en realizar algunas propuestas provisionales a las piezas clave, o al menos dejar que se supiera que estaba en el mercado para que se enteraran ciertos *tipos* de piezas clave, y en circunstancias normales el proceso habría continuado durante varias semanas, de una manera acumulativa, un compromiso cerrado aquí, un segundo compromiso allí, con las accesorias concatenaciones de recomendaciones y sugerencias personales, seguidas del paciente reclutamiento de los agentes especialistas, hasta que todo estuviera por fin en su sitio.

Pero aparecieron todos de improviso. Me sentí reacio a permitirme creer que semejante acontecimiento era una respuesta a mi reputación; después de todo, mi reputación no había aumentado ni disminuido de valor durante muchos años, y nunca me había encontrado una respuesta así con anterioridad. Ni, pensé, podía ser una respuesta a mis años de experiencia; la verdad era que hacía mucho tiempo que había adquirido el estatus de veterano, y en general sentía que mi atractivo había perdido brillantez a causa de un exceso de familiaridad. Razón por la cual le miré los dientes al caballo regalado: como ya he dicho, me mostré suspicaz. Pero observé que parecían no conocerse entre sí, lo cual resultó tranquilizador y eliminó mis temores de una conspiración previa en mi contra, y sin duda se mostraron adecuadamente solícitos conmigo: no tuve la sensación de que fuera a ser un pasajero en mi propio barco. No obstante, me mantuve en mi desconfianza, lo cual ralentizó las cosas; y creo que incluso pude llegar a ofenderlos un poco con mi reacción algo tibia. Pero: más vale prevenir que curar, lo que se me antojó un sentimiento en el que podía confiar que comprendieran.

Mi salón no es pequeño —eran dos habitaciones antes de que tirara una pared—, pero aun así estaba algo atestado. Yo estaba en el sofá que domina el panorama, fumando, y ellos enfrente de mí formando un semicírculo desigual, tres, hombro con hombro en el sofá opuesto al mío, y los demás en muebles traídos de las otras habitaciones, excepto dos hombres a los que no había visto nunca con anterioridad y que estaban de pie, uno al lado del otro, a poca distancia detrás de los demás. Los dos eran altos, fornidos y morenos, con una expresión en el rostro de ser carne de cañón, en parte resignada y estoica, en parte conmovedora, como si me estuvieran suplicando que no les hiciera matar demasiado pronto. Era evidente que eran soldados de a pie —a los cuales, evidentemente, necesitaba—, aunque no eran del tipo recluta desventurado y renacuajo: ¿y cómo iban a serlo? Se habían presentado voluntarios, como todos los demás. Y eran unos especímenes físicamente excelentes, sin duda entrenados y letales en todos los aspectos que necesitaría que fueran. Llevaban americanas de excelente calidad tanto por el corte como por la tela, aunque rozadas y grasientas donde se les ceñían sobre la prominente musculatura.

Había dos mujeres. Habían arrastrado los taburetes de la cocina, y estaban sentadas en ellos detrás y a la derecha de los tres hombres del sofá; parecía que estuvieran en el entresuelo de un cine. Admito que me decepcionó que sólo hubiera dos: la mezcla de dos mujeres y ocho hombres rayaba en lo inaceptable para los principios actuales de nuestro oficio, y era reacio a exponerme a las críticas que podían haberse evitado desde el principio. No a las críticas del público, por supuesto —por lo general, el público ignoraba casi por completo lo que hacíamos—, sino a la crítica interna, la debida al tipo de guardián profesional que podía influir en misiones futuras. Y no estaba impresionado por la manera en que las mujeres se habían situado, algo por detrás de los hombres: me pareció que aquello era revelador de la clase de servilismo que normalmente yo buscaría evitar. Ambas eran muy agradables a la vista, no obstante, lo que hizo mis delicias en el momento, aunque sólo reforzó mis previsiones de futuras críticas. Las dos llevaban faldas, ninguna demasiado corta, aunque al estar encaramadas en unos taburetes altos me enseñaban más muslo de lo que me pareció era su intención. Ambas llevaban medias negras, lo que me apresuro a reconocer como mi forma favorita de atuendo para unas piernas bien formadas, y estuve verdaderamente ido durante un momento. Pero entonces me convencí —de manera provisional sólo, siempre sujeto a confirmación— de que eran unas profesionales serias, y de que sin duda serían vistas como tales, así que por el momento dejé mis preocupaciones aparte y seguí adelante.

El hombre situado a la derecha del grupo había cogido el sillón Eames del vestíbulo, aunque no el diván. Estaba sentado en él, recostado siguiendo el contorno del mueble con las piernas cruzadas por la rodilla, y me causó un impresión de elegancia. Vestía un traje gris. Desde el principio di por sentado que era mi hombre enlace con el Gobierno, y resultó que estaba en lo cierto. Había trabajado con muchos tipos parecidos, y me pareció que podía confiar en sus costumbres y aptitudes. Los errores se cometen así, por supuesto, pero estaba seguro de que esa noche no estaba cometiendo ninguno. Lo único que me inquietó fue que había separado su sillón del grupo principal unos centímetros más de lo estrictamente necesario. Como ya he dicho, mi salón no es pequeño, aunque tampoco es muy espacioso: aquellos centímetros de más habían sido ganados con esfuerzo. A todas luces aquello evidenciaba una necesidad o una actitud, y desde el principio fui consciente de que debía estar atento a ello.

Las sillas de mi comedor, modelo Tulipa, eran del diseñador finés Eero Saarinen; en ese momento las dos flanqueaban el sofá opuesto al mío y estaban ocupadas por dos hombres a los que supuse mi coordinador de transportes y mi experto en comunicaciones. Les presté poca atención porque las propias sillas hicieron que tuviera una pequeña fuga mental: Saarinen, por supuesto, también había diseñado la terminal de la TWA en el aeropuerto John F. Kennedy —o Idlewild, como se lo conocía en su tiempo—, cuyo edificio se había convertido inmediatamente en un icono, en un símbolo absoluto de su época. Aquello me trajo a las mientes los días en que la palabra *jet* o reactor significaba mucho más que un simple motor de propulsión a chorro. Avión a reacción, la *jet set*, los viajes a reacción…, el nuevo Boeing 707, increíblemente rápido y elegante, el *glamour*, unos horizontes más grandes, un mundo más grande. En mi oficio todos sabemos que estamos compitiendo con las leyendas cuyos mejores trabajos —aunque no necesariamente ejecutados entonces— estaban enraizados en aquella época por siempre irrepetible. Cada tanto me siento inepto para el desafío, y durante varios minutos de aquella noche en concreto, de hecho me entraron ganas de echarlos a todos y de darme por vencido antes incluso de haber empezado.

Pero me tranquilicé recordándome que el nuevo mundo también es desafiante, y que aquellos veteranos podrían salir corriendo entre alaridos si se enfrentaran al tipo de cosas con las que tenemos que vérnoslas ahora, como la paridad entre hombres y mujeres, por ejemplo, y sus mutuas interacciones. Así que dejé de pensar en las sillas y empecé a mirar a los hombres, y no encontré nada por lo que preocuparme. Francamente, el transporte es un trabajo fácil, tan sólo un problema de presupuesto, y yo no tenía ninguna restricción práctica sobre lo que estaba a punto de gastar. Las comunicaciones se hacen más complejas cada año, aunque por lo general un ingeniero concienzudo puede manejar lo que se le eche. El mito popular de que los ordenadores sólo pueden ser manejados por jóvenes agujereados con aros cuyos teclados están enterrados bajo cajas de pizzas antiguas y monopatines es una tontería, por supuesto. Yo siempre he utilizado técnicos serios con conductas comedidas y prudentes.

A mi izquierda, en el sofá de enfrente, estaba al que tomé por nuestro topo. Me sentí tan satisfecho como preocupado. Satisfecho, porque, sin lugar a duda, había nacido en el país, casi con toda seguridad en Teherán o en alguna de sus zonas residenciales más próximas. Eso era incuestionable. Su ADN era correcto; estaba seguro de que era absolutamente auténtico. Era lo que se extendía sobre su ADN lo que me preocupaba. Estaba seguro de que, cuando investigara más, descubriría que había abandonado Irán a una edad temprana y venido a Estados Unidos. Lo cual, por lo general, propicia los mejores topos: autenticidad étnica incuestionable y una lealtad también incuestionable a nuestro bando. Pero —y quizá soy más susceptible con este tema que mis colegas— esos años de formación en Estados Unidos dejan rastros físicos además de mentales. Los cereales enriquecidos con vitaminas, la leche, las hamburguesas con queso… marcan la diferencia. Si, por ejemplo, debido a alguna extraña circunstancia, aquel joven tuviera un hermano gemelo que se hubiera quedado allí, y en ese momento los comparara uno al lado del otro, no tendría ninguna duda de que nuestro topo sería al menos un par de centímetros más alto y tendría dos kilos y medio más que su hermano. Menuda tontería, podrían decir, y quizás estuviera de acuerdo; excepto que el *tipo* de centímetros y el *tipo* de kilos sí que importa. Unos centímetros de norteamericano grandullón, desenvuelto y erguido importan muchísimo. Dos kilos y medio de norteamericano —en el pecho y los hombros, no en la barriga— importan una barbaridad. Estaba por ver si tenía tiempo para hacerle perder peso y corregir la postura. Si no, en mi opinión, entraríamos en acción con una fuente importante de incertidumbre en el mismo núcleo de nuestra operación. Aunque, por otro parte, ¿cuándo no ha sido así en nuestro oficio?

En el otro lado del sofá de enfrente estaba nuestro traidor. Sobrepasaba un poco la mediana edad, sin afeitar, un poco gordo, un poco gris, vestido con un traje ajado sin duda obra de un sastre extranjero. Su camisa estaba arrugada y abotonada hasta el cuello y la llevaba sin corbata. Como a todos los traidores le movería o la ideología, o el dinero, o el chantaje. Confiaba en que resultara ser el dinero. Sospecho de la ideología. Por supuesto que me despierta un sentimiento de afecto que un hombre lo arriesgue todo porque crea que mi país es mejor que el suyo; pero semejante convicción conlleva el sabor del fanatismo, y el fanatismo es inherentemente inestable, incluso fácilmente cambiante: en la excitable mente de un fanático, un desaire imaginado del tipo más insignificante puede llegar a producir resultados porfiados. El chantaje también es inherentemente cambiante: lo que un día es vergonzoso podría no serlo siempre. Acuérdense de aquellos días de la *jet set*: la homosexualidad y las infidelidades provocadas produjeron riquezas sin cuento. ¿Conseguiríamos una décima parte de la respuesta hoy día? Creo que no. Pero el dinero siempre funciona. El dinero es adictivo. Los receptores se aficionan a él, y no pueden dejarlo. La información de nuestro chico sería, a buen seguro, totalmente crucial, así que confié en que se le hubiera comprado y pagado bien, o de lo contrario estaríamos añadiendo una segunda capa de incertidumbre a la mezcla. No es, como ya dije, que no haya incertidumbre en el fondo de lo que hacemos: pero demasiada es demasiado. Tan simple como eso.

Entre el topo y el traidor estaba el hombre claramente destinado a dirigir la operación. Era lo que creo que todos querríamos para ese puesto. Entre nosotros, creo que un gráfico que reflejara el aumento y descenso de las capacidades mentales frente a las capacidades físicas en los hombres mostraría un evidente pico compuesto a la edad de treinta y cinco años. Con anterioridad —esto es, cuando he tenido elección—, he trabajado con hombres no más jóvenes y no mayores de cuarenta. Calculé que el hombre que estaba frente a mí se encontraba sin duda en esos límites. Era compacto, ni liviano ni pesado, a todas luces cómodo con su mente y su cuerpo, y sin duda cómodo con el ámbito de sus competencias. Como un segunda base de las ligas mayores, tal vez. Sabía lo que estaba haciendo, y que podía seguir haciéndolo todo el día, si fuera necesario. No era un hombre atractivo, aunque tampoco feo; una vez más, la comparación atlética fue, según me pareció, adecuada.

—Supongo que ésta es mi función —dijo.

—Te equivocas. Es la mía —dije.

No estuve seguro de cómo precisar la manera en que había hablado: ¿era un hombre humilde que fingía no serlo? ¿O era un arrogante que fingía ser un humilde que fingía no serlo? Era evidente que aquélla era una cuestión que necesitaba resolver, así que no volví a hablar. Me limité a esperar su reacción.

Ésta llegó bajo la forma de un gesto físico inicial: palmeó el aire que tenía delante con la mano derecha, la muñeca doblada y la palma hacia mí. Era un movimiento que tenía la clara intención de tranquilizarme, pero también era un gesto de sumisión, enraizado en hábitos antiguos: me estaba demostrando que no iba armado.

—Por supuesto —dijo.

Imité su gesto: palmeé el aire, la muñeca doblada, la palma abierta. Pensé que la repetición ampliaba el significado; mi intención era que el gesto dijera: «De acuerdo, no pasa nada, no ha habido ninguna falta, reiniciemos el partido». Me llamó la atención que una vez más estuviera utilizando metáforas deportivas. Pero, después de todo, aquello era un equipo.

Entonces dije bien alto:

—Tú eres el líder en el campo. Eres mis ojos y mis oídos. Tienes que serlo, la verdad. No puedo saber lo que tú no sepas. Pero aclaremos las cosas. Nada de acciones independientes. Puede que seas los ojos y los oídos, pero yo soy el cerebro.

Probablemente pareciera demasiado a la defensiva, y sin tener motivo para ello: dejando a un lado la modestia, como uno debe hacer de vez en cuando, después de todo yo era razonablemente famoso entre una restringida franja de grupos interesados por mis muchos éxitos operacionales al mando de individuos cabezotas. Era competente en mi papel, sin duda. Debería haber confiado en mí mismo un poco más. Pero era tarde, y estaba cansado.

El enlace con el Gobierno acudió a mi rescate, y dijo:

—Tenemos que hablar sobre lo que vamos a hacer exactamente.

Lo cual me sorprendió durante un momento: ¿por qué había reunido yo a un equipo antes de que la misión estuviera definida? Pero el enlace tenía razón: más allá del hecho de que fuéramos a ir a Irán —y afrontémoslo, hoy todos vamos a Irán—, no se había fijado ningún detalle.

El traidor intervino:

—Tiene que tratarse de la capacidad nuclear.

Una de las mujeres terció:

—Claro…, ¿qué otra cosa hay, la verdad?

Me percaté de que tenía una voz preciosa. Cálida, y un poco profunda. Me pregunté para mis adentros si podría asignarle un papel de seductora. ¿O eso me acarrearía aún más problemas con los mandamases?

El hombre de las comunicaciones habló:

—Está la cuestión de la influencia regional. ¿Acaso no es importante? Pero, bueno, ¿yo qué sé?

—Su influencia en la región depende por completo de la amenaza nuclear que supongan —precisó el hombre del Gobierno.

Dejé que siguieran hablando de esta guisa durante un rato. Era feliz escuchando y observando. Vi que los dos fortachones de atrás se estaban aburriendo. Tenían una expresión de «no me pagan para esto» en sus caras. Uno de ellos me preguntó:

—¿Nos podemos ir? Ya sabe la clase de cosas que hacemos. Nos puede dar los detalles más tarde. ¿Le parece bien?

Asentí con la cabeza. Por mí no había inconveniente. Uno de ellos volvió la vista cuando estaba en la puerta con su expresión inicial: no haga que nos maten demasiado pronto.

La pobre carne de cañón. En silencio le prometí que no lo haría. Me gustaba. Los demás seguían enzarzados en la discusión. Le daban vueltas y más vueltas, tratando ésta y aquella cuestión. Como el sillón Eames estaba tan pegado al suelo, dejaba la cara del hombre del Gobierno justo a la altura de las piernas de la mujer de la derecha. Lo envidié. Aunque a él no parecía afectarle. Estaba más interesado en filtrar todo lo que se decía a través de la estrecha lupa de sus preocupaciones. En un momento dado, levantó la vista hacia mí y me preguntó directamente:

—¿Cuántos problemas quiere exactamente con el Departamento de Estado?

La cual no era una pregunta tan tonta como parecía. Era una verdad intemporal que era muy poco lo importante que se podía conseguir sin alterar al Departamento de Estado en alguna medida. Y trabajábamos con los enlaces por ese preciso motivo: se encargaban de acallar la tormenta el tiempo suficiente para dejarnos terminar la operación que estuviera a la sazón en juego. Pensé que su pregunta llevaba implícito un ofrecimiento: haría lo que fuera necesario. Lo que se me antojó tan generoso como valiente por su parte.

—Atended todos. Es evidente que intentaremos hacer todo con las menores complicaciones y problemas posibles. Pero somos adultos. Sabemos cómo funciona esto. Si hay que hacerlo, pediré un esfuerzo extra.

Con lo cual, el coordinador de transportes hizo una pregunta pertinente, aunque más mundana:

—¿Por cuánto tiempo vamos a estar alistados?

—Ochenta días —dije—. Noventa máximo. Pero ya sabes cómo es esto. No estamos activos todos los días. Quiero que todos hagáis planes para seis meses. Creo que es una estimación realista.

Esta afirmación aquietó un poco las cosas. Aunque al final todos asintieron con la cabeza y estuvieron de acuerdo. Lo cual, una vez más, pensé que era valiente. Para utilizar otra metáfora deportiva, todos conocían las normas del juego. Una operación que durase seis meses, en un territorio hostil en el extranjero, seguro que ocasionaría bajas. Yo lo sabía, y ellos lo sabían. Algunos no volverían a casa. Pero ninguno parpadeó.

Hubo otra hora o así de charla, y luego otra. Pensé que tenía que conocerlos a todos a fondo. No se marcharon hasta bien entrada la mañana. Llamé a mi editora en cuanto salieron por la puerta. Me preguntó cómo estaba, una pregunta que en boca de una editora realmente quiere decir: «¿Qué tienes para mí?»

Le dije que volvía a estar en marcha con algo bastante bueno, y que en un plazo de seis meses estaría terminado. Me preguntó de qué se trataba, y le dije que era algo que se me había ocurrido mientras estaba colocado. Utilicé el tono de voz que siempre utilizo con ella; eso la dejó con la incertidumbre de si le estaba tomando el pelo o no. Así que me lo volvió a preguntar. Le dije que tenía los personajes, y que la trama iría evolucionando sobre la marcha. Irán, básicamente. A modo de broma personal lo envolví todo en la clase de lenguaje que podríamos ver en las revistas de información económica, si compráramos alguna: le dije que no trascendería el género, aunque sería un ejemplo convincente de su especie.

Ciudad de Destino

James Grady

Cuatros hombres caminaban en la noche decembrina en dirección a Washington por la vía férrea del metro de la capital y de los trenes de Amtrak que atraviesan con estruendo Estados Unidos. Sus zapatos crujían sobre la grava. Se oía una *música ranchera** procedente de un cercano polígono industrial, donde Sami, que conducía un taxi, recordaba haber visto los carteles de un salón de baile latino.

—¿Cuándo? —Maher era un rubio con mechas, nacido Michael.

—Pronto —respondió Ivan, su emir, su comandante.

Zlatko dijo:

—Emir, tengo dinero para mis últimas compras de mañana.

—Hermano, puedo llevarte en mi taxi —comentó Sami.

—No —protestó Ivan—. Trabajad solos. No dejemos que nadie nos vea como los dedos de un puño.

—Un puño tiene cinco dedos —terció Maher—. Creía que éramos sólo nosotros cuatro.

—La *yihad*** es el pulgar que nos moldea —proclamó su emir.

—Alguien viene —anunció Sami.

* En español, en el original. Dada la proliferación de expresiones en español en el texto, valga esta nota para las sucesivas. *(N. del T.)*

** Guerra santa. *(N. del T.)*

Tres hombres se acercaban a ellos en la oscuridad con aire arrogante.

—*Hola, amigos* —dijo el jefe del trío—. ¿Qué están haciendo aquí, *eh?*

—Nos marchamos —repuso Sami.

—No lo creo. —El jefe agrió la noche con su aliento a cerveza y tequila—. Los gringos no tienen muchos sitios adonde salir corriendo.

Su compañero más alto arrugó la frente.

—De gringos, nada. Sólo el *güero*, el rubio.

—¿Y a quién le importa? —El jefe sacó una pistola negra—. Saca tu arma, Juan.

El tercer hispano buscó a tientas en su chaqueta.

Maher saltó sobre Juan cuando éste desenvainó un machete.

El jefe parpadeó… y Sami le arrancó la pistola con un movimiento aprendido en los campos de entrenamiento afganos de al Qaeda, mientras Zlatko y Maher forcejeaban con Juan para quitarle el machete.

Ivan le pidió a Sami que le dejara la pistola.

—Mira lo que tienen.

—¡*Amigos!* —dijo el jefe mientras Sami registraba a los tres matones, obligados a arrodillarse sobre la grava—. Sólo bromeábamos, *¿sí?*

—¡Cállate, hijo de puta! —le gritó Maher.

Sami le entregó a Ivan los móviles, el dinero y los documentos de identidad confiscados. Zlatko arrojó el machete.

—Vámonos —dijo Sami—. No pueden decirle nada a nadie.

—¿Qué estás diciendo? —gritó el jefe, arrodillado.

Ivan susurró:

—Son *kuffars*. Infieles.

—Eso no es suficiente. —Zlatko se encogió de hombros—. Pero vieron que no somos de aquí.

—No pueden llamar a la policía ni al FBI ni a la CIA —señaló Sami—. No se atreverán.

—¿Están hablando del FBI? ¿De *la migra*? ¡No nos jodan! ¡Somos de la mara Salvatrucha trece!

—Cabos sueltos. Se lo dirán a alguien. Y Estados Unidos está lleno de oídos —sentenció Ivan.

Puso la pistola en la mano de Maher. El chico rubio se la quedó mirando fijamente. Miró de hito en hito a los tres hombres arrodillados delante de él. Las nubes de sus alientos flotaban en la noche.

—Preguntaste «cuándo» —le dijo Ivan a Maher—. Alá te ha proporcionado la respuesta.

Maher hizo tres disparos que resonaron. Los matones quedaron hechos guiñapos sobre la grava.

El emir Ivan se llevó a sus adeptos lejos de los ejecutados junto a la vía del tren. Le dio la pistola a Zlatko. Distribuyó el dinero de los hombres muertos entre todos sus soldados. Sami vio que Zlatko metía sus billetes en un sobre que volvió a introducirse en el bolsillo derecho exterior de su chaqueta.

El emir arrojó los móviles de los matones. El plástico repiqueteó contra las piedras.

Maher se apartó tambaleándose de sus camaradas. Vomitó.

—Siéntete orgulloso, Maher. —El emir le pasó un brazo por el hombro al más joven—. Distraer al enemigo con la pistola nos permitió atacar.

—Perdí la cabeza —farfulló Maher.

—Y aprendiste una lección esencial —dijo el emir—. Sincronización. *El momento oportuno*, y si todo va bien con los planes de Zlatko…, tres días.

—¡Tres días! —exclamó Sami—. ¿Estás seguro, emir?

—Sí. —Se acercaron al hueco en la alambrada de tela metálica—. Y sólo lo sabemos nosotros cuatro.

—Y Alá —añadió Zlatko.

—Sami —ordenó el emir—, mantén a esa *vaquera* bajo control.

—Ella no es ningún problema —dijo Sami.

Abandonaron las vías del tren por una calle que en otros tiempos había sido una carretera que unía la capital con un pueblo. Ahora, la ciudad se extendía desde la cúpula blanca del Congreso hasta bastante más allá de la carretera de circunvalación del Distrito de Columbia.

Solo, junto a un poste blanco al borde de la carretera, Ivan, un cuarentón normal y corriente, esperaba el autobús que lo llevaría hasta su todoterreno dorado escondido entre los vehículos de los cinéfilos de un multicine.

Cuando el autobús se perdió de vista, sus tres guerreros salieron de las sombras para dirigirse a la estación del metro. Sami le ordenó a Maher que esperase solo en el andén. Zlatko aprobó con un gesto de cabeza la artimaña de experto forzada por las cámaras colocadas en el techo del andén.

Un convoy plateado del metro apareció serpenteando y se detuvo. Maher entró despreocupadamente en el mismo vagón que Zlatko y Sami. Las palabras rebotaban en sus ojos. La mirada feroz de Sami soldó las mandíbulas del joven.

El convoy salió de la estación. Zlatko se sentó entre Sami y la ventanilla. Los dos memorizaron la apariencia de sus compañeros de viaje: un tipo negro que meneaba el esqueleto al ritmo de la música de sus auriculares; dos mujeres que parloteaban sin parar en español vestidas como fregonas de oficina; un guardia de seguridad de pelo blanco.

Zlatko susurró:

—El hermano Maher lo hizo bien, aunque no como enseña nuestra escuela de kárate. Pero no resistiría quince minutos de interrogatorio. Necesita hablar. Conseguir la fama para poder ser real. Me preocupa que siempre será un norteamericano de nacimiento.

—Nuestro emir debe saber lo que hace al escoger a Maher.

—El diente más insignificante puede alterar el funcionamiento de todo el engranaje. —El pasado de ingeniero de Zlatko aparecía como un fantasma en sus palabras—. Pero, hermano, eso no es lo que más me preocupa.

El chirrido de los frenos fulminó la pregunta que rumiaba Sami. El convoy se detuvo. Zlatko y Maher se levantaron para salir del vagón y dirigirse adonde fuera que pasarían esa noche, una circunstancia que los hermanos de *yihad* no compartían entre ellos.

Sami se paró para dejar pasar a Zlatko. Entonces le birló el sobre del dinero.

Zlatko salió al andén.

El convoy se alejó.

Sami viajó hasta un barrio conocido por los restaurantes vegetarianos, los carteles con la palabra PAZ en los jardines y los ciudadanos que pensaban que la década de 1960 era algo sagrado. Un autobús lo llevó hasta dos edificios de viviendas gemelos en una colina bañada por la niebla.

El ascensor de uno de los edificios lo subió ruidosamente hasta la novena planta. Entró en su apartamento de una habitación y cerró la puerta con un golpe seco dedicado a los oídos indiscretos. Respiró con dificultad. *¡El camino está despejado!* Volvió a salir con sigilo al pasillo y bajó por la escalera deslizándose como una sombra.

En el sótano marcó la combinación de la cerradura de una caja de fusibles. Dejó la pistola Glock en el estante de la caja. Conectó el móvil que había en el anaquel y escribió un mensaje de cuatro palabras. Cogió las llaves de un coche aparcado, se dirigió hacia la cúpula blanca que marcaba el centro de la ciudad y aparcó junto a un edificio de ladrillo con un desconchado cartel que anunciaba la Belfield Casket Company. La puerta de la fábrica de féretros se abrió sola.

Harry Mizell —que parecía un oso— le hizo un gesto para que entrara.

Harry y Ted, el agente del FBI de aspecto aniñado, condujeron a Sami por la colmena de cubículos donde algunos hombres y mujeres estaban sentados ante pantallas de ordenadores y hablaban en susurros por teléfono.

Le hicieron sentar a la mesa de reuniones de una habitación sin ventanas. Cámaras de vídeo colgaban de las paredes. Sami fantaseó con que la escena se estaría transmitiendo al vetusto cuartel general con forma de hache de la CIA, al nuevo complejo de la Seguridad

Nacional en el distrito de un poderoso congresista y al FBI. Quizás incluso a la Casa Blanca.

Se preguntó si la empresa contratista Argus, cuya identificación colgaba del cuello de Harry, tendría transmisión directa.

Como responsable del caso y jefe de la operación, Harry, cuyo alias era Cocinero, condujo la entrevista. Ted, que llevaba la identificación del FBI a la que Harry había renunciado, se sentó a la mesa en silencio.

Sami informó a Harry, a Ted y a las cámaras sobre los asesinatos. Les habló del *cuándo*. Puso el sobre robado sobre la mesa. Le contó a Harry, a Ted y a las cámaras lo que tenían que *hacer ahora, inmediatamente*.

—Cuando enviaste el mensaje «Abortad base Exfilt ya», se nos puso dura como una piedra. *Ahora…* estás tenso. Relájate.

Harry salió de la habitación, y dejó al agente del FBI al cargo de su espía. El ojo de cristal de una cámara de vídeo captó el decaimiento de Sami.

Ted carraspeó.

—¿Quieres un refresco?

—¿Un refresco?

El agente del FBI asintió con la cabeza.

—No, Ted. No quiero un refresco.

Mmm. La UOTE de la habitación, la Unidad de Ocultación de Transmisiones Encubiertas.

—Sami —dijo Ted—. Rezo por ti todos los días.

—No sabes lo mucho que eso significa para mí.

El agente del FBI hizo un gesto con la cabeza.

—Es una obra de Dios.

—Eso me dicen ellos también.

Ted dejó que Sami fuera solo al baño. El refugio fluorescente olía a amoníaco y angustia. Se lavó las manos y la cara. Se quedó mirando fijamente el espejo del lavabo. *¿Había una cámara detrás de aquel cristal?*

Una hora más tarde, Harry regresó.

—Conclusión, nuestra operación sigue en marcha.

—¿Qué? —Sami se giró hacia las cámaras de vídeo—. ¡Si los tenemos ya por un triple asesinato! ¡Id a por ellos!

—Los jefes dicen que tenemos que averiguar quién está detrás de la célula, al Qaeda o...

—¡No hay ninguna conexión con ningún cerebro! No hay ningún cuadro organizativo como el nuestro.¡Esos tipos son del país! Independientes.

—Eso dices, y me siento inclinado a darte la razón, pero... —Harry se levantó de la mesa y desconectó las cámaras visibles—. Ted, déjanos solos.

—Soy el enlace del FBI y por consiguiente la presencia oficial para...

—Ted, Seguridad Nacional ha externalizado la operación para que la dirija Argus. Yo soy el arcángel de Argus. Ve a escribir un correo electrónico sobre cómo te he echado a patadas de aquí para salvar el culo.

La puerta se cerró tras salir Ted.

—Sé consciente de lo que tenemos entre manos —dijo Harry.

»Fuiste agente especial de la CIA en la operación JAWBREAKER que persiguió a al Qaeda en Afganistán. La CIA utilizó tu vida real en Beirut y te metió de matute con los talibanes capturados y liberados por nuestros aliados paquistaníes. Llevas años trabajándote tus buenas referencias como terrorista por todo el planeta.

»Igual que tu colega Zlatko. Después de Bosnia, apareció buscando documentos falsos en el trabajito ilegal de Rose. Tiene bastante razón cuando llama a su ex compañera del FBI, *moi*. Mis influencias te llevan de la CIA a Seguridad Nacional de golpe. Te ponemos junto a Zlatko en casa de Rose. Él te lleva hasta Ivan, un físico checheno que encontró a Zlatko en la escuela nocturna de inglés donde Ivan da clases y pesca. Ivan ya había hecho morder el anzuelo a ese chico bobalicón que apareció en la mezquita antes de que a él le echaran por falso musulmán.

»Y *presto* —prosiguió Harry—, nos introducimos en una célula terrorista. Una célula que va a atacar dentro de tres días. Y con noventa y tres grupos terroristas islámicos localizados, nuestros jefes están convencidos de que esa célula tiene que ser la criatura de alguien. Son a esos patrocinadores a los que queremos.

—Tres personas fueron asesinadas esta noche. ¡Con eso es suficiente!

—Esos matones no cuentan en este momento.

—¿Así que no se lo diremos a la policía local? ¿Y qué pasa con las familias de esos hombres? ¡Joder, si son de la mara Salvatrucha trece, esos asesinatos pueden desencadenar una guerra callejera!

—Los terroristas son la prioridad número uno de Estados Unidos. Ivan actúa con compartimentos estancos; podría tener otros soldados. Algo que ni siquiera los chicos duros pueden sacarle a tortas.

—¡Van a atacar el día de Nochebuena!

—¿Están coordinados? ¿Cuál es su objetivo? ¿Y su método?

—Desmanteladlos, Harry. Y déjame salir.

—Todos queremos marcharnos. Pero estamos donde estamos. Esta operación…

—No, no de esta operación. De todo. Quiero salirme de todo. Ya mismo.

—Oh. —Harry se recostó en su asiento—. No puedo obligarte a ser espía. Pero, en resumidas cuentas, nuestros jefes van a dejar que la célula continúe hasta conseguir lo que quieren, estemos o no allí. Sin ti en las calles, y sin mí, ¿lo harán bien los tipos como Ted?

—No es mi problema.

—Mi empresa y yo nos llevamos un pastón por más que esto se arruine. Pero quiero rematar este trabajo. No soy de la clase de tipo que se larga. ¿Qué clase de tipo eres tú?

La pregunta rondó como una gigantesca interrogación.

Sami parpadeó.

—Tres días… y *antes* de que accionen un detonador.

—Has dado en el blanco. Bueno, ¿qué es lo que vas a hacer?

Sami se levantó para irse, cogió el dinero robado y le dijo a Harry:

—Voy a tocarles los cojones.

A la mañana siguiente Sami condujo su taxi entre Capitol Hill y el deslumbrante centro de la ciudad. Las carreras le hicieron recordar su viaje de último curso de instituto a la «capital de nuestro país», cuando se podía circular por los caminos que rodeaban la «Colina» hasta más allá del Capitolio blanco vainilla. Los policías de camisa blanca del congreso le habían parecido hombres de nubes de malvavisco.

En aquella mañana de diciembre de rutina post-11 de septiembre, las barricadas de hormigón impedían que ningún vehículo se acercara al corazón de mármol blanco del Congreso. Las barreras de acero canalizaban a los peatones haciéndolos pasar por delante de los centinelas con musculatura de culturista, monos negros y gafas de espejo que portaban rifles de asalto M4 o escopetas cruzadas sobre sus pechos blindados.

Pero esto no es Beirut, pensó. Todavía no. *Puedo detener ese reloj.*

A las 10.07 bajó la visera de LIBRE. Condujo hasta un restaurante de fusión asiático donde la comida para uno costaba lo suficiente para alimentar a una familia malaya de una barriada de chabolas. Aparcó en el callejón para situarse frente a la puerta de servicio del restaurante.

10.11: dos cocineros pasaron junto a su taxi y entraron en el restaurante. 10.13: un vietnamita sexagenario con camisa y pantalones negros de ayudante de camarero en compañía de un ayudante de Saigón le echó un vistazo al vehículo agazapado cerca de su destino. 10.14: Zlatko, con expresión apagada en el rostro, entró despreocupadamente en el callejón con un delantal blanco de lavaplatos ceñido a la cintura. Utilizó la puerta trasera del restaurante. 10.21: Zlatko apareció por los retrovisores del taxi, dirigiéndose hacia el vehículo azul en un rodeo justificado, supuso Sami, por el cigarrillo gorroneado metido en la oreja derecha de no fumador de Zlatko.

Se metió en el asiento trasero del taxi.

¡Justo detrás de mí! ¡Y no puedo verle las manos!

—*As-salaam alaykum* —dijo Sami.

—¿Por qué estás aquí? —La mirada de Zlatko ardía en el retrovisor.

—En el metro dijiste que estabas en apuros. Somos hermanos. He venido a ayudar.

—¿Y eso es todo? ¿Ninguna confesión?

—¿Qué es lo que tenemos que confesar tú o yo?

Zlatko se hundió en el asiento trasero.

—En el vagón me preocupaba que nuestro emir haya confundido lo que es correcto y *halal* y lo que es *haram* y no está permitido. El Corán prohíbe matar inocentes, mujeres y niños, así que los aviones que atacaron las torres, el que se estrelló en aquel prado, deberían ser *haram*. El avión del Pentágono, contra los militares y los civiles que les servían, debería ser *halal*. Cabos sueltos o bajas imprevistas. Pero en lugar de preocuparme de nuestro emir, debería haber estado atento a mis obligaciones.

Zlatko sacudió la cabeza.

—Anoche perdí el sobre de nuestro dinero.

—Espera: ¿pensaste que yo te lo había robado?

—El nuestro es un mundo malvado. Vi los cuerpos de mi esposa, de mis dos hijas y de mi hijo. Vi lo que mis vecinos nos habían hecho a los musulmanes en nuestra ciudad de Bosnia mientras estaba fuera, montando en bicicleta pensando en las Olimpiadas… Perdóname: temí que este mundo *kuffar* que nos rodea se hubiera tragado tu alma. Pero fui yo quien perdió el dinero. He puesto en peligro nuestra misión.

—Uno no es culpable de los accidentes. —Sami dejó que su clemencia calara y entonces lanzó el anzuelo—. ¿Se lo has dicho a nuestro emir?

—Todavía no.

—¿Cuánto dinero necesitas?

—Los gastos de los preparativos son cerca de novecientos cincuenta dólares. He gastado unos seiscientos. El resto, más el extra de la ultima noche, estaba en el sobre perdido.

—Tengo ciento cuarenta y siete dólares. Si me pongo a trabajar, puede conseguir el resto.

—¡Eres un verdadero hermano! Te estaré esperando al final de la manzana, en el aparcamiento de aquel supermercado a las dos y cinco.

Cuando se bajó del taxi, por su manga asomó un cuchillo de carnicero del restaurante.

Por eso se sentó detrás de mí.

Dejó que Zlatko sudara hasta las dos y diecinueve, y luego entró con el taxi en el aparcamiento del supermercado a toda velocidad.

—Radio Shack, en Georgia Avenue —le dijo Zlatko.

Una vez allí, ordenó a Sami que aparcara y lo esperase en el taxi. Mantuvo una ventanilla abierta para oír el ruido de la calle. Una versión instrumental de «Jingle Bells» procedente de una tienda competía con un hombre que hacía sonar una campana de mano junto a un cubo rojo.

Cari Jones, que lucía unas mechas rubias en su pelo negro y se cubría con un abrigo de piel negra, pasó resueltamente junto al taxi hablando por su móvil: «En cuanto llegue ahí, mamá dirá que es fantástico tener una carrera…»

Zlatko cargó unos paquetes en el asiento trasero del taxi. Subió delante con una bolsa de Radio Shack y le dijo a Sami que lo dejara en una esquina distinta a donde los perros callejeros de la Seguridad Nacional, el FBI o una agencia privada habían interrumpido la vigilancia para evitar espantar al guerrero experimentado.

Luego sacó dos móviles de prepago de la bolsa, extrajo el manual y dijo:

—Sí, llamada en espera, teleconferencia, bloqueo de llamada…

Miró a Sami.

—En Bagdad aprendimos que no te apetece estar en posesión del móvil correcto cuando alguien se equivoca de número.

Después de dejar a Zlatko, Sami condujo once manzanas hasta encontrar un teléfono público. Veinte minutos más tarde, mientras subía tranquilamente North Capitol Street, hizo caso omiso de las señas de un abogado negro como el ébano vestido con un traje italiano, para coger a un hombre blanco que parecía un oso desastrado.

—Ojalá tu emir dejara que sus muchachos llevaran móviles —dijo Harry cuando se acomodó en el asiento trasero del taxi de Sami.

—Nada de móviles. Mensajes cifrados en Facebook desde ordenadores de bibliotecas, tiendas Staples y cibercafés.

—Pero Zlatko acaba de comprar dos móviles. Claro que eso está en la biblia de cualquier reclutador de espías y jefe de operaciones encubiertas, y el emir engaña a sus pequeños asesinos a sueldo.

—¿Todos los responsables de operaciones mienten? ¿Incluso tú?

—Sigo mis normas. —Harry parpadeó—. Tenemos a nuestros genios analizando las últimas compras de Zlatko en Radio Shack.

El retrovisor mostró a Sami un turismo color castaño.

—Es Ted —dijo Harry—. No lo despistes, ¿de acuerdo? Está aprendiendo. Tiene que hacerlo. Los principales pistoleros callejeros del Tío Sam, del FBI y la CIA están renunciando para trabajar por su cuenta. Hasta que los contratan las empresas que prestan servicios al Gobierno para hacer el mismo trabajo por el doble de lo que les paga el Estado.

—Los ejércitos privados buscan el beneficio privado. Los empleados gubernamentales son ciudadanos que asumen sus responsabilidades públicas.

—¿Desde cuando ha empezado Sami a preocuparse por cómo le va al Tío Sam?

—Después del informe de tus genios, tendrás el quién, el cuándo y el cómo. Podrás desmantelar la célula. Y yo podré volar libre.

Sami se sumó con el taxi al tráfico de Constitution Avenue hasta más allá de los museos Smithsonian.

Una paloma muerta yacía en su carril. Sami vio a un soldado tostado por el sol llamado John Herne parado en la esquina, mirando fijamente el ave muerta como si ésta ocultara una bomba.

—Mira esta ciudad —dijo Harry—. Recuerdo cuando era una localidad de frecuencia modulada donde a la gente blanca le daba miedo salir después de oscurecer y Nixon tenía el dedo en el disparador del Juicio Final. Una «buena pasta» significaba una nómina de funcionario civil. Nadie era del Distrito de Columbia. La gente venía aquí por idealismo. Ahora todas las grandes fortunas tienen una caja registradora en el Distrito de Columbia.

»Hay quien dice que somos inevitables. Igual que Roma, sólo que adaptados a Internet y al señor Glock del calibre cuarenta. Yo digo que si creamos una Sofía Loren como hizo Roma, entonces las siglas D. C., en vez de Distrito de Columbia, significarán «Destiny City»*.

—Mis hermanos de *yihad* dicen lo mismo. Igual que Ted y sus cruzados evangélicos.

—¿Qué estás diciendo?

—Que la gente real está atrapada en esas grandes ideas.

—Sí, pero ¿qué hay de Sofía Loren?

Los dos hombres soltaron una carcajada.

—El D. C. es tu historia, Sami. Ciudad de Destino. Nacido y criado para ella. La vida de espía y la acción callejera es todo lo que conoces. ¿Qué te hace pensar que puedes dejarlo?

El móvil de Harry sonó. Cogió la llamada. Escuchó. Y lo apagó.

Le dijo a Sami:

—Nuestros genios no tienen ni idea de qué se propone Zlatko. Estamos inundando todos los lugares tipo Radio Shack con agentes y fotos de Zlatko para ver lo que compró antes, pero esas tiendas están abarrotadas de gente que se apresura a hacer sus compras navideñas.

Pasaron por delante de una manzana enguirnaldada con bombillas de colores.

---

* Ciudad de Destino *(N. del T.)*

—En esta vida —dijo Harry—, o estás haciendo algo o te están haciendo algo. ¿Qué te ha tocado a ti?

Sami dejó que se apeara del taxi y se dirigió a una zona comercial en la que el francés competía con los dialectos africanos y con el español. Coches que circulaban a poca velocidad hacían sonar a toda pastilla los *rap* de pandilleros idolatrados por los adolescentes blancos de Kansas. Estacionó su taxi en el aparcamiento de un edificio comercial de cuatro plantas.

Consultó su reloj: 4.29. Ivan solía cerrar su consulta de médico a las cinco en punto y dirigirse a casa en su todoterreno dorado. Sami le echó un vistazo a las tiendas étnicas, a los grandes y feos edificios donde se vendían muebles de saldo y a una clínica veterinaria con un gran contenedor de acero verde para la basura. Se dijo que no veía moscas volando en círculo sobre el acero esmeralda. Se preguntó dónde habría instalado Harry los puestos de vigilancia. Y se preguntó si informarían de su presencia, si un satélite captaba su imagen.

—Comprende nuestro nuevo negocio de espionaje —le había dicho Harry—. Pues claro, la vigilancia por satélite de la consulta y la casa del doctor Ivan es como matar moscas a cañonazos, pero es una cuestión de persuasión.

»Tenemos algo real, pero si esto fuera sólo un espectáculo de la Seguridad Nacional, la CIA, el FBI y la firma de vigilancia Argus, con dieciséis centros principales de inteligencia bailando para los queridos Estados Unidos de América, la excesiva burocracia nos podría debilitar. Así que me he asociado con un contratista que trabaja para la Agencia Nacional de Aplicaciones, la ANA, para que controle por satélite a tu emir. Ahora, la agencia podrá ponerse a la cola para asegurarse que conseguimos lo que queremos y así poder compartir nuestro mérito.

Soy taxista, pensó Sami. *Y te llevo adonde quieras ir.*

Soy espía. Y te llevo adonde quieras ir.

A las 4.47, la furgoneta de unos servicios de transporte médicos aparcó en el edificio. El conductor, con un uniforme blanco, descendió y se dispuso a accionar el mecanismo de bajada de la rampa mecánica.

Salieron del edificio arrastrando los pies. Algunos eran negros, otros morenos. Una chica menuda y rubia se dirigió hacia la furgoneta, balanceándose sobre sus muletas. Eran todos pobres. El destino de las dos mujeres con burkas negros que sólo dejaban ver sus ojos era el mismo del resto.

El último en salir del edificio fue Ivan, un médico que no se fijaba en que la gente careciera de seguro médico y que cobraba lo que los pacientes podían permitirse para lo que él podía hacer. A veces, como en aquel momento, eso significaba llevar a una anciana de pelo blanco hasta la furgoneta.

Sami aparcó detrás de la furgoneta, y se puso una gorra negra de béisbol de los Detroit Tigers para ocultar su cara cuando se acercó a su emir y a la anciana.

—Taxi —ofreció Sami.

Ivan mantuvo el aplomo de un jefe de sala de urgencias.

—Ahora se va, señora Callaghan.

La anciana de pelo blanco frunció el entrecejo.

—Pero… no he pedido ningún taxi.

—Hoy tiene un vale-regalo —dijo su médico—. ¿No se acuerda?

—¿Ah, sí?

—Sí.

El conductor de uniforme blanco de la furgoneta captó la señal que le hizo el doctor Ivan. El motor eléctrico de la rampa chirrió, las puertas se cerraron y la furgoneta marrón se alejó.

—Emma, ¿se le han caído los guantes en el ascensor? —le preguntó su médico.

La anciana se miró las temblorosas manos.

—Se me han debido de caer.

—La esperaré en el taxi. Vaya con calma.

La anciana volvió a entrar en el edificio con paso inseguro.

Sami le contó a su emir que tuvo que infringir las normas para calmar al preocupado Zlatko y restituir el dinero perdido.

—¿Y ahora por qué estás aquí?

—Me temo que la visión de Zlatko de lo que es aceptable para nuestro objetivo y la visión que tú y yo compartimos es diferente. Me temo un conflicto de fe. He visto eso antes.

—En Beirut —dijo el emir—, donde los sagrados mártires hicieron volar los barracones de los marines y Ronald Reagan salió por pies, aprendimos que los norteamericanos retrocederán. Luego el obseso sexual de Clinton huyó tras el derribo de un helicóptero Black Hawk y perdió la oportunidad de atacar con misiles a Osama.

El emir puso una mano paternal en el hombro de Sami.

—Para un soldado a veces es más fácil no saberlo todo, así, aunque su corazón sea desafiado, su conciencia permanecerá limpia. No te preocupes por Zlatko. Hará lo que hay que hacer. Su parte no dañará su alma. Todo lo demás es sacrificio para contener esta enfermedad llamada Estados Unidos. Los estadounidenses temen a la muerte. Y sus reacciones desmesuradas obligarán a nuestros hermanos musulmanes descarriados a unirse a nuestro camino, que es el verdadero.

—¿Y cuál es mi parte, emir? He hecho tan poco.

—Tu nombre se pronuncia en voz baja en la red. —El médico sonrió, de manera que Sami supo que la leyenda creada por la CIA seguía viva—. Alabado sea Alá por que yo esté trabajando en un edificio donde, si haces amigos, las contraseñas se comparten. Con mis colegas en la sección de resonancia magnética nuclear y tomografía computerizada. Con dos *kuffars* que arreglan ordenadores probablemente robados.

¡Docenas de ordenadores! ¡Imposibles de rastrear! ¡Así es como hace los contactos!

—No me atrevo a involucrarte demasiado en la operación. Si tu fama atrajera la atención… Pero dentro de dos días ambos seremos héroes fugitivos.

Las puertas de cristal del edificio se abrieron y Emma se dirigió hacia ellos con paso tambaleante.

El emir le dijo a Sami lo que tenía que hacer en casa de la *vaquera*. También le dijo adónde tenía que ir al día siguiente por la mañana.

Emma agitó sus manos enguantadas.

—¡Los tenía en los bolsillos!

Sami la llevó a casa y rechazó la pobre propina de la anciana.

Se detuvo en una cabina telefónica. Llamó a Harry y le contó lo de los ordenadores y las nuevas órdenes del emir. Abogó por que la célula fuera detenida. Harry le dijo: «Lo vamos a dejar correr». Condujo hasta la colina de la Ciudad de Destino que corona la calle Trece y aparcó delante de una manzana de casas adosadas idénticas, donde una tienda de comestibles latina flanqueaba una puerta verde.

Pulsó el timbre de la puerta verde. Sonó un potente ¡ring!

Se oyeron unos pasos invisibles bajar ruidosamente una escalera. La mirilla de cristal de la puerta se oscureció cuando alguien miró por ella. La puerta verde se abrió. El pelo con reflejos estrellados se rizaba sobre el jersey azul de la mujer. Llevaba unos vaqueros desvaídos. Tenía pómulos prominentes con una cicatriz en el izquierdo, recuerdo del puñetazo que había recibido jugando al fútbol en los primeros años de instituto. La cicatriz contribuía a conferir a sus labios el rictus perpetuo de una sonrisa burlona. Aquellos labios carnosos, junto con su piel morena de tribu sefardita del desierto y el hablar mexicano del estado de Sinaloa que había perfeccionado practicando *surf* el verano anterior, llevaron a pensar erróneamente a la gente de la facultad de derecho que Rose significaba *Rosalita* en gringo.

—No esperaba visitas —dijo.

Mientras subía la escalera detrás de sus redondas caderas embutidas en el azul de los vaqueros, a Sami le llegó el olor a pino navideño, a especias como el comino y el chile de la tienda de abajo, quizás a incienso, el del almizcle de la chica.

En el salón del piso de Rose había un ordenador, un fax y una fotocopiadora. Un sofá recuperado de un desahucio. Dos sillas separadas por una mesa donde Sami había colocado su té la mañana que había estado esperando oficialmente un fax de la Comisión del Taxi, aunque en realidad esperaba a Zlatko para devolver las solicitudes de las tarjetas de crédito que la *vaquera* le había prometido.

Sami paseó la mirada hasta la puerta cerrada de una habitación cuyas estanterías estaban repletas de libros de derecho y manuales de la administración del Estado. La puerta del dormitorio de Rose estaba cerrada. Se negó a tener miedo de las puertas cerradas. Se negó a preguntarse si Harry habría puesto micrófonos en todas las habitaciones de Rose.

A espaldas de Sami, ella le preguntó:

—¿Estás aquí por trabajo?

—Sí.

Las sombras llenaban el piso. Las paredes y las ventanas de cristales que desvanecían la luz gris mantenían a raya los ruidos de la calle. Gritos apagados.

Como con un gesto de Muay Thai, Sami le cogió la cara como si estuviera rezando y la apretó contra la pared cuando ella respondió a su beso.

La noche se apoderó de la ciudad.

Estaban sentados desnudos en la cama, apoyados en las almohadas y tapados con la colcha. Una lámpara resplandecía.

Rose encendió un canuto.

—¿Crees que Harry imaginaba que ocurriría esto?

—Es listo.

—Para tu pandilla, no soy más que una mujer inferior a quien sedujiste para utilizarla, pero Harry… A lo mejor se dice: «Qué carajo, dejemos que sean un poco felices».

—Puede ser —concedió Sami mientras la contemplaba dar una calada.

Al otro lado de la ciudad, en su piso de Virginia, la pelirroja Lorna Dumas exhaló, miró fijamente el uniforme azul que había sobre su cama y pensó: *Tengo que dejar de fumar.*

Rose le preguntó a Sami:

—¿Sigues considerándote musulmán?

—Me siento como si algún dios me estuviera persiguiendo.

—Buen regate. —La chica le pasó el porro.

Sami le dio una calada.

—Drogarse hace que mejores tus relaciones tanto con la *yihad* como con el FBI —dijo ella.

—Siempre quise ser popular. ¿Y tú?

—Mi madre enseñó a mis amigas a hacer una mamada —dijo Rose—. Me hizo prometer que no tendría sexo hasta que supiera qué carajo hacía.

»¿Y quién carajo sabe alguna vez lo que hace? Me enamoré del tipo equivocado una y otra vez, me convertí en una fiscal federal que encontró cierto sesgo político a su trabajo. Me pasé dos años como defensora pública y descubrí que ayudar a la gente sin influencias era la única manera de que recibieran alguna vez un trato justo.

»Así que ahora soy la *vaquera*. ¿Que no hablas suficiente inglés para rellenar el formulario de inmigración sin joderte vivo? Acude a la *vaquera*. Permisos de trabajo, matriculación de vehículos, seguros, tu solicitud de asilo político con tu foto sin el brazo que te amputaron de un machetazo en Sierra Leona… Eh, Norteamérica es la sociedad del formulario.

»Y entonces apareció Zlatko. Todo el mundo miente, pero él mentía igual que un asesino antiabortista al que interrogué cuando era fiscal. Una mirada insensible. Además, era imposible que fuera albanés. No confío en las placas, pero sentí un hormigueo que me hizo llamar a mi viejo amigo Harry.

Le dio una calada al porro y se lo pasó a Sami.

—Zlatko dio conmigo por medio de la gente que lo metió aquí de matute desde México, ¿no?

Sami hizo un gesto con la mano para rechazar otra calada…

… la visión del aleteo de un ala que se desvaneció como el humo.

—Así es —dijo Rose—. Se supone que yo no sé nada.

»Y encantada de no tener ni idea de cómo es lo de ahí fuera.

»Impongo cierto grado de irrealidad. Pero no soy una ingenua.

—Conocí a ese muchacho —dijo Sami—. En su misión de novato, se le encargó matar a tres tipos. Dijo que se «había vuelto loco». Así es ahí fuera. Uno vive detrás del mundo que otros ven. Completamente solo ahí fuera, en una calle llena de pistoleros invisibles; ése eres tú.

—Adoptas mecanismos de supervivencia —dijo ella.

—Y una mierda la supervivencia. Acabas con el otro tipo.

»Beirut. Tengo trece años. Unos hombres entran en coche en los barrios, nos dan AK47 a los niños. Nunca se me ocurrió preguntar quién suministraba realmente, de verdad, la munición. Las barricadas cortaban las manzanas que eran mi hogar. Sacos de arena, alambre de espino, barriles de combustible. Y una mierda lo que decían nuestros padres. Éramos guays y estábamos salvando a nuestro mundo. Aprendí a correr deprisa, porque era pequeño, y la prioridad de los jodidos francotiradores era herir a niños, porque eso engañaba a nuestros salvadores.

»Un día, en la barricada de otra banda de la manzana, aquellos tipos hicieron que un anciano saliera por delante con los brazos levantados. Vimos que era uno de los nuestros, un musulmán. Le dijeron que caminara hacia nosotros. Así que lo hizo, pensando, él y nosotros, que se trataba de un intercambio. Dejaron que llegara a unos tres metros de nuestros sacos terreros. Y entonces lo mataron a tiros.

»No podíamos abandonar nuestra protección para recoger el cadáver, así que lo dejamos allí. Al cabo de tres días tuvimos que abandonar nuestra barricada. Por la peste y las moscas.

»Dos semanas, una barricada diferente, y lo mismo…, sólo que entonces fue un adolescente musulmán, como yo, con las manos levantadas, que había dado tres pasos hacia nuestro puesto.

»Le disparé. En la cabeza. —Sami hizo una pausa—. Estaba muerto en cuanto se puso en mi camino. Me limité a escoger su hora y su lugar, su sentido.

La noche atenazaba la ciudad.

—¿Fue por eso que abandonaste Beirut? —preguntó Rose.

—Los tipos de la OLP a los que idolatraba se hicieron cargo de un francotirador que habíamos atrapado, y lo soltaron. Empecé a pensar: *¿En qué lado está cada uno realmente?* Entonces mi padre consiguió un trabajo en los barracones de los marines. Un miembro de nuestro bando hizo volar el barracón y a mi padre con él. Los marines se hicieron cargo de mi familia. Me metieron en un instituto de Detroit. Y en cuanto pude, me alisté en los marines. *Semper fi.*

—Yo también —dijo ella.

Sami se inclinó para darle un beso que ella apresó. Rose apartó la colcha con los pies, él le ahuecó la mano sobre el pecho. Siete minutos después, la hizo ponerse encima de él a horcajadas y arquearse como una luna menguante mientras le susurraba:

—Te entiendo. Te entiendo.

Después Rose se tumbó sobre él.

—No digas nada. No digamos nada. No, a menos que podamos decirlo una y otra vez.

—Hasta que... —replicó él—. Hasta que, sí, no a menos que.

A los dos se les puso la carne de gallina. Sami alargó la mano para subir la sábana y la manta.

—¿Tienes hambre? —preguntó ella.

—Todavía, no. Ahora tienes que dormir.

—¿Por qué?

—Tengo que utilizar tu ordenador sin que te enteres.

—Ah —dijo ella.

—Pero puedo quedarme a pasar la noche.

Y lo hizo, y su último instante despierto resonó como el aleteo de un ala.

A un kilómetro y medio de distancia, en su dormitorio lleno de ositos de peluches, Amy Lewis, de siete años, le susurraba a su mejor amiga por un móvil:

—La abuela dice que me iré a dormir tres horas más tarde porque ¡el mundo es redondo!

¡Despierta! Sami se incorporó como un relámpago en la cama de

Rose. Se deslizó por la oscuridad hasta el salón, cogió el teléfono de la mujer, marcó el número de alarma golpeando las teclas y fue derivado hasta un oso despierto que oyó su susurro:

—¡El emir! ¡Las contraseñas! ¡El departamento de resonancia magnética nuclear y tomografía computerizada! ¡Tiene acceso a…!

—¡Joder! —Harry dio por terminada la conversación.

Sami calmó el martilleo de su corazón. Se obligó a volver a la cama. Tenía fe en sí mismo y en un oso.

Nubes grises cubrían el cielo matinal. Condujo hasta donde el emir había enviado a Maher. Éste le hizo un gesto con la mano. *Demasiado amistoso para llamar un simple taxi*, pero las mañas barriobajeras de aquel muchacho habían despistado a los sabuesos de Harry. Maher se acomodó en el asiento delantero. *Otro error.* Sami pensó: *¿Dónde vives? ¿Cómo te ganas la vida? ¿Se te ocurrió utilizar Facebook?*

—¿Qué es ese olor? —preguntó Sami cuando entraron en la autopista de circunvalación.

—Lo siento, son los productos químicos de la tintorería. Los coreanos son buenos. Tardé un mes en conseguir el trabajo por medio del albergue de jóvenes cristianos.

Maher llevaba una mochila.

—Los periódicos lo llaman la Matanza de la Vía Férrea. Balística dice que la pistola también fue utilizada para matar a un pandillero de la banda de Clifton Terrace. Los polis son incapaces de sumar cadáveres de negros y de latinos.

El futuro llenó la visión de Maher.

—Se escribirá sobre nosotros. Hermano —dijo—, sé que el emir está preocupado. Pero estoy tranquilo. ¡Es tan inteligente! Y tú, tener que combinar lo que tienes que hacer con controlarme mientras acabo mi curro, qué faena, ¿cómo lo llevas?

—*Dabuten.* —Sami sonrió—. ¿Es así como lo dicen los chicos norteamericanos, no?

—Sí. —Las zonas residenciales de los suburbios desfilaban al paso del taxi—. Mira ahí. Redondo Beach. En Akron es donde viven mis primos. Ahí. Es igual que en los programas de televisión. Todas esas noticias estúpidas sobre chicas ricas imbéciles que no hacen nada excepto dejarse fotografiar. El sagrado Jesús del Corán, bendito sea su nombre, ¿y si hoy Él fuera en el coche con nosotros, viendo toda esta mierda sin sentido? Tenemos que detener toda esta perdición. Porque si no lo hacemos nosotros, ¿quién lo va a hacer?

—Estamos en el mismo carro, hermano.

La armería estaba en un centro comercial en una salida de la autopista. Una corona de pino decoraba la puerta con barrotes. El empleado de detrás del mostrador de cristal portaba una Glock en la cintura y un gorro rojo de Santa Claus.

—¡Hola, tío! —El empleado sonrió a Maher—. Me alegra verte de nuevo.

—Sí. —Maher le entregó al empleado su carné de conducir de California para los trámites legales de rutina, que llevaban cinco años de retraso.

El dependiente no tenía ojos más que para el moreno Sami.

—Es mi tío —explicó Maher—. Es judío.

—Oh, bien, *Sha-lum Ha-nooka*.

—*Shalom* —respondió Sami.

Maher alquiló un Colt del calibre cuarenta y cinco automático de 1911 y unos protectores auditivos, compró cuatro cajas de munición y una silueta negra que escogió de un expositor de dianas y que representaba a un árabe barbudo con chilaba apuntando con una pistola. El blanco llevaba adheridas unas pegatinas de coche que proclamaban que una vieja actriz de cine antibelicista debería ser enviada de vuelta a Hanói de un bombazo.

El campo de tiro de la tienda tenía diez callejones. Tres estaban ocupados. Los disparos retumbaban. Mientras Sami agujereaba su blanco, Maher vació tres cajas de munición en su mochila.

—La del cuarenta y cinco es la munición más grande —dijo Maher, ocupando su sitio en la línea de tiro. No dio ninguna muestra de síndrome de estrés postraumático por la última vez que había disparado un arma.

Cuando abandonaban la tienda, el dependiente dijo:

—¡Feliz Año Nuevo!

En el siguiente centro comercial, la tienda de artículos de deportes era un clamor de clientes enloquecidos. Sami le entregó al dependiente el encargo impreso desde el ordenador de Rose.

—¿Sabes que estas bicicletas vienen sin montar en las cajas, no? —le dijo el dependiente.

—Así salen más baratas.

—Son para los huérfanos —dijo Maher.

—Dios os bendiga. —El dependiente cogió el dinero que le entregaban.

—Mmm... —dijo Maher—. ¿Vendéis coquillas de acero? Ya sabes. Para... para ahí abajo. Para jugar al *hockey.*

—Creo que son todas de plástico.

Mientras transportaban las cajas de las bicicletas hasta el taxi, Sami dijo:

—¿*Hockey?*

Maher se encogió de hombros.

—No ocurrirá mañana, pero cuando me convierta en un santo mártir, las vírgenes que me esperen en el paraíso también conseguirán lo suyo. Quiero poder tener hijos.

—¿Quieres tener hijos en el paraíso?

—Tiene que ser un lugar mejor que éste para criarlos.

No sin esfuerzo consiguieron meter las cajas de las bicicletas en el taxi; se dirigieron a una parada de metro. Sólo entonces transmitió Maher las órdenes del emir para esa noche, *dónde* estar al día siguiente, *qué* hacer exactamente y *cuándo.* Antes de perderse entre la multitud se despidió:

—Te quiero, hermano.

Treinta y cuatro minutos después, Harry acompañaba a Sami en el coche.

—Antes del amanecer, el edificio de Ivan recibirá la visita clandestina de las sombras de los Equipos de Emergencia de Búsqueda de Material Nuclear. Sacarán todo el material peligroso, lo sustituirán por material falso y romperán las máquinas para que nadie pregunte cuando no funcionen. Todavía estamos sopesando las grabaciones pirateadas de los ordenadores de la agencia, pero parece que se sabe que todo el material radiactivo está justificado. Junta eso con tu cachondo adolescente que busca una coquilla para protegerse las pelotas, y probablemente estén fabricando una bomba sucia para montar en el último momento.

—Así que ahora no será sucia, pero sigue siendo una bomba.

—Sí, pero aunque utilicen peróxido de hidrógeno o productos químicos de una tintorería con la pólvora de las balas, ¿qué potencia podría tener?

—¿Cuántas muertes suman «potencia»?

—No creemos que ésa sea la cuestión —dijo Harry—. Sabemos lo que está construyendo Zlatko. Expuse lo que teníamos en A-Space e Intellipedia, en los sitios clasificados, y lo planteé como si fuera un juego. Una docena de listillos propusieron un generador magnético explosivo de frecuencia. Algo que ya perfeccionaron los rusos. Tanto Ivan como Zlatko se criaron detrás del Telón de Acero. Hace unos cuantos años, un general de Estados Unidos propuso un reto a algunos licenciados, y éstos diseñaron uno de esos artefactos para colocar en una camioneta con un coste de ochocientos dólares; la mayor parte de los componentes los compraron en Radio Shack.

»Los generadores magnéticos de explosivos es la razón de que te hagan apagar el móvil cuando vuelas. En realidad, no pueden "explotar", tan sólo emiten una esfera de ondas electrónicas que fríen los ordenadores, los teléfonos y los circuitos integrados de los motores de coches que no estén protegidos...

—¡Por eso se supone que mañana tengo que apagar el motor del taxi a las dos en punto!

—Y la razón de que aparques donde te dijeron. Esa área de descanso junto al Potomac está al otro lado de las autovías que vienen del Pentágono. Los generadores magnéticos explosivos están diseñados para golpear el mando y los centros de control del enemigo. Son invisibles en el interior de cualquier vehículo del tamaño de una camioneta…

—Como el todoterreno del emir —dijo Sami.

—Monta un generador magnético de explosivo con un motor eléctrico en tu vehículo protegido, condúcelo (joder, apárcalo) en el exterior del perímetro de seguridad del Pentágono, actívalo y fríes todos los sistemas en un radio de un kilómetro y medio.

—¿Y qué hay de la bomba que creen que es sucia?

—Suponemos que es como las que ponen en Bagdad. Aparcan el vehículo del generador magnético. Cuanto más tiempo esté funcionando el generador, más destruye. Cuando los equipos de los SWAT averigüen lo que está pasando y acudan a toda velocidad a la fuente… ¡bum! Una bomba atrapatontos. La radiación es sangre de regalo.

—¿Y los móviles?

—Puede que uno de los de tu banda vaya a ser un mártir, se quede rezagado y haga detonar la bomba trampa cuando vea que los SWAT la están rodeando. Eso sería lo óptimo.

—Freír el Pentágono será una cuestión de conciencia para Zlatko. Después de que abandonen el generador magnético, yo seré la vía de escape. Y si el motor de mi taxi se fríe, las bicicletas seguirán siendo útiles. Tres bicicletas, cuatro hermanos; uno se queda atrás.

»¿Cuándo los atacamos? —preguntó Sami.

El taxi azul avanzaba con dificultad entre el tráfico navideño.

—¡No! —dijo Sami.

—Después de anochecer, el Pentágono será rodeado por comedores de serpientes camuflados. Mañana, cuando ataquen tus hermanos, los capturaremos. Lo más probable es que consigamos atrapar a dos de ellos vivos para interrogarlos.

—¡Capturadlos ahora!

—Entonces detenemos a Ivan, pero ni siquiera tú sabes dónde están los otros dos. No podemos dejar que se escapen. Y si los apresamos demasiado pronto, sabrán quién los denunció.

—¡No dan cuentas a nadie, excepto a ellos mismos! ¡Dijiste que lo entendías!

—Yo sí…; nuestros jefes, no.

—Fuera de mi jodido taxi.

La víspera de aquella Nochebuena, Sami montó tres bicicletas en su piso. Examinó el escondite bajo el colchón sin somier que su emir creía a salvo de los trucos de la *vaquera*, y se dijo: *No más habitaciones de mentiras.*

A las 9.30 de la noche rompió todas las normas y utilizó el teléfono de la caja de fusibles.

Unos besos fríos le mojaron la piel.

—Está empezando a nevar —le dijo a Rose.

—Demasiado pronto para los clichés navideños. No podemos fiarnos del tiempo.

—Mañana empieza una nueva estación.

—Estoy preparada —dijo Rose.

La ciudad se disponía a dormir.

Cari Jones se cepilló el pelo. Su trinchera de piel negra estaba colgada a la entrada. Decidió intentar su cita por ordenador cuando volviera.

John Herne metió tres frascos de pastillas diferentes para el síndrome de estrés postraumático en su mochila en el Walter Reed Hospital.

Lorna Dumas decidió dejar que su pelo rojo se balanceara libremente sobre su uniforme azul al día siguiente, y arrojó sus cigarrillos por el evacuador de basura del edificio.

Amy Lewis eligió el mejor de sus ositos de peluche marrones para la abuela.

Cuando Sami se despertó por la mañana, se encontró una ciudad espolvoreada de nieve.

A las diez de la mañana, cogió el móvil y la Glock. Cargó las tres bicicletas en su taxi. *Tienen que darse cuenta de lo que están esperando.* Llamó a Harry: «Despegando». Se introdujo con su taxi en el tráfico azotado por la nieve del día de Nochebuena.

«Es un verdadero lío lo que hay ahí fuera —dijo el hombre de las noticias y de la información sobre el estado de las carreteras—. Los habitantes de Washington nunca han aprendido a conducir en la nieve, y no esperábamos esta tormenta.»

Sami recordó de pronto al locutor de la radio de Beirut que diariamente informaba sobre qué calles de salida de la ciudad estaban controladas por los francotiradores.

Condujo despacio por las calles resbaladizas. *Cualquier pequeño golpe y la operación se va a la mierda.*

Los limpiaparabrisas aclararon la visión de Sami cuando cruzó un túnel como una exhalación y salió a una interestatal que discurría a través de la ciudad. Las señales metálicas de la carretera le indicaron el camino para la I-395 sur a Virginia, las salidas para el monumento a Jefferson, los complejos de las oficinas federales, el aeropuerto, la avenida George Washington y el Pentágono.

En el puente sobre el Potomac, el tráfico se dividió para el taxi azul que obviamente se dirigía al aeropuerto, cogiendo esa salida; pero entonces, de forma inesperada, se salió de la carretera principal para meterse en un área de descanso flanqueada de árboles donde un cartel rezaba: «Santuario de las aves acuáticas de Roaches Run».

Mal día para ser pájaro. Sami aparcó el taxi lejos del único vehículo que había en el mirador de los aficionados a la ornitología, un desvencijado coche con pegatinas en las que se podía leer «Un planeta, un pueblo» y «Sociedad Audubon». Un avión de pasajeros rugió en lo alto. Los copos de nieve se fundían sobre el capó del taxi azul. Un tipo fornido vestido con una parka, con unos prismáticos montados en un trípode, miraba hacia el helado río gris, hacia las carreteras que impedían la vista del Pentágono.

El hombre de la parka se volvió para mirar el taxi y Sami vio que era un oso.

Harry avanzó pesadamente hacia el taxi y se sentó al lado del conductor.

—¿Sabes algo, cualquier cosa, de tu emir y los otros?

—¿Qué sucede?

—Son casi las doce. Y la hora del ataque es a las dos. Doc Ivan se dirigió al trabajo como siempre. Pero el todoterreno sigue en su aparcamiento. Dado el tráfico, el clima y el tiempo que necesitarán para ajustar el generador magnético y algún motor eléctrico...

—¡Detenedlo!

Harry empezó a protestar...

Vociferó unas órdenes gritando sobre su manga:

—Cocinero a todas las unidades: HRT Alfa: abatan al Objetivo Uno. Repito: ¡abatan al Objetivo Uno ahora! ¡Vamos! ¡Vamos!

Sami apagó el motor. Un avión de pasajeros rugió en lo alto. El oso se bajó la cremallera de la parka. El taxi olía al aceite y el caucho de las bicicletas, desvaneciendo los humos de la calefacción del coche, la salobre esperanza.

Harry desenfocó la mirada. Estaba escuchando por el auricular de su radiotransmisor. Parpadeó.

—¡Mierda! —exclamó—. ¡El plan principal! ¡Reinicien el plan inicial!

Le dijo a Sami:

—Lo único que encontraron en la consulta del doctor Ivan fue a una anciana asustada en bata de exploración. Era musulmana, e hizo lo que le mandó el médico. Ivan salió del edificio ante nuestros ojos vestido con el burka de la mujer y utilizó una furgoneta para esfumarse.

»Está bien —continuó Harry—. Está siendo cauteloso. No sabe que lo vigilamos. Seguirá con el plan. Estaremos preparados por si vuelve por su todoterreno. Atacarán el Pentágono y los abatiremos. Todo está en orden; el FBI está visitando a los líderes musulmanes locales para asegurarles que la redada es legal. No pasa nada.

—¡No sé si tienen otros vehículos!

—Así es como trabaja una célula. Nadie lo sabe todo.

—Excepto el tipo que habéis dejado escapar.

—La vida es riesgo. No la manejas a tu antojo, ella te maneja a ti. —Harry se encogió de hombros—. Tienes que arreglártelas con lo que sabes. Por eso tenemos espías.

Permanecieron en el taxi esperando en el frío hasta las 12.51; *la hora de la detonación menos 69 minutos.*

Un utilitario marrón entró en el aparcamiento. Ted echó a correr hacia el taxi bajo el aguanieve. Por la ventanilla bajada del conductor y bajo el torrente de granizo dijo:

—Dentro de una hora estarán aquí. ¡O hacemos esto ahora o tenemos que sacar a Sami!

—¿Qué? —dijeron al unísono Sami y Harry.

—Hace seis meses que deberías haberte hecho tu control toxicológico obligatorio. Tienes que estar libre de sospechas inmediatamente o te sacamos de en medio. Tengo un equipo portátil en el coche, si te hago la prueba in situ, tendrás el visto bueno para que puedas seguir...

—¡Esto es una gilipollez! —aulló Sami—. ¡Estamos frente a un ataque terrorista!

—Tengo órdenes —replicó Ted—. En la central me han dicho que estoy despedido si no hago esto ahora mismo.

—Está bien, Ted. Irá ahora mismo —dijo Harry.

El enlace del FBI corrió a refugiarse en su utilitario marrón.

Sami miró al oso de hito en hito.

—Ve a hacerlo. En momentos así, todos nos hacemos pis.

—Si voy..., estoy fuera.

—Ah. —Un reactor de pasajeros rugió en el cielo. Harry sonrió—. Que les jodan.

El oso utilizó su móvil.

—Eh, Jenny. —Le preguntó a Sami su verdadero nombre, el número de la Seguridad Social y los de identificación de la CIA. Se los transmitió a Jenny. Añadió—: RIP por fallo en el sistema.

Colgó y sonrió abiertamente a Sami.

—Felicidades. Ted está fuera de tu caso, pero dale lo que quiere o todavía podría joder esto. Ahora trabajas para Argus. El doble de salario y la mitad de gilipolleces.

Harry envió al confundido espía al utilitario marrón.

—Lo siento —dijo Ted mientras Sami llenaba un frasco de plástico con su orina.

No le des a este burócrata puritano la ocasión de...

—Esto es tan estúpido —dijo Ted—. ¿Y qué, si Argus quiere certificar...?

¿Esto es cosa de Argus? ¿De la empresa de Harry?

—Bueno..., claro. Éste es su espectáculo.

Sami dejó a Ted observando el cambio de color del líquido en el frasco. Cerró la puerta violentamente cuando se metió en el taxi azul. Su expresión marchitó la franca sonrisa del oso.

—¿Por qué? —preguntó Sami.

—Eres demasiado bueno para perderte.

—¡Me voy a ir! ¡No voy a trabajar para Argus!

—Claro que lo harás. Un año de compromiso a cambio de librarte de tu problemita con el consumo de drogas. Y sí, no te preocupes: protegeré a Rose. ¿Por qué no habría de hacerlo? Una operación más. Espías como el santo guerrero que escapó de la redada del día de Nochebuena en el Distrito de Columbia.

—¡Que te jodan!

—Puñeteros sacrificios.

»Sé lo que estás pensando —prosiguió Harry—. Irte a Beirut a mi costa sólo te acarrearía que las miras de los francotiradores del Tío Sam apuntaran a tu espalda.

El oso añadió:

—No saco nada de esta guerra. Pero no voy a perder.

Los copos de nieve caían sobre el parabrisas del taxi. Un avión de pasajeros rugió en el cielo. *D menos 47 minutos.* El turbulento río gris chapoteaba contra los contrafuertes del santuario de las aves. Harry trasladó el utilitario marrón de Ted junto al coche de las pegatinas. *D menos 17 minutos.* Las unidades del Pentágono informaron de que todo estaba despejado. Un avión de pasajeros rugió. Ted salió del utilitario marrón para mirar por los prismáticos del trípode.

Sami gritó:

—¡No van por el Pentágono!

—¿Qué?

—Al emir le importa una mierda nuestro «mando y control». Odia todo. Quiere sembrar el miedo. Humillarnos. Obligarnos a una reacción desmedida. Maher espera vivir hoy. Ivan quiere ser un héroe fugitivo. Insinuó que la misión de Zlatko es en solitario y que no le molestarán sus creencias. A Zlatko le encantaría atacar un objetivo como el Pentágono, pero no va a venir aquí. Así que no es eso. Tres bicicletas: Ivan, Maher y yo. ¡Aquí!

Harry se tocó el auricular y dijo:

—Ese grupo mediático de al Qaeda, al Sahab, «Las nubes». La NSA acaba de interceptar un correo electrónico dirigido a ellas desde un servidor del D. C., diciendo que hoy será un gran día, que miren al cielo.

Un avión de pasajeros rugió.

—¡Conocen el taxi! —Sami corrió hacia el utilitario marrón.

Un oso salió tras él pisándole los talones.

Un francotirador de los marines surgió de su escondite, con el rifle ansioso por encontrar un blanco.

Harry se colocó como pudo detrás del volante del utilitario marrón. Sami se metió de cabeza en el asiento del acompañante y Ted saltó al asiento trasero, aunque no sabía por qué. El utilitario salió del santuario de los pájaros dando un coletazo mientras Harry gritaba:

—¡Te dije que estaban conectados!

—Ivan proclamó su derecho a jactarse, no… ¡Limítate a conducir! ¡Vamos, vamos!

Camino del aeropuerto el día de Nochebuena por la tarde. Nevando. Una oleada de coches que se rozan los parachoques en una carretera de dos carriles y un solo sentido.

—¡Sortéalos! —gritó Sami.

Harry metió el utilitario marrón sobre el arcén con una sacudida. Las bocinas atronaron. Se llevaron por delante un poste reflectante de la carretera. Pasaron como una exhalación por delante de un coche patrulla del aeropuerto. Unas luces rojas giratorias llenaron los retrovisores.

—¡Ordena que se paren! —aulló Sami.

—¡Nada de radios sin encriptación! —Harry gritó sobre su manga *a las D menos 13*—. ¡Podrían tener un rastreador de frecuencias policiales! ¡Llama a la policía del aeropuerto por el móvil!

—¿Qué estamos buscando? —preguntó Ted a gritos.

—¡Lo sabremos en cuanto lo veamos! —respondió Sami.

La marquesina electrónica montada sobre la vía de tráfico unidireccional al aeropuerto rezaba: «Código Naranja, Nivel Amenaza». El reloj digital señalaba *D menos 11*.

El Aeropuerto Nacional Ronald Reagan se levanta en la otra orilla del río donde se erige la cúpula blanca del Capitol. La «vieja» terminal es un cubo de hormigón gris que sólo utilizan unas pocas líneas aéreas. La joya de los viajes aéreos es la «nueva» terminal de piedra blanca: noventa mil metros cuadrados, tres niveles, un centro comercial rectangular con tres plantas de ventanales entre treinta y cinco puertas de embarque. La torre de control del aeropuerto se eleva al final de la terminal como una gran torre de ajedrez.

El utilitario marrón vuelve a meterse entre el tráfico a la fuerza.

Harry no para de dar órdenes a su manga.

Un Ted con los ojos como platos se sujeta como puede en el asiento trasero...

Delante de la antigua terminal, un policía del aeropuerto se mueve con dificultad entre los coches que colapsan la carretera, el teléfono apretado contra la oreja, la mano en la funda de la pistola...

El coche patrulla detiene su persecución.

Los vehículos buscan aparcamiento para descargar. Los viajeros arrastran maletas rodantes. La nieve cae.

—¡Nada! —grita Sami—. ¡No veo nada! ¡Vamos! ¡Vamos!

Avanzar entre el tráfico tan denso hasta el nivel superior de la nueva terminal se come dos minutos del reloj. Tres carriles de vehículos se alinean al lado de la acera.

—¡Imposible evacuar este lugar ahora! —Harry escudriña el caos con la mirada.

—Tiene que ser aquí, tiene que ser aquí... —Sami se queda mirando fijamente la nieve que cae. Y ve...

»¡Sigue hasta el final! ¡Acércate a la torre de control!

Aparcada cerca de la acera. Las luces intermitentes parpadeando. Una furgoneta marrón.

SERVICIOS DE TRANSPORTE MÉDICO.

—¡El motor de las escaleras eléctricas! ¡Eso es lo que utilizarán!

¡Fuera! Sami echa a correr agachado junto a los coches en movimiento. La niebla difumina las ventanillas de la furgoneta. El humo se mezcla con la niebla en cuanto sale del tubo de escape: el motor está en marcha. El conductor estará mirando por los retrovisores laterales.

Sami se mete de cabeza debajo de la furgoneta. Nota la nieve fangosa al empaparle los pantalones y la camisa mientras se arrastra sobre los codos. ¡El tubo de escape está caliente! Apesta a gasolina, se arrastra hasta las ruedas delanteras, sale de debajo rodando...

Se levanta como una cobra junto a la ventanilla cerrada del conductor.

Al otro lado del cristal, vestido con un uniforme blanco robado, Ivan se sobresalta. Una mujer pasa junto a Sami arrastrando una maleta con ruedas. Él le arrebata el equipaje —¡*eh!*— y balancea la maleta en el aire. ¡*Bum!* La ventana del conductor se astilla en mil pedazos. ¡*Bum!* La maleta rosa atraviesa de golpe la ventanilla de la furgoneta.

En el asiento del conductor, Ivan se gira hacia un cuadro de control. Sami sujeta al emir, lo saca por la ventanilla destrozada y lo arroja violentamente contra la acera cubierta de nieve derretida. ¡*Alto!* ¡*Policía!* Sami le da una patada en la cabeza, saca su Glock y ve en su imaginación el gatillo apretado, el retroceso, los sesos esparciéndose por la acera mojada.

—¡Vivo, Sami! —grita Harry.

Unos hombres chillan:

—¡Policía! ¡Suelte el arma!

Ted se desgañita:

—¡FBI! ¡Todos quietos!

—¡No hay nadie en la furgoneta! —Sami mira con furia al policía de tráfico que había ayudado al equipo médico a aparcar la furgoneta marrón en el bordillo—. ¿Había otro tipo?

—¡Tenían que recoger a un paciente en silla de ruedas! —El policía señala hacia la terminal.

—¿Qué aspecto tenía?

—¡Como el de cualquier tío! Blanco. Pelo rubio. Uniforme blanco. Chaleco de emergencias médicas.

Los fantasmas susurran a Sami: *Es una maniobra de diversión… ataquemos. Sincronización.*

—¡Harry! —grita Sami al hombre que esposa al inconsciente emir—. ¡Es Maher!

—¡Ve! —Harry vigila la furgoneta marrón que contiene el artefacto detonador, y está estacionada en las cercanías de la torre de control del aeropuerto, desde donde dirigen a los aviones atestados de gente que aterrizan o despegan en medio de una tormenta de nieve.

—Ted…, conoces a Maher… ¡Búscalo en la otra punta de la terminal!

El agente del FBI se mete sin pérdida de tiempo en su utilitario canela. La sirena aúlla, la luz roja gira. Ted parte a toda velocidad por el mismo camino por el que ha llegado… conduciendo en contrasentido.

Sami echa a correr hacia la terminal, diciéndole al policía uniformado:

—¡Manténgase lejos de mí!

No me desenmascares. Soy un espía. Soy un espía.

Se zambulle en un mar de gente que arrastra los pies. Hombro con hombro. *¡Moveos!* Las maletas parecen barricadas rodantes. La multitud alborota. Olor a pino navideño, a fregasuelos con aroma a limón, a sudor, a maletas de material sintético. Los timbres de los móviles atruenan en este pandemonio.

Sami se abre paso a empujones en dirección al otro extremo de la terminal.

¿Dónde estás? Uniforme blanco. Rubio. Chaleco. Empujas una silla de ruedas vacía.

Sami no sabe exactamente cómo sus hermanos habrán metido en la estructura tubular de la silla de ruedas la pólvora y las partículas que creían radioactivas. Una bolsa de líquido intravenoso conectada al dispositivo detonante que Zlatko fabricó. Pero Sami sí que sabe.

Un reloj digital en la pared le avisa: *D menos un minuto.*

La bomba de distracción programada para encubrir la transmisión del generador magnético. Los primeros en acudir podrían confundir la furgoneta medicalizada de color marrón con una de las suyas. Y dejarla huir mientras los aviones se estrellan.

¿Dónde estás? ¡Moveos, fuera de mi camino! Sami salta por encima del hervidero humano para echar un vistazo. «¡Cuidado!» Alguien choca con él. *Allí está el muro de la terminal, el final, la última y primera salida a la calle, allí…*

Hay una silla de ruedas con una bolsa de líquido intravenoso junto a la pared acristalada.

Sami se sube de un salto a una maceta… *¡Allí!* A unos quince metros de la silla de ruedas. Cerca de la salida: rubio, chaleco de emergencias médicas sobre el uniforme blanco robado. *¡Acércate a él! ¡Engáñalo! ¡Neutralízalo!*

—Maher —grita Sami.

El silencio se apodera del momento como si todo se moviera a cámara lenta. Maher se vuelve. Ve a su hermano que le hace señas con la mano por encima de la multitud del aeropuerto. Una expresión de curiosidad llena la cara del rubio con mechas. Mete la mano derecha en el interior del chaleco.

A unos trece metros de distancia, el gesto de manual del terrorista y conocido asesino Maher equivale a ¡va a sacar la pistola! El agente especial del FBI Ted Harris saca su arma reglamentaria, aparta de un empujón a un anciano, apunta… y dispara tres veces.

El pánico se desata. Gritos. La gente intenta correr. Tirarse al suelo. Esconderse.

—¡FBI! —aúlla Ted—. ¡FBI!

El primero y segundo disparo impactan en Maher y lo lanzan contra el suelo.

El tercer proyectil se estrella en una rejilla metálica de calefacción.

Sami se abre paso con dificultad por entre la asustada y silenciosa multitud hacia donde Maher yace tendido de espaldas, mientras Ted se acerca al terrorista sin dejar de apuntarle con su arma, la mirada clavada en lo que sospecha que Maher ha sacado del chaleco y que todavía sujeta en su mano derecha: sólo es un móvil.

Maher se incorpora sobre los codos y oye remotamente: *¡No te muevas!* Ve su camisa blanca enrojecida. Siente el teléfono en su mano derecha. Ve a su hermano Sami abriéndose paso a trancas y barrancas entre la multitud apiñada, para salvarlo. Maher sonríe y la sangre se le escapa por las comisuras de los labios. Ve trastabillar a Sami, lo ve acercarse lentamente. El pulgar derecho de Maher pulsa la tecla de marcación rápida mientras levanta el pulgar izquierdo.

Sami grita:

—¡No!

En la ciudad, Zlatko, en el exterior de una puerta verde, pulsa la tecla de un portero automático con la mano izquierda, mientras en la derecha sujeta una pistola que estará vinculada a otros cuatro asesinatos cuando liquide un cabo suelto que baja corriendo las escaleras, hacia la mirilla que él ha enturbiado con la nieve derretida de la calle.

En el Aeropuerto Nacional Ronald Reagan, el soldado John Herne se acurruca junto a la rubia Cari Jones, que lleva un abrigo de piel negra. Al lado de ambos, está la pelirroja empleada de atención al cliente de la aerolínea, Lorna Dumas, uniformada de azul, que tira de Amy Lewis y su osito de peluche para acercarlos a la protección que ofrece una silla de ruedas vacía equipada con un móvil programado para bloquear todas las llamadas. Excepto una.

Todos lo oyen. ¡Ring!

Vecinos

Joseph Finder

—No puedo evitar la sensación de que están tramando algo —dijo
Matt Parker. No necesitó decir que se refería a los nuevos vecinos.
Estaba atisbando por la ventana del dormitorio a través de una aber-
tura entre las lamas de las persianas venecianas.

Kate Parker levantó la vista del libro y gruñó.

—Otra vez no. Ven a la cama. Son más de las once.

—Hablo en serio —protestó Matt.

—Y yo también. Además, es muy probable que ellos también
puedan ver que los estás espiando.

—No desde este ángulo. —Pero sólo por si acaso dejó caer la
lama. Se giró en redondo, con los brazos cruzados—. No me gustan
—dijo.

—Ni siquiera los conoces.

—Te vi hablar con ellos ayer. No creo que sean realmente una
pareja. Vaya, ella es veinte años más joven que él.

—Laura es ocho años más joven que Jimmy.

—Él tiene que ser árabe.

—Creo que Laura dijo que los padres de él son persas.

—Persas —se burló Matt—. Eso es sólo un eufemismo para decir iraní. Igual que un iraquí dice que es mesopotámico o algo similar.

Kate sacudió la cabeza y reanudó su lectura. Alguna novela de
chicas: una selección del Club del Libro de Oprah con una sobrecu-

bierta que parecía un edredón Amish. A los pies de la cama, el gran televisor de pantalla plana arrojaba una parpadeante luz azul sobre los delicados rasgos de Kate. Tenía el sonido quitado. Matt no entendía cómo era capaz de concentrarse en un libro con el televisor encendido.

—¿Tiene pinta de ser un Norwood? —dijo Matt cuando volvió de lavarse los dientes; unas cuantas motas blancas de Colgate le salpicaban la barbilla—. ¿Jimmy Norwood? ¿Un árabe con ese apellido? Ése no puede ser su verdadero apellido.

Kate soltó un breve suspiro de hartazgo, dobló la punta de una página y cerró el libro.

—En realidad, es Nourwood. —Se lo deletreó.

—Ése no es un apellido de verdad. —Matt se metió en la cama—. ¿Y dónde están sus muebles? Ni siquiera trajeron una furgoneta de mudanzas. Aparecen sin más un buen día, con todas sus pertenencias en esa estúpida lata de sardinas de su pequeño Toyota híbrido.

—Chico, realmente los has estado vigilando.

Matt hizo una mueca.

—Me fijo en las cosas. Como en los coches de fabricación extranjera.

—Ya, bueno, detesto bajarte de tu nube, pero han alquilado la casa amueblada a los Gorman. Ruth y Chuck no querían vender la casa, tal como está el mercado en estos tiempos, y no tenían sitio en su piso de Boca para…

—¿Qué clase de gente alquilaría una casa amueblada?

—Míranos —observó Kate—. Pero si nos mudamos cada dos años.

—Cuando nos casamos, ya sabías que sería así. Eso es sólo parte de la vida. Lo que te digo es que hay algo en ellos que no me cuadra. ¿Te acuerdas de los Olsen, en Pittsburgh?

—No empieces.

—¿Te dije o no te dije que tenían problemas en su matrimonio? Y tú venga a insistir que Daphne tenía una depresión posparto. Y acabaron divorciándose.

—Sí, como unos cinco años después de habernos mudado —dijo Kate—. La mitad de los matrimonios acaban en divorcio. De todas maneras, los Nourwood son una pareja absolutamente encantadora.

Algo en la televisión atrajo la atención de Matt. Buscó a tientas el mando a distancia, lo encontró debajo del edredón de plumas, junto a la almohada de Kate, y apretó un botón para activar el sonido.

«… fuentes oficiales han confirmado a *NightCast*, de la WXBS, que los informes de inteligencia del FBI muestran un nivel creciente de cháchara terrorista…»

—Me encanta esa palabra, cháchara —dijo Kate—. Hace que parezca que hubieran puesto micrófonos en el juego de té de Perez Hilton o algo parecido.

—Chist. —Matt subió el volumen.

El locutor del informativo local, que llevaba un barato traje oscuro de raya diplomática y parecía tener unos dieciséis años, continuó:

«… aumenta la preocupación por un posible ataque terrorista en el centro de Boston dentro de tan sólo de dos días.»

En el rótulo a un lado del locutor, una burda representación de un blanco, se leía: «Boston, ¿objetivo terrorista?»

En la pantalla se vio a un periodista en la oscuridad del exterior de uno de los grandes rascacielos nuevos del barrio financiero. El viento le azotaba el pelo.

«Ken, un portavoz de la policía de Boston me acaba de decir hace escasos minutos que el alcalde ha ordenado reforzar la seguridad de todos los edificios públicos de la ciudad, incluida la sede del gobernador del Estado, el centro administrativo y todos los edificios comerciales importantes.»

—¿No está un poco alto? —dijo Kate.

Pero Matt continuó con la mirada clavada en la pantalla.

«… se especula con que los terroristas podrían estar residiendo en la ciudad. El portavoz de la policía me dijo que, según parece, el patrón que siguen es el de establecer residencia en una ciudad importante, o al menos muy cerca, e integrarse en el tejido social de un barrio mientras elaboran sus planes a largo plazo, como las fuerzas de seguridad creen que ocurrió en el atentado terrorista de Chicago el año pasado, acaecido también el diecinueve de abril, que, aunque jamás resuelto, se cree que tiene que ser...»

—Sí, sí, sí —dijo Kate.

—¡Chist!

«... hay agentes secretos del FBI por toda la zona de Boston con la intención de infiltrarse en esta supuesta red terrorista», dijo el periodista.

—Me encanta esto —dijo Kate—. Siempre hay una «red». ¿Y por qué no una pulsera? ¿O un collar?*

—Esto no tiene ninguna gracia —sentenció Matt.

Matt no podía dormir.

Después de dar vueltas en la cama durante media hora, se levantó silenciosamente y se dirigió descalzo por el pasillo hasta el diminuto cuarto de invitados que hacía las veces de despacho casero. No tenía más muebles que un par de archivadores, para las facturas, los manuales de los electrodomésticos y cosas parecidas, y un viejo ordenador Dell sobre una mesa de Ikea.

Hizo clic en un buscador en el ordenador y buscó «James Nourwood» en Google. El buscador le devolvió:

Quizá quisó decir: James Norwood.

No, *maldita sea,* pensó. *He escrito lo que quería escribir.*

Lo único que Google arrojó fue una serie de citas dispersas e inútiles que casualmente contenían «James» y «*wood*» y palabras

---

* Juego de palabras debido a la polisemia de la palabra *ring* en inglés, «anillo» o «red o banda», entre otros significados. *(N. del T.)*

que acababan en «*-nour*». Lo intentó de nuevo escribiendo sólo «Nourwood».

Nada. Cierta empresa de importación-exportación con sede social en Siria llamada Nour Wood, y una fábrica de laminados de alta presión fundada por un tipo llamado Nour. Pero si Google estaba en lo cierto, y solía estarlo, en todo el mundo no había nadie llamado Nourwood.

Lo cual significaba que o su nuevo vecino no era trigo limpio, o aquél no era su verdadero apellido.

Así que Matt lo intentó con un poderoso motor de búsqueda llamado ZabaSearch, que podía darte la dirección de casi todas las personas, famosos incluidos. Introdujo «Nourwood», y luego seleccionó «Massachusetts», en el menú desplegable de estados.

La respuesta apareció al instante en unas grandes y burlonas letras rojas:

No se ha encontrado ningún resultado que coincida con NOUR-WOOD.

Compruebe que ha escrito bien la palabra e inténtelo de nuevo.

Bueno, pensó Matt, *se acaban de mudar aquí. Puede que todavía sea demasiado pronto para que aparezca.* De todas formas, los vecinos eran inquilinos, no propietarios, así que quizás eso explicara por qué no aparecían todavía en la base de datos de Massachusetts. Regresó a la página principal de ZabaSearch y esta vez seleccionó por defecto «Todos los 50 estados».

Lo mismo.

No se ha encontrado ningún resultado que coincida con NOUR-WOOD.

¿Qué significa eso, que no aparecían en ningún lugar del país? Eso era imposible.

No, se dijo. *Quizá no.* Si Nourwood, como él sospechaba, no fuera un apellido real.

Aquella pareja de extraños estaba viviendo en la puerta contigua bajo un nombre ficticio. El sexto sentido de Matt empezó a hacerle cosquillas.

Se acordó entonces de cómo en una ocasión, siendo niño, había entrado en el cobertizo de las herramientas que había en la parte posterior de la casa de Bellingham y de repente se le habían puesto los pelos de la nuca como escarpias. No había sabido la razón. Al cabo de unos segundos, se percató de que el rollo de cuerda que había en un rincón del cobertizo mal iluminado era realmente una serpiente. Se había quedado paralizado en el sitio, fascinado y aterrorizado por la piel reluciente del ofidio, de unas llamativas franjas blancas, negras y naranjas. Lo cierto es que se trataba sólo de una serpiente, pero ¿y si hubiera sido un venenoso crótalo de los que a veces se encontraban en el oeste del estado de Washington, como la serpiente cascabel de la pradera? Desde aquel día había aprendido a confiar en su instinto. El inconsciente suele percibir el peligro mucho antes que la mente consciente.

—¿Qué estás haciendo?

Se sobresaltó al oír la voz de Kate. La alfombra que discurría de pared a pared había silenciado su acercamiento.

—¿Qué haces despierta, nena? —le preguntó

—Matt, son las dos de la mañana —respondió ella, con la voz ronca por el sueño—. ¿Qué puñetas estás haciendo?

Cerró rápidamente el buscador, pero ella ya lo había visto.

—¿Estás buscando a los vecinos en Google a estas horas?

—Ni siquiera existen, Kate. Ya te lo dije, hay algo que no cuadra.

—Créeme, existen —dijo ella—. Son muy reales. Ella incluso da clase de Pilates.

—¿Estás segura de que sabes cómo se deletrea el apellido?

—Está en su buzón de correos —le replicó ella—. Míralo tú mismo.

—Ah, vale, ésa es una prueba verdaderamente irrefutable —dijo él, recalcando en exceso el sarcasmo—. ¿Te dieron su número de teléfono? ¿El de un móvil, quizá?

—¡Por amor de Dios! Mira, si tienes alguna pregunta que hacerles, ¿por qué no se la haces personalmente mañana por la noche? O supongo que ya hay que decir esta noche.

—¿Esta noche?

—La fiesta de los Kramer. Te lo he contado como cinco veces. Dan una fiesta para fardar de las reformas de su casa.

Matt soltó un gruñido.

—Hemos rechazado sus dos últimas invitaciones. Tenemos que ir. —Kate se restregó los ojos—. ¿Sabes?, realmente estás haciendo el ridículo.

—Más vale prevenir que curar. Cuando pienso en mi hermano, Donny... Supongo que fue un gran soldado. Un verdadero patriota. Y mira lo que le ocurrió.

—No pienso en tu hermano —dijo ella en voz baja.

—Y yo no puedo dejar de pensar en él. Lo sabes.

—Vuelve a la cama —dijo Kate.

El resto de la noche Matt estuvo escuchando la tenue respiración de su esposa y contemplando el cambio de los números en el reloj digital. A las 04.58 renunció definitivamente a seguir intentándolo. Se levantó de la cama a hurtadillas y sin hacer ruido, se puso la ropa de la víspera y bajó a orinar a la planta baja para no despertar a Kate. Mientras estaba en el baño, se sorprendió mirando ociosamente por la ventana, por encima de las cortinas color café, hacia el lateral de la casa de los Gorman, situada a no más de seis metros de distancia. Las ventanas estaban a oscuras: los Nourwood dormían. Vio su coche aparcado en el camino de acceso, lo que le dio una idea.

Tras coger un lápiz de la encimera de la cocina y el único trozo de papel que pudo encontrar en ese momento —un recibo de caja del supermercado—, abrió la puerta trasera y salió a la oscuridad, agarrando la puerta mosquitera antes de que pudiera dar un portazo y empujándola suavemente para cerrarla, hasta que el silbido neumático cesó y la cerradura dio un chasquido.

Era una noche —en realidad, una madrugada— sin luna ni estrellas, sólo un palidísimo resplandor asomaba en el horizonte. Matt apenas podía ver a metro y medio delante de él. Atravesó el estrecho rectángulo de césped que separaba las dos casas y se paró en el borde del camino de los Nourwood, donde el pequeño coche surgió como una silueta amenazadora. Pero poco a poco sus ojos se acostumbraron a la oscuridad, y además había una ligera luz ambiental procedente de una farola lejana. El coche de los Nourwood, un Toyota Yaris, era uno de esos híbridos ridículos, baratos y austeros, de fabricación extranjera. Daba la sensación de que pudieras levantarlo con una mano. La matrícula estaba completamente en sombras, así que Matt se acercó para verla mejor.

De repente, quedó deslumbrado por la fuerte luz de un juego de focos halógenos montados encima del garaje. Durante un momento escalofriante pensó que quizá Nourwood había visto merodear a alguien por los alrededores y le había dado al interruptor. Pero no: por lo visto, Matt había activado un sensor de movimiento.

¿Y si los Nourwood dejaban las cortinas de su dormitorio descorridas, y uno de ellos no tuviera el sueño pesado? Tenía que moverse rápidamente, sin pérdida de tiempo, para ponerse a salvo.

Al menos entonces pudo ver la matrícula con claridad. Escribió los números en el recibo de caja y se dio la vuelta para regresar, cuando chocó con alguien.

Asustado, Matt soltó un grito involuntario, una especie de ¡uhh!, en el preciso instante en que alguien decía: «¡Dios mío!»

James Nourwood.

Era unos quince centímetros más alto que Matt, fornido y atlético, y llevaba puesto un albornoz a rayas por cuyo escote brotaba del pecho una revoltosa mata de pelos negros.

—¿Puedo ayudarlo? —le preguntó Nourwood con un ceño imperioso.

—Oh…, lo siento —respondió Matt—. Soy Matt Parker. Tu…, esto, tu vecino de la casa de al lado.

Su mente daba vueltas como un hámster en una noria, intentando discurrir una explicación plausible de por qué había estado encorvado sobre el coche de su vecino a las cinco de la mañana. ¿Qué podía decir? ¿Que sentía curiosidad por su híbrido? Teniendo en cuenta el Cadillac Escalade que había en su garaje, cuyo consumo se medía en litros por kilómetro, no era una buena excusa.

—Ah —dijo Nourwood con socarronería—. Encantado de conocerte.

Lucía una barba de chivo pulcramente recortada. La tez oscura le hacía parecer como si hubiera tomado mucho el sol. Nourwood alargó la mano, grande y seca, y se la estrecharon.

—Me has dado un buen susto. Salí a ver si ya había llegado el periódico… Pensé que alguien intentaba robarme el coche.

Tenía un ligerísimo acento, aunque casi nadie habría percibido aquel indicio revelador. Algo ligeramente distinto en la cadencia, en la entonación, en la formación de las vocales. Como alguien nacido y criado en Estados Unidos de padres que no eran hablantes nativos. Alguien que quizás hablara árabe desde la infancia y que probablemente fuera bilingüe.

—Sí, lo siento, yo… Mi esposa perdió unos pendientes, y está muy disgustada por ello, y supuse que podrían habérsele caído cuando vino a saludaros ayer.

—¿Ah, sí? —dijo Nourwood—. ¿Vino a visitarnos ayer? Me temo que no la vi.

—Ya —dijo Matt. ¿Había dicho Kate que había ido a visitarlos la víspera o lo recordaba mal?—. Estoy bastante seguro de que fue ayer. De todos modos, no son joyas de extraordinario valor ni nada que se le parezca, pero tienen una especie de valor sentimental.

—Entiendo.

—Sí, fue el primer regalo que le hice cuando empezamos a salir, y no soy muy aficionado a hacer regalos, así que supongo que eso lo convierte en piezas de coleccionista.

Nourwood se rió educadamente entre dientes.

—Bueno, si veo algo te lo comunicaré. —Arqueó una ceja—. Aunque puede que sea un poco más fácil buscar después de que salga el sol.

—Lo sé, lo sé —se apresuró a decir Matt—, pero es que quería sorprenderla cuando se despertara.

—Ya —comentó Nourwood, con suspicacia—. Claro.

—Me he dado cuenta de que tienes matrícula de Massachusetts… ¿Eres del estado?

—Es una matrícula nueva.

—Ajá —A Matt no se le escapó que no había dicho si era o no de Massachusetts. Sólo que la matrícula era nueva. Le respondía con evasivas—. Así que no eres de por aquí, deduzco.

Nourwood negó con la cabeza lentamente.

—¿No? ¿Y de dónde eres?

—¡Dios mío!, de dónde no soy, querrás decir. Tengo la sensación de haber vivido en todas partes.

—¿Ah, sí?

—Detesto ser grosero, pero tengo algo que hacer, y hoy me toca preparar el desayuno. ¿Te veré esta noche en la fiesta de los Kramer?

—Me pareció oír voces fuera —dijo Kate, rebañando la última cucharada del yogur con cereales integrales de su tazón. Parecía cansada y malhumorada.

Matt se encogió de hombros y meneó la cabeza. Estaba avergonzado por lo que había ocurrido y no le apetecía entrar en detalles.

—¿Ah, sí?

—Debí de soñarlo. ¿Te importa si me acabo esto? —Señaló con su cuchara el envase del carísimo yogur que había comprado en Trader Joe's.

—Adelante —dijo él, empujándolo hacia ella. Detestaba el producto; sabía a calcetín de gimnasia usado—. ¿Más café?

—Tengo bastante. Te levantaste temprano.

—No podía dormir. —Matt cogió el cartón de leche, y estaba a punto de echarse un poco en el café cuando reparó en la fecha marcada en el envase—. Está caducada —observó—. ¿Hay más en el frigorífico?

—Ésa era la última —dijo Kate—. Pero no le pasa nada.

—Está caducada.

—Está en perfectas condiciones.

—En perfectas condiciones —repitió él—. ¿Alguna vez has reparado en que siempre que algo no está bien dices que está «en perfectas condiciones»? —Olisqueó el cartón, aunque no pudo detectar ningún olor a agrio. Eso no significaba que no hubiera empezado a cortarse, por supuesto. Uno no podía fiarse siempre y exclusivamente del olor. Vertió la leche lentamente en el café, con suspicacia, alerta al grumo más insignificante, pero no vio nada. Después de todo, quizás estuviera bien—. Igual que los Nourwood. Dijiste que eran «absolutamente encantadores». Lo cual significa que sabes que hay algo en ellos que no cuadra.

—Creo que bebes demasiado café —respondió ella—. Quizá sea eso lo que te hace estar despierto por las noches.

FBI: INVESTIGA POSIBLE CONSPIRACIÓN

TERRORISTA LOCAL.

REFORZADA LA SEGURIDAD EN LOS RASCACIELOS

Y EDIFICIOS PÚBLICOS.

Matt golpeó el periódico con un índice regordete.

—Mira, esto es lo que me impide dormir por las noches —dijo—. Los Nourwood me mantienen despierto.

—Matt, es demasiado temprano.

—Muy bien. Luego no digas que no te lo advertí. —Le dio un sorbo al café—. Por cierto, ¿por qué se han mudado al barrio?

—¿Qué se supone que quieres decir con eso?

—¿Ha sido por trabajo? ¿Te lo dijeron?

Kate puso los ojos en blanco de aquella manera que siempre cabreaba a Matt.

—A él lo contrataron en ADS.

—¿En Hopkinton?

ADS era la gran empresa tecnológica conocida por su nombre completo, Andromeda Data Systems. Fabricaban…, bueno, él no estaba seguro de a qué se dedicaban, exactamente. Almacenamiento de datos, quizás. O algo parecido.

—¿Fue eso lo que te dijo?

Ella asintió con la cabeza.

—Ahí lo tienes. Si realmente trabajara en ADS, ¿por qué no se mudaron a algún lugar más cercano a Hopkinton? Ése es el fallo de su tapadera.

Kate lo miró con desdén durante un buen rato, y entonces dijo:

—¿Puedes hacer el favor de dejar esto ya? Vas a acabar volviéndote loco.

Entonces Matt se dio cuenta de que la estaba disgustando, y se sintió mal. En voz baja, le preguntó:

—¿Has vuelto a tener noticias del médico?

Ella negó con la cabeza.

—¿De cuánto es el retraso?

Ella volvió a negar con la cabeza y apretó los labios.

—Ojalá lo supiera.

—No quiero que te preocupes. Ya llamará.

—No estoy preocupada. Eres tú el que está preocupado.

—Ése es mi trabajo —dijo Matt—. Preocuparme por los dos.

La empresa de ingeniería donde Matt trabajaba estaba justo en el centro de Boston, en el edificio más alto de la ciudad: una elegante torre de sesenta plantas con paredes de cristal azul reflectante. Era un edificio singular, magnífico y soberbio, un espejo en el cielo. Matt, ingeniero de estructuras por formación y un chiflado de la arquitectura por vocación, sabía bastante sobre la construcción del edificio. Había oído historias acerca de que, poco después de su construcción, había perdido ventanas enteras los días ventosos, igual que una serpiente pierde sus escamas. Irías caminando por la calle, admirando la última incorporación al horizonte de Boston, y de repente acabarías aplastado bajo más de doscientos kilos de cristal, mientras una granizada de fragmentos dentados mutilarían a los demás transeúntes. Nunca sabrías lo que te golpearía. Era curioso que pudieran ocurrir cosas así, cosas que no esperarías que sucedieran ni en un millón de años. ¡Nada menos que una ventana voladora! Uno nunca estaba suficientemente seguro.

Un ingeniero suizo, años después de la construcción de la torre, llegó incluso a la conclusión de que, en determinadas condiciones eólicas, la torre podría llegar a doblarse por la mitad y caer justo encima de su estrecha base. Qué extraño resultaba, solía pensar Matt, estar trabajando en un edificio tan grandioso, en aquella aguja descomunal que se elevaba a tanta altura por encima de la ciudad, y sin embargo ser tan absolutamente vulnerable dentro de aquel ataúd de cristal.

Bajó muy despacio con su Cadillac Escalade negro por la rampa de acceso al garaje subterráneo. Una pareja de guardias de seguridad uniformados salieron de su garita. Aquél era un nuevo procedimiento desde hacía algunos días, a causa del reforzamiento de la seguridad.

Matt apagó la radio —su programa favorito de debate deportivo, en el que el presentador discutía en ese momento con algún idiota sobre los reservas de los Red Sox— y bajó la ventanilla tintada cuando el guardia de más edad se acercó. Mientras, el más joven dio una vuelta alrededor de la parte trasera del Escalade y le propinó un golpecito seco.

—Ah, hola, señor Parker —saludó el guardia de pelo gris.

—Buenos días, Carlos —dijo Matt.

—¿Qué tal los Sox?

—Este año llegan a la final.

—De la división al menos, ¿eh?

—A la final de las series mundiales.

—Este año no.

—Vamos, no hay que perder la fe.

—Usted no lleva aquí el tiempo suficiente —dijo Carlos—. No sabe nada de la maldición.

—Ya no hay tal cosa.

—Cuando se ha sido un seguidor de los Sox desde hace tanto tiempo como yo, sólo tienes que esperar a los ahogos de final de temporada. Sigue ocurriendo. Ya lo verá. —Llamó a su compañero más joven—. Todo en orden. El señor Parker trabaja en Bristol Worldwide, en la veintisiete.

—¿Cómo le va? —preguntó el guardia joven, apartándose del coche.

—¿Qué hay? —respondió Matt. Luego, con fingida seriedad, continuó—: Carlos, ya sabe, tienen que inspeccionar los coches de todo el mundo.

—Sí, sí —dijo el hombre.

Matt meneó el dedo.

—Basta con un vehículo.

—Si usted lo dice.

Pero era cierto, por supuesto. Todo lo que alguien tenía que hacer era llenar un coche —ni siquiera un camión; no tendría que ser siquiera tan grande como aquel Escalade— de RDX y aparcarlo en el sitio adecuado en el garaje. El RDX podía cortar las columnas de sustentación de acero como una navaja de afeitar un tomate. La parte del suelo que estuviera justo encima se hundiría, y luego el piso que estuviera encima, y muy pronto, en cuestión de segundos, todo el edificio acabaría como una tortilla. Ése era el principio de la demolición controlada: los explosivos eran sólo el detonante; la gravedad era la que te hacía el verdadero trabajo.

Nunca dejaba de asombrarle lo poco que sabía la gente acerca de la fragilidad de las construcciones en las que vivían y trabajaban.

—¡Eh! —dijo Matt—, ¿han reparado las cámaras del circuito cerrado de televisión de la entrada de Stuart Street?

—No había cerdos volando la última vez que las comprobé —dijo Carlos.

Matt menó la cabeza.

—Eso no está bien —dijo—. No en tiempos así.

El guardia mayor le dio una palmada amistosa al Escalade como para enviarlo a su destino.

—A mí me lo va a decir —dijo.

Lo primero que hizo Matt al entrar en su pequeño despacho fue llamar a casa. Kate respondió al primer tono.

—¿Ninguna noticia del médico todavía?

—No —contestó ella—. Pensé que eras él.

—Lo siento. Dime algo en cuanto tengas noticias, ¿de acuerdo?

—Te llamaré en cuanto las tenga. Te lo prometo.

Matt colgó, consultó su agenda electrónica y se dio cuenta de que faltaba diez minutos para la reunión matinal de gerentes. Abrió Google y escribió: «búsqueda de matrículas», lo que generó una larga lista de sitios web, la mayoría de dudosa fiabilidad. Uno prometía: «¡Averigua la verdad sobre cualquiera!» Pero cuando tecleó la matrícula de Nourwood y seleccionó Massachusetts, fue enviado a otra página que quería que cumplimentara todo tipo de información sobre sí mismo y diera el número de su tarjeta de crédito. Eso no iba a ocurrir. Otro sitio web exhibía una foto ridícula de un hombre vestido según la idea que alguien tenía de un detective. No le faltaba el sombrero de Sherlock Holmes y su gran lupa, en la que el ojo derecho del hombre aparecía grotescamente agrandado. No era muy prometedor, pero de todas maneras introdujo el número de la matrícula; acabó descubriendo que Massachusetts no era uno de los estados de los que la página disponía de información. Otro sitio parecía más serio, aunque la letra pequeña explicaba que, cuando introdujeras un número de matrícula y la información de tu tarjeta de crédito, se te «asignaría» un «detective privado». No le gustó aquello. Le puso nervioso. No quería ser puesto al descubierto de esa manera.

Además, la página decía que la búsqueda tardaría de tres a cinco días laborales.

Para entonces sería demasiado tarde.

Tecleó la dirección de otra pagina web más, que inmediatamente engendró una docena de ventanas emergentes de anuncios lascivos que le ocuparon toda la pantalla.

Y entonces Matt advirtió que su jefa, Regina, se acercaba a su despacho. Buscó desesperadamente un botón de desconexión en la pantalla, pero fue incapaz de encontrarlo. Era lo último que le hacía falta, que Regina entrara en su despacho para pedirle la SDP, una solicitud de proyecto, con la que Matt seguía retrasándose, y viera toda aquella pornografía en la pantalla de su ordenador.

Pero cuando Regina estaba como a unos dos metros de distancia, se paró en seco, como si se hubiera acordado de algo, y regresó a su despacho.

Crisis superada.

Cuando Matt reinició su ordenador, su desconcierto era cada vez mayor: ¿cómo era posible que ese tipo, el tal «James Nourwood», no apareciera por ningún lado en Internet? A esas alturas eso era casi imposible. Todo el mundo dejaba huellas digitales, ya fueran números de teléfono, contribuciones a partidos políticos, listas de reuniones del instituto, transacciones económicas, visitas a páginas web de empresas...

Sitios web de empresas. Ésa sí que era una buena idea.

¿Dónde trabajaba el tal «Nourwood»? Ah, sí. La gran empresa tecnológica ADS, en Hopkinton. O eso le había dicho a Kate.

Bueno, eso era fácil de comprobar. Encontró el número de teléfono de la central de ADS. Respondió una operadora.

—Buenos días, ADS.

—Quisiera hablar con uno de sus empleados, por favor. James Nourwood.

—Un momento.

El corazón de Matt latió con fuerza. ¿Y si era Nourwood el que atendía su propia línea? Matt no tendría más alternativa que colgar, claro, pero ¿y si su nombre aparecía en el identificador de llamadas de Nourwood?

Se oyó un débil tamborileo sobre un teclado al fondo, y luego un silencio absoluto. Matt mantuvo el dedo índice suspendido en el aire sobre la clavija del teléfono para cortar la llamada en cuanto oyera la voz de su vecino.

Aunque por otro lado, si Nourwood respondía realmente al teléfono, entonces quizá su apellido no fuera ninguna tapadera, después de todo. Quizás hubiera alguna explicación benévola para el hecho de que no se le pudiera encontrar en Internet.

Su dedo estaba suspendido en el aire, moviéndose nerviosamente. Matt rozó el plástico frío de la clavija, preparado para pulsarla con los reflejos, rápidos como un rayo, de un francotirador. Se oyó un chasquido, y luego la voz de la operadora de nuevo.

—¿Cómo se deletrea ese apellido, señor?

Matt lo deletreó con lentitud.

—No encuentro a nadie con ese nombre. Incluso lo he buscado como N-O-R-W-O-O-D, pero tampoco he encontrado a nadie. ¿Tiene alguna idea de en qué departamento trabaja?

Matt no pudo seguir conteniendo su nervioso índice, y dio por terminada la llamada.

Después de la reunión de gerentes, se pasó por el despacho de Len Baxter. Lenny, el jefe de tecnologías de la información de la oficina de Boston en Bristol, era un personaje barbudo y con aspecto de gnomo al que le gustaba estar solo, aunque siempre había sido amable cada vez que Matt había tenido un problema informático. Fuera cual fuese la estación, Lenny llevaba siempre el mismo uniforme invariable: vaqueros, camisa de franela a cuadros y una gorra de béisbol de los Red Sox, sin duda para ocultar su calva. Todo el mundo tenía algo que ocultar.

—Mattie, muchacho, ¿qué puedo hacer por ti? —le preguntó Lenny.

—Necesito que me hagas un favor.

—Eso te va a costar. —Lenny mostró una sonrisa radiante—. Es broma. Cuéntame.

—¿Puedes hacer una búsqueda rápida de informes públicos en LexisNexis?

—¿De qué?

—Sólo un nombre. James Nourwood. —Lo deletreó.

—¿Es un asunto personal?

—Oh, no. Qué va. Es sólo un vendedor de ADS que no para de intentar vendernos un programa de recuperación de datos, y no sé, no me da buena espina.

—No puedo hacerlo —dijo Lenny muy serio—. Sería una violación de la Ley sobre la intimidad de 1974, además de la Ley Gramm-Leach-Bliley.

A Matt le dio un vuelco el estómago. Pero entonces Lenny sonrió.

—Sólo me estaba cachondeando de ti. Pues claro, encantado. —Escribió ruidosamente en su teclado, miró la pantalla con los ojos entrecerrados y escribió algo más—. ¿Me lo deletreas otra vez?

Matt lo hizo.

—Qué raro. No hay nada.

Matt tragó saliva.

—¿No?

Los dedos cortos y regordetes de Lenny volaron por el teclado.

—Muy raro —dijo—. Tu tipo no está registrado para votar y jamás se ha sacado el carné de conducir ni ha comprado ninguna propiedad… ¿Estás seguro de que no es un producto de tu imaginación?

—¿Sabes qué? Que debo haber entendido mal su nombre. No importa. Ya volveré a preguntarte.

—No te preocupes —dijo Lenny—. Cuando quieras.

Matt no era muy amigo de fiestas, que se dijera. No le gustaba hacer vida social, sobre todo con los vecinos. Allá donde viviera, prefería pasar desapercibido. Además, los Kramer no eran santos de su devoción. Tenían la casa más grande del barrio, y un jardín con césped que parecía un campo de golf, y todos los años hacían asfaltar de nuevo el camino de acceso a la casa para que pareciera ónice pulido. Daban una cena esa noche para enseñar sus renovaciones más recientes. A Matt aquello le resultaba una majadería. Si te podías permitir gastar medio millón de dólares remodelando tu casa, lo menos que podías hacer era ser discreto al respecto.

Pero aquélla, en realidad, era una fiesta que Matt estaba esperando con ansiedad. Quería hacerle unas cuantas preguntas a los «Nourwood».

La fiesta estaba ya en pleno auge cuando llegó: risas frívolas y relajadas y el olor de los fuertes perfumes, la ginebra y el queso fundido. Sonrió a los vecinos, a la mayoría de los cuales no conocía, saludó a Audrey Kramer, y entonces avistó a Kate, que charlaba amigablemente con los Nourwood. Se quedó de una pieza. ¿Por qué se mostraba tan amistosa con ellos?

En cuanto Kate vio a su marido, le hizo señas con la mano para que se acercara.

—Jimmy, Laura…, mi marido, Matt.

Nourwood iba vestido con un traje azul aparentemente caro, una camisa blanca almidonada y una corbata a rayas. Tenía un aspecto próspero y acicalado. Su esposa era una rubia bajita y poco agraciada, robusta de complexión. Al lado de su marido parecía demacrada. La verdad es que no parecían un matrimonio, pensó Matt; daban la impresión de no encajar en nada. Los dos sonrieron educadamente y alargaron sus manos, y Matt advirtió que la mujer la daba con mucha más firmeza que su marido.

—Ya nos conocemos —dijo Nourwood, con los ojos oscuros relucientes.

—¿Ah, sí? —dijo Kate.

—Esta mañana temprano. ¿No te lo dijo? —Nourwood se echó a reír, mostrando una dentadura muy blanca y uniforme—. Esta madrugada.

Kate lanzó una fugaz mirada de sorpresa a su marido.

—No.

—¿Encontraste tu pendiente? —le preguntó Nourwood a Kate.

—¿Pendiente? —dijo ella—. ¿Qué pendiente?

—El que te regaló Matt... Su primer regalo, ¿no?

Matt intentó impedir que su mujer siguiera con la conversación con una mirada de advertencia, pero ella no le dio oportunidad.

—¿Este tío? —dijo—. No creo que me haya regalado un par de pendientes en todo el tiempo que lo conozco.

—Ah —dijo Nourwood. Sus ojos atravesaron a Matt como rayos equis—. Entendí mal.

Matt se sonrojó y le empezó a picar la cara. Se preguntó hasta qué punto se le notaría. Había sido pillado en una mentira palmaria. ¿Cómo iba a explicar lo que había estado haciendo realmente en el camino de acceso a la casa de los Nourwood a las cinco de la mañana sin que pareciera impreciso y a la defensiva? Y entonces se recriminó a sí mismo: este tipo es un mentiroso y un agente secreto, ¿y eres tú el que se está comportando como si fueras el culpable?

Las dos mujeres emprendieron una animada conversación, como viejas amigas, sobre restaurantes, películas y compras, dejando a los dos hombres allí de pie, envueltos en un silencio embarazoso.

—Mis disculpas —dijo Nourwood en voz baja—. Debería haber pensado un poco antes de decir nada. Todos tenemos cosas que preferimos mantener ocultas a nuestras esposas.

Matt intentó soltar una risilla desenfadada, pero la que le salió sonó falsa y forzada.

—Oh, no, nada de eso —dijo—. Debería haberte contado toda la historia. —Entonces bajó la voz en actitud confianzuda—. En realidad, esos pendientes eran un regalo sorpresa.

—Ah —dijo Nourwood, cortándolo con una sonrisa de complicidad—. Ni una palabra más. Qué metedura de pata la mía.

Matt titubeó. Sin mayor elaboración, su nuevo cuento chino modificado no tenía sentido: a qué había venido la primera mentira sin sentido, y cómo habían ido a parar aquellos pendientes imaginarios al camino de entrada de los Nourwood, y todo eso. Pero o Nourwood no quería oír más…, o no le creía y no quería oír más.

El sexto sentido de Matt estaba cosquilleando de nuevo.

Laura y Kate reían, hablaban a cien por hora. Laura le estaba contando algo sobre Neiman Marcus, y Kate movía enérgicamente la cabeza, asintiendo, al tiempo que decía:

—Totalmente. Totalmente.

En lugar de intentar recuperar un jirón de credibilidad, Matt se decidió por cambiar de tema.

—Bueno, ¿qué te parece ADS?

Nourwood se lo quedó mirando de hito en hito sin ninguna expresión en el rostro.

—Andromeda Data Systems. ¿No es ahí donde trabajas? —Entonces se preguntó si no podía ser que Kate hubiera entendido mal.

—Ah, claro —dijo Nourwood, como si se acabara de acordar—. Está bien. Ya sabes…, no es más que un empleo.

—Ajá —dijo Matt. Quizá fuera el turno de Nourwood de ser pillado en una mentira—. ¿Acabas de empezar a trabajar ahí, no es así?

—Cierto, es verdad —dijo Nourwood con vaguedad, a todas luces nada deseoso de hablar de ello.

—¿Qué tal el desplazamiento hasta allí? —insistió Matt, entrando a matar—. Vaya, debes de vivir en la autopista.

—No, qué va. No tiene importancia.

No había ninguna duda: Nourwood no trabajaba en ADS en absoluto. Probablemente temía que le hicieran demasiadas preguntas sobre la empresa.

Así que Matt insistió en ello.

—¿Y qué clase de trabajo haces?

—Oh, no querrás que te lo cuente, créeme —dijo Nourwood con brusquedad. Miraba por encima del hombro de Matt, recorriendo la habitación con la mirada, como si estuviera desesperado por encontrar la forma de escapar al interrogatorio.

—Nada de eso. Me encantaría saberlo.

—Créeme —dijo Nourwood fingiendo jovialidad, aunque en su mirada había dureza—. Siempre que intento explicar lo que hago, la gente se queda dormida de pie. Háblame de ti.

—¿De mí? Soy ingeniero. Pero no hemos acabado contigo. —Entonces Matt se apresuró a mostrar una sonrisa apaciguadora.

—Supongo que podría decir que yo también soy ingeniero —dijo Nourwood—. Ingeniero de proyectos.

—¿Ah, sí? Sé un montón de cosas sobre ADS —mintió Matt. No sabía más que lo que había deducido de un rápido vistazo en la página web de la empresa esa mañana y leyendo por encima algún que otro artículo ocasional en el *Globe*—. Me encantaría saberlo todo al respecto.

—Soy un contratista independiente. Una especie de asesor de proyectos.

—¿De verdad? —dijo Matt, fingiendo estar fascinado—. Háblame de ello.

Los ojos incansables de Nourwood volvieron a los de Matt, y durante unos segundos dio la sensación de estar estudiándolo.

—Ojalá pudiera —dijo finalmente—. Pero he firmado acuerdos de confidencialidad.

Matt se preguntó si Nourwood sería una inocua serpiente rey o una venenosa cascabel de la pradera.

—¡Aaah! —dijo.

—De todas formas, se trata sólo de un proyecto a corto plazo —prosiguió Nourwood, y su mirada se tornó sombría—. Ésa es la razón de que vivamos de alquiler.

A Matt le dio un vuelco el corazón. Un proyecto a corto plazo. Era una manera como otra cualquiera de decirlo. Por supuesto que era a corto plazo. La verdadera misión de Nourwood estaría finiquitada en un par de días. Matt se aclaró la garganta, y probó con un enfoque completamente diferente.

—¿Sabes?, es algo de lo más extraño, pero es que tu cara me resulta conocida.

—¿Ah, sí?

—Juraría que te he visto antes.

Nourwood asintió con la cabeza.

—Me ocurre muy a menudo.

Matt lo dudó.

—¿De la universidad, quizá?

—No creo.

—¿A qué universidad fuiste?

Nourwood pareció titubear.

—A Madison —dijo, casi a regañadientes.

—¡Me tomas el pelo! Tengo un montón de amigos que fueron allí. ¿En qué año terminaste?

Sorprendió a Kate lanzándole una mirada asesina: su esposa tenía la asombrosa habilidad de hablar y de oír de pasada las conversaciones ajenas al mismo tiempo. La verdad era que Matt no conocía ni una sola persona que hubiera ido a la Universidad de Wisconsin en Madison. Pero si era capaz de conseguir que Nourwood le diera el año de graduación, por fin podría descubrir algo sobre él.

Nourwood parecía incómodo.

—La verdad es que no hice mucha vida social en la facultad —dijo—. Dudo que conociera a alguno de tus amigos. De todas formas, no…, no es que me licenciara, exactamente. Es una larga historia. —Una risa tensa.

—Me encantaría oírla.

—Pero no es una historia muy interesante. Quizás en otra ocasión.

—Te tomo la palabra —dijo Matt—. Nos gustaría invitaros alguna vez a casa. ¿Cuál es el número de tu móvil? —Por supuesto que Matt no tenía ninguna intención de invitar a los Nourwood a su casa. Ni en un millón de años. Pero tenía que haber maneras de rastrear el número de un móvil.

—Debería recibir mi nuevo móvil dentro de un día o dos —dijo Nourwood—. Dame el tuyo.

Touché, pensó Matt. Sonrió como un idiota mientras se devanaba la sesera buscando una respuesta.

—Ya ves, es curioso, se me ha olvidado.

—¿No es tu móvil lo que llevas ahí prendido del cinturón?

—¡Ah! —dijo Matt, mirando hacia abajo y enrojeciendo de vergüenza.

—Tu número es fácil de ver en el teléfono. Venga, deja que eche un vistazo.

Nourwood alargó la mano para coger el móvil de Matt, pero éste lo cubrió con la mano. Justo en ese momento, sintió un doloroso pellizco en el codo.

—Perdonadnos —dijo Kate—. Matt, Audrey Kramer tiene que preguntarte algo.

—Espero que encuentres tus pendientes —dijo Nourwood con un guiño que hizo que a Matt le recorriera un escalofrío por la columna vertebral.

—¿Qué puñetas crees que estabas haciendo? —le preguntó Kate de camino a casa.

Avergonzado, Matt gruñó por lo bajinis y meneó la cabeza.

—Me pareces increíble.

—¿Qué dices?

—La manera en que lo interrogaste. Fue de una grosería absoluta.

—Sólo estaba manteniendo una conversación.

—Por favor, Matt. Sé muy bien lo que estabas haciendo. Ya puestos, le podías haber sometido al tercer grado con un foco sobre la cara. Estuvo fuera de lugar.

—¿Advertiste cómo esquivó todas mis preguntas?

—¡Vale, vamos a dejarlo!

—¿No lo pillas, verdad? ¿No te enteras de lo peligroso que puede ser ese tipo, no?

—¡Oh, por Dios, Matt! Ya estás reviviendo *La ventana indiscreta* otra vez. Laura parece una mujer absolutamente decente.

—Ahí lo tienes: «absolutamente decente». Como esa leche que está a punto de cortarse.

—La leche está bien —le espetó ella—. Y ni siquiera voy a preguntarte qué estabas haciendo delante de su casa a las cinco de la mañana.

Transcurrió un instante. El roce de sus pasos sobre el pavimento.

—Todavía no has tenido contestación del médico, ¿verdad?

—¿Me harás el favor de dejar de preguntar?

—Pero ¿por qué tarda tanto?

—Matt, ya hemos pasado antes por esto tres veces.

—Lo sé —dijo él en voz baja.

—Y siempre estuvo todo bien.

—Siempre hay una primera vez.

—¡Por Dios!, qué agonías eres.

—Más vale prevenir que curar. Me preocupo por los dos.

—Lo sé —dijo Kate, cogiéndole del brazo, y se arrimó a él—. Ya sé que lo haces.

A la mañana siguiente, cuando Matt estaba sacando el Escalade del garaje marcha atrás, miró por encima del hombro y vio a Nourwood subiendo a su diminuto Toyota, y entonces se le ocurrió otra idea.

A mitad del camino de acceso, detuvo el coche. Permaneció sentado allí un minuto o así, disfrutando de la sorda vibración de su motor de 6,2 litros y ocho cilindros en V totalmente de aluminio con sus 403 caballos y su torsión de 381 Newton por metro. Observó a Nourwood recular con su mierda de coche de fariseo. Lo vio salir a la calle con un chirrido como de juguete y emprender la marcha por Ballard, en dirección a Centre Street.

James Nourwood se dirigía a su trabajo, y Matt Parker lo iba a seguir.

Veamos dónde trabajas realmente. Quienquiera que seas realmente.

Llamó a su jefa, Regina, y le dijo que tenía un problema con el coche y que probablemente llegaría un poco tarde. Pareció un poco enfadada, aunque ése era su estado habitual por defecto.

Matt mantuvo su Escalade varios coches por detrás del Yaris de su vecino, así que éste no se daría cuenta de que lo seguía. Al final de Centre Street, Nourwood puso el intermitente para girar a la derecha. Allí no había ningún semáforo, sólo una señal de STOP, y a aquella hora punta de la mañana el tráfico era denso. Cuando Matt pudo girar, Nourwood se encontraba en el carril de más a la izquierda, casi fuera de la vista, indicando que iba a girar en esa dirección. Aquélla era la ruta hacia el oeste; la dirección en la que se encontraban Hopkinton y la sede central de ADS. Después de todo, quizá fuera verdad que trabajaba allí.

Matt lo siguió tomando la curva a su vez, pero entonces Nourwood cambió repentinamente al carril de la derecha y se metió en Washington Street, lo cual carecía completamente de sentido. Aquélla era una carretera local. ¿Adónde se dirigía ese hombre?

Cuando Nourwood se metió en una gasolinera, Matt sonrió para sus adentros. Incluso aquellos puñeteros coches de juguete que bebían gasolina a sorbitos necesitaban repostar de vez en cuando. Pasó la gasolinera de largo y aparcó junto al bordillo unos quince metros más adelante. Lo bastante lejos como para que Nourwood no se diera cuenta de su presencia, pero lo bastante cerca para que él pudiera verlo partir.

Pero entonces Matt vio algo raro por el retrovisor. Nourwood no se detuvo junto a ningún surtidor. En su lugar, aparcó al lado de otro coche, un reluciente Ford Focus azul no mucho más grande que el suyo.

Entonces la puerta del vehículo de Nourwood se abrió. Salió, echó un vistazo rápido alrededor, abrió la puerta del lado del acompañante del Ford azul y entró.

El corazón de Matt empezó a latir con un ruido sordo. ¿Con quién se había citado su vecino? El fuerte sol de la mañana se reflejaba en las ventanillas del Ford, convirtiéndolas en espejos y haciendo imposible ver el interior. Matt se limitó a observar durante lo que le pareció una eternidad.

Resultó que probablemente no transcurrieran más de cinco minutos antes de que Nourwood saliera del Ford, seguido por el conductor, un joven delgado de pelo negro de veintitantos años vestido con unos pantalones caqui, camisa blanca y corbata azul. Con eficiencia y sin titubeos los dos hombres intercambiaron los coches. Nourwood fue el primero en marcharse, haciendo recular el Ford, y luego girando a la izquierda para meterse en Washingon Street y enfilar de nuevo el camino por el que había llegado.

Matt, aparcado en el sentido contrario de Washington Street, no se atrevió a intentar un cambio de sentido: el tráfico que venía de frente se lo impedía. No había ningún sitio donde girar a la izquierda. Desquiciado, se apartó del bordillo sin mirar. Un coche viró bruscamente, la bocina atronó y los frenos chirriaron. En línea recta a la derecha, había un Dunkin' Donuts. Matt se metió en el aparcamiento, giró en redondo y volvió sobre sus pasos. Pero el Ford azul había desaparecido.

Maldijo en voz alta. Con que sólo tuviera alguna idea de en qué dirección se dirigía Nourwood. ¿Al oeste por la autopista? ¿Al este? O quizá no tenía intención de coger la autopista. Furioso consigo mismo, se dio por vencido y continuó hacia la entrada de la autopista. Con toda seguridad había perdido la última oportunidad de espantar a aquel tipo: el siguiente era el gran día. Por la mañana ya sería demasiado tarde.

Cuando tomó una entrada de la autopista y se mezcló con el denso tráfico, las ideas se agolpaban en su cabeza. ¿Por qué había cambiado de coche Nourwood? ¿Por qué otro motivo habría de ser que el querer pasar desapercibido, evitar ser localizado por alguien que pudiera reconocer su vehículo?

El tráfico era lento, peor de lo habitual. ¿Se había producido un accidente? ¿Obras? Encendió la radio para buscar un informe del tráfico. «… Según un portavoz de la oficina del FBI en Boston…», estaba diciendo una locutora. Luego se oyó la voz de un hombre con un marcado acento bostoniano: «¿Sabes, Kim?, si yo trabajara en uno de esos edificios del centro, me tomaría el día libre por asuntos personales. Cogería un fin de semana largo. Y me iría enseguida a empezar mi partido de golf de fin de semana». Matt apagó la radio.

En las afueras de la ciudad, se habían formado largas colas en la explanada del peaje de Allston-Brighton, aunque no en las taquillas del carril rápido. Matt nunca había tenido una cuenta para el cobro electrónico del peaje. No le gustaba la idea de poner un emisor-receptor en su parabrisas, una chapa de identificación electrónica. No quería que el Gran Hermano supiera dónde estaba en cada momento. A veces le sorprendía que la gente renunciara a su derecho a la intimidad sin pensárselo dos veces. Sencillamente no pensaban con qué facilidad podía asentarse la tiranía para llenar el vacío. Su hermano, Donny, allá en Colorado…, él lo comprendió. Era un auténtico héroe.

Al lanzar una mirada llena de envidia hacia el carril rápido, vio un brillante coche azul que pasaba a toda mecha. El hombre que iba detrás del volante tenía el pelo oscuro y la tez morena.

Nourwood.

Estaba totalmente seguro.

Por un milagro Matt lo había alcanzado en la autopista…, ¡sólo que estaba a punto de perderlo de nuevo! Atascado en el carril lento, con tres coches delante de él. El conductor que estaba en la taquilla parecía estar charlando con el empleado, preguntándole una dirección o lo que fuera. Matt tocó el claxon e intentó maniobrar para salirse de la fila, pero no había espacio. Entonces se acordó de que, aunque pudiera llegar a uno de los carriles rápidos, no podría pasar sin un emisor-receptor. Una cámara le haría una foto de la matrícula, y le enviarían una multa, y ésa era exactamente la clase de problema que no necesitaba.

Cuando entregó al viejo el dólar y los veinticinco centavos y despejó la taquilla, Nourwood había desaparecido. Matt aceleró, se cambió al carril izquierdo… y entonces, como en una especie de espejismo del desierto, alcanzó a ver una mancha azul.

Sí. Allí estaba, no muy por delante. El Ford azul cerúleo de Nourwood era fácil de localizar, debido a que zigzagueaba con destreza entre el tráfico a una velocidad endemoniada, como si fuera Dale Earnhardt en Daytona.

Como si estuviera intentando quitarse de encima a un perseguidor.

El Escalade de Matt tenía muchos más *cojones* que el ridículo y pequeño Ford. Podía pasar de cero a cien en seis segundos y medio y su potencia tampoco era moco de pavo. Pero debía tener cuidado. Mejor quedarse atrás y no atraer la atención de Nourwood. Ni provocar que la policía lo detuviera: eso, en aquel momento, sería una ironía.

Un poco más adelante estaban las salidas al centro de la ciudad. Por lo general, Matt cogía la primera, la de Copley Square. No estaba seguro —la idea se le ocurrió con un terror frío que se le fue escurriendo hasta la boca del estómago— de si Nourwood se dirigía hacia uno de los rascacielos de la ciudad para realizar labores de vigilancia, como esos tipos hacían tan a menudo cuando se estaba gestando una operación terrorista.

Quizás incluso en el Hancock.

¡Dios mío!, pensó. *Ése no. De entre todos los edificios de Boston, ése precisamente no.*

Que Kate se mofara de su paranoia. No se mofaría cuando eliminara a ese tal Nourwood, a ese hombre con un apellido falso y unos antecedentes inventados y todas sus peliagudas maniobras automovilísticas.

Cuando su vecino pasó junto a la salida de Copley, Matt suspiró ruidosamente. Luego, sin dejar de cambiar de carril y acelerando cada vez más, Nourwood también dejó atrás la salida de South Station.

¿Adónde se dirigía, entonces?

De pronto el Ford azul atravesó limpiamente en diagonal tres carriles y se metió de forma temeraria en el carril de una salida. Matt apenas la pudo tomar.

Y cuando vio la señal verde de salida con el símbolo de un avión blanco, sintió que se le secaba la boca.

No había visto a Nourwood cargar ninguna maleta en el coche

ni ningún otro equipaje de viaje. El hombre iba al aeropuerto, pero
sin maleta.

Su móvil sonó, pero lo ignoró. Sin duda era la rígida Regina llamando desde el trabajo con alguna pregunta sin sentido.

Cuando el Ford azul salió del túnel de Callahan, a unos pocos
coches de distancia por delante del Escalade de Matt, se desvió a la
derecha, hacia la salida que señalaba el Aeropuerto Internacional
Logan. Nourwood pasó junto a las desviaciones de las primeras ter-
minales, continuó por la carretera perimetral y entonces cogió la
salida para el aparcamiento central. En ese momento Matt estaba
justo detrás de él: viviendo peligrosamente. Si su vecino miraba casualmente por el retrovisor, vería el Escalade de Matt. No había razón para que Nourwood sospechara que era él. A menos que, esperando en la cola para entrar en el aparcamiento, mirase hacia atrás.

Así que en el último segundo, Matt giró para alejarse de la entrada
y se hizo a un lado, dejando que Nourwood siguiera adelante. Vio que
la mano del hombre salía como una serpiente por la ventanilla —una
manga gris marengo, la mano morena, la muñeca peluda y el caro reloj— y cogía el tique de un manotazo. Luego Matt lo siguió adentro.
Retiró el tique, vio alzarse la barrera. La rampa que tenía delante ascendía bruscamente: un quince por ciento de pendiente, calculó. Una
vez más, el Ford azul de Nourwood había desaparecido.

Tranqui, se dijo Matt. *Sólo tiene un camino. Lo alcanzarás. O verás su coche aparcado.* Pero a medida que fue ascendiendo la serpenteante rampa, con los neumáticos chirriando sobre la superficie de
hormigón vidriado, no vio ningún Ford azul. Se maravilló del pési-
mo diseño del aparcamiento, de todo el espacio desperdiciado bajo
las rampas empinadas, de los muros cortina y de las vigas inclinadas
horizontalmente, del bosque petrificado de columnas verticales que
ocupaban demasiado espacio. Cuando vio lo descomunal que era el
garaje, y se percató de las muchísimas rutas posibles que Nourwood
podía haber cogido en cada nivel, se maldijo por no haber corrido el
riesgo de permanecer justo detrás de él. Ya era demasiado tarde.
¿Cuántas veces había perdido a Nourwood esa mañana?

Media hora más tarde, después de haber dado vueltas y más vueltas por el aparcamiento, de subir a la terraza y volver a bajar, acabó rindiéndose.

Dio un puñetazo sobre el volante, haciendo sonar el claxon accidentalmente, y el tipo que estaba delante de él en la salida, y que conducía un Hummer sacó su brazo tatuado por la ventanilla y le hizo un corte de mangas.

Durante el resto del día, Matt apenas pudo concentrarse en su petición de proyecto. De todas maneras, ¿a quién le importaba, con lo que estaba a punto de ocurrir? A la hora de comer eludió una invitación de Lenny Baxer para ir a tomar un bocadillo, pues quería estar solo y pensar.

Cuando terminó su sándwich caliente de pavo en Subway y estrujó el envoltorio hasta convertirlo en una pulcra pelota, sonó su móvil. Era Kate.

—Ha llamado el médico —dijo.

—Por fin. Cuéntame. —El corazón de Matt empezó a latirle aceleradamente una vez más, pero consiguió aparentar calma.

—Estamos bien —dijo Kate.

—Fantástico. Ésa es una noticia fantástica. Bueno, ¿qué tal te sientes?

—Ya me conoces. Yo nunca me preocupo.

—No tienes por qué —dijo Matt—. Yo lo hago por ti.

De nuevo en su cubículo, encontró el sitio web de la secretaría de la Universidad de Wisconsin. En un renglón decía: «Para confirmar un título o las fechas de asistencia» y daba un número, al cual llamó.

—Necesito «confirmar» —Matt utilizó deliberadamente la palabra para que pareciera algo oficial— la asistencia del aspirante a un puesto de trabajo, por favor.

—Por supuesto —dijo la joven—. ¿Me puede dar el nombre?

Matt se sorprendió de lo fácil que iba a ser. Dio el nombre de Nourwood, y oyó a la chica escribir en el teclado.

—Todo correcto —dijo la joven, toda ella amabilidad rural del Medio Oeste—. Así que debería recibir una carta confirmándole la titulación dentro de dos o tres días laborables. Sólo tendrá que darme…

—¿Días? —dijo Matt con voz ronca—. ¡No tengo tanto tiempo!

—Si necesita una respuesta inmediata, puede ponerse en contacto con la Cámara Nacional de Estudiantes. Siempre que tenga una cuenta con ellos, señor.

—Yo… Somos un pequeño despacho. Y… esto… el plazo de contratación acaba hoy, o de lo contrario no se aprobará, así que si hubiera alguna manera…

—Oh —dijo la mujer, llena de una preocupación aparentemente sincera—. Bueno, entonces déjeme que vea qué puedo hacer por usted. ¿Puede esperar un momento?

Volvió a ponerse al teléfono dos minutos después.

—Lo siento, señor, no tengo a ningún James Nourwood. No encuentro a ningún Nourwood. ¿Está seguro de que es así como se escribe?

A las 18.45 Matt entró en el camino de acceso a su casa y reparó en el Ford Focus azul aparcado en la casa de al lado. Así que Nourwood también estaba en casa.

Al abrir la puerta principal, se dio cuenta de que no estaba cerrada con llave. Atravesó lenta y cautelosamente el salón hecho un manojo de nervios, aguzando el oído, con el pulso latiéndole aceleradamente. Creyó oír un grito de mujer procedente de algún sitio de la casa, aunque no estuvo seguro de si era de Kate o de si, en efecto, había sido un grito o una risa, y entonces la puerta de contrachapado que conducía al sótano, la que había entre la cocina y el aseo, se abrió y James Nourwood surgió amenazadoramente en el umbral con un mazo de nueve kilos en la mano.

Matt se abalanzó contra él y lo placó, tirándolo al suelo. Le llegó el fuerte olor a la loción de afeitar del hombre. Le sorprendió la facilidad con que Nourwood había caído. El mazo se le cayó de la mano e hizo un ruido sordo al chocar con la alfombra. El tipo apenas oponía resistencia. Intentó decir algo, pero Matt le agarró del cuello y empezó a apretar por debajo de la laringe.

—Hijo de la gran puta… —dijo con un gruñido.

Se oyó un gritó procedente de algún lugar cercano. Era la voz de Kate, alta y estridente.

—¡Oh, por amor de Dios! ¡Matt, para! ¡Oh, Dios mío, Jimmy, lo siento muchísimo!

Confuso y desorientado, Matt aflojó la presión sobre el cuello de Nourwood y dijo:

—¿Qué carajo pasa aquí?

—¡Matt, quítate de encima de él! —aulló Kate.

La faz aceitunada de Nourwood había adquirido una tonalidad violácea. Entonces, inopinadamente, soltó una carcajada.

—Qué es lo que habrás… pensado —consiguió decir a duras penas—. Lo… lo siento muchísimo. Tu mujer me dijo que bajara y cogiera… Tengo todas mis herramientas en un almacén. —Finalmente, consiguió incorporarse con dificultad—. Laura lleva días dándome la tabarra para que cerque el huerto de tomates para mantener a raya a las ardillas, y no me había dado cuenta de lo…, de lo arcilloso que es el suelo de aquí. No puedes clavar las estacas sin un mazo decente.

Matt se dio la vuelta y miró a Kate. Parecía avergonzada.

—Jimmy, es culpa mía. Matt lleva una temporada muy nervioso.

Entonces Laura Nourwood apareció haciendo tintinear alegremente el hielo en un vaso largo con güisqui.

—¿Qué pasa aquí? Jimmy, ¿te encuentras bien?

Él se levantó de manera vacilante, y se sacudió la chaqueta y el pantalón.

—Estoy bien —dijo.

—¿Qué ha ocurrido? —preguntó su esposa—. ¿Otra vez el vértigo?

—No, no, no. —Nourwood se rió entre dientes—. Sólo ha sido un malentendido.

—Lo siento —farfulló Matt—. Tenía que haber preguntado antes de echarme encima de ti.

—No, de verdad, es culpa mía —decía Kate más tarde, cuando estaban sentados en el salón con unas copas en la mano. Había calentado unos hojaldres de queso de Trader Joe's y no paraba de pasar la bandeja de aquí para allá—. Matt, tal vez debería haberte dicho que los había invitado a casa, pero acababa de ver a Laura en el patio trasero plantando sus tomates, y empezamos a hablar, y acabamos enrollándonos con las variedades autóctonas que planta, y ya sabes cómo me gustan. Y le estaba diciendo que me parecía que quizá fuera demasiado temprano para plantar aquí sus tomates, que debería esperar a la última helada, cuando Jimmy llegó a casa y me preguntó si le podíamos dejar un mazo, así que les dije que se pasaran a tomar una copa…

—Ha sido una metedura de pata por mi parte —dijo Matt, avergonzado todavía por su desmedida reacción. Pero eso no significaba que en el fondo sus sospechas fueran erróneas…, en absoluto. Sólo en aquel caso concreto. En lo demás, nada había cambiado respecto a aquel hombre. Ninguna de sus mentiras sobre su trabajo o su universidad o a lo que realmente se dedicaba.

—Mañana nos estaremos riendo de ello —comentó Kate.

Lo dudo, pensó Matt.

—¿A qué te refieres? —intervino Nourwood—. ¡Yo ya me río ahora! —Se volvió hacia su esposa y le puso su enorme mano como un codillo en las suyas—. ¡Por favor, no les pidas a nuestros vecinos una taza de azúcar! No creo que lo pueda soportar. —Se rió ruidosamente durante un buen rato, y las mujeres se unieron a él. Matt esbozó una sonrisa.

—Les estuve contando a las señoras el día de perros que he tenido —dijo Nourwood—. Bueno, el caso es que mi hermana Nabilah me llamó anoche para decirme que tenía una entrevista de trabajo en Boston y que llegaría en avión esta mañana.

—Nada como avisar con antelación —dijo Laura.

Nourwood se encogió de hombros.

—Así es mi hermana pequeña, de la que estamos hablando. Lo deja todo para última hora. Acabó la universidad en mayo pasado, y lleva meses buscando un trabajo, y de repente todo es correr, correr y correr. Y me pide que si puedo recogerla en el aeropuerto.

—Dios no quiera que tenga que coger un taxi la niña —terció Laura.

—¿Y para qué está un hermano mayor? —replicó su marido.

—Nabilah es lo que uno llamaría una princesa —insistió su esposa.

—La verdad, no me importa nada —dijo Nourwood—. Pero, claro, tenía que ser el mismo día que tengo que llevar el coche al taller.

—Estoy convencida de que ella lo planeó así —dijo Laura.

—Pero el concesionario no podía haber sido más amable. Incluso fueron tan serviciales de llevarme el coche prestado a una gasolinera de Washington Street. Pero ya salí tarde de casa, y luego el muchacho tenía todo tipo de documentos que quería que rellenara, aunque para mí que podríamos haber arreglado todo aquello por teléfono. Así que ahí me tenéis, en la carretera, con ese coche alquilado, dirigiéndome al aeropuerto como un loco. Sólo que no sabía dónde estaba el intermitente, y luego me di cuenta de que tenía echado a medias el freno de mano, así que el coche no paraba de dar botes como una liebre. Y no quería llegar tarde, porque sabía que mi hermana perdería los estribos.

—Por Dios, no vaya a ser que la chica tenga que esperar un par de minutos a que llegue el chófer —dijo Laura con mordacidad.

—Bueno, el caso es que cuando estoy entrando en el garaje de Logan, suena el móvil, ¿y quién podría ser si no Nabilah? Había cogido un vuelo que salía antes, y ya llevaba media hora esperando en el aeropuerto, y estaba de los nervios, e iba a llegar tarde a la entrevista, y me preguntó que dónde estaba.

Laura Nourwood menó la cabeza y apretó los labios. La aversión que sentía por su cuñada era palpable.

—Pero yo ya había cogido el tique del aparcamiento, así que me di la vuelta y tuve que suplicarle al tipo de la taquilla que me dejara salir sin pagar el mínimo.

—Vaya, ¿cuánto era, unos diez dólares, Jimmy? —le interrumpió su esposa—. Deberías haberlos pagado.

—No me gusta tirar el dinero —contestó Nourwood—. Ya lo sabes. Así que me dirigí a toda velocidad a la Terminal C y aparqué justo delante de las llegadas y salí del coche, y de pronto un policía del Estado se me acerca gritando, y me pone una multa. Me dice que no está permitido aparcar delante de la puerta de la terminal. Como si llevara una bomba en el coche o algo parecido. ¡En ese pequeño Ford alquilado!

—Tienes pinta de árabe —comentó su esposa—. Y eso, en estos tiempos…

—Los persas no son árabes —observó Nourwood con frialdad—. Yo hablo farsi, no árabe.

—Y estoy segura de que ese policía de Boston es capaz de apreciar la diferencia —replicó Laura. Miró a Matt y se encogió de hombros, disculpándose—. Jimmy odia a los policías.

Enfadado, Nourwood sacudió la cabeza.

—Bueno, el caso es que en cuanto me vuelvo a subir en el coche para moverlo, sale Nabilah como con cinco maletas… ¡y ni siquiera se va a quedar a pasar la noche! Así que me dirijo a toda velocidad hacia el centro, hasta Fidelity, y luego tengo que pisar a fondo para llegar a Westwood, porque la reunión que tenía a las once se adelantó una hora.

—No me digas que te pusieron una multa por exceso de velocidad —dijo Laura.

—A perro flaco, todo son pulgas —sentenció Nourwood.

—¿Westwood? —dijo Matt—. Me dijiste que trabajabas para ADS. Que está en Hopkinton.

—Bueno, verás, en realidad trabajo para Dataviz, que es una subsidiaria de ADS. Acaban de ser comprados por ADS hace seis meses. Y déjame que te diga que no va a ser una integración fácil.

Todavía no han cambiado el nombre del edificio, y siguen diciendo «Dataviz» en lugar de «ADS» cuando atienden al teléfono.

—Mmm... —dijo Matt—. ¿Y... tu hermana... también fue a la u, uve doble?

—¿A la u, uve doble? —preguntó Nourwood.

—¿No me dijiste que habías ido a Madison? —insistió Matt. Y añadió con sequedad—: Debí de entender mal.

—Ah, sí, sí —replicó Nourwood—. A la James Madison University. La jota, eme, u.

—La jota, eme, u —repitió Matt—. Ajá.

—Ocurre a menudo —reconoció Nourwood—. No está en Wisconsin. Está en Harrisonburg, Virginia.

Entonces aquello explicaría la razón por la que la Universidad de Wisconsin no tenía ningún expediente de ningún James Nourwood, pensó Matt.

—Ajá —repitió.

—Y no, Nabilah fue a Tulane —prosiguió Nourwood—. Supongo que nosotros, los Nouri, nos sentimos más cómodos en esas universidades del sur. Quizá se deba al clima más cálido.

—¿Nouri?

—Me casé con una feminista —comentó Nourwood.

—No entiendo nada —dijo Matt.

—Laura no quiso adoptar mi apellido, Nouri.

—¿Y por qué habría de hacerlo? —terció su esposa—. Es algo muy arcaico. Yo era Laura Wood toda mi vida hasta que me casé. ¿Por qué no podía cambiar él su nombre a James Wood?

—Y a ninguno de los dos nos gustan los apellidos compuestos y con un guión —remató Nourwood.

—Una amiga mía llamada Janice Ritter —dijo Laura— se casó con un tipo llamado Steve Hyman. Y fundieron sus apellidos y se pusieron Ryman.

—Parece mucho más cerca de Hyman que de Ritter —observó Kate.

—Y el alcalde de Los Ángeles, Antonio Villar, se casó con Corina Raigosa —comentó Nourwood—. Y se convirtieron en los Villaraigosa.

—¡Es genial! —exclamó Kate—. Nouri y Wood se convirtieron en Nourwood. ¡Igual que Brad Pitt y Angelina Jolie se han convertido en Brangelina!

Nouri, pensó Matt; *aunque hubiera ido a la Universidad de Wisconsin, no habrían tenido el expediente de ningún Nourwood.*

—Bueno, pero ése es sólo el apodo que les han puesto los periódicos —protestó Nourwood—. No han cambiado legalmente sus apellidos.

—Ni nosotros —dijo Laura Nourwood.

—Cuando me des un hijo, lo haremos —dijo su marido.

—¿Darte un hijo? —exclamó bruscamente su esposa—. ¿Querrás decir cuando tengamos un hijo? Si es que tenemos un hijo. Tengo que darte una noticia, Jimmy. Ya no estás en la madre patria. Vaya, ni siquiera has estado nunca en la madre patria.

A la mañana siguiente temprano, Matt estaba vaciando la leche medio estropeada por el desagüe del fregadero cuando Kate entró en la cocina.

—¡Eh!, ¿qué estás haciendo? ¡Esa leche está en perfecto estado!

—Tiene un gusto sospechoso —dijo Matt.

—¿Ahora no te estarás volviendo paranoico con los productos lácteos, no?

—¿Paranoico? —Se volvió hacia ella, hablando lentamente—. ¿Y si hubiera estado en lo cierto respecto a ellos?

—Pero no lo estabas, ¡pedazo de memo!

—Muy bien, de acuerdo —dijo Matt—. Eso lo sabemos ahora. Simplemente no podía evitar tener la sensación de que eran…

—¿Agentes secretos del FBI?

—Ésa era la impresión que causaban. Y cuando pienso en Donny, cumpliendo cinco cadenas perpetuas consecutivas en esa prisión de máxima seguridad en Colorado, sólo porque se atrevió a luchar por la libertad de nuestra tierra natal… ¿Sabes?, a veces me pongo nervioso.

—Chico, te asustas con demasiada facilidad. —Le entregó un pequeño artilugio de plástico rojo—. Éste es el detonador LPD que me envió el Doctor. Ya te dije que lo conseguiría.

—Espero que el Doctor esté completamente seguro de que éste va a funcionar. ¿Te acuerdas de Cleveland?

—Eso no volverá a ocurrir —dijo ella—. El Doctor no dirigía aquella operación. Si hay algo que el Doctor domina, son los explosivos.

—¿Y qué hay del RDX?

—Ya está metido en el Escalade.

—Qué cielo eres —dijo Matt, y le dio un beso—. Si que te has levantado temprano hoy, ¿no?

—Es lo menos que podía hacer. Te espera un día muy largo por delante. Vas a coger la entrada de Stuart Street, ¿verdad?

—Por supuesto —dijo Matt—. Los cuatro la utilizaremos. Allí no hay circuito cerrado de televisión.

—¿Así que nos reuniremos esta noche en Sayreville, no? —preguntó Kate.

—Como está planeado.

—Vamos a ser Robert y Angela Rosenheim.

—Casi parece uno de esos apellidos combinados —dijo Matt.

—Es el que el Doctor nos asignó. Deberíamos acostumbrarnos a utilizarlo. ¿De acuerdo, Robert?

—Bob. No, dejémoslo en Rob. ¿Y tú eres Angela o Angie?

—Angie está bien.

—De acuerdo. —Él hizo una pausa—. Pero ¿y si hubiera tenido razón en lo de los vecinos? Porque en algún momento la voy a tener. Y eso lo sabes.

—Bueno —dijo Kate, casi avergonzada—. Tomé la precaución de desinflar sus neumáticos.

Al este de Suez, al oeste de Charing Cross Road

John Lawton

La infelicidad no le cae a un hombre del cielo como si fuera una rama tronchada por un rayo; se parece más a un desaliento progresivo. Gana terreno día a día, sin sentirla, o ignota hasta que es demasiado tarde. Y si es cierto que cada familia desdichada lo es a su manera, entonces el todo debe de ser mayor que la suma de las partes en la ecuación de Tolstói, porque George Horsfield era infeliz a la manera que sólo se podría describir como tópica. Se había casado joven, y no se había casado bien.

En 1948 había acudido a la llamada de las armas. Con dieciocho años, no había tenido muchas alternativas. El servicio militar —el reclutamiento—, la única ocasión en sus mil años de historia que Inglaterra había tenido un servicio militar obligatorio en tiempos de paz. Se consideró una precaución en un mundo en el que, para citar al secretario de Estado de Estados Unidos, Inglaterra había perdido un imperio y todavía no había encontrado su papel. No es que Inglaterra lo supiera —la actitud del país era la de que habíamos aplastado a Adolfo y que estaríamos jodidos si entonces perdíamos un imperio—, para eso sería necesario algo más que unos pocos hombrecillos morenos con taparrabos... De acuerdo, sí que perdimos la India..., o al amigo árabe con un par de cócteles Molotov, o a aquellos judíos bolcheviques en sus malditos *kibbutz...* Vale, es verdad, salimos corriendo de Palestina, pero, condenado hombre, uno tiene que trazar la línea en alguna parte. Y la línea estaba al este de Suez, en alguna parte al este de Suez, en cualquier parte al este de Suez... una especie de feria ambulante, la verdad.

George había esperado cumplir sus dos años haciendo instrucción en el cuartel o matando el tiempo. En su lugar, tanto para su sorpresa como para su alegría, la Junta de Selección del Ministerio del Ejército consideró que tenía madera de oficial. No demasiado paticorto, correcta pronunciación de las haches, un conocimiento satisfactorio de la utilización adecuada del cuchillo y el tenedor y ninguna intención de ser un intelectual. Se le ofreció un empleo provisional de oficial de tres años, se le adiestró rápidamente en el Eaton Hall de Cheshire (un remedo de Sandhurst para pobres) y se le volvió a poner en la plaza de armas no como soldado raso, sino como el alférez H. G. Horsfield del RAOC.*

¿Y por qué el RAOC? Porque la luz de la ambición había parpadeado en la mente poco ejercitada de George —tenía intención de convertir aquel empleo provisional en una carrera— y había colegido que la promoción era más rápida en los cuerpos técnicos que en los regimientos de infantería, así que había escogido el *Royal Army Ordnance Corps*, «los suministradores», cuya actividad más peligrosa consistía en suministrar material a algunos de los tipos que desmontaban las bombas sin explotar. Aparte de esta salvedad, se trataba de una unidad en la que era improbable que uno recibiera un pepinazo, le dispararan o resultara herido de cualquier otra manera en algo que se pareciera a un combate.

---

* RAOC: *Royal Army Ordnance Corps.* Cuerpo de Armamento y Material de Artillería. *(N. del T.)*

Pese a los esfuerzos de George, Inglaterra perdió un imperio, y renunció de mala gana a los trozos que no perdió. Hacia el final del siguiente decenio, un primer ministro británico se permitió plantarse ante una audiencia de sudafricanos blancos, hasta ese momento considerados como «de nuestra familia», e informarles de qué «aires de cambio soplan en el continente». Lo que quería decir era que «el hombre negro asumirá el mando», pero como siempre ocurría con el señor Macmillan, aquél fue un comentario demasiado sutil para resultar efectivo. Igual que su «nunca os ha ido tan bien», que fue tan citado y tan poco comprendido.

A George no le fue tan bien. De hecho, la década de 1950 fue algo más que decepcionante. Parecía estar ocioso en los lugares más apartados de Inglaterra —Nottingham, Bicester—, destinos aliviados, si acaso, por intervalos en el lugar apartado de Europa conocido como Bélgica. La segunda estrella de su hombrera crecía tan lentamente que resultó tentador forzarla a hacerlo debajo de un balde, como el ruibarbo. Y llegó 1953 antes de que la estrella diera sus frutos. Justo a tiempo para la coronación.

A George se le dieron unos cuantos años para que se acostumbrara a su ascenso —tuvo tiempo de cambiar de opinión mil veces en oscuras bases inglesas—, y entonces al teniente Horsfield le vino a alegrar la vida la perspectiva de un destino en Libia, al menos hasta que llegó allí. Había considerado la cuestión desde el punto de vista de las campañas de la Segunda Guerra Mundial de las que de niño se había mantenido al tanto con recortes de prensa, un gran tablero de corcho y unas chinchetas: Monty, el excéntrico y ceceante inglés, contra Rommel, el viejo Zorro del Desierto, el alemán romántico y casi decente; Bengasi, Tobruk, El Alamein, la primera victoria terrestre de la guerra. La primera acción real desde la batalla de Inglaterra.

Quedaban muchos vestigios de la guerra en los alrededores de Fort Kasala (para los británicos, el Almacén de Suministros de Artillería 595, aunque construido por los italianos durante su efímero y desquiciado imperio africano). La mayoría eran desechos metálicos. Trozos de carros de combate y piezas de artillería medio enterrados en la arena. Una especie de versión moderna de las piernas de Ozymandias. Y la misma fortaleza parecía haber recibido una pequeña paliza en su tiempo. Pero la acción hacía mucho que había ido amainando hasta convertirse en una cámara lenta propiciada por los camellos y más aún por los burros. Fue necesario menos de una semana para que George cayera en la cuenta de que una vez más había sacado la pajita equivocada. Sólo había una palabra para definir el reino de Libia: aburrimiento. Un mundo de arena y boñigas de camello.

Descubrió que podía terminar el trabajo burocrático del día a eso de las once de la mañana. Descubrió que el cabo de su oficina podía acabarlo a eso de las diez, y puesto que era creencia extendida en las Fuerzas Armadas de Su Majestad que cuando el diablo no sabe qué hacer mata moscas con el rabo, preguntó educadamente al cabo Ollerenshaw:

—¿Qué hace con el resto del día?

Ollerenshaw, que no se había molestado en levantarse ni en saludar ante la llegada de un oficial, siguió sentado detrás de su mesa. Levantó el libro que estaba leyendo: *Italiano para autodidactas*.

—*Come sta?*

—Lo siento, cabo. No entiendo…

—Significa: «¿Cómo está, señor?» En italiano. Estoy preparando el examen de primer nivel de italiano.

—¿En serio?

—Sí, señor. Me examino un par de veces al año. Ayuda a matar el tiempo. Tengo matemáticas, inglés, historia, física, biología, francés, alemán y ruso. Este año cogeré italiano e historia del arte.

—¡Dios mío!, ¿cuánto tiempo lleva aquí?

—Cuatro años, señor. Para mí, que fue una maldición que me echó el hada mala el día que me bauticé. O dormiría durante un siglo hasta que me besara un príncipe o me pasaría cuatro años en la jodida Libia. *'Scuse* mi francés, señor.

Ollerenshaw hurgó en el cajón de la mesa y sacó dos libros: *Ruso para autodidactas* y un diccionario de ruso-inglés, inglés-ruso.

—¿Por qué no le da un vistazo, señor? Es mejor que volverse loco o follarse a las camellas.

George cogió los libros, y durante una semana o más permanecieron sin abrir encima de su mesa.

Fue oír a Ollerenshaw a través del tabique —*Una botiglia di vino rosso, per favore*; *Mia moglie vorrebbe gli spachetti alle vongole*— lo que finalmente lo impulsó a abrirlos. El alfabeto fue una sorpresa, tan extraño que podría haber sido griego, y cuando siguió leyendo se dio cuenta de que era griego, y se enteró de la historia de los dos sacerdotes ortodoxos griegos que habían creado el primer alfabeto artificial del mundo para una cultura hasta entonces analfabeta, adaptando el suyo a las necesidades del idioma ruso. Y desde ese momento George quedó atrapado.

Dos años más tarde, y con el final del período de servicio de George a la vista, había aprobado el nivel elemental y el superior de ruso y lo hablaba con una fluidez aceptable; aceptable sólo en la medida que no tenía más que a Ollerenshaw para conversar en ruso, y de que tal vez, de encontrar a un verdadero ruso para charlar un rato, resultara que lo dominaba inequívocamente.

La mayoría de las tardes los dos hombres se sentaban en el despacho de George en una ociosidad bendecida hablando ruso, tratándose mutuamente de «camarada» y bebiendo té negro cargado para imbuirse del espíritu de lo ruso.

—Dime, *tovarich* —decía Ollerenshaw—, ¿por qué te has limitado al ruso? Mientras has estado aprendiendo ruso, yo he aprobado italiano, historia del arte, sueco y dibujo técnico.

George ya tenía una respuesta para eso.

—Libia se ajusta a ti. Eres feliz sin hacer nada en el culo del mundo. Sin nadie que te moleste, excepto yo (una paga semanal y todo el petróleo que puedas vender a los morenos), así que estás en el cielo de los puñeteros vagos. Has convertido el escaqueo en una de las bellas artes. Y ojalá que le saques provecho. Pero yo quiero más. No quiero ser teniente toda mi vida, y sin duda no quiero seguir mucho más tiempo mangoneando notas de envío para los salacotes, las botas del ejército y los bidones de combustible. El ruso es lo que me sacará de aquí.

—¿Y cómo esperas conseguirlo?

—He solicitado el traslado a la Inteligencia Militar.

—¡No me jodas! ¿Te refieres al MI5, los espías y todo lo demás?

—Necesitan gente que hable ruso. El ruso es mi billete.

El MI5 no quiso a George. Su siguiente destino en el país, siendo todavía teniente primero con veintinueve años, fue el Almacén de Suministros del Alto Mando Upton Bassett, en la costa de Lincolnshire, llana, arenosa, fría y deprimente. La única posible relación con lo ruso era que el viento, que soplaba implacable desde el mar del Norte todo el año, probablemente comenzara en algún lugar de los Urales.

George lo odiaba.

Lo único que le salvó fue que un veterano de la Segunda Guerra Mundial y con un buen historial en desactivación de bombas, agradable aunque algo sosaina, el mayor Denis Cockburn, lo adoptó.

«Siempre viene bien un cuarto para el bridge.»

George procedía de una familia que pensaba que el *brag* de tres cartas era el súmmum de la sofisticación, pero asumió de buena gana el pasatiempo seudointelectual de las clases altas.

Formaba pareja con la mujer del mayor, Sylvia, y Cockburn solía emparejarse con la hermana soltera de Sylvia, Grace.

George, aún lejos de ser el más perspicaz de los hombres, al menos sí que dedujo que había empezado un lento proceso de emparejamiento. No deseaba tal cosa. Grace era como poco diez años mayor que él, y con diferencia la menos atractiva de las dos hermanas. Denis se había quedado con la flor y nata de la familia, aunque eso tampoco era decir mucho.

George fingía estar ciego a las insinuaciones y sordo a las sugerencias. Las noches con los Cockburn era la única maldita cosa que le impedía dejar toda su ropa en una playa y desaparecer en el mar del Norte para siempre. Se aferraba a ellos, e ignoraría cualquier cosa que cambiara la situación.

Pero, ¡ay!, lo que no pudo ignorar fue la muerte.

Cuando el mayor murió de un repentino e inesperado ataque al corazón en septiembre de 1959, aparentemente carente de más familia que Sylvia y Grace, le tocó a él sostener el brazo de la apenada viuda en el funeral.

—Eras su mejor amigo —le dijo Sylvia.

No, pensó George, *era su único amigo, y eso no es en absoluto lo mismo.*

Una sucesión de subalternos reticentes fueron obligados a sustituir a Denis en la mesa del bridge. George siguió poniendo su granito de arena; después de todo, seguramente no le supusiera ningún trabajo, pues se había encariñado con Sylvia a su manera, y no podía pasar mucho tiempo antes de que los trámites burocráticos disolvieran las noches de bridge para siempre, cuando el ejército reclamara la devolución de la casa y enviara cabizbaja a la viuda a alguna parte con una pensión.

Pero la disolución llegó de la manera más imprevista. George había ido a despedir a Grace con una experimentada exhibición de indiferencia, pero no se le había ocurrido que tal vez también tendría que despedirse de Sylvia.

El 29 de febrero de 1960, la viuda lo hizo sentar en el sofá estampado del angosto salón de su típica casa para el personal militar y le dijo lo afortunada que había sido por contar con sus cuidados y cariño desde la muerte de su marido, y George, sin percatarse de adónde conducía aquello, le contestó que había llegado a cogerle cariño y que se sentía feliz de hacer cualquier cosa por ella.

Fue entonces cuando ella se le declaró.

George creía que Sylvia tendría unos cuarenta y cinco o cuarenta y seis años, aunque parecía mayor, y si bien era un poco ancha de caderas, no era una mujer carente de atractivos.

Esto poco tuvo que ver con la aceptación de George. No fue el cuerpo de Sylvia el que inclinó la balanza, sino su carácter. Esa mujer podía ser un pedazo de ogro cuando quería, y sencillamente él se asustó demasiado para decir que no. Podía haber dicho algo sobre la precipitación o el luto o, con verdadero ingenio, haber citado a Hamlet, diciendo que las «carnes horneadas en el funeral abastecieron con frialdad la mesa del matrimonio». Pero no lo hizo.

—Ya no soy una jovencita —dijo ella—. Pero no tiene por qué ser un matrimonio de pasión. La compañía es algo que hay que valorar mucho.

George no estaba muy familiarizado con la pasión. Había habido una extraña prostituta en Libia, y una aventura de una noche con una mujer de la NAAFI en Aldershot…, pero poco más. No había renunciado a la pasión, porque no consideraba que hubiera empezado a buscarla.

Se casaron en cuanto se leyeron las amonestaciones, y salió de la iglesia bajo un túnel de espadas en alto con su uniforme azul de gala, cual madame Bovary de Upton Basset. Era el inicio de una senda que conducía a camas separadas y cacao caliente y redecillas para el pelo durante la noche. George no había renunciado a la pasión, pero estaba empezando a parecer que la pasión sí hubiera renunciado a él.

Seis semanas más tarde, la desesperación lo condujo a actuar irracionalmente. Contra todo buen juicio, pidió una vez más ser trasladado a Inteligencia, y su asombro fue mayúsculo cuando se encontró con que había sido convocado a una entrevista en el Ministerio del Ejército en Londres. Londres…, Whitehall…, el centro del universo.

El simple hecho de apearse del taxi tan cerca del Cenotafio —el monumento para conmemorar a los muertos por Inglaterra, al menos a sus muertos blancos, en las incontables cruzadas imperiales— le produjo un escalofrío. Le resultó imposible saludar.

Después de recorrer pasillos y de entrar por la puerta adecuada, donde se encontró con un teniente coronel, entonces saludó. Pero, imposible que no se diera cuenta, no estaba saludando a ningún agente secreto vestido de paisano, nada de Bulldog Drummond ni de James Bond, sino a otro oficial de Suministros de Artillería igualito que él.

—Ha estado escondiendo su candil debajo de un balde, ¿verdad? —dijo el teniente coronel Bree una vez que acabaron con las rápidas presentaciones.

—¿Eso he hecho?

Breen agitó una hoja mecanografiada manchada de papel carbón.

—Su antiguo superior en Trípoli me dice que hizo un trabajo excelente en el comedor. Y creo que es usted el tipo que necesitamos aquí.

Siendo el silencio la mejor parte de la discreción, y la discreción la mejor parte de un viejo estereotipo, George guardó silencio y dejó que Breen fuera tranquilamente al grano.

—Un buen hombre es difícil de encontrar.

Bueno, eso George lo sabía, aunque no estaba completamente seguro de que hubiera sido calificado alguna vez como un «buen hombre». La expresión hacía juego con una «cabeza de primera» (dicho de los intelectuales) o «muy capaz» (dicho de los políticos) y formaba parte del vocabulario de un mundo en el que él se movía sin ni siquiera rozarlo.

—Y aquí necesitamos un buen hombre.

¡Oh, Dios santo!, ¿no le estarían nombrando oficial de comedor una vez más? ¡Otra vez no!

—Esto…, en realidad, señor, tenía la impresión de que me iban a entrevistar para un puesto en inteligencia.

—¿Eh? ¿Qué dice?

—Domino el ruso, señor, y…

—Bueno, aquí no lo va a necesitar… —Rió de buena gana.

—¿Oficial de comedor?

Breen pareció momentáneamente desconcertado.

—¿Oficial de comedor? ¿Oficial de comedor? Ah, ya entiendo. Sí, supongo que en cierto sentido lo será, salvo que el comedor al que proveerá será el de todo el Ejército Británico al «Este de Suez». Y conseguirá su tercera estrella. Felicidades, capitán.

La inteligencia no se volvió a mencionar, salvo como una cualidad abstracta inherente a lo de ser «un buen hombre» y «una cabeza de primera».

Sylvia no quiso oír hablar de vivir ni en Hendon ni en Finchley. El ejército tenía casas en el norte de Londres, pero ni siquiera las fue a ver. Así que se mudaron a West Byfleet, en Surrey, a una hermética urbanización militar de casas idénticas y, hasta donde George alcanzó a ver, de esposas idénticas que servían idénticos cafés matinales.

—¡Hasta los condenados muebles son idénticos!

—Es lo que una conoce —dijo ella—. Y es un mundo justo y honrado sin envidias. Después de todo, lo bueno de las fuerzas armadas es que todo el mundo sabe lo que ganan todos los demás. Va con el grado, y lo puedes consultar en un anuario, si quieres. Le quita amargura a la vida.

George pensó en todos aquellos *pink gin* que él y Ollerenshaw se bebían de un trago en Libia, y en que lo que los hacía agradables era el amargo de la angostura.

George colgó su uniforme, se vistió de paisano, capitán administrativo del Ministerio de Defensa, Almacenes Generales, se dejó crecer un poco el pelo y se convirtió en un usuario más de los trenes de cercanías: el de las 07.57 a Waterloo, y de nuevo el de las 05.27, de vuelta a casa. Aquello estaba lejos de Rusia.

Muchos de sus colegas jugaban al póquer en el tren, muchos más hacían crucigramas, y unos cuantos leían. George leía, acabó la mayor parte de la obra de Dostoievski en ruso, libros que disfrazaba con la sobrecubierta de uno de Harold Robbins o de Irwin Shaw, y cuando no leía, miraba fijamente por la ventanilla los barrios residenciales del sur de Londres —Streatham, Tooting, Wimbledon— y los «pueblecitos» pijos de Surrey —Surbiton, Esher, Weibridge—, y se los imaginaba a todos refocilándose en la sodomía.

La única interrupción de la rutina fue emborracharse como una cuba en la fiesta de la oficina unos días antes de las Navidades de 1962, quedarse dormido en el tren y, tras ser despertado por un limpiador, encontrarse en un apeadero de los ferrocarriles en Guildford, al amanecer del día siguiente.

No parecía una imprudencia —parecía disoluto, casi osado, un toque de desenfreno a lo Errol Flynn—, pero cuando 1963 alboreó, Inglaterra se estaba convirtiendo en un lugar mucho más disoluto y audaz, y Errol Flynn no tardaría en antojarse el modelo de conducta para un país entero.

Realmente, la única responsable fue una persona, una joven de diecinueve años llamada Christine Keeler. La señorita Keeler había tenido un lío con el jefe de George, el mandamás, el ministro de Defensa, el honorable John (enésimo barón) Profumo (de origen italiano), miembro del Parlamento (Stratford-on-Avon, Conservador), Orden del Imperio Británico. La señorita Keeler había mantenido simultáneamente un lío con Yevgeni Ivanov, un «agregado de la embajada soviética» (neologismo que significaba espía), y el escándalo subsiguiente había conmocionado a Gran Bretaña y estado a punto de derrocar al Gobierno. Condujo al procesamiento (por proxenetismo) de un médico de la alta sociedad, al posterior suicidio de éste y a la dimisión del susodicho John Profumo.

En el Ministerio de Defensa se produjeron dos reacciones destacables. Alarma, porque la línea divisoria de las clases se había relajado el tiempo suficiente para permitir que un pijo como Profumo se relacionara con una chica sin cultura ni educación cuyos padres vivían en un vagón de ferrocarril de madera reconvertido, y que el gran partido (el Conservador) pudiera ser demolido por una fulana (Keeler); y paranoia, por el hecho de que los rusos pudieran acercarse tanto.

Durante algún tiempo Christine Keeler fue considerada la mujer más peligrosa de Inglaterra. George la adoraba. Y de haber creído que saldría impune, habría clavado la foto de la chica con chinchetas en la pared de su despacho.

No es descartable que la lujuria que despertó en él una chica atractiva a la que nunca había conocido fuera lo que le llevara a la locura.

El polvo apenas se había posado sobre el caso Profumo. Lord Denning había publicado su informe, titulado de forma inequívoca «Informe de lord Denning», y se encontró siendo el autor de un *best seller* involuntario cuando vendió cuatro mil ejemplares en la primera hora y las colas que salían de la Imprenta de Su Majestad en Kingsway se extendieron alrededor de la manzana y llegaron a Drury Lane; y el país tenía un nuevo primer ministro en la cadavérica figura de sir Alec Douglas-Home, que había renunciado a un título de conde por la oportunidad de vivir en el número diez.

George codiciaba un ejemplar del Informe Denning, pero se consideraban unas formas detestables para un oficial en activo —ya no digamos uno del ministerio que había estado, si no en el corazón del escándalo, indubitablemente más cerca del hígado y los riñones— ser visto en la cola.

Su buen amigo Ted —el capitán Edward Ffyffe-Robertson del RAOC— le consiguió un ejemplar, y George se abstuvo de preguntarle cómo. Era mejor que cualquier novela, un maravilloso cuento de caribeños fumadores de marihuana, hombres enmascarados, orgías en pelotas, mujeres guapas y serviciales y alta sociedad. Lo leyó y lo volvió a leer, y puesto que él y Sylvia tenían entonces no sólo camas separadas sino también cuartos separados, dormía con él debajo del edredón.

Unos seis meses más tarde, Ted estaba apoyado en la pared del despacho de George sin nada mejor a lo que dedicarse que hacer tintinear las monedas de su bolsillo o tocarse las partes pudendas mientras mantenían la más trivial de las cháchara.

Elsie, la mujer que servía el té, aparcó su carrito junto a la puerta abierta.

—Llegas pronto —dijo Ted.

—Ni siquiera he empezado todavía con los tés. Me hacen ir a correos mientras el viejo Albert siga enfermo. ¡Menudo libertinaje del demonio! ¿Es que nunca han oído hablar de las competencias laborales? Tienen suerte de que no les eche el sindicato encima.

Entonces tiró un gran sobre marrón sobre la mesa de George.

—Veo que recibió su ascenso, señor 'Orsefiddle. Suerte que tienen algunos.

La mujer siguió su itinerario con el carro. George miró el sobre.

—Teniente coronel H. G. Horsfield.

—Tiene que ser un error, ¿no?

Ted miró detenidamente el sobre.

—Y lo es, viejo amigo. Hugh Horsfield. Teniente coronel de Artillería. Está en la cuarta planta. La tonta de la vieja Elsie te ha dado su correo.

—¿Hay otro Horsfield?

—Así es. Lleva aquí unas seis semanas. Me sorprende que no lo conozcas. Puedes estar seguro de que hace sentir su presencia.

Visto en retroperspectiva, George debería haberle preguntado a Ted qué quería decir con su último comentario.

Antes bien, algo más tarde ese mismo día, se dirigió a buscar al teniente coronel Horsfield, siquiera fuera por curiosidad y cierto sentimiento de empatía.

Dio un golpecito en la puerta abierta. Un tipo grande con el pelo entrecano y un bigotito con los pelos de punta levantó la vista de su mesa.

George le dedicó una sonrisa radiante.

—¿Teniente coronel H. G. Horsfield? Soy el capitan H. G. Horsfield.

Su álter ego se levantó, caminó hasta la puerta y, con un simple «Fascinante», la cerró en las narices de George.

Más tarde, Ted dijo:

—Intenté avisarte, amigo. Tiene una reputación feroz.

—¿De qué?

—Es la clase de tipo del que se dice que no aguanta gustosamente a los idiotas.

—¿Estás diciendo que soy un idiota?

—Ay, las cosas que sólo tu mejor amigo te dirá. Como utilizar la marca correcta de jabón de baño. No, no estoy diciendo eso.

—Entonces, ¿qué estás insinuando?

—Estoy diciendo que para un hombre prometedor como Hugh Horsfield, los tipos como nosotros, que suministramos tarros, cacerolas, calcetines y mantas a nuestros muchachos, no somos más que los perdedores del Ejército británico. Él se encarga de grandes cosas. Es de Artillería, después de todo.

—¿Grandes cosas? ¿Qué grandes cosas?

—Bueno, se supone que ninguno de nosotros puede decir nada, ¿verdad? Pero ahí va una pista: acuérdate de agosto de 1945 y aquellas nubes en forma de hongo sobre Japón.

—¡Oh! Entiendo. ¡La leche!

—En efecto, la leche.

—¿Algo más?

—Sí, que he oído que es un ligón de cuidado. Se cree que sólo en el primer mes se ha tirado a la mitad de las mujeres de la cuarta planta. ¿Y sabes aquella rubia del plantel de mecanógrafas a la que todos apodamos la Jayne Mansfield de Muswell Hill?

—¡No!, ¿ella también? Creía que no miraba a nadie por debajo de coronel.

—Bueno, si mi pajarito tiene razón, arrió las bragas a medio mástil por este teniente coronel.

Vaya bastardo.

George odió a su tocayo.

George envidió a su tocayo.

Era el cumpleaños de alguien. Algún tipo del piso de abajo a quien George no conocía muy bien, aunque Ted, sí. Una multitud de militares en activo en traje de paisano, literal y metafóricamente soltándose la melena. Tras la tarta y el café en la oficina la fiesta continuó con la invasión de un club nocturno de Greek Street, en el Soho. El Soho, a diez minutos a pie del Ministerio de Defensa, lo más parecido que tenía Londres a un barrio chino, ocupaba un laberinto de estrechas callejuelas al este de la elegante Regent Street, al sur de la cada vez más vulgar Oxford Street, al norte de las intensas luces de Shaftesbury Avenue y al oeste de las librerías de Charing Cross Road. Era el hogar del salón de baile Marquee, del Flamingo, también un salón de baile, del club privado de copas conocido como el Colony Room, de la procaz revista Private Eye, del restaurante Gay Hussar y del *pub* The Coach and Horses (y de demasiados bares más como para mencionarlos). Era también la sede de pequeñas y extrañas tiendas en las que con una inclinación de cabeza y un guiño podían llevarte a la trastienda para comprar una película pornográfica. Y de una plétora de clubes de *striptease*. No faltaban las prostitutas profesionales ni las ocasionales.

George llegaría tarde a casa. ¿Y qué? Todos llegarían tarde a casa.

Se trasladaron rápidamente a Frith Street y, calle a calle y club a club, se abrieron camino hacia Wardour Street. La intención, George estaba seguro, era acabar en un antro de *striptease*. Confiaba en escabullirse antes de que llegaran a la Teta de Plata o al Culo Dorado y a la embarazosa farsa de observar a una mujer que llevaba sólo un tanga y un cubrepezones de fantasía menear todo lo meneable, delante de un puñado de maduros cabreados y panzudos que confundían el hormigueo con la satisfacción.

Había sido consciente de la presencia del teniente coronel Horsfield desde el principio; el rebuzno de clase alta de un pelmazo de bar podía elevarse por encima de todo el ruido del mundo. Conocía a los tipos como H. G. Colegio privado de segunda y demasiado vago para ir a la universidad, aunque atrapado por Sandhurst debido a su aceptable figura en el patio de armas. De hecho, a menudo pensaba que la única razón de que el ejército lo hubiera escogido para ir a Eaton Hall era que él también, con su nada despreciable metro ochenta, daba el tipo de oficial.

Cuando llegaron a Dean Street, George intentó escabullirse y dirigirse al sur y coger un autobús hasta Waterloo, pero Ted lo tenía cogido por un brazo.

—No tan deprisa, amiguito. La noche todavía es joven.

—Si no te importa, Ted, preferiría irme pronto a casa. No aguanto a las artistas de *striptease*, y la verdad es que H. G. está empezando a desquiciarme.

—Bobadas, eres uno de los nuestros. Y no vamos a ir a un bar de tetas hasta dentro de una hora por lo menos. Ven y tómate una copa con tus compañeros e ignora a H. G. Se largará con la primera puta que le enseñe un poco el escote.

—No puede ser que él…

—Sí que lo es. Tarde o temprano todos lo hacen. ¿Tú no?

—Bueno…, sí… Allá en Bengasi… antes de casarme…, pero no…

—Está bien, viejo amigo. No es obligatorio. Yo mismo me tomaré un par de jarras, y luego me iré a mi casa de Mill Hill con mi señora.

Fue una media hora deprimente. George se refugió solo en un reservado, acunando un *pink gin* que no le apetecía mucho. No supo cuánto tiempo llevaba sentada allí. Levantó la vista de los reflejos del cóctel, y allí estaba ella. Menuda, morena, veinteañera y con un asombroso parecido con la peligrosa mujer de sus sueños: las cejas delgadísimas, el pelo castaño peinado hacia atrás, los ojos rasgados, y los pómulos del cielo o de Hollywood

—¿Invitas a una chica a una copa?

Eso era lo que hacían las chicas de alterne. Se dejaban caer pesadamente en el sitio, conseguían que las invitaras a una copa y entonces pedían «champán» de la casa a un precio que dejaba pequeña la deuda nacional. George no iba a morder el anzuelo.

—Toma la mía —dijo, empujando el *pink gin* por la mesa—. No la he tocado.

—Gracias, encanto.

De pronto se dio cuenta de que no era una chica de alterne; ninguna chica de alterne habría aceptado la copa.

—No trabajas aquí, ¿verdad?

—No. Pero…

—Pero ¿qué?

—Pero voy… a trabajar.

El penique cayó y descendió por el interior de George, tintineando por la oxidada máquina de *pinball* de su alma.

—Y piensas que yo…

—Tienes pinta de que te vendría bien algo. Y yo… podría hacerte feliz… Sólo durante un rato podría hacerte feliz.

George oyó una voz muy parecida a la suya decir:

—¿Cuánto?

—Por adelantado, no, cariño. Es una vulgaridad.

—No llevo mucho dinero encima.

—No pasa nada. Admito cheques.

Tenía una habitación en un tercero de Bridle Lane. Vestida estaba magnífica, desnuda era irresistible. Si George se muriese en el tren de vuelta a casa, moriría feliz.

Le tenía puesta una mano en las pelotas y le estaba besando en una oreja; George estaba empalmado. Estaba muy excitado, a punto de penetrarla, cuando la puerta se abrió de golpe, volvió la cabeza bruscamente y el fogonazo de un flash estalló en sus ojos.

Cuando las estrellas se disiparon, vio a un tipo grande, vestido con un traje oscuro, que sujetaba una cámara Polaroid y le sonreía con suficiencia.

—Vístase, señor Horsfield. Reúnase conmigo en el café Stork de Berwick Street. Si no está allí dentro de quince minutos, esto llegará a manos de su mujer.

La fotografía salió despedida de la base de la cámara y fue tomando forma ante sus ojos.

George se dejó caer sobre la almohada y gruñó. Distinguiría un acento ruso en cualquier parte. Había caído en una trampa… y estaba atado como un pavo.

—¡Oh…, joder!

—Lo siento, encanto. Pero ya sabes. Esto es un trabajo. Hay que ganarse la vida de alguna manera.

George fue recobrando el juicio lentamente, mientras sus ideas se aglutinaban en una borrosa maraña en busca de un significado.

—¿Quieres decir que te pagan por… tenderle trampas a tipos como yo?

—Me temo que sí. La prostitución ya no es lo que era.

La maraña se enredó aún más.

—¿Cobras por esto?

—Pues claro. No soy comunista. Esto es un trabajo. Me pagan por él. Y por adelantado.

George recordó que en algún momento ella decía que pagar por adelantado era una vulgaridad, pero lo pasó por alto.

—Me pagan para quitarte los pantalones, meterte en la cama y hacer lo que hago hasta que Boris llega.

—¿Y qué es lo que haces?

—Ya sabes, cariño…, lo demás.

—¿Te refieres al sexo?

—Si da tiempo. Boris ha llegado un poco pronto esta noche.

Una luz refulgió en la cabeza de George. La maraña se aflojó y sus genitales empezaron a recuperarse lentamente del susto.

—¿Te han pagado para… joder conmigo?

—Ese lenguaje, cariño. Pero sí.

—¿Y te importaría mucho si… terminamos la faena?

La chica se lo pensó un momento.

—¿Por qué no? Es lo menos que puedo hacer. Además, tú me gustas. Y seguro que Boris no se va a largar cuando pasen los quince minutos. Te necesita. Esperará hasta el amanecer, si no le queda más remedio.

Mientras caminaba hacia Berwick Street por el paraíso de las putas de Meard Street, la desazón se mezclaba con la dicha. Era como en aquella ocasión en Tobruk, cuando el amigo árabe le había puesto delante una pipa de hachís superfuerte y él la había mirado con suspicacia, aunque igualmente había fumado. El colocón nunca había acabado de contrarrestar y aplastar del todo la verdadera extravagancia de la situación.

En el café, unos cuantos *beatniks* trasnochadores (zarrapastrosos, los habría llamado Sylvia) alargaban cuanto podían unos espumosos cafés y arreglaban el mundo, aunque Boris, si es que ése era realmente su nombre, estaba sentado solo en una mesa junto a la puerta de los lavabos.

George llegaba al menos media hora tarde. Boris echó un vistazo a su reloj, pero no dijo nada al respecto. En silencio empujó la foto de la Polaroid —parecía coagulada, fue la impresión que tuvo George— sobre la mesa, sin que su dedo acabara de soltarla en ningún momento.

—Esta clase de cámara sólo saca estas fotos. No hay negativo. Y son difíciles de copiar, y ni siquiera lo intentaré a menos que me obligue. Haga lo que le pedimos, señor Horsfield, y verá que somos gente razonable. Denos lo que queremos, y cuando lo tengamos, puede tener esto. Enmárquela, quémela, me trae sin cuidado, pero si conseguimos lo que queremos, puede estar seguro de que ésta será la única copia, y su esposa no tendrá que saberlo nunca.

George ni siquiera miró la foto. Podría estropear un recuerdo precioso.

—¿Qué es lo que quieren?

Boris bajó la voz hasta convertirla casi en un susurro:

—Todo lo que envían al este de Suez.

—Entiendo —dijo George, profundamente desconcertado.

—Esté aquí dentro de una semana por la noche. A las nueve. Traiga pruebas de algo que hayan enviado. Sea servicial, como dicen ustedes, y le informaremos de lo que tiene que buscar la siguiente vez. De hecho, le daremos una lista de la compra.

Boris se levantó. Un tipejo aún más grande vestido con un traje negro se le acercó. George ni siquiera había advertido su presencia en el local.

—¿Y bien? —dijo en ruso.

—Pan comido —contestó Boris.

El otro hombre cogió la foto, la miró a la luz y dijo:

—¿Cuándo se afeitó el bigote?

—¿A quién le importa? —replicó Boris.

Entonces cambió al inglés y le dijo a George: «La semana que viene», y se marcharon.

George permaneció sentado allí. Se había enterado de dos cosas. Que no sabían que hablaba ruso, y que le habían confundido con el teniente coronel Horsfield. Le entraron ganas de reír. Era realmente divertido…, aunque eso no le soltaba del anzuelo. Le llamaran como le llamasen, Henry George Horsfield, del RAOC, o Hugh George Horsfield, de Artillería…, seguían teniendo una fotografía de él con una puta en la cama. Podría acabar en las manos de la esposa correcta o en las de la equivocada; pero no le cabía ninguna duda de que todo acabaría en una mesa del Ministerio de Defensa si la jodía en ese momento.

Al día siguiente estropeó todo el trabajo hecho. Había entrado en casa a hurtadillas muy tarde, y tras dejar una nota a Sylvia diciéndole que se marcharía muy temprano, había cogido el tren de las 7.01 y entrado sigilosamente en el despacho muy pronto. No podía sentarse frente a su mujer a la mesa durante el desayuno. No podía enfrentarse a nadie. Cerró la puerta de su despacho, pero al cabo de diez minutos decidió que era contraproducente, y la volvió a abrir. Esperaba que Ted no quisiera charlar. Esperaba que Elsie la Boba no tuviera ningún chisme cuando le llevara el té.

A las cinco y media de la tarde cogió su maletín y buscó un café en el Soho. Se sentó en Old Compton Street mirando fijamente cómo se desinflaba su café espumoso de manera muy parecida a como había contemplado su *pink gin* la noche anterior. Curiosamente, volvió a ocurrir lo mismo de la manera más extraña. Levantó la vista de su taza y allí estaba ella. Justo enfrente de él. Una visión de belleza y traición.

—Pasaba por aquí. De verdad. Te vi sentado en la ventana.

—Pierdes el tiempo. No tengo dinero, y después de lo de la última noche…

—No quiero echar un polvo. Son las seis de la tarde y estamos a plena luz del día. Me… pareciste solitario.

—Siempre estoy solo —contestó él, sorprendido por su sinceridad—. Pero la aflicción que ves ahora es obra tuya.

—Todo irá bien. Simplemente dale a Boris lo que quiere.

—¿Se te ha ocurrido que podrían acusarme de traición?

—Que va… Esto no es como si fueras John Profumo o yo Christine Keeler. Somos gente de poca monta.

¡Dios mío!, si ella supiera.

—No puedo darle lo que quiere. Quiere secretos.

—¿Conoces alguno?

—Por supuesto que sí… Todo es un jodido secreto. Aunque… aunque yo soy del RAOC. ¿Sabes lo que quieren decir esas siglas?

—No. ¿Ropa, antiguallas y oleaginosas confederadas…?

—Caliente. Nuestro apodo es la Compañía del Aceite Ropa y Antiguallas. El Cuerpo de Suministros del Ejército. ¡Proveo al Ejército británico de sartenes y calcetines!

—Ah.

—¿Te das cuenta? Boris querrá secretos sobre armamento.

—Pues claro que los querrá. ¿De cuánto tiempo dispones?

—La verdad es que debería coger un tren a las nueve.

—Bueno…, ven conmigo a casa. Pensaremos un poco.

—No estoy seguro de que pudiera enfrentarme a esa habitación otra vez.

—¡Qué tonto eres! No trabajo en casa, ¿vale? Tengo un apartamento en Henrietta Street. Picamos algo y tomamos un té. Es acogedor. De verdad que sí. Cantidad.

Cómo habría despreciado Sylvia ese «cantidad». Sería «ordinario».

Ante el té y las galletas de jengibre, ella escuchó toda la historia: lo de la confusión de los dos Horsfield y de cómo realmente él no tenía nada que Boris pudiera querer de verdad.

—Es para troncharse, ¿no?

Y se troncharon.

Ella tenía la cabeza en otra parte mientras follaban; George vio en los ojos de la chica que no estaba del todo con él, pero no le importó gran cosa.

Después ella le dijo:

—Lo que tienes que hacer es lo que hago yo.

—¿Y qué es?

—Fingir.

George se dio por enterado con cierta solemnidad e incertidumbre.

Ella le sacudió el brazo con energía.

—Salvo una cosa, capitán. Nunca fingiría un orgasmo contigo.

Transcurrió la mayor parte de la semana. Tenía que encontrarse con Boris esa noche y estaba sentado a su mesa en el día que intentaba hacer lo que la puta sin nombre había sugerido. Fingir.

Tenía delante de él una nota de envío de sartenes.

PC Alcance Titanio 12 pulgadas. Máxima dispersión del calor. 116 unidades.

Era típico de la jerga militar que la nota no dijera que se tratara realmente de sartenes. El formulario era un FPI, y ése sólo se utilizaba para las sartenes, de manera que el tipo que los recibía en Singapur se limitaría a mirar el código y sabría lo que había en la caja de embalaje. La cosa tenía cierta lógica; de esa manera se robaba poco. En una ocasión George había enviado treinta y dos hervidores de agua a Chipre, y sin saber cómo la palabra «hervidor» había acabado en la nota de envío y sólo diez habían llegado a su destino.

Vio posibilidades en aquello. Todo lo que necesitaba era un frasco de aquella exótica cosa norteamericana, el corrector líquido, que había comprado de su bolsillo en una tienda de importación en Charing Cross Road, un poco de superchería y acceso a la igualmente exótica, e igualmente norteamericana, máquina Xerox. Por fin el Tío Sam se había decidido a dar al mundo algo útil. Eso casi compensaba lo de las palomitas de maíz y el *rock and roll*.

La prudencia hizo acto de presencia. Primero practicó con una comunicación interna. Menos mal, porque hizo una chapuza. «Menú de la cantina de oficiales; Cambios a: Subsección Patata, Puré: WD4I4», jamás volvería a ser lo mismo. No importaba, siempre que uno de esos metros de papeleo fuera a dar a su mesa a lo largo del día. Incluso había visto una con el encabezamiento: «Salsa de carne del Ministerio de Defensa, con trozos».

Descubrió que la mejor técnica consistía en extender el corrector líquido al máximo y luego manipularlo como si fuera tinta. Por suerte, el imperio sólo acababa de morir —o de hacerse el haraquiri— y tenía en el cajón de su mesa dos o tres plumas, plumillas y un tintero de cristal tallado, limpio y seco, que igual había adornado la mesa del ayudante del comisionado de Nigeria Oriental en 1910.

Y… la práctica hace al maestro. Y una copia de una copia de una copia —y tres pasadas por la Xerox— convierten lo perfecto en un borrón satisfactorio.

«Titanio» se convirtió con facilidad en «Plutonio».

Añadió un punto después de «Plutonio» y a continuación añadió «Alcance».

«12 pulgadas» se convirtió en «120 millas».

Pensó qué hacer con «Máxima dispersión del calor», y al no ocurrírsele nada, resolvió que estaba bien como estaba. Y 116 unidades parecía un número certero. Un número bueno y saludable no divisible por nada.

Contempló su obra. Serviría. Sería... «considerada satisfactoria», ésa era la frase. Y era satisfactoriamente ambigua.

PC Plutonio. Alcance 120 millas. Máxima dispersión del calor. 116 unidades.

¿Y si Boris le preguntaba qué eran?

Boris lo preguntó, pero para entonces George tenía preparada su respuesta.

—PC, significa «personal de campo». Y estoy seguro de que sabe lo que es el plutonio.

—Puñetero gracioso. ¿Piensa que soy un ruso tonto? El asunto es: ¿a qué aspecto del personal de campo se refiere este documento?

George le miró a los ojos y dijo:

—Júntelo todo. Sume las parte y obtendrá la suma.

Boris miró el papel y luego a George.

Entendiera lo que entendiese el ruso, él le seguiría la corriente.

—¡Dios mío! No me lo puedo creer. Serán hijos de puta, nos están subiendo la apuesta. ¡Están situando armamento táctico nuclear en Singapur!

—Bueno —contestó George con absoluta sinceridad—. Eso lo ha dicho usted, no yo.

—Y lo enviaron en enero. ¡Dios mío, ya estarán allí!

George se envalentonó.

—¿Y por qué no? Las cosas se están recalentando en Vietnam. ¿O creía que después de Cuba nos íbamos a rendir?

Y entonces se quiso dar de cabezazos. ¿Estaba Vietnam, o algún trozo de él, a menos de 120 millas de Singapur? No tenía ni idea.

Mantén... la bocaza... cerrada.

Pero Boris tampoco parecía saberlo.

El ruso empujó la foto de la Polaroid hacia él por encima de la mesa.

—Lo entenderá. Nosotros cumplimos nuestra palabra.

George lo dudaba.

Y entonces Boris se metió la mano en el bolsillo y sacó un sobre blanco, que empujó hacia él.

—Y tengo que darle esto.

—¿Qué es?

—Quinientas libras. Creo que ustedes lo llaman un mono.

¡Dios santo!, allí estaba él, traicionando los secretos de intendencia de su país, y aquellos bastardos iban a pagarle de verdad por eso.

Se dirigió a Henrietta Street.

No mencionó lo que había sucedido hasta después de hacer el amor.

—¡Por todos los diablos! —exclamó ella—. Esto es más de lo que gano en un mes.

Y George la secundó:

—Esto es más de lo que gano en tres meses.

Estuvieron de acuerdo. Lo esconderían en el fondo del ropero de ella y ya pensarían en lo que harían con el dinero en algún otro momento.

Cuando se iba para Waterloo, George dijo:

—¿Qué te parece? No sé cómo te llamas.

—No lo preguntaste. Y me llano Donna.

—¿Es tu verdadero nombre?

—No. Es mi nombre de guerra. Pero me puedes llamar Janet, si lo prefieres. Es mi verdadero nombre.

—Creo que prefiero Donna.

Se convirtió en parte del verano. Parte de la nueva rutina estival.

Llamaba por teléfono a casa una vez a la semana y le decía a Sylvia que se quedaría a trabajar hasta tarde.

—El DDT está en la ciudad. El jefazo me quiere en la reunión. Lo siento, querida.

Considerando que había estado casada con un oficial del ejército en activo durante veinte años antes de conocer a George, Sylvia jamás se había molestado en aprender la jerga del ejército. Esperaba que los hombres hablaran de tonterías, y no prestaba ningún interés. Lo aceptaba y descartaba por igual.

George entonces acudía a su cita con Boris en el café de Berwick Street, vendía a su país sin remedio, y luego se dirigía al piso de Henrietta Street.

Incluso con su conciencia atrofiada, o muy posiblemente a causa de su atrofia, el amor alcanzó su plenitud. Estaba completamente chiflado por Donna, y se lo decía cada vez que la veía.

Boris no siempre lo citaba en el café de Berwick Street, y a ambos les venía bien reunirse en el hipódromo de Kempton Park algún que otro sábado, sobre todo si Sylvia había ido a jugar a las cartas o de compras a Kingston-upon-Thames. Cinco chelines al favorito era el límite de George. Boris apostaba grandes cantidades y ganaba más de lo que perdía. Era, pensó George, un fiel reflejo de las personalidades y oficios de cada uno.

A medida que pasaban las semanas, George adulteraba más notas de envío, y aunque nunca más cobró quinientas libras de una sentada (Boris le explicó que aquello había ocurrido simplemente para ganárselo), todas las reuniones tenían como resultado que su traición fuera recompensada con cien o doscientas libras.

Algunos engaños exigían algo de meditación.

Así, por ejemplo, se encontró mirando de hito en hito una nota de entrega de unas sartenes que había enviado a Hong Kong desde Lancashire, de donde era el fabricante.

SP$_3$ PRESTIGE cubierta de cobre de 6 pulgadas.
250 unidades.

Prestige era probablemente el fabricante de sartenes más famoso del país. George no podía dejar el nombre intacto; era posible que incluso el amigo Boris hubiera oído hablar de ellos.

Pero una vez considerado, su musa de mentiroso acudió a su rescate, y la referencia quedó en:

PC₃ T T P cabeza de cobalto de 6 pulgadas.
250 unidades.

No tenía ni idea de lo que podría significar aquello, pero, una vez en la cafetería con dos tazas de café espumoso delante de ellos, como siempre, Boris completó la mayor parte de los espacios en blanco.

Sí, PC significaba lo que siempre había significado. Tuvo algún problema más con T T P, y George esperó pacientemente a que Boris se orientara en la dirección de Tácticas Terrestres de Personal, y cuando lo juntó con cabeza de cobalto, su magnífica pretensión de superioridad moral rusa afloró con un estallido.

—Realmente sois un puñado de hijos de puta, ¿lo sabías? Estáis adaptando lanzacohetes de mano para lanzar misiles ¡con camisas de uranio enriquecido!

Ah, ¿así que era eso? George sabía que el cobalto tenía algo que ver con la radiactividad, aunque la verdad era que no acababa de entenderlo del todo.

—¿Munición perforante contracarro con cabeza de cobalto? Bastardos. Estáis hechos unos completos bastardos de mierda. Las normas de Queensberry... ¡Mis cojones bolcheviques!

Ah..., perforantes contracarro, eso era para lo que servían. George no tenía ni idea y habría andado a ciegas si Boris hubiera preguntado.

—¡Bastardos!

Y tras ese exabrupto, el ruso deslizó hacia George cien libras y se despidió para una buena temporada.

A mitad de verano, George tuvo suerte. Andaba escaso de ideas, y alguien mencionó que el ejército había desplegado unos misiles tierra-aire de fabricación norteamericana con las fuerzas de la OTAN en Europa. Un lanzamisiles montado en un camión conocido por el nombre en código de *Honest John**. No era lo que se dice un secre-

---

* Honrado John. *(N. del T.)*

to, y había muchas posibilidades de que Boris supiera lo que era el *Honest John*.

George oyó campanas. Tiempo atrás, estaba casi seguro, había enviado a Aden cincuenta grandes ollas compradas a una empresa de Waterford llamada Honett Iron. Era la modificación más breve que había hecho nunca, y encendió la mecha más corta de Boris.

—¡Hijos de puta! —maldijo, una vez más.

Y entonces se interrumpió y, al pensar, estuvo a punto de desenredar la madeja de mentiras de George. Éste había querido impresionar a Boris con una nota de envío falsificada de un misil que existía realmente, y aquello estuvo a punto de explotarle en las narices.

—Espera un segundo. Conozco esta cosa, y sólo tiene un alcance de quince millas. ¿A quién puedes destruir con armas nucleares desde Aden? No tiene lógica. Todos los demás países están a más de quince millas de distancia. En quince millas a la redonda de Aden no hay más que el jodido *disierto*.

George se quedó atascado. Decir cualquier cosa sería una equivocación, pero aquél era un vacío que la fértil imaginación de Boris no parecía dispuesta a tapar.

—Esto... eso depende —dijo George.

—¿De qué?

—Esto... de... de lo que pienses que va a suceder en el... jodido *disierto*.

Boris lo miró de hito en hito.

El silencio pedía a gritos ser llenado.

Y el ruso no lo iba a llenar.

George arriesgó el todo por el todo.

—Me refiero a que, después de todo..., o tienes aviones espías o no los tienes.

Aquello resultaba enigmático.

George no sabía si los rusos tenían aviones espías. Los norteamericanos, sí. En 1960 había sido derribado uno sobre la Unión Soviética, con el consiguiente ridículo cuando los rusos mostraron ostentosamente al piloto vivo ante la prensa de todo el mundo. Pues vaya con la cápsula de cianuro.

Era enigmático. Enigmático hasta el punto de resultar baladí, aunque funcionó. Hizo que Boris dirigiera las preguntas hacia dentro. Mientras, George se había cagado de miedo; se había puesto gallito, y había estado a punto de pagarlo caro.

Lanzó otro sobre de dinero al fondo del ropero de Donna. No lo había contado, y ninguno de los dos había gastado nada, pero calculó que allí debía de haber unas dos mil libras.

—Tengo que parar —dijo—. Boris casi me pilla esta noche.

Dos días después, George abrió su ejemplar del *Daily Telegraph* en el tren que le llevaba al trabajo, y lo que leyó en la página uno lo dejó helado.

AVIÓN ESPÍA RUSO DERRIBADO SOBRE ADEN

Había llegado a Waterloo y estaba atravesando el puente Hungerford en dirección al Victoria Embankment y todavía no había conseguido tranquilizarse con la idea de que, dado que el avión había sido derribado, la URSS seguía sin saber lo que (no) estaba sucediendo en el «jodido *disierto*».

Se lo contó a Donna la siguiente vez que se vieron, la siguiente vez que hicieron el amor. Estaba tumbado de espaldas bajo el arrebol del crepúsculo y sintió que la angustia se despertaba de la modorra en la que lo había sumido el erotismo.

—¿Entiendes? —le dijo—. Tenía que contarle algo a Boris. No está pasando nada en el «jodido *disierto*». Pero los rusos enviaron un avión espía para averiguarlo. Por lo que dijo Boris. Por lo que dije yo. Vamos que, por lo que sé, el Vietcong está desplegando más tropas a lo largo de la zona desmilitarizada, y los chinos podrían estar congregando sus millones en la frontera con Hong Kong... Todo esto... se está desmadrando.

Donna le acarició el pelo y le acercó los labios a la oreja, con aquel roce de su aliento húmedo que lo hacía enloquecer.

—¿Sabes, Georgie?, has tenido más suerte de la que piensas.

—¿Y cómo es eso?

—Supón que realmente haya estado pasando algo allí, en el «jodido *disierto*».

—¡Oh, joder!

—No soportas pensar en ello, ¿verdad? Pero estás en lo cierto. Todo esto se está desmadrando. Tenemos que hacer algo.

—¿Como qué?

—No lo sé. Pero déjame que lo piense. Soy mejor que tú en eso.

—¿Podrías pensar con rapidez? Antes de que provoque la Tercera Guerra Mundial.

—Chist, Georgie. Donna está pensando.

—Las cosas están así —dijo ella—. Tú quieres salirte, pero los rusos tienen lo suficiente en tu contra para incriminarte por traición, y luego está la foto de la Polaroid en la que tú y yo estamos en la cama.

—Hace meses que tengo la foto.

—¿De verdad? Bien. Bueno…, la cuestión, como yo la veo, es que te tienen cogido por venderles nuestros secretos sobre cohetes y su envío a Oriente. Sólo que tú les das sartenes y teteras grandes. Así que, en resumidas cuentas, ¿qué es lo que tienen?

—A mí. Me tienen a mí, porque las sartenes y las teteras grandes son igual de secretas que las armas nucleares. Sigo siendo un traidor. Seré el Klaus Fuchs del menaje de cocina.

—No. Tú no. Lo es el otro Horsfield, porque con ése es con quien ellos creen que están tratando.

George no veía adónde llevaba aquello.

—Tenemos que hacer dos cosas: no ver más al amigo Boris e incriminar al otro Horsfield.

—¡Dios mío!

—No…, escucha… Boris cree que ha estado tratando con el teniente coronel Horsfield. Lo que tenemos que hacer es que el coronel crea que está tratando con Boris…, intercambiarlo contigo y luego hacer sonar el silbato.

—O dejar que suene la flauta —dijo George.

—¿Qué quieres decir?

—Si entiendo correctamente a esa pequeña mente perversa tuya, lo que pretendes es intentar incriminar a Horsfield.

—Correcto.

—Conozco a H. G. Es un completo hijo de puta, pero no se le puede asustar ni intimidar. Si hacemos algún movimiento en su contra, o si se huele siquiera la implicación de los rusos, será él mismo quien haga sonar el silbato.

—¿Sabes una cosa? Eso es aún más de lo que esperaba. Déjame entonces que intente conseguir el pleno. ¿No es lo que llamarías un donjuán?

—¿Cómo piensas conseguirlo?

—Bueno, no te ofendas, Georgie, pero tú caiste en mi red sin dificultad. Si intentara atraer a H. G., ¿qué haría él?

—Ah, entiendo. Bueno, si los chismes de la oficina son creíbles, se pintaría el culo de azul y te echaría un polvo debajo de una farola de Soho Square.

—Bingo —dijo Donna—. ¡Bingo, joder, bingo!

Echaron mano del dinero del armario por primera vez.

—Esto no puedo hacerlo yo, y no puedo utilizar la habitación de Bridle Lane. Pagaré a una colega para que se encargue de H. G., y conozco una casa en Marshall Street que está a punto de ser demolida cualquier día de éstos. Será perfecta. Haré equipar una habitación para que parezca una verdadera vivienda y luego la abandonamos. Lo que no sabemos con certeza es cuándo podríamos acercarnos a H. G.

—La semana que viene es el cumpleaños de Ted. Fijo que será un peregrinaje de bares y clubes. Incluso podría predecir que en algún momento estaremos en el mismo club en el que me encontraste.

—¿Cuál sería el tipo de H. G.?

—Ya que lo mencionas…, tú, no. Le gustan las rubias, rubias con grandes…

—¿Tetas?

—Exacto.

—De acuerdo, eso restringe la elección. Tendré que pedírselo a Judy. Querrá un pastón por el trabajo y otro por el riesgo, pero lo hará.

La juerga del cumpleaños de Ted coincidió con la noche en que George tenía que reunirse con Boris en el café de Berwick Street. Algo estaba saliendo bien. Sólo Dios lo sabía, pero hasta era posible que salieran bien librados de aquello.

—Esto… —No tenía ninguna certeza en absoluto de qué era «esto». Conocía su papel en aquello, pero la iniciativa había pasado ya a ser de Donna. Ella había planeado la actividad de la noche como un guión de cine.

George se escabulló pronto de la fiesta de Ted; en cualquier caso, para entonces su amigo andaba agarrándose a las farolas. H. G. estaba absorto en la narración de una retahíla de anécdotas procaces, y el único riesgo era que pudiera irse con alguna otra mujer antes de que Judy se lo ligara. Cuando estaba a punto de marcharse, una rubia alta y pechugona, otra Jayne Mansfield o Diana Dors, proyectada hacia delante por mor del mecanismo de un sujetador último modelo bajo un jersey rosa de pura lana virgen que mostraba el escote con generosidad y que aparentaba una solidez digna del Everest, entró en el club. Le guiñó un ojo a George y siguió bajando las escaleras sin mediar palabra.

George se dirigió a Bridle Lane.

Era una farsa con dos pelucas.

Donna tenía preparada una para él.

—Tú y Boris tenéis la misma envergadura. Sólo hay que resolver lo del color de pelo. Además, no es que H. G. vaya a verte muy bien.

Y una peluca preparada para ella. Donna se transformó en una Marilyn Monroe de bolsillo.

George detestaba esperar. Se pararon en la esquina de Fourberts Place, mirando a lo largo de Marshall Street. Eran más de las nueve cuando un tambaleante H. G., por los efectos del alcohol, apareció del brazo de una Judy muy sobria. Se pararon debajo de una farola. Él no se pintó el culo de azul, pero la magreó en público, con la mano en el trasero de la chica y la cara medio hundida en su escote.

George vio a Judy volver a poner amablemente la mano de H. G. en su cintura, y oyó que decía:

—No tan deprisa, soldado, casi hemos llegado.

—¿En serio? ¡Cojonudo!

George odiaba a H. G.

George odiaba a H. G. por ser tan predecible.

Donna susurró:

—Diez minutos como máximo. Judy correrá una cortina cuando él se haya quitado la ropa. Bueno, ¿estás seguro de que sabes cómo manejarla?

—No es más que una cámara como cualquier otra, Donna.

—Georgie…, sólo tenemos una oportunidad.

—Sí. Y sé cómo manejarla.

Cuando la cortina se movió, George subió de puntillas las escaleras, imaginando a Boris haciendo lo mismo que él meses atrás cuando se disponía a hacer saltar la trampa de la seducción.

En la puerta de la habitación alcanzó a oír la cavernosa voz de barítono de H. G. soltando ñoñerías de borracho.

—Tan maravillosas. Increíbles de cojones. Qué tetas. Qué cosa más maravillosa. Si yo tuviera tetas…, joder, me pasaría el día jugando con ellas.

Y, de repente, una patada, un fogonazo, un estrépito, un golpetazo… y H. G. despatarrado donde él lo había estado, y George pronunciando las frases de Boris con el mejor acento ruso que fue capaz de conseguir.

—Tiene diez minutos, coronel Horsfield. Si no se reúne conmigo en el café Penguin de Kingly Street, esto irá a parar a manos de su esposa.

H. G. lo miró fijamente con ojos vidriosos. Judy cogió su ropa y salió corriendo por su lado como alma que lleva el diablo. Inmóvil, H. G. siguió mirando fijamente. Quizás estuviera demasiado borracho para comprender lo que estaba sucediendo.

—Tiene diez minutos, coronel. Café Penguin, Kingly Street. *Das vidanye.*

No tenía ni idea de por qué había soltado aquel *das vidanye…* como no fuera por un impulso desesperado de parecer más ruso.

—Allí estaré, bastardo comunista de mierda —dijo H. G.—. Allí estaré.

Para gran inquietud de George, H. G. se levantó de la cama en pelotas, aparentemente menos borracho, la oscilante polla enhiesta envuelta en el condón, y se dirigió hacia él.

George puso pies en polvorosa. Era lo que Donna le había dicho que hiciera.

Ya en la calle, llegó a tiempo de ver a Judy ponerse sus tacones de aguja y alejarse hacia Beak Street. Donna le quitó la foto de la Polaroid, la agitó en el aire y examinó la imagen.

—Lo pillamos —dijo.

George miró su reloj. No se atrevió a levantar la voz más allá de un susurro.

—He de darme prisa. Tengo que reunirme con Boris.

—No, no; tú no. Déjame a Boris a mí.

Aquello no formaba parte del plan. Jamás se había hablado de aquello.

—¿Qué?

—Vuelve a la fiesta.

—Yo no…

—Encuentra a tus compañeros. Deben de estar en algún club cerca de aquí. Ya conoces la pauta: mucho alcohol, mucho alcohol y bailarinas. Encuéntralos. Deshazte de la peluca. Y tira la cámara. Vuelve y que te vean.

Lo besó.

—Y no pases por Berwick Street.

Donna permaneció un rato en la siguiente esquina, vigilando hasta que H. G. salió y se alejó ruidosamente hacia Kingly Street. Entonces se marchó en sentido contrario, hacia Berwick Street, y se paró detrás de uno de los desperdigados puestos del mercado del lado derecho.

Desde allí podía ver a Boris. Estaba leyendo un periódico, dejando enfriar el café, y de vez en cuando miraba de reojo el reloj. Casi daba por descontado que George fuera a aparecer, aunque no del todo.

Se tranquilizó cuando finalmente el ruso se dio por vencido y se paró un instante en la acera en el exterior del café, mirando las estrellas y mascullando algo en su idioma. La verdad es que no era tan alto como George, sólo era un poco más ancho de pecho y de hombros. Probablemente, con la peluca y el fogonazo del flash, todo lo que H. G. podría decir era que «cierto indeseable, fuerte, tirando a moreno, con un traje oscuro, la verdad es que no lo vi bien, me temo».

Ése era el viejo Boris: un indeseable grande y moreno con un traje oscuro.

Lo único que la preocupaba era que, si el ruso llamaba a un taxi y no había uno cerca detrás, lo perdería. Pero era una cálida noche de verano: Boris había decidido caminar. Empezó a hacerlo hacia el oeste, en dirección a la embajada soviética. Quizá necesitara pensar. ¿Iba a delatar a George por no haber aparecido o lo iba a dejar correr y darle tiempo con la esperanza de que el flujo de información siguiera corriendo?

Boris cruzó Regent Street para meterse en Mayfair y se dirigió al sur hacia Piccadilly. No parecía tener prisa ni prestar atención a los taxis ni autobuses. De hecho, no parecía prestar atención a nada, como si estuviera sumido en sus pensamientos.

Donna acomodó su paso al de él, intentando permanecer en las sombras, aunque Boris no miró atrás en ningún momento. En Shepherd Market se metió en uno de aquellos diminutos callejones que salpican el lado septentrional de Piccadilly, y ella aceleró para llegar a la esquina.

La luz desapareció. Una mano la cogió de la chaqueta y la arrastró dentro del callejón. La otra mano le quitó la peluca, y la voz de Boris dijo:

—No me tomes por tonto del culo. Horsfield no se presenta y entonces apareces tú con una estúpida peluca, siguiéndome como un detective de tercera. ¿A qué *cojiones* estáis jugando?

Aquello era mejor de lo que ella se hubiera atrevido a esperar. Había sido engañada desde el principio por intentar hallar la manera de pillarlo a solas, así de cerca, en un callejón a oscuras. Y entonces él lo había hecho por ella.

Donna le apretó la pistola contra el corazón y lo mató de un tiro.

Entonces se inclinó, le metió la foto en el bolsillo interior, se volvió a poner la peluca y caminó hasta Piccadilly, donde cogió el autobús treinta y ocho hasta su casa.

Lo primero que oyó George provino de la Boba Elsie, que llegó empujando su carrito poco después de las once de la mañana.

—No puedo subir a la cuarta planta. Esos indeseables no me dejan entrar. Están como alborotados. ¿No le parece increíble? Fisgones y espías. Tiene que tratarse de un montón de tonterías, ¿no?

—Dos de azúcar, por favor —dijo George.

—Y tengo aquí estas rosquillas de mermelada para ese tal coronel *'Orsepiddle*… Tenga, encanto, coja una.

—Así que —dijo George, aparentando indiferencia— todo gira en torno al bueno del coronel, ¿no?

—Digámoslo así, encanto. No para de gritar. Y en el mejor de los casos no es que susurre.

Así que… H. G. no estaba tanto haciendo sonar el silbato como largando.

Después de la comida, Ted se pasó a hacerle una visita y le dejó caer sobre la mesa la edición más reciente —todavía no la última y definitiva, aunque casi— del *London Evening Standard*.

George cogió el periódico.

AGREGADO DE LA EMBAJADA SOVIÉTICA
MUERTO DE UN DISPARO EN MAYFAIR.

George no dijo nada.

—Puede que se avecinen unas cuantas semanas interesantes. Los rusos montan un pollo. Posiblemente se carguen a uno de los nuestros. Unas cuantas expulsiones, seguidas de otras por represalia… ¡Dios míos!, detestaría estar en Moscú ahora mismo.

—¿Qué te hace pensar que lo hicimos nosotros? Quiero decir, ¿es que acaso nos dedicamos a tirotear a agentes extranjeros en la calle?

—No por norma. Pero lo nuestro es la osadía. Me he enterado por un amigo de Scotland Yard de que no tienen la menor pista. Nadie vio ni oyó nada en absoluto. Bueno…, cambiando de tema, ¿qué te pasó anoche? Una hora echando la pota. No es propio de ti, muchacho.

—Volviendo a lo de antes… ¿Tiene eso algo que ver con el follón que hay montado en la cuarta planta?

—Bueno, déjame que te lo diga de esta manera: sería una asombrosa coincidencia que no tuviera nada que ver.

En la oficina se convirtió en opinión generalizada que los rusos habían intentado tenderle una trampa a H. G. y que él no había querido saber nada del asunto. Menos popular, aunque mucho más retorcida, fue la teoría de que, en lugar de reunirse con el hombre que pretendía chantajearle, H. G. se había limitado a llamar al MI5, el cual se había cargado al desafortunado ruso cuando atravesaba Mayfair. El hecho de que el tal Boris Alexandrovich Bulganov fuera encontrado muerto a unos escasos metros del cuartel general del MI5 en Curzon Street contribuía a la verosimilitud, al igual que el rumor de que en el bolsillo del ruso se había encontrado una fotografía de H. G. con una puta en la cama. Un chistoso clavó un anuncio en el tablón de la cantina ofreciendo diez libras por un copia, aunque no encontró ningún interesado.

Ted se mostró profundo a la hora de analizar el asunto.

—Siempre supe que acabaría teniendo problemas si dejaba que su polla pensara por él.

Casi de inmediato el asunto se convirtió en un incidente diplomático. Nada de la categoría de Profumo o del avión espía U2, pero los rusos acusaron a los británicos del asesinato de Boris, a quien describieron como «agregado cultural». Los británicos acusaron a los rusos de intentar chantajear a H. G. Horsfield, cuyo nombre nunca honró las páginas de los periódicos —tan sólo «un oficial británico de alta graduación no identificado»—, y George no tuvo más remedio que concluir que ni unos ni otros habían hecho encajar los datos y entendido que habían estado chantajeando a *un* H. G. Horsfield durante algún tiempo, pero no *al* H. G. Horsfield. Si hubieran intercambiado información, George habría estado perdido. Pero, como era natural, nunca harían tal cosa.

La «recompensa» de H. G. fue nombrarlo coronel y destinarlo a las Bahamas. A cualquier parte, con tal de quitárselo de en medio. Que las Bahamas pudieran o no necesitar a un experto en armamento nuclear táctico no tenía nada que ver con el asunto.

George nunca volvió a tener noticias de los rusos. Las esperó. Todos los días durante seis meses esperó tenerlas. Pero no las tuvo.

Al cabo de seis meses, la muerte de Boris estaba olvidada.

George llegó a su casa en West Byfleet y se encontró una ambulancia y una multitud de vecinos fuera.

La señora Wallace, esposa de Jack Wallace, teniente de los Reales Ingenieros Mecánicos y Eléctricos —George creía que se llamaba Betty— se acercó rezumando una mezcla de lágrimas y compasión.

—Oh, capitán Horsfield… No sé que…

George la hizo a un lado para pasar y dirigirse hacia los hombres de la ambulancia. Una camilla cubierta ya estaba en la parte posterior de la ambulancia, y de inmediato supo que había pasado lo peor.

—¿Cómo?

—Tuvo una caída, señor. Desde lo alto de las escaleras. Se rompió el cuello. Nunca supo lo que la golpeó.

George pasó la noche solo con una botella de güisqui escocés, ignorando el incesante repiqueteo del teléfono. No había querido a Sylvia. Nunca la había amado. Pero le había tenido cariño. Era demasiado joven, una edad terrible para morir… Y entonces se dio cuenta de que realmente no sabía la edad de Sylvia. Podría averiguarlo cuando lo esculpieran en su lápida.

El dolor no era nada; la culpa lo era todo.

El decoro dictaba la ley.

No fue a Henrietta Street durante casi un mes. Escribió a Donna, de la misma forma que escribió a muchos de sus amigos, sabiendo que la costumbre era poner una esquela en *The Times*, pero también que pocos de sus amigos lo leían y que el *Daily Mail* no se preocupaba de tener una página de necrológicas.

Cuando fue a Henrietta Street, atajó por Covent Garden, unos cincuenta metros al norte, y compró un ramo de flores.

—Nunca me habías comprado flores.

—Nunca te he pedido que te casaras conmigo.

—¡Qué! ¿Casarnos? ¿Yo y tú?

—No se me ocurre que «casarte conmigo» pudiera implicar otra cosa.

Y habiendo leído alguna cosa que otra de Shakespeare en el ínterin, George hizo una cita aproximada de Hamlet respecto de una carne horneada, unos funerales y una ceremonia nupcial.

—A veces, Georgie, no entiendo ni una palabra de lo que dices.

Donna se mostraba reacia. Lo último que hubiera deseado, aunque a él mismo le había costado imaginarlo. Ella dijo que «acababa de poner el hervidor de agua», y entonces pareció estar sentada en el borde del sofá sin que un solo músculo de su cuerpo estuviera relajado.

—¿Qué pasa?

—Si… si nos casáramos…, ¿qué haríamos? Quiero decir que seguimos adelante… una vez que conseguimos la foto de los rusos, continuamos… como si tal cosa. Sólo que no había nada de normal en la situación.

George sabía exactamente lo que ella quería decir, pero no dijo nada.

—Quiero decir que…, ay, ¡maldita sea!… No sé lo que quiero decir.

—Quieres decir que los oficiales del ejército en activo no se casan con prostitutas.

—Sí, algo así.

—He pensando en dejar el ejército. Hay oportunidades en la gestión de suministros, y el ejército es una de las mejores referencias que un tipo puede tener.

El hervidor de agua empezó a silbar. Ella lo apagó, pero no hizo ningún ademán de preparar el té.

—¿Dónde viviríamos?

—En cualquier parte. ¿De dónde eres?

—De Colchester.

En Colchester estaba la mayor prisión militar del país, el invernadero, el Leavenworth de Inglaterra. Considerado el peor destino que un hombre podía conseguir. Jamás lograría librarse del ambiente del ejército en Colchester.

—De acuerdo. Bueno…, quizá no en Colchester…

—Siempre quise vivir en el norte.

—¿Qué dices? ¿En Manchester? ¿En Leeds?

—Qué va, en Hampstead. Jamás abandonaría Londres, sobre todo ahora, que está empezando a… ¿Cómo diría…?, animarse.

—Hampstead no será barato.

—He ahorrado unas tres mil libras con mi oficio.

—Yo tengo unas mil ahorradas, y he heredado más de Sylvia. De hecho, unas siete mil quinientas libras. No es una cantidad insignificante.

No es una cantidad insignificante… Los ahorros de toda una vida equivalían a un par de años en «el oficio».

—Y, por supuesto, recibiré una pensión. He cumplido algo más de dieciséis años de servicio. Recibiré parte de la pensión ahora, y más si lo dejo, y con treinta y cinco años soy lo bastante joven para trabajar veinte años o más en otra profesión.

—Y está el dinero del fondo del armario.

—Lo había olvidado.

—Lo conté. Justo el otro día. Tenemos mil setecientas treinta y dos libras. Claro que ha habido gastos.

Donna estaba rozando un tema tabú. George dudó si dejar que se zambullera en el asunto. ¿Quién sabía? Podría limpiar la atmósfera.

—Le di doscientos a Judy. Y estaba lo del dinero de la habitación… y eso.

George le echó valor al asunto.

—¿Y cuánto te costó la pistola?

Se produjo una pausa muy larga.

—¿Siempre lo supiste, no?

—Sí.

—No fue barata. Cincuenta libras.

De perdidos, al río.

El matrimonio no tenía secretos.

George carraspeó.

—Y por supuesto, está el precio de tu billete de ida y vuelta a West Byfleet el mes pasado, ¿no es sí?

Vio que se ponía rígida, como si le metieran una baqueta por la columna, y que sus dedos se aferraban al brazo del sofá como las pinzas de un cangrejo.

George esperó a que Donna hablara primero, pero después de una eternidad le pareció que podría no volver a hablar nunca más.

—No me importa —dijo en voz baja—. De verdad, no me importa.

Ella se obstinaba en no mirarlo.

—Donna. Por favor, di que sí. Por favor, dime que te casarás conmigo.

Ella no dijo nada.

George se levantó y preparó el té, confiando en que haría el té para los dos durante el resto de sus vidas.

El día del padre

John Weisman

Veinte de junio de 2001, 3.12 de la madrugada. Tenían que estar casi a treinta y ocho grados cuando Charlie Becker, ex Ranger del ejército y a la sazón espía, salió rodando del Humvee con las luces apagadas. Aterrizó como si hubiera sido arrojado contra el suelo. Tuvo suerte de no dislocarse el hombro.

A la mierda. ¿Qué era el dolor, a fin de cuentas? *Sólo la debilidad que abandona el cuerpo.*

Charlie se alejó sigilosamente de la carretera moviéndose como un cangrejo, se metió en la cuneta y desde allí rodó hasta la duna más próxima —rodó para no dejar ninguna huella delatora de bota de infiel— y se hundió en la arena blanda del desierto áspero como un cepillo de cerdas.

Revisión de armamento. Se palpó de arriba abajo: gafas, testículos, reloj y riñonera. Pistola, cuchillos, cuatro cargadores del M4, cuatro cargadores de la Sig. Bridas de plástico, rotulador, cinta adhesiva, cámara digital. Todo estaba donde tenía que estar. Se aseguró de que el cargador colocado en su rifle M4 no se hubiera soltado a causa del golpe, sacó el silenciador del bolsillo acolchado de su chaleco táctico y lo hizo girar sobre el supresor de fogonazo.

Control de comunicaciones. Se pasó la mano desde el micrófono montado a ras de su labio inferior, para comprobar que la conexión hasta la parte posterior de la oreja izquierda no se había soltado con la sacudida. Luego se bajó las gafas de visión nocturna, rodó sobre su espalda (garantizándose, al hacerlo, que una considerable parte de la fina arena iraquí se le metiera por la parte posterior de su camisa) y observó a los tres transportes blindados de personal y los ocho Humvee desaparecer por la Ruta Irlandesa y desvanecerse en la noche sin luna camino de la Base Falcon de Operaciones de Avanzadilla.

Esto empieza ahora. Charlie se levantó las gafas de visión nocturna. Pero él no estaba allí tendido sin más. Era una parabólica humana, una esponja que absorbía todas las sensaciones externas de las que era capaz. Aguzando el oído, escuchó.

En alguna parte al norte de donde se encontraba, un perro ladró. A través de los protectores auriculares estéreo amplificados oyó el rechinar de los motores del convoy. Aparte de eso: silencio.

Eso no era bueno. La lógica imponía que debía haber grillos cantando en el sembrado de girasoles rodeado de matorrales espinosos y palmeras miserables en cuyo borde estaba tumbado. Pero no había el menor indicio de su presencia. Lo que le indicaba que los bichos seguían nerviosos por su llegada. Lo que significaba que contaba con unos cuantos minutos más para irse, antes de que pudiera pensar en moverse.

A su derecha, el insignificante vestigio de una brisa caliente hacía crujir los árboles secos como si fueran de celofán. Levantó el brazo izquierdo y se concentró en su reloj. La pantalla le indicó que había saltado del Humvee hacía dos minutos cuarenta y cinco, cuarenta y seis, cuarenta y siete segundos.

Cómo vuela el tiempo cuando te lo estás pasando bien.

Me estoy haciendo demasiado viejo para estas gilipolleces, pensó Charlie. *Tengo cincuenta y dos años. Tengo una ex esposa que se ha vuelto a casar, una novia irlandesa, un hijo en West Point, una hija preciosa que se acaba de casar con un capitán de los Ranger y dentro de seis meses voy a ser abuelo. Puede que le pongan mi nombre al chiquillo. ¡Joder!, hoy es el puñetero día del padre. Debería estar en casa, practicando cómo hacer saltar sobre mis rodillas al pequeño Charlie.*

El montón de arena le empezó a picar por la espalda sudada.

Probablemente lleve garrapatas.

O pulgas.

O crías de araña camello.

En el último despliegue había enviado un correo electrónico a su novia irlandesa Beth con una foto cuyo pie decía: «Charlie y el invitado sorpresa». Jose le había gastado una broma, arrojándole una araña camello muerta en su escondite, y captado la reacción «¡Hostias, tío!» de Charlie con la Nikon Coolpix. Vaya broma. Las arañas camello adultas medían cuarenta y cinco centímetros y su mordedura quemaba como si fuera ácido.

Durante un instante vio la cara de Beth. Entonces se puso a pensar en sus pechos. Qué agradable era acariciarle el tatuaje del trébol que llevaba en su delicado culo de bailarina.

Parpadeó tras sus gafas graduadas Oakleys. Se sacó a Beth de la cabeza. Borró su imagen por completo. Charlie Becker llevaba treinta y cuatro años de guerras y era consciente de lo que había que hacer. Puedes pensar en Beth o puedes hacer tu trabajo. Pero no puedes hacer las dos cosas al mismo tiempo.

Se metió la mano en el bolsillo de los pertrechos del lado izquierdo y extrajo el pañuelo, hizo con él una capucha, sacó la PDA Palm Treo del chaleco, rodó de costado, introdujo su código y apretó el botón de la pantalla para poder recibir la imagen de vídeo en tiempo real desde el avión sin tripulante Predator que merodeaba en lo alto.

Miró la pantalla con los ojos entornados. Él estaba allí, un triángulo parpadeante en un lateral de la carretera 8. Otros tres triángulos parpadeaban a una distancia de unos doscientos metros al sur de donde se encontraba. Jose era el más cercano. Luego, Fred. Luego, el soldado raso Tuzz. A Charlie se le escapó un breve sonrisa. *Cuatro triángulos en el Triángulo de la Muerte. ¿Quién dice que Alá no tiene sentido del humor?*

Apagó la pantalla, guardó el trapo y cerró los ojos para recuperar más deprisa su visión nocturna, y se quedó allí tumbado, escuchando los sonidos de la noche y considerando los aspectos positivos y negativos de la guerra centralizada en cadena del siglo XXI. Los

Predator eran ejemplos perfectos de las buenas/malas noticias para los agentes como Charlie. Aquél estaba controlado a once zonas horarias de distancia, desde la Base Aérea de Nellis, en las afueras de Las Vegas, para ser exactos. Lanzado desde Kuwait hacía diez horas, volaría en círculo hasta que Charlie hubiera completado la misión. Un ojo en el cielo que le cubría las espaldas.

Ésa era la buena noticia. La mala era que cualquiera con la autorización adecuada podía sentarse en Tampa o en Langley y observar a Charlie intentar sacudirse la porquería de su camisa. Lo cual significaba que incluso mientras estaba allí tumbado, algún burócrata de alto rango en el cuartel general de la CIA, con un café gigante de Starbucks en la mano y masticando un mollete integral orgánico con arándanos, estaría en ese momento cuestionando el siguiente maldito movimiento de Charlie, esperando sólo a llamar a los abogados.

Sin embargo, había ventajas tecnológicas de las que Charlie, veterano de la guerra de la era jurásica, había carecido en lugares tan antidiluvianos como la Operación Desierto Uno, la isla de Granada, Honduras, Panamá y Somalia. La Treo, por ejemplo. La PDA estaba conectada a una red de satélites segura. El artilugio le permitía ver imágenes de vídeo en tiempo real. Así es como sabía que el objetivo de esa noche, Triq Zubaydi, un nativo probablemente relacionado con Abu Musab al-Zarqawi y al Qaeda en Irak, estaba en casa y metido en la cama. Había visto cómo los invitados de Tariq abandonaban la casa poco después de las once de la noche. Había visto apagarse las luces poco después de medianoche. ¡Bingo!

Tres cuarenta y cuatro de la madrugada. Los cuatro hombres se reunieron en un macizo de papiros junto a un canal de cien metros de ancho que olía a agua salobre y excrementos humanos. El sargento supervisor del convoy dio por sentado que eran Fuerzas Especiales que actuaban en una misión de acción directa. Ésa fue la razón de que hubieran aparecido por sorpresa en el Campamento Liberty con el Humvee y preguntado por el responsable del convoy llamándolo por su nombre, y así se habían enterado del número y el nombre en clave del convoy, de su ruta hasta Mahmudiyah y del plan de emergencia. Ni que decir tiene que llevaban uniformes prestados por el ejército con banderas norteamericanas atenuadas legibles por infrarrojos. Los chalecos antibalas de su blindaje corporal de cerámica y los cargadores de repuesto llevaban etiquetas con los nombres pegados con velcro, pero ningún otro indicador. El aspecto en general, testificaría el sargento más tarde, decía: fuerzas especiales en una operación clandestina.

Pero Charlie y sus compañeros no eran soldados. Eran civiles. Charlie era un GS-14. Jose y Fred, sargentos de los Ranger en la reserva, y Tuzzy, un ex artillero de los marines, eran 13S. Sus tarjetas de visita, etiquetas con el nombre, identificaciones con foto y direcciones de correo electrónico (todas bajo nombres falsos) los identificaban como empleados del Laboratorio de Investigaciones del Ejército, cuyo teórico cuartel general —tres plantas de oficinas y salas de conferencias a prueba de micrófonos— estaba situado, bajo el nombre de SCIFs, en un edificio anodino de cuatro plantas en Wilson Boulevard, Rosslyn, Virginia.

A decir verdad, todos pertenecían a la CIA, y en aquellas tres plantas era donde la División Terrestre, el presunto grupo de acción de la CIA llamado grotescamente SAD —División de Actividades Especiales—, tenía su sede. Los peces gordos del Servicio Nacional Clandestino (NCS) de Langley habían «trasladado» —según su expresión— la División Terrestre a una de las oficinas satélite de la CIA, porque afirmaban que eso mantendría una mayor seguridad operativa. Charlie, un desgarbado ex sargento mayor que llevaba en la División Terrestre desde su retiro en 2001, después de más de veinticinco años en el LXXV Regimiento de Rangers, no se llamaba a engaño. *Es el jodido sistema de castas de la CIA. El NCS excluía a la División Terrestre porque se consideraban la realeza y no querían tener que comer en la misma cafetería que un puñado de antropoides armados.*

El principal testigo que confirmaba la teoría de Charlie estaba tan cerca como la oficina aislada de Nicola. Nicola Rogers era la subdirectora de la División Insurgencia-Bagdad y la jefa G-15 de Charlie. Para él, representaba todo lo malo de la CIA. La mujer había estado en el país durante noventa y dos de sus ciento veinte días de prácticas sin que hubiera puesto un pie fuera de la Zona Verde, excepto para que la llevaran al Campamento Victory a comprar, comer pizza o cantar en el karaoke por la noche.

Una de esas doctoras de Vassar teñidas de rubio, alta, ágil y de treinta seis años, Nicola era una analista del sudeste asiático que estaba en calidad de préstamo en el servicio clandestino. Se había presentado voluntaria para ir a Bagdad porque estaba a la cabeza de los aspirantes a ser ascendidos al Servicio de Inteligencia Superior (SIS), y en los últimos tiempos corría por los pasillos de Langley el rumor de que los GS-15 de la CIA con posibilidades de ascender necesitaban un período de servicio en Irak para demostrar que sabían trabajar en equipo.

Charlie solía preguntarse en qué equipo estaba Nicola. Sin duda no en el suyo. Suponía que su jefa estaba llenando su currículum para, una vez conseguido el ascenso a SIS, poder dimitir y convertirse así en contratista civil, sacando un tercio de millón más por hacer el mismo trabajo que hacía en ese momento por 110.256 dólares.

Además, al igual que la inmensa mayoría de los 378 oficiales burócratas asignados al Centro Operativo de Bagdad o a las bases de la CIA en Mosul, Arbil, Basra y Kirkuk, Nicola no dedicaba prácticamente tiempo a recopilar información. Malgastaba la mayor parte del día delante de la pantalla de un ordenador, leyendo y contestando informes basura llegados desde Langley; jugando a juegos de ordenador; descargando música, *podcasts* y programas de televisión desde itunes, o escribiendo lastimeros correos electrónicos a su prometido, un licenciado en Derecho por Yale que trabajaba como asesor jurídico en la central de la CIA. Dos o tres veces por semana permitía entrar a Charlie a su sacrosanta «oficina aislada de seguridad», lo miraba como si fuera un pañuelo sucio y le sermoneaba sobre los efectos potenciadores de la guerra en el calentamiento global y el número de mujeres maltratadas.

Y prácticamente todas las veces que Charlie sugería algo imaginativo que él pudiera arreglar al otro lado de la alambrada, ella salía por peteneras. La primera (y única) Ley de la Física de la Inteligencia de Nicola era:

Operaciones = Riesgos = Problemas

Por consiguiente, cero operaciones equivalía a cero problemas. Esa filosofía era el motivo de que Charlie fuera aficionado a decir que lo que más necesitaba la CIA en esos días era un enema de treinta y cinco kilogramos por centímetro cuadrado, empezando por el director de la agencia y acabando por Nicola y todos sus iguales.

Lo que hacía que Charlie siguiera era que, a pesar de BGAlbatros —el nombre clave compuesto, según la moda de la CIA, al que respondía Nicola—, había tenido varios éxitos. De hecho, a lo largo de los dos últimos meses, él y su equipo paramilitar de siete hombres, ARCANGEL, le habían hecho un roto considerable a AQI, taquigráfica abreviatura por la que la inteligencia conocía a la al Qaeda de Abu Musab al-Zarqawi, la organización terrorista de Irak integrada por insurgentes suníes pro Sadam, fanáticos decapitadores islamistas y delincuentes comunes.

En abril había desbaratado una red suní que introducía combatientes de AQI desde Siria, matando a seis y capturando a tres. En mayo había identificado a un topo de AQI que trabajaba en la Zona Verde, capturándolo y convenciéndolo de que trabajara para ellos. Convertido en agente infiltrado, condujo al equipo ARCANGEL hasta un piso franco donde mataron a cinco de los principales integrantes de la célula de apoyo. Y durante las últimas tres semanas él había interceptado y encerrado a cuatro correos de Zarqawi. Y lo que era aún mejor: se había incautado de sus ordenadores portátiles, memorias externas y móviles en perfecto estado.

Es asombroso, pensó Charlie, *la cantidad de información que atesoran los malos y que no deberían tener.*

Esa noche volvería a anotarse un tanto. Feliz día del padre. Seis días atrás, un suní que se hacía llamar Tariq Zubaydi el tendero, había aparecido de pronto en la Zona Verde con un DVD.

Tariq, que llevaba tiempo sin bañarse y que apestaba a ajo, le dijo al inútil de Blackwater, encargado del mostrador de seguridad, que el disco se lo había entregado en su tienda un forastero, el cual le había dicho: «Hay gente que sabe que hablas inglés, así que coopera y le llevas esto a los norteamericanos a la Zona Verde, o desaparecerás.»

Tariq tardó dos horas en recorrer la cadena trófica hasta llegar a Nicola.

BGAlbatros encerró a Tariq en una sala de interrogatorio, introdujo el DVD en su ordenador portátil —una verdadera estupidez, pensó Charlie, considerando que el disco podría haber estado repleto de virus— y empezó a verlo, hasta que a los treinta segundos se sintió indispuesta y mandó que le llamaran.

—Mira. A ti te gustan esta clase de cosas.

El iraquí había entregado un vídeo *snuff* de AQI. Una recopilación de trece minutos de la decapitación de Fabrizio Quattrocchi, el italiano asesinado el 14 de abril, y de Nick Berg, un norteamericano asesinado el 11 de mayo. Pero también había nuevo material: la cruenta ejecución de Hussein Ali Alyan, un libanés shií, asesinado el 12 de junio, sólo cuarenta y ocho horas antes. Ni siquiera había llegado todavía a Al Jazeera.

Nicola insistió en someter al tercer grado a Tariq ella misma. Charlie fue relegado a mero observador detrás del cristal de espejo unidireccional. Como era de esperar, Nicola no llegó a ninguna parte, (a) porque no sabía una mierda sobre interrogatorios y (b) porque era manifiesto que le daba asco el olor corporal de Tariq.

Charlie, que no sólo era diplomado de la escuela de interrogatorios del Ejército de Fort Huachuca, Arizona, sino que también había seguido los cursos de técnicas avanzadas de interrogación y de perfiles criminales en Quantico, Virginia, estaba que echaba chispas, y tomó una serie de notas detalladas. También hizo una búsqueda rápida del nombre de Tariq Zubaydi en la base de datos de la insurgencia de la Central de Bagdad, y salió limpio. Pero limpio no significaba nada. Los archivos de la Central de Bagdad eran manifiestamente incompletos y —a mayor abundamiento— Tariq era bueno.

Charlie no perdió ripio. Era evidente que el iraquí había recibido un buen adiestramiento de manos expertas. Cuidaba todo lo relacionado con su lenguaje corporal. Y cuando Nicola lo presionó, hizo lo que cualquier buen agente haría en su situación: desvió el tema, se fue por las ramas, recurrió al halago: su tienda estaba al borde de la quiebra, había corrido un peligro tan grande yendo allí y admiraba a los norteamericanos.

La cabeza de BGAlbatros se balanceaba arriba y abajo como la de uno de esos perros de juguete que se ponen en la parte trasera de los coches. Charlie observó que la manera que tuvo Tariq de calar a Nicola era de manual. Y cuando por fin los ojos de carnero degollado de su jefa le dijeron al tipo: *Siento tu dolor*, él lanzó el anzuelo, y le explicó que su único hijo era un tullido —había perdido una pierna en un bombardeo— y que su mujer tenía cáncer.

Brotaron las lágrimas, y Tariq pidió tres mil dólares y diez cartones de cigarrillos franceses para poder poner a salvo a su familia en Amman. Utilizaría los cigarrillos para sobornar a los policías de la frontera.

Nicola hurgó en busca de un *kleenex*.

Charlie pensó: *Oh, no me jodas.*

Y así, ignorando las miradas asesinas de Nicola, Charlie entró en la sala de interrogatorios y asumió el mando. Y le dijo a Tariq en el pasable árabe que había aprendido en la escuela de idiomas de Monterrey y pulido durante los catorce meses que duró su período de adiestramiento en las Fuerzas Especiales en Qatar:

—*Habibi*, lee mis labios: sin nombres no hay dinero.

En quince minutos Charlie había rebajado el dinero a cien dólares y los cigarrillos a dos cartones. Conseguido eso, insistió en saber el nombre del mensajero que había entregado el vídeo.

Tariq dejó de fijarse en el bigote a lo Sadam Hussein de Charlie y lo miró fijamente a los fríos ojos azules. Calibró las cicatrices de su cara y nudillos, comprendió que estaba tratando con un profesional y entonces escupió el nombre de Abu Hadidi y una descripción física. Sí, era un nombre de guerra, y probablemente una descripción falsa. Pero las pequeñas victorias son pequeñas victorias. Y lo más importante: establecía un precedente de *quid pro quo* para futuras reuniones.

Durante todo ese tiempo, Nicola permaneció sentada, enmudecida por el asombro. Nunca había sabido que Charlie era el único agente de la División Terrestre destinado en Bagdad que dominara el árabe, y eso porque nunca se había molestado en preguntarle algo acerca de él.

Tariq paseó lentamente la mirada de Charlie a Nicola y de nuevo a aquél, y cuando él captó el sutil aunque inconfundible desprecio del iraquí, casi estalla en una carcajada. Era evidente que el tipo estaba pensando lo mismo que él: ¿acaso esta despreciable mujer no ha aprendido nada en la escuela de espías?

Charlie hizo esperar a todo el mundo mientras recogía el dinero y fijaba en uno de los cartones de tabaco un emisor-receptor RFID que los genios tecnológicos de la CIA disimularon en la etiqueta de un código de barras. Así que cuando Tariq salió de la Zona Verde, Charlie, con la raída galabia a la que llamaba «un traje de hombre» sobre su blindaje corporal, estaba esperando con Jose, que podía pasar por egipcio, en una de las destartaladas camionetas Toyota de ARCANGEL. La señal del RFID le permitió seguir el rastro del mugriento Nissan de Tariq hasta el otro lado del río, a través del mercado suní de Karada Kharidge y a lo largo de un recorrido lento y serpenteante —Charlie y Jose decidieron que Tariq estaba siguiendo una RDV, o ruta de detección de vigilancia— que finalmente los llevó al sudoeste, al Triángulo de la Muerte suní, en dirección a la sórdida ciudad de Mahmudiyah.

Aunque no a la misma Mahmudiyah. Tariq salió de la carretera 8 al norte del gran canal, cerca de un grupo de casas de campo señaladas en los mapas de Charlie como el Centro de la Insurgencia. La urbanización había sido construida en 1991 para los oficiales de la

Guardia Republicana y sus familias, y Charlie sospechaba desde hacía mucho tiempo que era una zona de tránsito para las víctimas secuestradas por AQI.

Jose le dio a Tariq un kilómetro de ventaja, mientras Charlie grababa subrepticiamente en vídeo con su móvil. Ocho kilómetros más allá de un grupo de villas tapiadas que una vez habían albergado a los máximos dirigentes del Partido Baath, Tariq se metió en una polvorienta carretera llena de surcos, se dirigió al este por encima de un fétido canal de cien metros de anchura, y al cabo de doscientos metros se detuvo junto a una villa de dos plantas con la fachada de piedra y un tendedero en su tejado plano, la construcción más oriental de un recinto de tres viviendas. Entre las casas, el canal y las villas del Partido Baath, se extendían unas tierras de labranza donde crecían unos girasoles resecos. A mil metros de distancia, mirando por los prismáticos con los ojos entornados, Charlie vio a Tariq abrir una pesada reja de hierro forjado y desaparecer tras ella.

—Si yo fuera Abu Musab al-Zarqawi, ése es justo la clase de sitio donde escondería a la gente —le dijo Charlie a BGAlbatros cuando volvió—. Tengo que investigar a ese tipo.

Ella le lanzó una mirada airada.

—Ya lo has hecho. —¡Joder!, la tía estaba encabronada porque había seguido a Tariq (aunque descargó las fotos que Charlie había hecho sin pérdida de tiempo).

Cuando le solicitó la vigilancia del Predator, ella le respondió:

—De ninguna manera —y se giró ostentosamente hacia la pantalla de su ordenador.

Charlie volvió al contenedor de embarque al que llamaba hogar, puso el aire acondicionado, se bebió tres cervezas e imaginó lo maravilloso que sería vender a Nicola Rogers a los Ángeles del Infierno. Luego se quitó la ropa, se dio una ducha, se arrastró hasta su catre y pensó en su irlandesa Beth.

Cuatro días más tarde, el viernes 18 de junio, mientras Charlie seguía una pista en Hilla, Tariq volvió. El iraquí preguntó por Nicola, dando su nombre, y pidió cuatro mil dólares.

Nicola le pagó hasta el último centavo e incluso se disculpó por el comportamiento de Charlie. El motivo: Tariq había llevado consigo dos vídeos de «prueba de vida». El primero mostraba a un surcoreano de treinta y tres años, Kim Sunil, secuestrado ni veinticuatro horas antes. Un aterrorizado Kim, llorando a lágrima viva, suplicaba a sus secuestradores encapuchados que no lo mataran.

El segundo también era una joya: un nuevo vídeo de Keith Matthew Maupin. Maupin, un soldado de Ohio, había sido secuestrado después de que su convoy cayera en una emboscada de AQI dos meses atrás. No había habido la menor señal de vida de él desde la semana posterior a su secuestro. En aquel vídeo, Maupin aparecía de rodillas, con un Kalashnikov apuntándole a la cabeza y tres pistoleros detrás de él.

Cuando Charlie regresó, vieron el DVD media docena de veces, mientras Nicola no paraba de murmurar «hostias» como un mantra.

Charlie también estaba impresionado, aunque desconfiaba.

—¿Sometiste a Tariq al polígrafo?

—No, no sometí a Tariq al polígrafo. —Nicola estaba manifiestamente enfadada por la pregunta—. Vamos, Charlie, esto es oro puro. Además, no había tiempo para retenerlo.

¡Badulaque!, pensó Charlie, *uno se fabrica el jodido tiempo.* Arrugó el entrecejo. La oportunidad del momento —la repentina aparición de Tariq y aquellos vídeos de veinticuatro quilates— era demasiado buena para ser verdad. Charlie sabía por experiencia que cuando las cosas «parecían» demasiado buenas para ser verdad, a menudo «eran» demasiado buenas para serlo. Su escepticismo era una pérdida de tiempo con Nicola, que le dijo que debía tomar un sí por respuesta y luego le ordenó que se fuera para que ella pudiera contarle a su jefe lo que le había caído en las manos.

Charlie hizo una copia del DVD, volvió a su contenedor de embarque y se pasó la tarde memorizando todos los detalles insignificantes. Se fijó en todas las grietas y manchas de las paredes, en cada una de las irregularidades de los suelos de mármol, incluso en la pata cabriolé de un sofá del que apenas quedaba el armazón y que aparecía en el vídeo de Maupin. Congeló la imagen, ampliándola lo suficiente para identificar el dibujo de flor de lis del respaldo tapizado del sofá.

Dos horas y media después, una sonriente Nicola mostraba a Charlie la pantalla inicial de una presentación en PowerPoint titulada: «Rehenes en Irak: un nuevo e importante logro de Nicola Rogers». La mujer estaba eufórica: el jefe de la central de Bagdad había remitido su lote a Langley con carácter urgente. Pero eso no era todo. Había recibido un correo electrónico del subdirector del Grupo de Irak en el cuartel general comunicándole que la iba a proponer para una gratificación económica.

Como quiera que Charlie la mirara con expresión burlona, ella le enseñó las veintiuna pantallas. Había compuesto una obra de ficción que explicaba cómo Nicola había convertido a Tariq Zubaydi en su infiltrado en AQI. Había utilizado para ilustrar el relato las fotos de Charlie, al que no se nombraba; tan sólo era descrito como un «agente norteamericano».

—Bien —dijo ella, reaccionando mal ante el ceño de Charlie—, él es mi agente. Le dije que me trajera (y sólo a mí) todos los DVD que le entreguen. Prometió que así lo haría. No le pagué hasta que aceptó.

A Charlie le entraron ganas de vomitar. O de abandonar. De convertirse en contratista civil. Había hablado con Beth del asunto, y ella se había mostrado favorable. Pero fue él el que había titubeado como si tuviera un gen defectuoso. El mismo gen que lo había hecho seguir en el regimiento durante casi veintiséis años. El mismo gen que, cuando una de las agencias privadas de inteligencia subcontratadas le ofreció un cuarto de millón, le hizo darse la vuelta y solicitar el ingreso en la CIA, donde el sumo sacerdote de recursos humanos le dijo que, pese a su autorización para acceder a la información secreta, tenía suerte de conseguir el sueldo de un GS-14, porque no tenía ninguna carrera universitaria.

Así que allí seguía, como un piñón más de la maquinaria federal. BGAlbatros contaba mentiras y conseguía gratificaciones. *¿Y qué* *tiene para enseñar el agente Charlie por sus cicatrices?* Una pensión de sargento mayor, la Estrella de Plata, dos Corazones Púrpuras, la insignia de Servicios en Combate de Infantería, las Alas de Paracaidista por salto en Combate y las cuatro hileras de galones que guardaba en la vitrina de la pared de su salón, eso era lo que tenía.

Y sin embargo…, y sin embargo…, cuando realmente lograba algo, como enseñar a un joven Ranger las mañas del oficio que podrían salvarle la vida algún día, o matar o capturar a un objetivo de gran valor, o conseguir un confidente que lo acercara un paso más a Abu Musab al-Zarqawi…, a Charlie eso le «importaba». El deber. El honor. La patria. Eso también importaba. Más tarde, le diría a Jose:

—Eso es porque soy una jodida antigualla. Un dinosaurio, eso es lo que soy.

Así que Charlie no vomitó. Ni abandonó. Antes bien, metió su botaza del desierto en la puerta imaginaria e intimidó a Nicola hasta que ésta aprobó la vigilancia del *bayt* Tariq Zubaydi por el Predator.

Con el apoyo de Nicola, un pájaro sobrevolaba en lo alto a las 18.30 horas. Charlie vigilaba en tiempo real, y pudo observar que más de media docena de vehículos habían visitado la casa de Tariq en un período de ocho horas. Alcanzó a ver a algunos de los individuos. Las fotos identificables no las cotejó con la central de Bagdad, sino con el inmenso océano de la base de datos fotográficos de Langley y su flamante *software* VEIL (Aprovechamiento Virtual y Reforzamiento Informativo). Y consiguió dos éxitos aparentes.

A las 3.20 horas despertó a Nicola y le vendió la moto: los conocimientos de Tariq, su acceso privilegiado a la información en tiempo real y sus relaciones con conocidos villanos…; todo eso lo convertía en un objetivo viable.

—Es la regla del pato* —insistió Charlie.

Poco después de las cuatro de la madrugada, agotada por el fue-

---

* Si camina como un pato, cloquea como un pato y tiene plumas, probablemente es un pato. *(N. del T.)*

go de artillería de Charlie, Nicola admitió a regañadientes que Tariq graznaba como un pato, y que por consiguiente quizá fuera algo más que un simple tendero que hablaba un poco de inglés.

—Así es, y ése es el motivo de que tengamos que detenerlo.

—Imposible, Charlie.

Nicola era tan condenadamente coherente. Pero en esa ocasión había demasiado en juego para dejar que se saliera con la suya.

—Nicola, no seas obstruccionista. Ese tipo sabe cosas. Lo vi en la sala de interrogatorios. Conoce gente. Lo vi en las imágenes de vigilancia del Predator. Tenemos que agarrarlo.

—Si lo hacemos, lo perderé como agente. Y no recibiré ningún vídeo más.

¡Por todos los diablos! ¿Es que no se entera de nada?

—Él no es «tu» agente. Probablemente sea un agente de Zarqawi. Es un voluntario. Un voluntario no controlado, como poco. Probablemente esté valorándonos como objetivo para AQI.

—¿Un agente de AQI? —Nicola entrecerró los ojos—. Pero le he dicho a Langley…

—Deja que lo traiga, y lo podrás retener. Entonces estará controlado. Y luego le hacemos cambiar de bando. Lo convertimos en agente doble contra AQI, igual que hice con Faiz.

Ella lo miró con expresión ausente.

—El topo. ¿Te acuerdas?

La mirada de Nicola se dispersó. Se retorció en el asiento, y su lenguaje corporal indicó a Charlie que le inquietaba que se descubrieran sus mentiras. Así que cambió de tema.

—¿Sabes?, estoy convencido de que Kim y Maupin están en el barrio de Tariq.

BGAlbatros cruzó los brazos.

—El cuartel general dice que AQI esconde a los rehenes en Fallujah, no en Bagdad.

—Podrían estar equivocados. —Charlie le sostuvo la mirada burlona—. ¿Fallujah? Eso es complicado y arriesgado. Piensa en la logística. ¿Trasladar a Kim al norte con todos nuestros controles de carretera de la coalición y miles de soldados, esconderlo, hacer el vídeo y luego llevárselo a Tariq? ¿Y todo eso en menos de veinticuatro horas?

Ella frunció los labios.

—Quieres proponer algo… imagino.

Charlie hizo una pausa.

—Vamos, deja que traiga a Tariq.

Vio que ella flaqueaba.

—¡Por el amor de Dios, Nicola!, con que tan sólo seamos capaces de localizar a uno de los rehenes…

—Pero ¿y las consecuencias, Charlie?

—Nicola, piensa en las consecuencias de no hacer esto.

—¿De no hacer?

—Un veterano sargento primero solía decirme: «Lo principal es que lo principal siga siendo lo principal».

Cuando la expresión de Nicola le indicó que no tenía ni idea de lo que le estaba diciendo, se lo explicó con detalle.

—Nuestra prioridad son los rehenes, ¿no es así?

—Ajá.

—¿Y si traer a Tariq da como resultado recuperar a un rehén? ¿O conseguir alguna información fiable sobre dónde está retenido un rehén… o los rehenes?

Nicola calculó las posibilidades. Entonces dijo:

—Puedes ir. Pero voy a escribir un informe para que quede constancia de que esto se hace en contra de mi voluntad, porque creo que tu operación para capturar a mi valioso agente (que es lo que el cuartel general cree que es) es demasiado arriesgada. Después de todo, Charlie, tu operación podría comprometerlo.

Veinte de junio de 2004, 04.10 horas. Charlie tardó menos de quince segundos en abrir con una ganzúa la cerradura de la verja de seguridad de hierro forjado de Tariq. La abrió silenciosamente y, con la linterna infrarroja de Fred enfocada, también abrió la vieja cerradura de la puerta principal. El plan de la operación de Charlie era elemental. Habían hecho una aproximación silenciosa. Él colocó una luz infrarroja intermitente, visible a algo menos de mil metros de distancia, encima de la puerta principal. En ese momento, entrarían sigilosamente, eliminarían cualquier resistencia, reducirían a Tariq y pondrían en práctica un ASL —un Aprovechamiento Sensible del Lugar— para descubrir cualquier regalo que Tariq pudiera tener por allí. Como móviles, su ordenador portátil, el disco duro de su PC, así como cualquier nota, mensaje telefónico, informe o fotografía.

Charlie enviaría una señal a Harlan y a Paul, que estaban en un camión de ARCANGEL a dos kilómetros al norte; éstos identificarían la casa por la luz infrarroja intermitente. El equipo de Charlie metería a Tariq en el camión y regresarían a Bagdad con tiempo de sobra para el desayuno: bocadillos Egg McMuffin en el McDonalds del Campamento Victory. Era de libro.

04.11. Charlie abrió cuidadosamente la puerta. El haz de la linterna infrarroja de Fred barrió la entrada. No vio ningún mecanismo detonador ni ninguna otra bomba trampa. Su índice izquierdo presionó la linterna táctica IR SureFire sujeta a su M4 y recorrió el vestíbulo de techo bajo de izquierda a derecha, sin quitar la vista de la boca del arma.

Todo despejado. Él, Jose y Fred empezaron a avanzar. Tuzz permanecería en el exterior para asegurar que nadie los interrumpiera.

04.12. Los tres hombres atravesaron silenciosamente el salón apenas amueblado y continuaron hasta el comedor.

Ahí fue en donde a Charlie se le erizaron los pelos de la nuca. *Algo va mal.*

No pudo determinar qué, pero su instinto no paraba de gritar: *¡Mooooc, moooooc!, al suelo, al suelo, al suelo.*

¡Que se jodan! Vuelve al trabajo. La cocina: despejada. El pulgar hacia arriba de Jose les informó de que el pequeño lavadero también estaba en orden.

La planta baja estaba asegurada.

04.13. Charlie empezó a subir las escaleras. Para ser alguien que llevaba encima veintisiete kilos de equipamiento, se movió con la agilidad de un bailarín. Estaba subiendo los escalones de mármol de uno en uno cuando se detuvo de golpe.

Entonces se dio cuenta de lo que iba mal.

Se dio cuenta de que había sido un idiota.

—¡Joder!

Volvió a bajar las escaleras y se dirigió a la cocina.

—¿Qué pasa, jefe? —le preguntó José.

—Esto, colega. —Pasó el índice izquierdo enguantado por la pequeña mesa de la cocina. Aun a través de las gafas de visión nocturna, la estela en el polvo era nítida—. Y esto. —Fue hasta el frigorífico. Lo abrió: vacío. Corrió las cortinas y miró debajo del fregadero.

Nada. Ni cuchillos ni tenedores ni cucharas en los cajones de debajo de la encimera. Ni platos en los armarios. Ni comida en la despensa. Ni ropa sucia en el lavadero. Ningún rastro de vida.

Tariq Zubaydi no vivía allí. Nadie vivía allí. Era un piso franco.

No había esposa ni hijo tullido. Pues claro que Tariq era bueno; pues claro que había sido adiestrado. Tariq era el jodido AQI. Un agente de desinformación, como él le había dicho a Nicola.

Charlie sacudió la cabeza, asqueado por la ingenuidad de Nicola y su propia torpeza. *Abu Hadidi.* Ése era el nombre de guerra que el hijo de puta había soltado; probablemente, su propio nombre de guerra de mierda. *¿Cómo he podido ser tan tonto?*

Examinó a conciencia el salón. Había una falsa alfombra persa en el centro de la habitación. Encima estaban colocados el sofá, una mesa de café y dos sillones. Las dos lámparas estaban enchufadas a dos temporizadores.

Mandó a Jose y a Fred arriba. Ambos volvieron noventa segundos después para confirmar lo que Charlie ya sabía: el lugar estaba vacío.

04.17. Charlie examinó los muebles. ¡Joder! Había algo en aquel sillón que le resultaba familiar. La pata cabriolé. La había visto en el vídeo de Maupin. Aun a través del monocromatismo teñido de verde de las gafas de visión nocturna, distinguió el desvaído dibujo de flor de lis. *AQI grabó el vídeo de Keith Maupin en esta casa*. Al día siguiente volvería con un equipo de la policía científica para buscar muestras de ADN.

—Sigamos adelante. —Movieron el sofá y los sillones. Enrollaron la alfombra. Y descubrieron exactamente lo que Charlie pensaba que descubrirían: un tapa de contrachapado de unos veinte centímetros cuadrados incrustada en el suelo de mármol.

De pronto se oyeron disparos. Inconfundibles. De fusiles Kalashnikov. Al mismo tiempo el M4 con silenciador de Tuzzy, que les avisó:

—Nos atacan. Dos grupos, he contado los fogonazos de ocho bocas.

—Fred, cúbrenos con Tuzz —dijo Charlie por el pinganillo. Luego ordenó a Paul y Harlan, que estaban en el camión de AR-CANGEL a dos kilómeteos al norte—: Venid inmediatamente.

Sacó el Treo. La imagen infrarroja del Predator mostraba... uno, dos, tres, cuatro, cinco, seis, siete, ocho, nueve..., diez atacantes que se acercaban por los flancos; cuatro desde el oeste, el resto desde el sur. Una mala noticia: habían caído en una trampa.

Charlie presionó la tecla de marcación rápida. La imagen desapareció. Corrió hasta la puerta, salió rodando a pesar de los disparos de los Kalashnikov que impactaban por encima de su cabeza en la fachada de piedra, y lo volvió a intentar. Tuzz y Fred estaban cuerpo en tierra, esforzándose en ver a través de las gafas de visión nocturna, disparando ráfagas de dos tiros.

Pareció transcurrir una eternidad, y entonces el teléfono se conectó. Con voz pausada, Charlie dijo:

—Aquí ARCANGEL.

—ARCANGEL, aquí centro de operaciones —la respuesta llegó desde el centro de operaciones del Destacamento de Operaciones Especiales Conjuntas Combinadas.

Charlie habló taquigráficamente.

—INSIT: nos atacan. Oso Activo. —INSIT quería decir informe de situación, y Oso Activo era el nombre clave para el plan de contingencia de esa noche: PLANCON en la jerga militar.

—PLANCON Oso Activo. —Confirmó la voz al otro extremo de la línea. Se produjo una pausa de cinco segundos mientras la posición de ARCANGEL era recuperada de la pantalla del GPS del Predator y sus coordenadas eran introducidas en un ordenador. Entonces—: Catorce minutos, ARCANGEL. —Eso era lo que tardarían en llegar hasta Charlie el par de helicópteros de ataque Apache que daban vueltas alrededor del Campamento Taji.

—Entendido. —Charlie rodó de costado y le dio una palmada en la espalda a Fred—. Catorce minutos, amigo. —Luego guardó con cuidado la Treo y volvió a toda prisa al salón a cuatro patas. Sacó de la vaina su cuchillo de combate Emerson y metió la punta de la hoja entre el contrachapado y el mármol. ¡Maldición!, estaba muy ajustada—. Jose, ven a echarme una mano.

Entre los dos hombres levantaron la tapa.

Quedó a la vista una escalera de mano.

Que conducía a un túnel.

Que llevaba a quién demonios sabía dónde.

A ningún sitio bueno.

04.20. Charlie enfocó con su linterna IR el interior del agujero. El suelo del túnel quedaba a dos metros setenta, quizá tres, por debajo. Sin perder un minuto, empezó a quitarse su equipamiento. Había cometido aquel error una vez: meterse a presión en un agujero tan angosto que había tenido que desatarse. A punto había estado de matarse.

Se despojó de lo básico: blindaje corporal, cargadores, cuchillo, pistola, linterna, gafas de visión nocturna y equipo de comunicaciones. Jose empezó a hacer lo mismo. Charlie le hizo un gesto con la mano para que parara. Era un sargento mayor, y los sargentos mayores predicaban con el ejemplo.

—Doce minutos hasta que llegue la caballería, amigo. Quédate con Fred y Tuzz. Si te necesito, te llamaré.

Jose recogió su M4 del suelo.

—Tenga cuidado, jefe.

—Otra cosa es imposible. —Charlie comprobó los peldaños de la escalera, y al ver que aguantaban, empezó a bajar con cuidado.

Al llegar al fondo, escudriñó el lugar con las gafas de visión nocturna. Consultó la brújula que llevaba en la correa del reloj. El túnel se dirigía hacia el norte, y por lo que pudo ver no había ningún obstáculo. Pero lo jodido es que apenas medía un metro de ancho y menos de un metro veinte de alto.

Charlie medía uno ochenta. *¡Maldición! Tendré hechas polvo la espalda y las piernas cuando llegue al final.* Alzó la vista. Vio la cara barbuda de Jose, verde a través de las gafas de visión nocturna.

—¿Está bien, jefe?

—No podría estar mejor, amigo. —Levantó el pulgar hacia su compañero de equipo, se giró y se puso en cuclillas con el arma preparada. Activó la linterna infrarroja, no vio nada y avanzó moviéndose como un pato.

04.26. Charlie tenía dificultades para respirar. No había avanzado ni sesenta metros, y sin embargo sentía los pulmones como si hubieran sido rociados con napalm. Su espalda de cincuenta y dos años aullaba. *Tú, amigo, dame una jodida mecedora y un porche con mosquitera. Sí, bueno*, pensó, *los Rangers abren la marcha.*

Abrir la marcha aun cuando supieras que podías acabar herido. Como cuando saltó en paracaídas sobre Granada desde ciento cincuenta metros de altura. Con la misma sensación que había tenido en Mogadiscio. Como se sentía en ese momento. Eso era lo que hacía.

A treinta metros por delante, el túnel giraba a la izquierda: al oeste. Parecía torcer unos cuarenta y cinco grados. Charlie se pegó más a la pared de la izquierda, como para cubrirse. Allí era donde él tendería una emboscada si fuera ellos.

Se paró. Sacó el pañuelo y el Treo, se cubrió la cara y la cabeza y encendió la PDA, sólo para confirmar que allí abajo no se recibía la señal. Ésa era otra mala noticia de la guerra centralizada en cadena del siglo XXI: se dependía de las señales. Bloquea la señal, y derrotas al sistema.

Guardó cuidadosamente la PDA. Apretó el botón de transmitir de la radio dos veces.

La voz de Jose le contestó enseguida:

—¿Jefe?

Charlie volvió a pulsar el interruptor de transmitir dos veces más, y le dijo a Jose que estaba bien. Al menos las radios funcionaban.

04.29. Calculó que había recorrido las tres cuartas partes de la distancia a la primera villa al oeste de la casa franca de Tariq. La cuestión era que no estaba seguro de qué haría cuando llegara allí.

Se le estaba pasando algo por alto. Tenían que saber que él encontraría el túnel. Tenían que saber que iría tras ellos. Tenían que saber que contaría con medios. En cuatro minutos y medio —consultó su reloj— los Apaches y toda su potencia de fuego estarían allí para destrozar a aquellos imbéciles cabronazos.

04.31. Con los músculos ardiéndole, se adentró cuidadosamente en la curva, moviéndose centímetro a centímetro, escudriñando el suelo, las paredes y el techo con sus gafas de visión nocturna.

Nada.

Pero en su interior había algo que hacía que Charlie siguiera levantando su M4. Quitó lentamente el seguro con el pulgar derecho. La sonoridad del chasquido metálico cuando el mecanismo se situó en posición de fuego lo sobresaltó.

Vigila y respira. Adaptó el visor Aimpoint a las gafas de visión nocturna.

Avanzó silenciosamente —punta-tacón, punta-tacón— sobre la tierra apisonada, con el dedo en el gatillo del M4.

Se detuvo para serenarse. Respiró hondo.

¿Qué era lo principal en todo aquello?

Ésa es la clave, pensó Charlie. *Lo principal es que lo principal siga siendo lo principal.*

Y entonces, cuando tuvo asegurada la curva, vio algo a unos nueve metros por delante que podría ser lo principal.

Un adolescente. Enfrente de él. Apoyado contra una caja de embalaje de madera, ligeramente sentado sobre las manos. El chico no llevaba camisa, pero lucía uno de aquellos holgados pantalones de pijama que los jóvenes iraquíes llevan antes de pasarse a los vaqueros azules.

La pernera izquierda del pijama estaba cortada por encima de la rodilla, dejando al descubierto un horrible muñón enrojecido.

Una de las principales cosas sobre aquella supuesta cuestión principal era que el chico llevaba un casco norteamericano y que le sostenía la mirada a través de sus propias gafas de visión nocturna. En la parte delantera de la cubierta del casco, Charlie leyó el nombre: MAUPIN.

Por poco paternal que hubiera podido ser, el primer instinto de Charlie fue disparar al muchacho de manera preventiva. Entonces se lo pensó mejor. Aunque mantuvo la mira del visor Aimpoint apuntando al pecho desnudo del chico.

Avanzó, con la mirada del muchacho clavada en él.

Cuando estaba a unos tres metros de distancia, Charlie le preguntó en árabe:

—¿Cómo te llamas, chico?

—Rachid.

Charlie asintió con la cabeza.

—¿Dónde conseguiste ese casco, Rachid?

La voz del muchacho era tan apagada que quizás estuviera bajo el efecto de un analgésico.

—Me lo dio mi padre.

Haz siempre una pregunta de la que ya sepas la respuesta. Charlie se concedió cinco segundos.

—¿Y quién es tu padre, Rachid?

—Mi padre es Tariq.

Fue entonces cuando Charlie se percató de qué era realmente lo principal. De que lo principal era Charlie. Charlie, el que le había hecho un condenado roto a las operaciones de AQI.

—Enséñame tus manos, Rachid.

Con un encogimiento de hombros, el muchacho las sacó. Cada una de las manos del adolescente sujetaba una pinza cocodrilo unida a un par de cables. Los cables discurrían por debajo del muchacho hasta la caja. Dos pequeños pasadores de madera separaban las puntas.

Cuando Charlie miró, el chico apretó las pinzas. Los pasadores cayeron dando vueltas sobre el suelo del túnel.

Debería haberle pegado un tiro, pensó Charlie. *Debería haberlo matado, aunque sea el hijo de alguien, porque los padres de aquí están como unas putas cabras.*

Rachid lo miró con la misma mirada ausente que Charlie había visto en los comedores de Khat de Somalia.

—Mi padre me dijo que te deseara un feliz día del padre.

En la fracción de segundo que transcurrió entre el momento en que Rachid soltó las pinzas y la desintegración del túnel, que se convirtió en una brutal bola de fuego naranja, Charlie creyó haber visto sonreír al chico.

Le toca batear a Casey («Casey at the Bat»*)

Stephen Hunter

—No, no —dijo Basil Saint Florian—. Las ametralladores ligeras Bren. Necesitamos las ametralladoras Bren. Es sencillamente irrealizable sin las ametralladoras Bren. Estoy seguro de que lo comprende.

Roger comprendía, pese a lo cual no estaba dispuesto a satisfacer a su interlocutor.

—Nuestra riqueza estriba en nuestras ametralladoras Bren. Sin ellas, no somos nada. ¡Puaf!, somos polvo, somos mierda de gato, ¿lo entiende? Nada. ¡Nada!

Por supuesto, él decía *Rien*, porque el idioma era francés, como lo era el escenario: la bodega de una granja en las afueras de la localidad rural de Nantilles, departamento de Limousin, a trescientos veinte kilómetros al sudeste de París. El año era 1944, y la fecha el 7 de junio. Basil se había lanzado en paracaídas la noche anterior, con su compinche norteamericano.

—¿No entiende —insistió Basil— que el motivo de darles las Bren era combatir contra los alemanes y no hacerlos políticamente poderosos en la posguerra, después de que hayamos echado fuera a

---

* «Casey at the Bat: A Ballad of the Republic Sung in the Year 1888», es el título de un poema sobre el béisbol escrito en 1888 por Ernest Thayer. *(N. del T.)*

los boches? Comunistas, gaullistas, no nos preocupa, eso no importa o no importa «ahora». Lo que importa ahora es que tienen que ayudarnos a echar a los boches. Ése era el motivo de entregarles las Bren. Se las dimos por esa razón, y no por otra. Las han tenido dieciocho meses, y desde entonces jamás las han utilizado. La guerra se acabará, echaremos a los boches, los gaullistas subirán al poder, y pediremos que nos devuelvan nuestras Bren, y si no las recibimos, enviaremos a los irlandeses a recuperarlas. Y es seguro que no quieren que los irlandeses se interesen por ustedes. Nada bueno se puede esperar de eso. Mi consejo es que utilicen las Bren, nos ayuden a echar a los boches, se conviertan en héroes gloriosos, nos devuelvan de buena gana las ametralladoras y luego derroten a los gaullistas en unas elecciones libres y justas.

—No les devolveré las ametralladoras Bren —dijo Roger—, y esto es definitivo. Larga vida al Comintern. Larga vida a la Internacional. Larga vida al gran Stalin, el oso, el hombre de acero. Si usted estuviera en España, comprendería este principio. Si usted…

Basil se volvió hacia Leets.

—Hazle entender lo de las Bren. Querido Roger, escuche al teniente norteamericano. ¿Cree que los norteamericanos habrían enviado tan lejos a un tipo sólo para contarle mentiras? Entiendo que quizá no confíe en un británico coñazo y pomposo como yo, pero este tío es un verdadero hijo de la tierra. Su padre es granjero. Cultiva trigo y cría vacas y combate a los pieles rojas, como en las películas. Es alto, callado, soberbio. Es un mito andante. Escúchelo.

Se volvió hacia su colega Leets y entonces se dio cuenta de que, una vez más, se había olvidado de su nombre. No era nada personal, sólo que estaba demasiado ocupado siendo espléndido y británico y todo eso, así que no podía preocuparse por los pequeños detalles, como el del nombre de los yanquis.

—Vaya, teniente, parece que he vuelto a olvidar tu nombre. ¿Cómo te llamas? Una vez más. —Pensó que era sorprendente que olvidara permanentemente aquel nombre. Habían hecho juntos el curso de adiestramiento en Milton Hall, junto al río Jedburgh, en

Escocia, durante aquella breve merienda campestre de seis semanas más o menos, pero el nombre seguía resultándole resbaladizo, y siempre que lo olvidaba, Basil se alejaba totalmente de donde quisiera que estuviera y concentraba toda su atención en el misterio del nombre desaparecido.

—Me llamo Leets —dijo el norteamericano en inglés, con el acento de las llanuras centrales de Minnesota de su inmensa tierra natal.

—Sí que es raro —dijo Basil—. Se me olvida, sencillamente. ¡Zas!, se esfuma. Qué extraño. Bueno, de cualquier manera, explícaselo.

Leets también parecía hablar francés con acento parisino, razón por la cual a Roger, del Grupo Roger, no le gustaba, ni tampoco Basil. Roger pensaba que todos los parisinos eran unos traidores o unos burgueses, en cualquier caso culpables por igual, y eso parecía multiplicarse por dos por lo que hacía a los británicos o a los norteamericanos parisinos. No sabía que Leets hablaba con acento parisino porque había vivido allí desde los dos a los nueve años, mientras su padre dirigía la empresa 3M en Europa. No, el padre de Leets no era granjero, ni por asomo, y sin duda jamás había combatido contra los pieles rojas; era un ejecutivo bastante próspero, ya jubilado, que vivía en Sarasota, Florida. Tenía un hijo, Leets, en la Francia ocupada jugando a los vaqueros; otro, piloto naval, embarcado en un portaviones de escolta que todavía no había llegado al Pacífico, y un tercero, declarado inútil por el ejército y que estudiaba medicina en Chicago.

Roger, tocayo y líder del Grupo Roger, miró a Leets.

—Puedo volar el puente —dijo el norteamericano—. Eso no es problema. El puente se desplomará; es sólo cuestión de fijar los explosivos en el lugar adecuado y dejar un par de detonadores de tiempo metidos en la carga.

Pero Basil, en alas de una revelación, lo interrumpió.

—Eso es porque sois todos muy parecidos —dijo, como si le hubiera dedicado al tema una buena dosis de pensamiento cultivado de Oxford—. Tiene que ver con el acervo genético. En nuestro país, o en Europa en su conjunto, el acervo genético está bastante más diversificado. Te das cuenta de eso viendo los fantásticos rostros de los europeos. De verdad, ve a cualquier ciudad de Europa, y la diversidad de rasgos tales como la separación de los ojos, la forma de la quijada, la altura de la frente, la anchura de los pómulos… es extraordinaria. Podría estar observándolo durante días. Pero vosotros los yanquis parecéis tener unas tres caras entre todos, y os las pasáis de aquí para allá. La tuya es la cara de un niño labrador. Bastante ancha, sin una estructura ósea visible, agradable, aunque no lo bastante definida para resultar atractiva. Me temo que perderás el pelo prematuramente. Tu gente, eso sí, tiene una dentadura buena y saludable, tengo que admitirlo. Pero toda la rechonchez se os acumula en la cara. Es que no debéis de comer nada más que tartas y dulces. Y eso va a parar a vuestra cara y os hace más bufonescos, y es cosa de brujos el distinguiros. Tú me recuerdas al menos a otros seis norteamericanos que conozco, y de los que tampoco soy capaz de recordar lo nombres. Espera, uno de ellos es un tipo llamado Carruthers. ¿Lo conoces?

Leets consideró que la pregunta era retórica, y en cualquier caso pareció dejar exhausto a Basil durante un rato. Se volvió de nuevo hacia el gordo guerrillero comunista francés.

—Podemos matar a los centinelas, puedo manipular el explosivo y colocar el paquete, y eso no cuesta nada. Es pura técnica; cualquiera podría echarle un vistazo y ver los puntos de tensión. Bueno: sacar la lengüeta del detonador y salir corriendo como alma que lleva el diablo. El problema es que la guarnición de Nantilles está sólo a un kilómetro y medio, y el tiempo mínimo que necesito para colocar las cargas explosivas es de unos tres minutos, porque tenemos que entrar a lo bestia. Cuando disparemos a los centinelas, eso hará ruido, porque no tenemos silenciadores. El ruido de los disparos alertará a la guarnición. Mientras, tengo que bajar y fijar las cargas en los pilares. Los alemanes llegarán allí antes de que acabe. Así que freirán a mi equipo como si fueran huevos cuando aparezcan.

Por eso necesitamos las Bren. Sólo tenemos rifles, los subfusiles Sten y mi subfusil Thompson, y nos falta la suficiente potencia de fuego para contenerlos. Necesito dos Bren en la carretera de Nantilles con munición en abundancia para disparar a los camiones a medida que se acerquen. No puedes inutilizar un camión con un Sten. Física elemental: los Sten disparan balas de nueve milímetros para pistola y no penetran en el metal. A veces incluso rebotan en el cristal. El Bren trescientos tres es un potente proyectil de ametralladora y rifle que puede perforar la chapa metálica de la estructura de un camión, dañar el motor y hacer añicos el cableado y las conducciones, además de reventar los neumáticos. Agujereará la estructura de madera de la caja del camión y alcanzará a los hombres que transporte. También puede crear un potente campo de fuego que hará retroceder a la infantería. Eso es para lo que sirve; por eso los británicos les dieron las Bren.

—El teniente sabe mucho sobre armas, ¿verdad? —comentó Basil—. Para ser sincero, estoy bastante asustado. En cierta manera parece poco saludable saber tanto de un tema tan macabro.

—*¡Non!* —dijo Roger, rociándolos de ajo. Era carnicero, inmenso y sagaz. Había combatido en España en el bando republicano, donde había resultado herido dos veces. Su valor y temeridad casi resultaban grotescos, pero estaba en el secreto del cálculo primitivo de los políticos: las Bren eran poder, y sin poder el Grupo Roger estaría a merced de todos los demás grupos, y eso era más importante que la perspectiva de que la segunda división Panzer SS utilizara el puente para enviar sus carros de combate a toda prisa a la cabeza de playa de Normandía, como los informes de inteligencia preveían que harían con toda seguridad.

—Mi querido hermano de armas Roger —dijo Basil—, el puente será volado. Lo único que está en duda es si el teniente Beets…

—Leets.

—Leets, sí, por supuesto…, si el teniente Leets y su equipo de maquis del Grupo Phillippe saldrán con vida. Sin las Bren, no tienen ninguna posibilidad, ¿no lo entiende?

—Phillippe es un cerdo, como todos sus hombres —dijo Roger—. Lo mejor que les puede pasar es que mueran en el puente y nos ahorren el esfuerzo de tener que perseguirlos después de la guerra. Eso es lo único que me preocupa.

—¿Puede decirle a este valiente joven norteamericano, el teniente Beets, que ha de morir, y que eso es todo?

—Sí, sin problema —replicó Roger. Se volvió hacia Leets con una mirada de indiferencia—. Teniente Beets, tiene que morir, eso es todo. Ya está, dicho. Bueno, adiós, ya me perdonarán y todo eso, pero la política es la política.

Hizo un gesto a sus dos guardaespaldas, que, después de hacer repiquetear espectacularmente sus Schmeissers al más puro estilo del cine negro, se levantaron y se dispusieron a escoltarlo para subir las escaleras de la bodega.

—Bien, pues ya ves —le dijo Basil a Leets—. Lo siento, pero parece que tu muerte está cerca, teniente. Te han bombardeado. Lamentable, injusto, pero inexorable. El Destino, supongo. Y el tuyo no da explicaciones, etcétera, etcétera. ¿Has leído a Tennyson? ¿Qué me dices?

—Lo he leído —respondió Leets con abatimiento.

—Supongo que uno podría limitarse a no ir. Creo que es lo que yo haría si estuviera en tu pellejo, pero, bueno, yo no soy el encargado de demoliciones, tú sí. Yo soy el señor cabeza de patata, así que supervisaré todo bastante bien desde la arboleda. En cuanto a ti, si decides no ir, sería embarazoso, por supuesto, pero a la larga probablemente no suponga una gran diferencia que el puente siga en pie o no, y parece una tontería desperdiciar nada menos que a un futuro médico de la fabulosa Minnesota en semejante enredo local entre los peones zalameros de De Gaulle y ese gigantesco y apestoso carnicero rojo chupador de ajos.

—Si me cae un rapapolvo —dijo Leets—, pues me cae. Eso forma parte del juego para el que me alisté. Lo único que detesto es que me echen una bronca a causa de un pequeño cabreo entre el Grupo Roger y el Grupo Phillippe. Merece la pena detener a los alemanes;

ayudar a que Roger se imponga a Phillippe, no, y me importa una mierda el FFI o el FTP.

—Sin embargo, no pueden separarse realmente, ¿no te parece? Siempre es igual de complicado, no sé si habrás caído en la cuenta. Política, política, política, es como mascar chicle en la fábrica: se pega en todas partes y lo ensucia todo. De todas maneras, si lo deseas, escribiré una carta a tu gente hablándoles de tu heroísmo. ¿Te parecería bien?

Como ocurría con gran parte de lo que decía Basil, las palabras fueron dirigidas en una clave de significado tan exquisita que Leets no fue capaz de precisar si hablaba en serio o no. Uno nunca podía estar seguro con Basil; con frecuencia decía justo lo contrario de lo que quería decir. Parecía vivir en una zona próxima a la comedia en la que casi todas las cosas eran «divertidas» y él disfrutaba diciendo lo más «escandaloso». Lo primero que le había dicho a Leets al conocerse en Milton semanas atrás fue:

—¿Sabes?, todo es un chanchullo. Nuestros ricachones están intentado aniquilar a sus ricachones, para poder conseguir todo el oro de los idiotas; de eso es de lo que realmente trata todo esto. Nuestro trabajo consiste en hacer el mundo más seguro para el oro de los tontos.

—Jim Leets —había dicho Leets—, Sigma Chi, cuarenta y uno de N. U.

En ese momento, Basil dijo:

—Sin embargo, en mi pequeño cerebro de guisante británico, se me ocurre otra posibilidad.

—¿Cuál?

—Bueno, tiene que ver con una radio.

—No tenemos radio.

La radio iba atada al cuerpo de Andre Breton, el cual, por desgracia, había chocado contra la tierra a unos 1.352 kilómetros por hora después de que su paracaídas se rasgara con el larguero de cola del Liberator que los había lanzado la noche de la invasión. Ni la radio ni Andre habían podido ser recuperados, razón por la cual el

Equipo Casey había visto disminuida su fuerza en un treinta y tres por ciento, antes de que los otros dos tercios aterrizaran un minuto después de que Andre tuviera su accidente.

—Los alemanes tienen radios.

—Nosotros no somos alemanes. Somos los buenos, ¿recuerdas? Capitán, a veces pienso que no te tomas nada de esto en serio.

—Hablo alemán. ¿Se necesita otra cosa?

—Eso es una locura. Jamás…

—De todas maneras, ahí va mi idea. Me hago con un uniforme alemán mañana y entró en el cuartel general de la guarnición a las once de la mañana. Con mi presencia digna de un mando, envío fuera a los boches. Entonces, me incauto de su radio y hago una llamada. Hay un tipo que me debe un favor. Si su infraestructura es sólida, podría funcionar.

—Los boches te pondrán contra una pared a las once y tres minutos y te fusilarán.

—Mmm, buena observación. Es posible si los boches están distraídos.

—Adelante, soy todo oídos.

—Tú haces volar algo. No sé, lo que sea. Improvisa, que es en eso en lo que sois muy buenos los tipos como tú. Los boches salen corriendo a ver qué pasa. Y mientras hacen una montaña de un grano de arena, yo entro en el cuartel general de la guarnición todo elegante, al estilo de los boches. Me será fácil hacerme con la radio y realizar la llamada. Cinco minutos y estoy fuera.

—¿A quién pretendes llamar por radio?

—A cierto tipo.

—A un tipo, ¿en dónde?

—En Inglaterra.

—¿Vas a ponerte en contacto por radio con Inglaterra desde un puesto de mando alemán en la Francia ocupada?

—Sí. Voy a llamar a Roddy Walthingham, de la División de Inteligencia de Señales, en Islington. Allí es una especie de jefazo, y seguro que tiene que haber montones de radios por ahí.

—¿Y qué puede hacer?

—Quizá no te lo había dicho, amigo, pero se dice que es uno de los rojillos. Rojillos tirando a rojo. El mismo equipo, sólo que jugadores diferentes, por ahora. Ya sabes, Josef, rey, y esa clase de cosas. De todas formas, seguro que conoce a alguien que conoce a alguien que conoce a alguien en la gran ciudad.

—¿En Londres? —preguntó Leets, pero Basil se limitó a sonreír, y el norteamericano cayó en la cuenta de que se refería a Moscú.

Así que Basil se convirtió en un pasable oficial alemán con bastante facilidad. El uniforme pertenecía a un oficial de verdad que había muerto en una emboscada en 1943, y su uniforme lo habían almacenado los maquis en contra de toda posibilidad de que se fuera a producir un gambito semejante. Olía a sudor, pedos y sangre. También estaba un año desfasado por lo que hacía a los accesorios, insignias y cosas parecidas, pero Basil sabía, o al menos creía, que con el suficiente carisma podría realizar lo que se propusiera.

Y en consecuencia, a las once de la mañana, mientras Leets y tres maquis del Grupo Phillippe se preparaban para hacer volar una granja abandonada a menos de un kilómetro de la ciudad en dirección opuesta a la del puente, Basil se dirigió a grandes zancadas y con ademán autoritario a la puerta del puesto de mando de la guarnición del 113 Flakbattalion, el afortunado destacamento de la Luftwaffe que controlaba la seguridad en Nantilles. La explosión tuvo el efecto previsto en los alemanes, que, presas del pánico, cogieron sus armas y el resto del equipo y empezaron a correr hacia la ascendente columna de humo. Les aterrorizaba cualquier lío, porque eso significaba que podían ser trasladados a cualquier sitio donde el combate real estuviera dentro de lo posible.

Basil los vio marchar, y cuando el último de los diferentes grupos de aquella chusma hubo desaparecido, se dirigió con paso firme hacia la gran furgoneta de comunicaciones aparcada junto al *château*, con su antena de radio de casi diez metros adornada con todo tipo de manifestaciones estilísticas de los boches; y aquélla tenía un triángulo en lo más alto. ¡Qué gente!

Fue una ayuda que el oficial cuyo uniforme llevaba hubiera sido un héroe, y que un montón de galones e insignias decorasen su pecho. Una, en concreto, era el distintivo de un carro de combate, y debajo de ésta colgaban tres pequeñas chapas de cierta clase. El resto era el habitual batiburrillo de galones de colores vivos y cosas parecidas, y en conjunto significaban el valor en combate, todo lo cual impresionó mucho a aquellos soldados, sin duda nada marciales, de la Luftwaffe que no habían echado a correr al oír la explosión, y que no tenían ni pajolera idea de qué eran aquellas cosas, aunque sabían reconocer lo que creían real cuando se presentaba.

Basil llegó a la furgoneta de la radio con bastante facilidad, y se sacó de encima al sargento de guardia afirmando ser el mayor Strasser —había visto *Casablanca*, por supuesto— de la Abwehr 31, ultrasecreto.

Se encontró con un equipo impresionante, bastante al estilo de H. G. Welles con su despliegue futurista de diales, interruptores, manillas, indicadores y cosas semejantes, y todo en brillante baquelita.

El transceptor resultó ser un 15 W S. E., una pequeña estación completa con una potencia de salida de quince vatios, sencillamente superior y justo lo que necesitaba. El campo de frecuencia abarcaba todas las utilizadas por los británicos, y los mecanismos de sincronización entre el transmisor y el receptor eran muy avanzados.

Se enfrentó a la cosa, una gran caja verde dispuesta a mostrar su funcionalidad. Dos diales en la parte superior, un dial en medio que mostraba la frecuencia, el sintonizador abajo, y debajo de éste botones e interruptores y todas las chorradas de radiolandia. ¿Al final había seguido en algún sitio un curso sobre aquello? Le parecía que sí, pero había demasiadas cosas, y era mejor dejar que el viejo subconsciente tomara el mando y dirigiera el espectáculo.

Aquello era muy teutón. Tenía etiquetas y subetiquetas por todas partes, interruptores, diales, cables, toda la *gestalt* alemana en un solo instrumento, demencialmente bien ordenado y sin embargo, hasta cierto punto, con un exceso vulgar de perfección. En lugar de

«Encendido/Apagado», el interruptor decía literalmente: «Apoyo de inicio retransmisión/Parada retransmisión». Una radio británica habría sido menos impresionante, menos una declaración de intenciones, aunque también menos fiable. A aquella cosa le podías poner una bomba y seguiría funcionando.

La máquina crepitó, chisporroteó y empezó a irradiar calor. Sin duda era potente.

Basil se colocó unos auriculares de radio, advirtiendo que el ruido de las interferencias era bastante molesto, encontró lo que tenía que ser una manilla de frecuencia o canales, y lo hizo girar hasta las frecuencias que utilizaban los británicos.

Sabía que ambos bandos trabajaban con inhibidores de frecuencias, pero no servía de nada interferir las frecuencias altas, así que las más de las veces solían utilizar triquiñuelas, intentando infiltrarse en las comunicaciones del otro y provocar daños. También sabía que debía darle a un interruptor y pasar al Morse, pero nunca había sido un buen operador. Razonó que las ondas de radio rebosaban esos días de todo tipo de parloteos, y que quienquiera que estuviera escuchando tendría que evaluar el mensaje, conseguir que los analistas hicieran su interpretación y alertar al mando, y todo ese proceso tenía que durar días. Decidió hablar sin más, como si estuviera al teléfono en un club de Bloomsbury.

—Hola, hola —decía cada vez que el chisporroteo de las interferencias se detenía.

Un par de veces logró comunicar con unos alemanes que le gritaron: «Debe utilizar el procedimiento de radio, tiene que parar, esto va en contra de las normas», y cambió de frecuencia rápidamente, aunque después de un buen rato, alguien dijo:

—Hola, ¿quién es?

—Basil Saint Florian —respondió.

—Amigo, utilice el protocolo de radio, por favor. Identifíquese por la señal de llamada y espere la verificación.

—Lo siento, no conozco el protocolo. Es una radio prestada, ¿lo entiende?

—Amigo, no puedo... ¿Basil Saint Florian? ¿Estuviste en Harrow del veintiocho al treinta y dos? ¿Un tipo alto, el bateador, el de las seis carreras contra Saint Albans?

—Siete, en realidad. Aquel día los dioses me sonrieron.

—Yo estaba entre los derrotados de Saint Albans. Era el lanzador. Al final te ponché. Y me sonreíste. ¡Señor!, nunca vi un bateador igual.

—Me acuerdo. Tales, tales fueron las dichas*, viejo amigo. Quién sabe si nos volveremos a encontrar otra vez en las mismas. Bueno, mira, estoy intentando ponerme en contacto con Inteligencia de Señales, en Islington. ¿Me puedes ayudar?

—No debería dar ninguna información.

—Viejo amigo, no soy un desconocido. Te recuerdo. Pelirrojo, con pecas, parecía que quisieras atizarme en el coco. Recuerdo lo furioso que estabas, por eso te guiñé un ojo. Estoy en lo cierto, ¿verdad?

—En efecto, lo estás. Con todo el tiempo que ha pasado, y ahora esto. Islington, ¿dices?

—Correcto. ¿Me puedes ayudar?

—La verdad es que soy un aprendiz de brujo de estas cosas. Tardé una guerra en averiguarlo. Mmmm..., déjame que juguetee un poco, es un momento. Ellos serían John-Able-seis, ¿lo entiendes? Voy a establecer una conexión.

—Eternamente agradecido.

Basil esperó, examinándose las uñas, buscando algo que beber. ¿Un buen oporto, por ejemplo, o quizás algún coñac francés añejo? Bostezó. Tic-tac, tic-tac, tic-tac. ¿Cuándo...?

—Identifíquese, por favor.

—¿Hablo con John-Able-seis?

—Identifíquese, por favor.

---

* Alusión al largo ensayo autobiográfico, «Such, Such Were the Joys», escrito a principios de la década de 1940 por George Orwell. *(N. del T.)*

—Basil Saint Florian. Quiero hablar con uno de los tuyos, Roddy Walthingham. Ponme con él, soy un buen amigo.

—¿Crees que esto es una centralita?

—No, no, pero no obstante tengo que hablar con él. Soy un viejo amigo del colegio. Necesito un favor.

—Identifíquese, por favor.

—Escucha con atención: estoy en un apuro y tengo que hablar con Roddy. Es un asunto de guerra, no un cotilleo.

—¿Dónde estás?

—En Nantilles.

—No sabía que los muchachos hubieran llegado tan lejos, tierra adentro.

—No lo han hecho. Ésa es la razón de que esto sea tan urgente, viejo amigo.

—Esto contraviene todas las normas.

—Querido amigo, en realidad estoy utilizando una radio de los boches, que volverán de un momento a otro. Ahora tengo que hablar con Roddy. Por favor, muchacho, ¡vamos!, métete en el partido*.

—Así que estudiaste en un colegio privado. Os odio a todos. Merecéis que os quemen.

—Lo merecemos, lo sé. Menudos gilipollas estirados que somos la mayoría. Te ayudaré a encender la hoguera después de la guerra, y luego me suicidaré, sonriendo. Pero primero, ganémosla. Te lo suplico.

—¡Bah! —dijo el sujeto—, lo más que podrías hacer sería no arrestarme.

—No lo haré.

—De acuerdo. Está en la habitación contigua. A él también lo odio.

---

* Nueva alusión literaria del autor, esta vez al poema «Vitaï Lampada», de sir Henry J. Newbolt, sobre el juego del críquet, y que fue utilizado con fines propagandísticos durante la Segunda Guerra Mundial. (N. del T.)

Al cabo de un minuto más o menos, se oyó otra voz por los auriculares.

—Sí, hola.

—Roddy, soy Basil. Basil Saint Florian.

—Basil, por Dios bendito.

—¿Cómo están Diane y las niñas?

—Disfrutando lo suyo del campo. Podrían volver a la ciudad, puesto que los boches ya apenas nos bombardean, pero creo que les gusta estar allí.

—Me alegro por ellas. Esto, Roddy, necesito un favor, ¿te importa?

—Claro que no, Basil, siempre que esté en mis manos.

—Esta noche voy a ir con algunos muchachos a encender unos petardos debajo de un puente. Un fastidio, pero dicen que hay que hacerlo. De todo lo cual «no es cosa nuestra los motivos»*.

—Parece fascinante.

—Lo cierto es que no lo es. No se necesita mucho ingenio para hacerlo. Ya sabes, sólo destruir cosas. A la larga resulta muy infantil. De todas maneras, sería una ayuda para nuestra causa si una banda local llamada Grupo Roger, ¿lo tienes?, nos ayudara con sus Bren. Pero hay cierto lío entre rojos y blancos, y no nos ayudarán. Creía que tenías alguna influencia con los rusos…

—¡Basil! ¡Aquí no! ¡Puede haber alguien escuchando!

—No es mi intención hacer ninguna deducción o juicio. No cuento chismes y dejo que cada uno disfrute de sus ideas políticas y lealtades, como yo disfruto de las mías. Es de eso de lo que trata la guerra, ¿no es así? Digámoslo de esta manera: si alguien tuviera influencia con los rusos, ese alguien podría pedir que ese tal Grupo Roger de los alrededores de Nantilles interviniera con sus Bren para ayudar al Grupo Phillippe. Eso es todo. ¿Lo tienes?

* Esta vez alude al poema de lord Tennyson «The Charge of the Light Brigade». *(N. del T.)*

—Entendido, Bren, Phillippe, Nantilles. Haré una llamada.

—Gracias, viejo amigo. Y adiós.

—No, no, di «cambio y corto».

—Cambio y corto, pues.

—*Ciao*, amigo.

Basil dejó el micrófono, se quitó los auriculares de la cabeza y levantó la vista y se encontró con dos sargentos armados con sendas Schmeisser y un teniente coronel.

Leets consultó su Bulova. Había pasado una hora; no, una hora y media.

—Creo que lo han atrapado —dijo su número uno, un joven llamado Leon.

—¡Joder! —rezongó Leets en inglés. Estaba junto a una ventana del último piso de una mansión situada a unos quince metros enfrente del *château* vallado que servía de puesto de mando y plaza de armas al 113 Flakbattalion. Ocultaba un subfusil MI Thompson con el que apuntaba al suelo e iba vestido con un impermeable, botas de goma y un sombrero de agricultor.

—No podemos atacarlo —dijo Leon—. Los cuatro, no. Y en caso de sacarlo, aprovechando el factor sorpresa, ¿adónde iríamos? No tenemos ningún vehículo para escapar.

Leon tenía razón, pero aun así Leets detestaba la idea de que el capitán Basil Saint Florian pereciera por algo tan absolutamente trivial como un puente. Y lo hiciera en aras de un tal Equipo Casey, fruto de un defectuoso plan de cooperación entre el SOE y la OSS*, lo más estúpido, chiflado y condenado al fracaso que había oído en su vida. Lisa y llanamente un espectáculo —ideado por los grandes cerebritos del cuartel general que estaban demasiado ociosos— sin ninguna verdadera importancia. Él lo sabía; todos lo sabían y lo habían sabido siempre

---

* Oficina de Servicios Estratégicos (*N. del T.*)

en las secciones A y F y en cualquier otra —la mayoría camufladas como clubes de golf— donde se habían adiestrado antes del despliegue para la terrible comida en Milton Hall. Como el británico había dicho, lo más probable es que no hubiera ninguna diferencia. Leets se maldijo; debería haberse limitado a colocar las cargas sin las Bren y arriesgarse a salir huyendo hacia el bosque. Quizá los boches no hubieran sido lo bastante rápidos para salir del acuartelamiento, llegar allí y abrir fuego antes de que él colocara sus sorpresas. A lo mejor todo habría sido coser y cantar. Pero era imposible decirle las verdades del barquero a Basil Saint Florian, y cuando al hombre se le metía una idea en la cabeza, todas las demás preocupaciones se desvanecían.

—¡Mira! —dijo Leon.

Era Basil. Y no estaba solo. Estaba rodeado por unos devotos jóvenes del 113 Flakbattalion y su oficial al mando, que lo escoltaban hacia la verja. Basil hizo una rápida y teatral reverencia, estrechó la mano al oficial y, dándose la vuelta, se alejó elegantemente a grandes zancadas. Tardó un rato en llegar a las afueras de la ciudad, pero cuando llegó al lugar acordado, Leets y los maquis, después de atajar por callejones y saltar verjas, ya estaban allí.

—¿Qué ha pasado?

—Bueno, hablé con Roddy. Como buenamente pude. Hará algunos arreglos.

—¿Y qué es lo que te hizo tardar tanto?

—Ah, según parece, el anterior propietario de este uniforme tenía una carrera ilustre. Esta pequeña baratija de aquí —se tocó la divisa metálica del tanque con las tres diminutas chapas fijadas sucesivamente debajo— significa que fue un campeón de la destrucción de carros de combate en el Frente Oriental. Los chicos de la Luftwaffe querían oír algunas anécdotas de combate. Así que acabé ofreciéndoles una plática sobre las mejores maneras de destruir un T-treinta y seis. ¡Dios mío!, espero que ninguno de esos muchachos (parecían unos buenos chicos) intente ninguna de esas cosas por sí mismo contra un Centurion. Me lo inventé todo. Algo sobre que la tercera rueda de la oruga izquierda era la rueda motriz y que si podías alcanzarla con un Panzerfaust, la máquina se pararía en seco. ¿Es posible que haya una tercera rueda? Y no me puedo creer que no especificara desde qué perspectiva había que determinar la izquierda. En general, fue una actuación bastante débil, pero no había cerca ningún crítico del *Times* londinense, sólo algunos jóvenes granjeros cortos de luces reclutados por la aviación alemana.

—¿Pudiste hablar? ¿Lo conseguiste?

—Vaya, sin ningún problema. Fue como si Roddy estuviera en la misma habitación. Estas cosas de la técnica son asombrosas. Bueno, ¿qué hay para comer?

Rara vez las cosas salían tan bien como aquella noche, quizá se debió a lo que le quedaba de buena suerte al Equipo Casey. En cualquier caso, Roddy había estado merodeando por la cabina de radio. En Islington llovía y todo el mundo andaba ansioso por oír noticias de la invasión. ¿Nuestros muchachos serían rechazados? ¿O lograrían permanecer y aquello sería el principio del fin?

Así que nadie prestó mucha atención a un hombre bajo y gordo, que por la forma de andar y de comportarse tenía pinta de universitario. Roddy se arrebujó en su impermeable, se caló el gorro de cazador hasta las orejas para mantener a raya a aquel junio sorprendentemente frío, y saludó con la cabeza al oficial de guardia. Su especialidad era la criptografía, y lo cierto es que era condenadamente bueno en eso, aunque todos pensaban que era un poco raro. Roddy deambulaba por allí como si no hubiera una guerra, y hasta el momento todos aceptaban que su extravagancia e incapacidad para asumir las cuestiones relacionadas con la seguridad militar formaban parte de su genialidad, y que había que aceptarlo. En realidad, era una buena tapadera para su verdadero trabajo, el de infiltrado para la Sección 7 del GRU, el espionaje soviético.

Cruzó la concurrida calle hasta una farmacia y buscó el teléfono. Lo encontró ocupado, y esperó sonriente mientras una mujer terminaba su llamada y se iba. Entró en la cabina, dejó caer dos peniques y esperó. Dejó que sonara tres veces. Colgó. Su teléfono repiqueteó dos veces y dejó de sonar. Roddy marcó el número de nuevo.

—Hola, ¿eres tú?

—Por supuesto, Roddy. ¿Quién si no?

El interlocutor de Roddy era el mayor Boris Zyborny, nombre en clave VIGA, encargado de la infiltración en el principal objetivo británico y controlador de Roddy. Trabajaba bajo una identidad falsa en la oficina de enlace del Ejército de la República Democrática Libre de Polonia, procurando embrollar esto y aquello, mientras vigilaba a todos sus chicos y chicas que espiaban para el Ejército Rojo.

—Necesito un favor. Para un viejo compañero de colegio.

—¿Es uno de los nuestros?

—No.

—Hay que ignorarlo. No tiene sentido. Disfruta de su compañía, llora su muerte si le llega, pero mantenlo fuera de la ecuación.

—Es un buen amigo. Y quiero ayudarlo.

Roddy se explicó y, siete minutos más tarde, el mayor Zyborny establecía contacto con el GRU de Moscú por la radio de larga distancia, donde alguien pudo dar finalmente con un director de los partisanos llamado Klemansk, un ex agente del Comintern que había escapado milagrosamente a las purgas (en su día había estado en una cárcel española en espera de ejecución) y que a la sazón dirigía la Esfera de Actividad 3, Europa occidental, para el GRU. Llevó algún tiempo convencer a Klemansk, pero al final aceptó porque Zyborny le aseguró que Roddy era importante y que llegaría a serlo aún más, y que hacer algunas pequeñas cosas como ésa por él lo tendría contento durante los largos y duros años que se avecinaban.

Así que Klemansk conectó la radio de la Esfera de Actividad 3 y, vía París, logró contactar con el Grupo Roger para hablarles del asunto de las ametralladoras Bren.

Como es natural, los alemanes interceptaron aquella información, puesto que sus sistemas de interceptación de mensajes por radio eran magníficos. Sin embargo, aquélla quedó enterrada bajo ingentes toneladas de otras informaciones interceptadas, porque la invasión había aumentado el tráfico radiado a niveles casi torrenciales. Estaba más allá de la capacidad humana analizar e interpretarlo todo, y por una cuestión de prioridad, se separaba en categorías en función de la urgencia. Puesto que un puente en las afueras de Nantilles estaba al final de la lista, lo interceptado no recibió la atención que a todas luces se merecía hasta el 14 de junio de 1944, para cuando el oscuro drama del Equipo Casey, el 113 Luftwaffe Flakbattalion, la segunda división Panzer SS y los Grupos Roger y Phillipe hacía mucho que se había acabado.

Leets se aplicó lo que quedaba de corcho quemado en la cara. Había resultado que los corchos quemados no eran ninguna tontería. En el Área 5 de los Catoctins, todo el mundo le había asegurado a los reclutas que el corcho quemado era pan comido, aunque nadie había llegado a explicar jamás la manera de prepararlo. El mayor Applegate contaba historias sobre la persecución de mexicanos en la frontera de Arizona con la patrulla de fronteras, y que siempre que se preparaba algo gordo para la noche se tiznaban las caras con corcho, aunque jamás había explicado con exactitud la manera de quemarlo. Leets se había chamuscado el pelo de los dedos antes de que se le ocurriera la idea de meter el corcho en el quicio de una puerta y mantenerlo allí, apretando la puerta con el pie, mientras lo quemaba con la llama de una vela. El corcho se había oxidado con parsimonia, estúpida y rencorosamente, aunque al final había conseguido la cantidad suficiente para lograr hacer un trabajo razonable de enmascaramiento, de manera que su cara gorda, insulsa, ancha y muy blanca de norteamericano se confundiera con la oscuridad.

Ya estaba preparado, aunque se sentía más como el jugador de fútbol americano que había sido que como el soldado que era, cargado con todo aquel equipo tan parecido a las hombreras y musleras que lo habían protegido en finales de campeonato. Tenía un subfusil Thompson y siete cargadores con veintiocho balas del calibre 45 cada uno, que llevaba en una bolsa sujeta al cinturón, al igual que seis granadas Gammon y espoletas Allways empaquetadas con media barra del explosivo plástico 808, preparadas para poderles desenroscar la tapa, tensarles las correas de lino y lanzarlas para que explotaran con el impacto. Olían a almendras, lo que le recordaba a las barras de caramelo a las que había sido tan aficionado en un lejano paraíso llamado Minnesota. Tenía un cuchillo de combate M3 con una terrible hoja sujeto con una correa al exterior de la acordonada bota de asalto Corcoran del pie derecho, que iba metida pulcramente en el pantalón de asalto con refuerzos. Llevaba un chaleco de asalto de algodón OD con bolsillos, muy parecido al de cazador de safaris de Hemingway, sobre su camisa OD de algodón, con sus plateados galones de teniente primero y los rifles cruzados de la infantería, porque había sido miembro del 501 Regimiento de la 101 División Aerotransportada antes de que por sus conocimientos de francés le hubiera reclutado la OSS. Además, llevaba un Colt 45 en el cinturón con siete balas en el cargador, y dos cargadores más en un bolsillo del cinturón, y un gorro de lana negro calado hasta las orejas, de manera que parecía uno de los miembros pequeños de *La pandilla*. También acarreaba un macuto lleno de Explosivo 808, que asimismo desprendía un acre olor a almendras y…, veamos, ¿qué era eso?, ah, sí, detonadores de tiempo, esto es, Espoleta Retardada número 10, una lata con cinco en el macuto del 808 para un despliegue rápido.

El plan: los de la Luftwaffe habían utilizado inteligentemente mano de obra francesa para talar el bosque alrededor del puente, de manera que se podía decir que aquélla era una tierra pelada, sin abrigo para el que se acercara, tachonada con tocones de árboles perennes lo bastante sólidos para detener a cualquier vehículo que se moviera sobre ruedas. Un acercamiento sigiloso también era imposible por las torres de iluminación que los alemanes habían instalado y que resplandecían durante toda la noche. Las seis ametralladoras de 88 milímetros parapetadas detrás de unos sacos terreros alrededor del puente no representaban ningún peligro, puesto que estaban permanentemente montadas en trayectorias antiaéreas para defender el puente de los ataques aéreos aliados, y por lo tanto no eran operativas tácticamente; y, además, de noche no tenían dotación, porque ni los Typhoon ni los Jug se arriesgarían a hacer una incursión en la oscuridad. Pero había al menos seis centinelas, un sargento de guardia y cuatro o cinco fusileros en ambos extremos del puente.

Así que una aproximación sigilosa estaba descartada. Por el contrario, Leets y sus tres maquis del FFI se acercarían al puente en un viejo Citröen que era una carraca, y cuando les dieran el alto para que se detuvieran, abrirían fuego a quemarropa. Dispararían a los centinelas, bombardearían la garita con granadas y abrirían fuego contra los hombres del otro lado del puente, y Leets se dirigiría pegando brincos al centro, saltaría por encima del barandal como un mono, colocaría el explosivo y calzaría los detonadores ya cebados, y entonces echarían a correr como almas que lleva el diablo hacia el bosque situado a doscientos metros de distancia. Si los refuerzos de Nantilles llegaban allí antes de que consiguieran alcanzar el bosque, serían patos muertos, porque los alemanes, incluso los incompetentes de la Luftwaffe, podrían barrerlos con el fuego de las ametralladoras MG-42 montadas en los camiones mientras que los de infantería los perseguían con los Mauser y los Schmeisser.

Ahí es donde entraban las Bren. Con ellas podrían hacer retroceder a los camiones, incluso destruirlos, y desperdigar a los asustadizos soldados de la Luftwaffe. Todo el asunto giraba en torno a las Bren. Las dos Bren eran el clavo perdido que condenó al caballo que le falló al pelotón que debilitó al batallón que hundió al ejército que hizo perder la guerra*.

---

* Adaptación de un proverbio, «For the want of a Nail...», atribuido a Benjamin Franklin. (N. del T.)

—Una noticia verdaderamente fantástica, amigo —dijo Basil—. ¡Tienes las Bren!

—¿Qué?

—Mmm..., parece que Roger ha cambiado de opinión, o quizá recibió una orden del alto mando. En este momento, Roger y sus dos equipos de ametralladoras Bren están emplazándolas en la ladera que domina la carretera de Nantilles, a unos trescientos metros del puente.

—¿Tenemos la seguridad absoluta de eso?

—Amigo, si Roger dice que están allí, es que están allí.

—Ojalá pudiera ver realmente a esos tíos. —Pero miró el Bulova que llevaba del revés en la muñeca y vio que eran las 02.38, hora de guerra británica, así que era el momento de irse—. De acuerdo —dijo—, entonces hagamos volar a ese hijo de puta.

—Buena actitud, Beets. Estaré con el resto de los muchachos en el lindero del bosque. Abriremos fuego desde nuestro lado del puente.

—No podréis ver lo suficiente para ayudar, y ese maldito canutillo —Leets señaló el subfusil Sten que Basil llevaba colgado de una correa, una estructura tubular que parecía haber sido diseñada por un comité de fontaneros muy lerdos, una arma ligera de nueve milímetros que disparaba demasiado deprisa si es que conseguía disparar, y cuyas balas no servían de nada cuando llegaban a su destino, si es que conseguían hacerlo alguna vez— no asustará a nadie.

—Beets, no tengo la culpa de que vuestras armas sean mucho mejor que las nuestras. Nos conformamos con lo que hay. Hacemos nuestras parte, eso es todo.

—Sí, ya. Bueno, partamos, pues. ¡A destruir el puente! —dijo Leets amargamente. Se disponía a subir al Citröen sin pérdida de tiempo para trasladarse al lugar del combate. Pero entonces se acordó de sus modales.

—Lo siento, capitán. Soy un engreído, lo sé. Descargo mi ira porque estoy cagado de miedo. De todas maneras, gracias, lo que hiciste fue fenomenal, fue, no sé...

—Déjalo, Beets. Haz saltar el puente y punto.

—Capitán, una última cosa. ¿Quién eres? ¿De dónde has salido? ¿Cómo sabes tantas cosas? ¿Qué estás haciendo aquí? Sin duda eres demasiado mayor, demasiado estudiado, demasiado brillante para todo esto que pasa alrededor. Deberías ser general. Aparentas tener unos cuarenta años. ¿Quién eres?

—Amigo, es una larga, larguísima historia. Vuela el condenado puente y ya hablaremos.

Entra Millie Beeman. Millie, de Millicent, de los Beeman, ya sabes, de los Beeman de North Shore. Millie era una chica encantadora, lista como el hambre. Terminó la carrera en Smith con unas notas muy altas, pero nunca alardeaba ni se hacía la lista, consiguió su primer empleo trabajando como secretaria en el *Time*, en Manhattan, para el terrible Luce y su espantosa mujer, trabajó algún tiempo en el Senado (lo arregló su padre), y entonces estalló la guerra, y se sintió atraída por la Oficina de Servicios Estratégicos,* sin duda una atracción mutua. La gente sabía a qué entorno pertenecía, y las instituciones sabían qué clase de personas pertenecían a su entorno, así que los asistentes del general Donovan se enamoraron al instante de la esbelta rubia que parecía tener un exitazo en cualquier fiesta, con aquella forma de fumar maravillosa y la lánguida luminosidad que poseía en la mirada que todo lo penetraba. A todos les encantaba la manera en que el pelo le caía por los hombros; a todos les gustaba la transparente adherencia de un vestido o una blusa a su torso de miembros largos e incuestionablemente feminoides; a todos les agradaban sus piernas que parecían no tener fin y sus tobillos perfectos, que tan bien lucían sobre los zapatos de tacón alto que llevaban todas las chicas.

En 1943 la trasladaron a la base de Londres en el 72 de Grosvenor, en Mayfair, a las órdenes del coronel Bruce, de quien se había

* OSS. *(N. del T.)*

convertido en una de sus asistentes, y lucía el uniforme de subteniente del WAC, el cuerpo de mujeres del ejército. Tenía bajo su responsabilidad las actividades sociales del coronel, cuestión nada baladí si tenemos en cuenta que una de las bromas habituales de la época era que las siglas OSS querían decir realmente: «¡Oh, Sé Sociable!» Atendía las llamadas al coronel o le ponía con quien quisiera hablar, aunque su trabajo era más que eso. También conocía la ciudad, en el sentido de que «estaba familiarizada con ella», por lo que era capaz de establecer prioridades. El coronel era un inútil, y en la época anterior a la llegada de Millie a la base, aceptaba todas las invitaciones. Ella sabía quién estaba en la cresta de la ola y quién no, en qué recepciones era importante ser visto y cuáles podían ser ignoradas sin peligro, qué generales estaban en ascenso y cuáles en declive, en qué oficiales de enlace del FFI se podía confiar y cuáles debían ser evitados, qué periodistas eran útiles y cuáles no, quién podía ser chantajeado, ignorado, traicionado, tirado a la basura, manipulado o insultado y, por el contrario, en quién se podía confiar, a quién utilizar, con quién contar, a quién se le podía contar un secreto, quién tenía contactos y quién representaba a la clase de gente que nos gusta y necesitamos, etc. Millie era indispensable, era implacable, era eficiente, era preciosa y brillante a la vez, y era la tercera agente en el escalafón de la NKVD introducida en la OSS, la estrella del INO (Sección de Inteligencia Extranjera) que había sido adiestrada en la SHON, la Shkola Osobogo Naznacheniya, la Escuela de Objetivos Especiales, en Balashikha, a veinticuatro kilómetros al este de la carretera de circunvalación de Moscú, donde todos pensaban que vivía alejada del mundanal ruido en los Hampstons.

Millie se olió que pasaba algo a las seis de la tarde, cuando el humor del coronel Bruce mejoró repentinamente. El asunto del día había sido la Operación Jedburgh, en virtud de la cual varios equipos de tres agentes del OSS-SOE-FFI se habían lanzado en paracaídas detrás de las líneas enemigas para causar estragos en las líneas de transporte y comunicaciones a rebufo del numerito de Normandía. Hasta el momento, nada bueno. Ninguno de los equipos había alcanzado objetivo alguno, muchos se habían distanciado en el descenso y no habían conseguido ponerse en contacto con las unidades de los maquis a quienes se suponía que tenían que guiar, y varios jamás habían comunicado su llegada por radio y se consideraron desaparecidos en combate. Aquello pintaba a desastre, y el coronel Bruce sabía que se iba a reunir con sir Colin Gubbins, jefe del SOE, y que éste le echaría la culpa de la cagada al tercio norteamericano de las unidades. ¡Era tan importante que los equipos tuvieran éxito!

Pero a eso de las seis, un enlace del SOE informó al coronel de que las emisiones de radio interceptadas sugerían con insistencia que uno de los equipos estaba en su puesto, y que esa noche, a medianoche, atacaría un puente situado en la ruta a la cabeza de playa del sector defendido por la segunda división Panzer SS.

—Millie, ¿se da cuenta? Esto es lo que necesitamos.

Era algo fantástico para la OSS, que era considerada una organización inmadura, inferior y chapucera en comparación con los equipos de inteligencia bastante más expertos de los británicos, y haría que el general Donovan se pusiera como loco.

—Sí, señor.

—¡Oh, esos chicos! —dijo el coronel Bruce—. Esos maravillosos y fantásticos chicos hacen que me sienta muy orgulloso. ¡Ahora le toca batear a Casey!

Como era natural, Millie no estaba al tanto de los nombre claves y no sabía qué grupos estaban operando ni dónde; ella se limitaba a recoger toda la información disponible y a entregársela a su control de la KGB INO, un sujeto llamado Hedgepath que había sido un pez gordo de la WPA antes de la guerra y que a la sazón era un pez gordo de la Oficina de Información de Guerra, la unidad de propaganda, donde era una especie de jefe de operaciones psicológicas o algo parecido y que informaba directamente al señor Sherwood. Millie adoraba a Hedgepath, porque por supuesto era uno de los pocos hombres en la tierra que no cedía el paso a las mujeres y al que era imposible conmover con las zalamerías, encantos y belleza de Millie;

por supuesto, ella no podía saber que era un desviado sexual y, por consiguiente, inmune a semejantes cosas.

Lo llamó desde un teléfono de la sección de contabilidad, sintiéndose absolutamente segura, porque nadie controlaba las llamadas internas entre los organismos norteamericanos como el del 72 de Grosvenor y el puesto de mando de la OWI en Londres, sito a escasa distancia. Era el teléfono de Kate Jesse, y Kate pensaba que lo utilizaba para hablar con un amor secreto, un piloto de bombardero inglés. El problema de Kate es que leía la revista *Redbook* y se la tomaba demasiado en serio.

—Hola —dijo Hedgepath.

—Soy Millie.

—Por supuesto, querida. Informe, por favor.

Repitió aquello de lo que se había enterado ese día: la agenda del coronel, las llamadas recibidas, los informes, los chismes de la oficina, los gastos, los entresijos de todo. Al final, mencionó cierta clase de espectáculo previsto para esa noche y el curioso estallido de regocijo del coronel.

—Le toca batear a Casey.

—Bah, béisbol —dijo el señor Hedgepath—. Detesto el béisbol. La mayor parte consiste en no hacer nada, ¿no le parece? Es terriblemente aburrido. ¿Quién es ese Casey?

—Es un personaje de un poema famoso. Lo llamaban el «Gran Casey», una especie de Babe Ruth. Todas las esperanzas están puestas en él. Es muy dramático.

—¿Quién sabía que había dramas en el béisbol?

—En cualquier caso, «Le toca batear a Casey» trata sobre la oportunidad de un héroe de realizar una hazaña. Si no recuerdo mal, no lo consigue. En Estados Unidos se considera una tragedia. Creo que Casey tiene que ver con algo que llaman Operación Jedburgh.

¿Jedburgh?

—Mmm... —dijo Hedgepath. Sabía por la oficina central de la NKVD de Moscú que el terrible Zyborny había enviado anteriormente un avance de la noticia al GRU, aunque la central no fue capaz de descifrar completamente el código secreto del GRU y sólo sabía que el asunto del mensaje versaba sobre algo a lo que británicos, franceses y yanquis llamaban Operación Jedburgh, cierta estúpida voladura de alguna construcción que habría que reconstruir onerosamente después de la guerra. Pero control no quería que el GRU actuase con impunidad por doquier, y las dos agencias se odiaban mutua y cordialmente. La central de la NKVD de Moscú se sintió repentinamente interesada en la Operación Jed, no como parte de la guerra contra los alemanes, que se sabía ganada, sino de la guerra contra el GRU por alcanzar el control operativo del mecanismo de la inteligencia durante la posguerra.

«Urgente que obtenga información sobre Jed», había ordenado Moscú.

—Mi querida señorita Beeman —dijo Hedgepath—. ¿Puede concentrarse esta noche en el asunto ese de «Casey»? Hay un gran interés en ello. ¿Sería posible que coqueteara con uno de los vaqueros y me consiguiera alguna información lo antes posible? Me gustaría sorprender con unas líneas a nuestros amigos antes de irme a dormir, si es posible.

Millie suspiró. Sabía perfectamente lo que tenía que hacer. Unas copas con Frank Tyne, un hombre horroroso que era todo arrogancia y bravuconería. Había estado yendo y viniendo a Francia durante los dos últimos años y se rumoreaban que en realidad había matado a varios alemanes. A mayor abundamiento, la adoraba, y llevaba semanas pidiéndole salir.

Esa noche su sueño se haría realidad.

Leets tenía algunos problemas para respirar. Los nervios se le habían agarrado al estómago y sentía los dedos como si fueran salchichas grasientas del cuerpo de otro; lo único que quería era echarse a dormir. A veces se había sentido así antes de los partidos. Por lo general, siempre había jugado de ala cerrado, por su envergadura, como placador, pero en unos cuantos partidos le habían asignado el puesto de receptor, una oportunidad que amaba y odiaba por igual. Te podías convertir en un héroe… o podías acabar siendo un chivo expiatorio. Todo ocurría en una fracción de segundo ante cincuenta mil maníacos atrabiliarios que llenaban a reventar el Dyche Stadium o cualquier otro coliseo de los Diez Grandes. Una vez, cómo olvidarlo (al menos él), cogió el balón de un ensayo en un pase insólito, afortunado y hermoso que había marcado con un dedo, saltó en el aire y lo atrapó mientras caía. Fue un héroe que sabía que había tenido suerte y que en su fuero interno sintió que no se merecía el lunes de gloria que había tenido. Era su recuerdo favorito; era su peor recuerdo. Y lo recordó en ese momento bajo sus dos formatos.

El coche avanzaba. No era sorprendente que los llamaran molinillos de café, una pequeña tortuga aparentemente propulsada por baterías. El motor hacía *pof-pof-pof*. Conducía Leon. Leets iba en el lado del acompañante con la Thompson. En el asiento trasero, en posición fetal, iban Jerome y Franc, unos buenos tipos, niños en realidad, los dos con sendas Sten. Tendrían problemas para salir, así que era cosa de Leets, la verdad. Él había dado los primeros golpes en la lucha por la libertad en esa parte de Francia. Aquello le ponía enfermo, pero cada vez era más evidente que no importaba lo que él sintiera, lo que tenía que ocurrir ocurriría, y si las Bren estaban allí, gracias a Dios y a Basil Saint Florian, y si no estaban, papá se pondría hecho un basilisco.

Alguien abrió una botella. Se la dio a Leets con un vaso pequeño. Se sirvió una especie de líquido amargo, tío, era como la coz de una mula, «¡Dios!», exclamó; jadeando, se sirvió otro culín, y se lo pasó a Leon para que se lo bebiera de un trago.

—*Vive la France!* —dijo Leon, poniendo fin al trasiego de la botella.

—*Vive la France!* —se oyó saludar a los de atrás.

¡Viva mi culo!, pensó Leets.

Entraron en la zona iluminada por las torres de luces de la Luftwaffe, e inmediatamente dos centinelas en la garita levantaron las manos y empezaron a gritar: «¡Alto!, ¡Alto!, ¡Alto!» También eran unos muchachos, un poco aterrorizados porque jamás había salido de la oscuridad ningún coche surgido de la nada, y ni siquiera sabían qué hacer, si abrir fuego o salir corriendo en busca de un sargento. Sus cascos y sus armas parecían quedarles demasiado grandes.

Fue un asesinato. Era la guerra, pero seguía siendo un asesinato.

Leets salió del Citröen dando una voltereta y le metió tres balazos a cada muchacho desde una distancia de unos diez metros. La Thompson parecía apuntar sola, tan ávida de matar estaba, y bajo el ligero control del gatillo por parte de Leets, el arma se agitó espasmódicamente tres veces en una décima de segundo, y tres veces más en otra décima de segundo, chorreando incandescencia y ruido, y los tres chicos estaban muertos. Leets se llevó el arma al hombro, apuntó a la garita de los guardias y, apenas rozando el gatillo, vació el resto del cargador con la culata bien apoyada contra el hombro, viendo astillarse y saltar la madera y el desgarro de las balas, haciendo añicos los cristales y rompiendo una puerta, que se desplomó agujereada. Sensaciones: la fuerte percusión de los cartuchos detonados, la singularidad de las vainas vacías que saltaban como palomitas de la recámara, formando un arco centelleante; la realidad del cerrojo deslizándose por el cajón a la velocidad del rayo, el deslumbramiento del fogonazo de la boca, el hedor acre de la pólvora quemada, el flujo chorreante del humo del arma.

Vaciada el arma, Leets metió la mano en el bolsillo del zurrón y sacó una Gammon ya cebada. Con el pulgar inmovilizó la pequeña plomada oscilante del extremo de la cinta de lino contra el lateral de la bolsa, sintiendo la leve cesión del trozo de 808 en el interior, y la hizo girar ligeramente a la derecha hasta la posición clásica de lanzamiento de un *quarterback* a fin de poder separar su pie derecho, y la lanzó en una pronunciada espiral hacia el puesto de guardia situado a quince metros al más puro estilo de Otto Graham. Cuando la bomba salió volando por el aire, la cinta de lino se desenrolló y, al separarse, liberó de golpe una clavija de contención en el interior del detonante Allways, que activó el trasto para que explotara al chocar.

Ésa era la genialidad de la Gammon; cuando estaba activada era condenadamente imprevisible, aunque eso sí, siempre explotaba.

Gran lanzamiento; la garita se convirtió en un derroche de luz y percusión, provocando un parpadeo en Leets, que se quedó momentáneamente pasmado. Sus hombres estaban junto a él, vaciando los Sten sobre los alemanes que salían huyendo.

—*Une autre* —dijo Leon. Otra.

Leets sacó otra granada, apretó el contrapeso y esta vez la lanzó con más fuerza. El artefacto salió volando en la oscuridad, hacia donde presumiblemente los alemanes seguían encogidos de miedo, quizá preparando sus armas, pero la explosión fue mayor que la anterior. La potencia de la Gammon dependía totalmente de la cantidad de 808 embutido alrededor del detonador, y sin duda Leets se había entusiasmado un poco con aquélla.

Se levantó una polvareda, la mitad de las luces se apagaron, trozos de material incandescente salieron volando por los aires: el caos y la irracionalidad de una explosión. Leets hizo una pausa de un segundo para introducir otro cargador en su Thompson, se aseguró de que el arma estuviera montada y echó a correr hacia delante como un loco.

—Deben de ser tan valientes —le dijo Millie Beeman al pobre y perdidamente enamorado Frank Tyne. Frank era una especie de ex poli de Maine de origen francocanadiense (de ahí que supiera hablar francés), un tipo corpulento que no le gustaba a nadie del grupo. Era grosero, directo, salido, estúpido y en teoría un héroe, aunque absolutamente pagado de sí mismo.

—Unos buenos chicos. Verás, la cuestión es que ya era hora de enseñarles algo de acción a los boches. El general lo sabía. Así que se formaron esos equipos como una oportunidad de que la unidad demostrara su valía.

—¿Y esta noche es la noche?

—Esta noche es la noche —dijo Frank, con un brillo malintencionado en los ojos que sugería que quizás estuviera dando por sentado que esa noche era la noche en más de un sentido.

Estaban sentados en el bar del Savoy, entre humo, otros bebedores y algunos amantes.

—Frank, debes de sentirte orgulloso. Después de todo es tu plan. Estás haciendo algo de verdad. Quiero decir que gran parte de todo esto es política, vida social, peloteo y no tiene nada que ver con la guerra. A veces me deprimo. Incluso el coronel Bruce… Ay, el hombre se esfuerza, y es encantador, pero absolutamente inútil. Tú, Frank. Tú estás parando a los nazis. Y eso es tan importante. ¡Alguien tiene que dedicarse a combatir!

Rozó la muñeca de Frank, mostró una sonrisa radiante y vio derretirse al pobre botarate. Entonces, reprimiendo el impulso de escupir la repentina flema que se formó en su garganta, Frank dijo:

—Mira, salgamos de aquí.

—Frank, no deberíamos. Quiero decir que…

—Señorita Beeman… Millie, ¿puedo llamarte Millie?

—Por supuesto.

—Millie, ésta es la noche del guerrero. Deberíamos celebrarlo. Mira, volvamos a mi despacho; tengo un pequeño alijo de un excelente güisqui Pikesville. Allí podremos tener algo de intimidad. Será una noche fantástica, y podemos esperar a que lleguen noticias del golpe del Equipo Casey y celebrarlo.

Millie puso la mirada de «me lo estoy pensando», después de pasar varias veces por la de «sí, ¿por qué no?» y otras tantas por la de «no, no, eso no está bien», antes de parecer adoptar la de «sí, ¿por qué no?»

—Sí, ¿por qué no? —dijo ella, pero Frank ya se estaba poniendo el impermeable encima del uniforme.

Cuando Leets llegó al centro del arco del puente, una descarga de fusilería hizo saltar el polvo y las astillas a su alrededor. Se estremeció, pero cuando reparó en que no le habían alcanzado, se recuperó.

Los disparos provenían seguramente del otro extremo del puente, donde se habían agazapado, muertos de miedo y sin saber qué hacer, los integrantes de una reducida fuerza de vigilancia. Por suerte, a los de la Luftwaffe se les daba tan mal la puntería como el ataque, y en consecuencia ninguno de los disparos encontró carne. Leets les contestó con otra larga ráfaga de la Thompson, mientras sus camaradas contribuían con los Sten.

—Lanzad algunas bombas —ordenó Leets, mientras se dirigía a la barandilla del puente y miraba por encima de ella.

No era un puente impresionante; de hecho, era más bien patético. Pero sería suficiente para soportar el peso de un carro de combate Tiger II de treinta toneladas, de los que una columna, bajo los auspicios de la segunda división Panzer, se dirigía en ese momento hacia allí por la carretera de Normandía. Leets había visto la estructura a la luz del día: dos contrafuertes, unos sólidos troncos y ninguna estructura aparente de piedra, a excepción de la base. Sólo tenía que detonar suficiente 808 donde la armadura se unía en el arco del puente para deshacer la sujeción; el arco se desplomaría por su propio peso, o al menos se hundiría lo suficiente como para impedir el paso de los pesados vehículos alemanes; no sería necesario que fuera bonito ni espectacularmente satisfactorio. Una explosión insignificante, lo suficiente para hacer un trabajito.

Se arrodilló, se quitó la correa de la Thompson y el macuto del 808 y los dejó en el suelo. Metió la mano en el macuto y sacó una lata de detonadores de tiempo obsequio del SOE («Espoleta Retardada, número 10» como rezaba siempre tan amablemente la lata) y contempló los cinco tubos de latón de quince centímetros, cada uno con un nódulo envuelto en estaño en el extremo. El problema con aquellas espoletas, ¡maldición!, era que, a pesar de lo bien diseñadas que estaban, siempre se retrasaban un tanto en la detonación. Se suponía que estaban reguladas para disparar un pistón detonante al cabo de diez minutos, pero con mucha frecuencia lo hacían a los ocho o a los nueve o a los once o a los doce. Todo dependía de la rapidez con que el ácido contenido en una ampolla que se rompía al activarlos se comiera el cable de retención, el cual, al ceder, permitía que una aguja impulsada por un muelle se hundiera en el pistón, que estallaba, lo que provocaba que el explosivo mayor en el que iba embutido el detonador, el 808, estallara a su vez.

Así que en ese momento Leets los sacó todos, los cinco, tiró la lata y pisoteó con fuerza los detonadores justo en el extremo. De inmediato ascendió hasta su nariz un nuevo olor, el desprendido por el ácido cúprico al fluir desde las ampollas destrozadas de los cinco detonadores de tiempo y empezar a comerse el metal. Leets quería prepararlos ya para que consumieran el tiempo, de manera que, cuando él y los chicos salieran huyendo, los alemanes no tuvieran ninguna posibilidad de arrancar los detonadores. Se los puso en el gran bolsillo lateral de sus pantalones de asalto, que abotonó a conciencia.

Giró el cuerpo sobre la barandilla y empezó a descender con cuidado, tanteando con el pie para buscar un punto de apoyo en la armadura del puente; cuando lo tuvo, se fue agachando poco a poco hasta que se encontró debajo del arco de la estructura.

De pronto oyó un barullo a lo lejos. ¡Caramba! Estuvo en un tris de soltarse y caer en picado los siete metros que le separaban del lecho del lento riachuelo. ¿Le estaban disparando? Pero entonces reconoció el maravilloso golpeteo parecido al martillo de un obrero de las Bren, reconocible gracias a su cadencia de fuego increíblemente lenta, que permitía a los artilleros apuntar más tiempo a un objetivo que a los pobres soldados norteamericanos la mayor cadencia de sus rifles automáticos Browning.

¡Bien por el bueno de Basil! Basil, estirado, arrogante, indiferente, aristócrata de sangre fría, maldito seas, me has conseguido las Bren, y puede que salga de ésta vivo.

Vive le Basil!

Rebosante de excitación y entusiasmo, le gritó a Franc desde abajo:

—¡El explosivo, camarada!

Franc se inclinó sobre la barandilla, sujetando el macuto; fue una ardua labor: Franc balanceando el macuto, Leets aferrándose a las armaduras, tratando de asir la cosa, que sin saber por qué parecía fuera de su alcance; pero finalmente, en lo que parecieron unas meras siete horas, logró atraparlo con firmeza y lo metió hacia dentro.

En ese momento estaba aferrado a la armadura como un mono, con los pies afianzados en un mástil horizontal, agachado bajo el arco, donde había humedad y corrosión, donde ningún hombre había estado en los últimos cincuenta años. Intentaba encontrar la manera de sujetar el propio macuto, pero calzándolo contra las junturas jamás le parecería lo bastante seguro para considerar colocada la bomba. ¡Uf! Era tan incómodo. ¡Mierda!, le dolían todos los músculos del cuerpo, y podía notar la gravedad succionándole las extremidades, impulsándolo hacia la mugre que había debajo.

Al final, consiguió sujetar el macuto entre las rodillas. Entonces, agarrándose bien con una mano, desenvainó el cuchillo M3 que tenía enfundado en la bota y cortó la correa de lona del macuto. ¿Y qué hacía entonces con el cuchillo? No era capaz de encontrar la inclinación para volver a meterlo en la funda, así que intentó deslizárselo en el cinturón, y como era de esperar, en un determinado momento el arma se le escapó de la mano y desapareció en el agua.

¡Maldita sea! Detestaba perder un buen cuchillo de esa manera. Fue extraño lo mucho que se enfadó por perder el cuchillo.

Bueno, sacó el macuto de entre sus rodillas, lo calzó en la armadura y utilizó la larga correa para atarlo con firmeza. Manoseó la tela fruncida y crujiente a fin de encontrar una vía de acceso al explosivo, y por fin sus dedos consiguieron tocar el viscoso y pegajoso material verde. Le olió a almendras. Tuvo la sensación de encontrarse en un baile en el local de Alfa Ki Omega y que la directora de la residencia hubiera sacado afuera unos platitos con almendras, para acompañar el ponche de frutas, cuando lo que todos querían hacer era salir de allí y dirigirse a Howard Street a beber alcohol de contrabando. En ese momento se metió la mano en el bolsillo del pantalón, con cuidado, porque estaba en un ángulo extremadamente inclinado y los detonadores podían caerse sin que se diera cuenta. Pero, una a una, fue sacando las espoletas e introduciéndolas a presión en el taco de 808 metido en el macuto encajado en el puente.

Siempre decían: utiliza dos para estar seguro. Utilizó los cinco, y se aseguró a su conservadora manera del Medio Oeste de que todos y cada uno de los detonadores estuvieran firmes y lo bastante hundidos en el explosivo para que la gravedad no pudiera arrancarlos.

¡Dios mío!, lo conseguí, pensó.

Pareció tardar una hora en volver a trepar hasta el arco del puente, y Franc y Leon lo izaron, mientras que el tercer maqui disparaba el Sten periódicamente.

Una vez arriba, se sintió exultante, aunque también agotado.

—¡Buf!, no querría volver a hacer este trabajo otra vez —dijo en inglés. Luego, volviendo al francés, añadió—: ¡Amigos, salgamos pitando de aquí!

Cogió su Thompson y regresó corriendo por el puente, pasó junto a la garita reventada y los sacos terreros con las silenciosas ametralladoras apuntando al cielo. Ya sólo era una cuestión de una larga carrera colina arriba hasta la línea de árboles en la oscuridad, esperando a oír el ¡bum! de la...

Fue entonces cuando reparó en que las Bren ya no disparaban.

Fue entonces cuando vio un camión alemán que apareció en la carretera y que empezó a vomitar soldados, montones de ellos, mientras uno desenganchaba de su armón una MG-42.

La tenía desplegada ante ella en la mesa de Frank Tyne: la Operación Jedburgh.

Millie pudo ver todos los emplazamientos de los equipos y sus objetivos, distribuidos por toda Francia, a todos los chicos que habían ido con las caras tiznadas de negro y los cuchillos entre los dientes. Los equipos Albert y Bristol, Charles y David, los equipos Edward y Francis, y así hasta los equipos Xilófono y Zeta, con la misión de prenderle fuego a Europa.

—Ay, Frank —dijo ella—. Y pensar que todo es idea tuya. Que

es tu plan. Esos hombres magníficos, luchando y matando, y todo bajo tu mando.

Frank se hinchó un poco, y entonces se volvió modesto.

—Cariño, tienes que entenderlo, no todo fue idea mía. Quiero decir que fue un verdadero trabajo de equipo y que requirió la participación de la logística y la coordinación de tres organismos; yo sólo era una parte del equipo que puso a los actores en el campo, eso es todo. Es mi pequeña contribución. Nada espectacular. No quiero que pienses que soy un héroe. Los héroes son los muchachos.

Los ojos de Millie escudriñaron el mapa con una intensidad increíble, y si el estúpido de Frank hubiera tenido el menor atisbo de sentido común en su cerebro habría reparado en lo inadecuada que era su concentración, pero como era de esperar, estaba al límite. En ese momento su polla era tan grande como una botella de vino.

—¡Oooooh! —gritó ella como una tonta—. ¿Y éste cuál es? Casey. En Nantilles.

—Debes de haber oído el nombre flotando en el ambiente. Casey actúa esta noche. Hay un puente. Casey va a atacarlo, y lo demolerá: *¡zas, bum!*

—¡Qué héroes!

—Si es que queda lugar para las heroicidades. Primero tienes que superar todas las gilipolleces…, oh, perdona…, las estupideces de la política. Francia no sólo está combatiendo a los alemanes, sino que los propios franceses siempre están intentando retorcer esto o aquello para obtener ventajas políticas para después de la guerra. —Quería demostrarle lo que era un tipo que estaba en el ajo de la información privilegiada—. Casey se retrasó por alguna razón, porque un grupo de guerrilleros comunistas se negaba a prestarle apoyo. No sé cómo, los británicos consiguieron contactar con Moscú, y se les ordenó a esos rojillos que ayudaran. —Sonrió con suficiencia, se aflojó la corbata y le dio otro trago al güisqui de centeno.

—¿Y está pasando esta noche?

Él miró su reloj, puesto en la muñeca del revés al estilo comando.

—Muy pronto ya. Deberíamos saber algo al amanecer.

—¡Qué emocionante!

—Millie, ¿por qué no vienes aquí al sofá, y nos relajamos un poco mientras nos tomamos unas copas más? Luego me acercaré al puesto de radio y veré si ha llegado alguna noticia de Casey.

—Ah, Frank —dijo ella. Se dejó caer en el viejo sofá que formaba parte del mobiliario del despacho, además de la mesa y los desvencijados archivadores y la caja fuerte, y se arrimó a él, y sintió su magreo mientras intentaba rodearla con sus brazos fornidos.

—Ay, Millie, Millie, la buena de Millie, si tú supieras. Joder, Millie, he estado sintiendo lo mismo por ti que tú por mí. Cómo me alegro de que la guerra nos haya reunido, oh, Millie.

Ella sonrió, y cuando Frank cerró los ojos para besarla, le puso un pañuelo impregnado de éter en las narices. Lo sintió forcejear, hasta que finalmente quedó inerte.

Millie se levantó rápidamente, se dirigió hasta el mapa, señaló las coordenadas de Nantilles y la zona de actuación de Casey y entonces se dio cuenta de que por supuesto ellos sabrían todo aquello. La gran información era que un grupo de rojos había aceptado ayudar a los de la Operación Jed, lo cual significaba ayudar al FFI. ¡Sabía que en el NKVD se subirían por las paredes por aquello! Le pareció que estaba muy mal, que era muy injusto. Si ayudabas al FFI, entonces la guerra no habría valido para nada; cuando acabara, todo volvería a ser lo que había sido antes, con el gran capital gobernándolo todo y el pequeño ciudadano reducido a la nada, y todos los matones, y toda la escoria millonaria y todos los chicos que la habían sobado en Smith —brutales, hediondos, borrachos Frank Tyne—, todos aquellos hombres serían los triunfadores, y entonces, ¿qué?, ¿cuál habría sido realmente el sentido de todo aquello? La única esperanza era la Unión Soviética, la grandeza del Tío Josef, la justicia de un sistema que no dependía de la explotación, sino que capacitaba al hombre para ser todo lo que quisiera ser, noble y dadivoso, generoso y cariñoso. Ése era un mundo por el que valía la pena luchar, y si ella no tenía un arma, sí que tenía un teléfono.

Lo cogió y marcó un número, sabiendo que no habría nadie sobre la faz de la tierra que viera algo sospechoso en que Frank Tyne, del OSS, llamara a David Hedgepath, de la Oficina de Información de Guerra, a las 22.14 del 8 de junio de 1944.

Leets hizo un embarullado repaso de los hechos como él creía que eran y concluyó que sí, que el Equipo Casey tenía una oportunidad.

Los soldados de la Luftwaffe eran esencialmente artilleros antiaéreos, así que su puntería con los rifles y su agresividad en combate tenían que ser un tanto deficientes. No entenderían de fuego de elevación o de desviación contra objetivos en movimiento. Era de noche; a unos soldados sin entrenamiento ni experiencia en combate no les gustaría la oscuridad. No estarían seguros de adónde iban, y en el mejor de los casos no se esforzarían demasiado, ya que todos estarían pensando: «No quiero ser el tipo que muera esta noche».

—Bien —le dijo a los maquis—, avanzaremos como si jugáramos a pídola. Cuando uno corra, los otros tres abren fuego contra los boches. Cuando los tengáis a tiro, apuntad sólo a un hombre y alto, o de lo contrario vuestras balas no alcanzarán el blanco. Disparad, moveos y no os paréis bajo ninguna circunstancia. Nos desperdigaremos e intentaremos hacer un último esfuerzo de cincuenta metros. Hasta llegar arriba nos estarán apuntando. No necesitamos las puñeteras Bren para nada; somos muy buenos.

—Que jodan a ese seboso de Roger —dijo Leon—. Es una mierda de cerdo, un cabrón que se folla a las madres y a los bebés.

—Esa mierda comunista. Después de la guerra habría que acorralar a los rojos y...

—Haremos una visita a Roger, os lo prometo —dijo Leets—. Ahora, vamos, chicos, no paremos de movernos.

Franc fue el primero en salir, luego Leon y por último Jerome. Leets se acuclilló detrás de un parapeto de sacos terreros y le asaltó un desenfrenado y vesánico impulso de cometer una heroicidad.

Quizá debería quedarme aquí, cubrirlos y mantener a raya a esos comedores de chucrut hasta que el puente salte por los aires.

Entonces pensó: *¡A la mierda!*

Empezó a moverse, pasó junto a Franc, dejó atrás a Leon y casi a Jerome. Se movía entre disparos más bien esporádicos y que de vez en cuando levantaban un escupitajo de arena, y sin que Leets hubiera oído nada silbándole en los oídos, señal de que ningún boche los estaba apuntando.

La bengala estalló, dejándolo de una pieza.

¿Bengalas? ¿Aquellos payasos tenían bengalas?

Volvió la mirada hacia el puente y contempló horrorizado la llegada de dos camiones más con el camuflaje moteado de la segunda división Panzer SS, y vio que de cada uno de los camiones se desparramaban los flacos y endurecidos *Panzergrenadiers* con sus guerreras de camuflaje, curtidos por años en el Frente Oriental, una unidad renombrada y temida por todos por ser la mejor división de la SS. Aquellos personajes portaban el nuevo Stg-44, algo que los alemanes llamaban «fusil de asalto», y que disparaba balas de ocho milímetros con gran precisión y una alta cadencia de tiro. Oh, mierda, con aquel hijo de puta sí que podían hacer una escabechina.

Estalló otra bengala, y luego otra, y todo quedó iluminado —el valle francés y su lastimoso río, él y sus tres maquis que corrían colina arriba hacia una línea de árboles a través de un paisaje de sombras temblorosas— mientras las bengalas que descendían en paracaídas se reflejaban en los tocones de los pinos que habían sido talados hacía tan poco y arrojaban briznas de oscuridad aquí y allá, como si fueran guadañas, con los alemanes todavía a doscientos metros, pero acercándose con decisión, los camuflados *Panzergrenadiers* corriendo entre los confundidos jóvenes de la Luftwaffe, a los que dejaron atrás. Y entonces, de repente, desde la cresta de la colina, el largo arco de balas trazadoras cuando las MG-42 intentaron alcanzar su objetivo.

Estamos jodidos, pensó Leets. *Esto es el final.*

El puente estalló.

Nada que ver con la retumbante explosión tan familiar por la reserva de películas de propaganda de la Warner Bros., sino más bien una decepcionante e insustancial detonación que levantó un gran volcán de humo y polvo de la construcción después de un fogonazo demasiado breve para que alguien lo viera. Leets lanzó una mirada furtiva aprovechando la debilitada bengala que caía en un paracaídas para examinar su legado: el puente, cuando el polvo se disipó, no se había desplomado, pero sí dejado un vacío como el de una boca a la que le hubieran saltado los dientes de delante de un puñetazo, aunque toda la calzada colgaba en un grotesco ángulo de cuarenta y cinco grados en una torsión descendente, lo que significaba que la ménsula en la que Leets había colocado el 808 había pasado a mejor vida, aunque la otra aguantaba. Se tardaría días en repararlo, o en rodearlo, y ésos serían días sin la segunda división Panzer SS en Normandía.

Se levantó, vació un cargador contra el grupo más cercano de granaderos y le gritó a sus muchachos:

—¡Vamos, vamos, vamos, vamos!

Franc recibió el primer impacto. Cayó al suelo, intentó incorporarse, se sentó, luego se tumbó y entonces se hizo un ovillo.

—¡Vamos, vamos, vamos! —gritó Leets vaciando otro cargador. Le quedaban tres.

De los dos maquis, Leon, el más joven, fue el que consiguió acercarse más a la línea del bosque, pero entonces estalló una nueva bengala y el fuego alemán lo encontró y lo situó en una zona de batida, y ningún hombre sobrevive a la zona de batida.

Jerome no llegó ni por asomo tan lejos, y Leets estaba confuso, porque echó a correr bajo una lluvia de luz y esquirlas mientras los alemanes intentaban abatirlo, pero en el instante antes de ser alcanzado vio a Jerome alzarse verticalmente de su posición agazapada de corredor y caer con violencia cuando la gravedad se hizo cargo de sus restos mortales.

La bala le alcanzó en la nalga izquierda y le atravesó la cadera. Amigo, qué manera de caer, una constelación de lentejuelas y fogonazos de disparos, sabandijas relampagueantes y alas de moscas. La mente se le quedó en blanco; todo movimiento visible en el universo cesó, y se hizo el silencio —*estoy muerto*, pensó—, pero revivió con un parpadeo, y vio acercarse enérgicamente a los SS bajo la luz de una nueva bengala, sin disparar, porque querían vivo a alguno para sacarle la información antes de la ejecución, y Leets se maldijo por haberse desecho de la pastilla de estricnina que le habían entregado.

El dolor era inmenso e intentó ahuyentarlo cambiando un cargador a toda prisa, levantando el siempre leal e intachable amigo del alma, su Thompson, y vació otro cargador, y le pareció que los hacía retroceder o caer o lo que fuera.

Tenía veinticuatro años.

No quería morir.

Intentó cambiar otro cargador, pero dejó caer la pesada arma. Sacó una granada Gammon, pero no fue capaz de desenroscar la tapa. Sacó su cuarenta y cinco, lo montó y lo levantó estúpidamente sin apuntar, parpadeando bajo la brillante luz de otra bengala que caía en ese momento, y disparó varias veces sin apuntar.

El arma se encasquilló. Vio bastante cerca a dos granaderos Panzer con sus lujosos y flamantes fusiles, y le asombró que en aquel momento postrero su inveterado interés en las armas de fuego se reafirmara, y durante sólo un segundo pensó lo «interesante» que sería hacer sonar una de aquellas modernas criaturas en un campo de tiro, luego desmontarla cariñosamente, tomar notas, calcular su alcance, realizar pruebas con la munición... Sería de lo más «interesante».

Entonces los dos alemanes se sentaron, como si se sintieran avergonzados.

Una oleada de explosiones aniquiló la realidad que no estaba más que a unos cuantos metros por delante de él.

—Aquí, aquí, Beets, amigo —dijo Basil—. Los muchachos están aquí con una camilla. Veo un trozo de hueso, cualquier veterinario puede arreglar eso.

—Basil, yo, ¿qué?, sal de aquí, oh, por...

Pero Basil se había dado la vuelta y estaba ocupado vaciando cargadores con su Sten, al igual que los otros maquis que lo rodeaban disparaban con las armas que tenían.

Sin saber cómo, Leets se encontró encima de una camilla y fue transportado a toda prisa los escasos metros que faltaban hasta la línea del bosque.

—Basil, yo…

—Aquí tenemos a mi buen amigo. Beets, estos hombres cuidarán bien de ti. Lleven al teniente Beets adonde pueda recibir asistencia médica. Sáquenlo de aquí.

—Basil, ven tú también, vamos, Basil, destruimos el puente, podemos…

—Bueno, alguien tiene que quedarse a desanimar a esos tipos. Parecen muy tozudos. Pero estaré contigo dentro de un rato. Tenemos pendiente esa charla. Buena suerte, Beets, y ve con Dios.

Basil se dio la vuelta y volvió a desaparecer en el bosque. Para Leets fue una terrible prueba no desmayarse mientras los maquis lo trasportaban por un oscuro sendero hasta que le pareció que era metido en alguna especie de vehículo, y entonces sí que realmente perdió el conocimiento. Ni él ni ningún otro de entre la legión de amigos, amantes y conocidos que tenía el hombre volvió a ver a Basil Saint Florian nunca más.

El 9 de junio de 1944, el mayor Frank Tyne, del ejército de Estados Unidos, adscrito al OSS, encontró una floristería que tenía reparto a domicilio, e hizo enviar un ramo de margaritas y rosas a Millie, al 72 de Grosvenor, Mayfair, a la oficina del coronel David K. E. Bruce.

No obtuvo respuesta.

Al final, el día 11, se armó de valor, se apostó en la planta de Millie y por fin alcanzó a verla yendo a toda prisa de un despacho a otro.

—¡Millie!

—Ah, Frank.

—Millie, ¿recibiste mis flores?

Ella parecía tan desconcertada como atareada. Era evidente que estaba ansiosa por salir huyendo, aunque se quedó y le plantó cara con una expresión un tanto tensa y antipática.

—Sí, Frank, las recibí. Eran muy bonitas. ¿Quién podía imaginar que hubiera floristas en Londres en plena guerra?

—No fue fácil encontrar una. Escucha, Millie, quería disculparme por lo de la otra noche. La verdad, no sé qué me ocurrió. Estoy encantado de haber perdido el conocimiento antes de que hiciera algo inapropiado. Sólo espero que encuentres la manera de perdonarme. Significaría mucho.

—Frank. —Ella le rozó la mano—. No pasa nada. Todos bebimos demasiado. Por favor, no te preocupes por ello.

—Gracias. Oye, me preguntaba si…

—Frank, están pasando tantas cosas ahora que hemos desembarcado. El coronel se va al frente enseguida por orden del general Donovan.

—Sí, lo sé, he oído…

—Así que su agenda es una locura.

—Claro, Millie, quizás en otro momento.

—Quizás. Oye, ¿qué ocurrió con Casey, si se puede preguntar?

—¿No te has enterado?

—Sólo rumores. Y no agradables.

—No. Atacaron el puente y provocaron algunos daños, quizá le supusiera un día o dos de retraso a la segunda división Panzer SS, pero fueron aniquilados, junto con el grupo de maquis franceses. Luego la división fusiló a cincuenta rehenes. Así que no estuvo bien, realmente fue un desperdicio. La OWI va a intentar hacer algo con Casey. Quizás un pequeño cortometraje para la gente de casa. «Los héroes del puente de Nantilles» o algo así.

—Qué triste —dijo ella—. A veces no hay justicia en este mundo.

Stephen Hunter desea expresar su agradecimiento a Helge Fykse, LA6NCA, de Noruega, por la información sobre la tecnología de radio alemana.

Max está llamando

Gayle Lynds

El frío que hacía aquella primavera en Viena la había convertido en
una ciudad triste. Los edificios de los siglos XVI y XVII de la Innere
Stadt se erguían como centinelas que desafiaran al tiempo, empapados en una niebla heladora. Provistos de impermeables, ejecutivos y
estudiantes, *hausfrauen* y *doktoren* atravesaban corriendo los char-
cos de luz amarilla de las farolas, haciendo cabecear sus paraguas.
Sólo se podía contar con los cafés y los bares para encontrar alegría.
Como último refugio, eran un hervidero, claro está. Los intensos
aromas del café y la cerveza perfumaban el aire gris.

Mirando detenidamente a su alrededor, dos hombres con impermeables negros pasaron rápidamente junto a la catedral de San Es-
teban y su iluminado pórtico románico. La vieja ciudad de Strauss y
Mahler, de Freud y Klimt, se le antojaba un sueño, un sueño excitante, a uno de los dos, a Bayard Stockton. Pero es que estaba en ese
momento con Jacob *Vaquero* Crandell, una leyenda de los agentes
secretos de Langley, y en una ciudad ilustrada por sus historias de
espionaje.

Como Bay había descubierto, los vieneses eran una gente melancólica, implacablemente ensimismada en su glorioso pasado del imperio de los Austrias. Fatalismo extravagante, lo llamaban algunos.
Pero, por otro lado, habían sobrevivido a los nazis y a la Guerra Fría
para convertirse en la Zona Cero del Este y el Oeste, del Norte y el
Sur. Alrededor de diecisiete mil diplomáticos actuaban en la ciudad,

lo que representaba un uno por ciento de la población; y alrededor de la mitad tenía contactos con los servicios de inteligencia.

Trabajaban en las embajadas y en los organismos internacionales como la OPEP, la IAEA y la ONU. Langley quería saber lo que estaban pensando los empresarios y los gobernantes, quién estaba recibiendo sobornos, quién hacía cola para recibir el siguiente contrato, así como los pecadillos, manías y puntos débiles de todos los jugadores, reales y potenciales. Como era natural, Viena estaba inundada de espías extranjeros. Algunos eran asesinados ocasionalmente a plena luz del día, aunque las autoridades, que a menudo los conocían, miraban hacia otro lado. Desde siempre, Viena lo manejaba todo con diplomacia, sobre todo cuando había una conexión política.

A Bay le encantaba esa ciudad. Acababa de terminar los durísimos cursos de adiestramiento de Langley, en donde había pasado dos meses estimulantes. Era joven para el oficio, sólo veinticinco años, un hombre enjuto y fuerte que apenas sobrepasaba el metro ochenta. Llevaba el cuello subido para protegerse de la humedad glacial, y se cubría la cabeza con una boina negra por cuya parte inferior sobresalían unos rizos rojos. No había nada excepcional en su cara de facciones regulares, sus ojos azules o su barbilla afeitada, lo cual era exactamente como a él le gustaba. En su bolsillo había un sobre sin señas que contenía 5.000 euros —unos 6.250 dólares— que hacían que el anonimato fuera aún más importante esa noche.

—Deja de caminar como un atleta —gruñó Vaquero entre dientes—. Maldita sea, chico, debiste haber aprendido eso en la CIA. Si arrastras los pies hacia fuera muestras la fuerza de tus músculos y tu entrenamiento. Los vieneses siempre están mirando a todas partes, lo que significa que te van a fichar. No les des ningún motivo para que se acuerden de ti. ¿Qué eras… corredor? ¿De los cien?

Bay parpadeó. En su entusiasmo por estar con Vaquero y su misión de esa noche, se había olvidado de su persona.

—Sí, de los cien. —Y levantador de pesas, por supuesto. Pero no lo mencionó. Aplanó los pies y tensó las articulaciones.

Los ojos azules de Vaquero lo evaluaron; luego agachó su gran cabeza en un seco gesto de asentimiento. Dado que apenas hacía cumplidos, Bay quedó encantado con el cabeceo.

—Caray, este es un lugar antiguo y hermoso. —Vaquero miraba con atención los edificios circundantes, adornados con frontispicios voladizos, el recargado rococó, los regios pórticos. Con las manos hundidas en los bolsillos de su abrigo, a sus cincuenta y dos años era un hombre alto y delgado con un rostro anodino. Tenía el pelo castaño, la cara ancha y las gafas sin montura mojados, aunque parecía inmune a lo que molestaría al resto de la humanidad, algo que Bay admiraba. Natural de las remotas tierras de Wyoming, Vaquero llevaba unas botas de *cowboy* de piel de serpiente de Tony Lama. La coincidencia con su apodo era fortuita. La verdadera razón de éste era su osadía irreflexiva, que de vez en cuando lo metía en algún problema, aunque las más de las veces la cosa acababa en éxito. Reservado y acomodaticio, conocía la ciudad como las venas de su mano, y era el responsable de red más eficaz de toda la base. Tenía a su cargo el impresionante número de veinte informantes.

Mientras caminaban, sus botas repiqueteaban en los adoquines; para Bay, sonaban como una música exótica en aquella ciudad tan correcta.

—Operar aquí es como estar dentro de un museo, salpicado de aburrimiento, claro —le instruyó Vaquero—. La calma antes de la tormenta. En el pasado creía que podía morir feliz en mi Jaguar. Ahora sé que Viena es el lugar. ¿A ti qué te parece?

—Que es magnífica. —Bay sonrió.

Cuando un agente nuevo llegaba a su primera base, se le solía dar un trabajo de oficina durante varias semanas para que leyera y analizara informes, conversaciones grabadas y una retahíla de datos suministrados por los satélites. Una vez que estaba familiarizado con todo aquello, se le destinaba a seguir de cerca a agentes experimentados a fin de que adquiriese experiencia en operaciones activas. Bay había trabajado con dos de los buenos, y hasta el momento el resultado había sido bastante satisfactorio. Entonces, Herb Rutkowski, el jefe de la base, lo había llamado a su despacho aquella tarde para darle instrucciones especiales y la buena noticia de que su siguiente misión sería con Vaquero Crandell.

—Hábleme de Max, señor.

Cuando doblaron la esquina, pasaron junto a la estatua de Mozart, y Vaquero dijo:

—Fue hace cuatro meses, en Navidades, en Kärntner Strasse. Las tiendas estaban abarrotadas, con muchísima gente que iba y venía. Sentí un tirón en el bolsillo y sin que me diera cuenta la mano había desaparecido, pero dentro quedó un trozo roto de papel. Por supuesto, aquél fue el primer contacto: una lista con cuatro nombres. Todos eran informantes chechenos, como afirmaba la nota. También había un número de teléfono, que la base se encargó de rastrear. Pertenecía a un móvil desechable; era imposible identificar al propietario. Así que pensé que qué diablos… y marqué el número; el hombre que respondió me dijo que lo llamara Max, y que me daría más información por un precio. Todos sus contactos conmigo se han realizado a través de móviles desechables. Es un zorro, pero su información ha sido buena.

—¿Max es checheno?

—Hasta la médula. Nunca le he visto la cara, y no tengo ni la menor idea de quién es realmente.

—¿Es tan infrecuente eso?

—Aquí no. La mayoría de mis informantes son desconocidos, pero estos chechenos son los mejores. Austria tiene uno de los programas de refugiados más liberales de la Unión Europea, así que hay unos doce mil viviendo en la ciudad. La mayoría proceden de las dos guerras contra Rusia. Y un montón son ilegales. Eran guerrilleros y soldados y no tienen una guerra ni ninguna manera decente de ganarse la vida, así que han invadido el mundo del hampa. Y, de paso, lo han convertido en algo mucho más peligroso. Además de los hurtos y robos habituales, trabajan como guardaespaldas, contrabandistas, estrategas de la coacción y asesinos.

No dan una bella imagen de Viena. Esto trae de cabeza a las autoridades, sobre todo cuando un país los contrata para joder a otro país.

—¿Y cómo discurrirá mi cita a ciegas?

Mientras caminaban a grandes zancadas, la cara de Vaquero se ensombreció. Sólo fue un instante.

—Max me da un lugar y la hora de llegada. Luego me telefonea para decirme el lugar exacto del encuentro. Llevarás los cinco mil euros. Él te dará un trozo de papel doblado hasta la mínima expresión, y que es su último informe. Le das la pasta. Siempre está oscuro, y no le gusta hablar. Herb dice que hables ruso, pero necesitarás suerte si pretendes tener una conversación con él.

—Entiendo, señor.

—Espero que sí.

Los peatones pasaban junto a ellos empujándolos. La punta de un paraguas estuvo a punto de pincharle la cabeza a Bay. Miró por encima del hombro para cerciorarse de que había sido involuntario. Cuando se volvió, una mujer alta vestida con un traje rojo corto, medias color carne, tacones muy altos y una cazadora negra ceñida estaba bajando tranquilamente la escalera de un edificio con una amplia sonrisa en la boca. Sus labios rojos eran tan brillantes que parecían reflejar la luz. Aunque sujetaba un pequeño paraguas plegable por encima de la cabeza, su larga melena dorada colgaba sin vida a causa de la niebla.

—Vaquero —ronroneó en alemán—, cuánto tiempo. ¿Quién es ese joven y apuesto caballero que te acompaña? —La mujer se acercó tímidamente a Bay y le pasó la mano libre por el impermeable hasta metérsela por dentro para darle una palmadita en la camisa. El aliento le olía a dentífrico de menta.

Bay sonrió abiertamente.

—¿Una noche tranquila, Estelle? —Un brillo diabólico iluminó los ojos de Vaquero cuando respondió en alemán—. Éste es mi nuevo amigo, Bay. Si tienes alguna información, siéntete libre para pasársela a él. No le importará.

—¿Ah, sí? —La chica miró fijamente a los ojos de Bay, y su mano se apretó contra el corazón del joven.

Bay sintió los latidos de su propio corazón.

—Creo que me gustaría darle «información» —decidió Estelle.

—Apuesto a que sí —dijo Vaquero—. Tenemos que irnos, Estelle. Pórtate bien.

La mujer le hizo un gracioso gesto con la cabeza y se apartó.

—Que paséis una buena noche.

Pero al alejarse, Vaquero le dijo a Bay:

—Dame cinco euros.

El joven se metió la mano dentro de la gabardina. Y giró en redondo sobre sus talones. Echó a correr hacia Estelle, que subía de nuevo la escalera al trote.

Bay la cogió del brazo y sintió un músculo grande y duro.

—Bonito truco. Devuélveme mi cartera.

Estelle se volvió e hizo un puchero.

—No sé…

La voz de Bay se volvió fría como el acero cuando vio la prominente nuez.

—No me jodas. Sabes lo que te puedo hacer. Dámela. Ahora.

Las largas pestañas negras de Estelle bajaron y subieron.

—Qué mezquino eres. Bueno, está bien. —Sacó la cartera del bolsillo de su cazadora.

Bay se la arrancó de la mano y se alejó corriendo. Delante de él, Vaquero seguía caminando a grandes zancadas sin mirar atrás.

Cuando lo alcanzó, Bay dijo:

—De acuerdo, ya lo pillo. Estelle es un hombre.

Vaquero soltó una sonora carcajada.

—Tienes suerte de haberlo averiguado de la manera fácil. —Entonces, al doblar una esquina, miró a su compañero con dureza—. Herb dice que eres un figura. Universidad selecta, el primero de tu promoción, seis idiomas. Criado en Europa. Lo que yo veo es impaciencia e idealismo, y no es que eso sea el fin del mundo. Sólo quiero advertirte que éste no es un curro con *glamour*. Es agotador, te insensibiliza, y es frustrante. Los días en que tenías que ponerte el esmoquin cada noche para ir a la fiesta de una embajada e intentar hacerte amiguete de algún oficial de los países del Este para poder convencerle de que su ideología apesta y que debería jugar en nuestro equipo se han acabado. Ahora te tienes que infiltrar en casas de vecinos, en casuchas de barrio, en células terroristas. Viena es lo más parecido a la época de la Guerra Fría, y eso no es mucho.

—Entonces, ¿por qué tiene usted tantos éxitos?

Vaquero se rió entre dientes.

—Buenos modales. —Su expresión se tornó seria cuando continuó—. Se sabe que pago y que mantengo la boca cerrada. Los informantes chechenos no echarán una meada a menos que estén seguros de que pueden hacerlo en secreto.

—Y con tantos informantes, debe de manejar un montón de dinero. ¿Nunca ha tenido problemas en conseguirlo para ellos?

—Mientras cumplan, Langley cumplirá. Esta noche el dinero es por la última información de Max. En ella afirmaba que los libaneses estaban pagando a los franceses decenas de millones de dólares en contratos a cambio de tecnología nuclear, empezando por un reactor atómico comercial de setenta megavatios y un reactor de investigación más pequeño. Según parece, ya están construyendo los dos.

—¡Dios! ¿El Líbano aspira a tener capacidad nuclear? Eso es aterrador. —Bay ya sabía aquello, pero Herb le había ordenado que fingiera no saberlo. Según Herb, Vaquero estaba tan absorto en mantener contentos a sus desconocidos que no los presionaba para obtener más información cuando debía. El trabajo de Bay esa noche consistía en intentar que Max revelara cómo había conseguido la información para que la base pudiera verificarla.

—Sí, casi puedo ver el regodeo de Hezbolá al respecto en el valle de la Bekaa —dijo Vaquero con deleite—. Me encantaría estar en Jerusalén cuando el Mossad reciba la noticia. Los israelíes se pondrán como locos. Empezarán a sacarle brillo al reactor para bombardearlo, y Washington llegará al paroxismo intentando tranquilizarlos hasta que pueda confirmarla o refutarla por otras fuentes.

—La información de Max podría ser errónea.

—Exacto. Por eso le pagamos sólo cinco mil euros.

—¿Y si es fiable?

—Entonces Max recibe una buena gratificación. En cuanto a lo de esta noche, o tendrá algo más sobre eso, o bien me traerá algo nuevo. Chóferes de limusinas, amas de llaves, niñeras, secretarias… Todos son buenas fuentes para un buen informante. El problema que tenemos en el juego del espionaje profesional es que es dificilísimo que lleguemos a ellas por nosotros mismos. Hasta ese punto ha cambiado el mundo. —Vaquero hizo una pausa—. Seré sincero contigo. No me gusta que Herb quiera que seas tú quien acuda a la cita. Nunca me habían ordenado que dejara que otro manejara mis activos. Ésta es tu primera vez, ¿no es así?

—Así es —reconoció Bay—. ¿Tiene otros informantes tan rentables como Max?

—Algunos sí. Y algunos no.

—Es increíble la cantidad de informantes que tiene.

—Sé lo que hago. Y espero que tú también. Aquí es donde esperamos.

Se detuvieron junto a los altos ventanales del café Militant. Vaquero tiró del tirador de bronce de la puerta y entraron en una espaciosa sala de techos altos y lujoso pasado. Los apliques de bronce relucían, los candelabros de cristal resplandecían con una luz suave y la superficie de mármol de las mesas brillaba. Aunque casi todas las mesas y reservados estaban ocupados, del lugar emanaba una especie de alegre sensación de soledad. Aquélla era la Viena para uno: el pueblo estaba junto, pero solo. Las cucharillas tintinearon y los periódicos crujieron cuando los clientes levantaron la mirada.

El camarero con librea se acercó, muy erguido, con unos menús de filete dorado en la mano

—*Servus, Herr Ober* —le saludó Vaquero en alemán con las inflexiones perfectas en la voz de un austriaco nativo.

Satisfechos al comprobar que los inesperados recién llegados suponían ninguna molestia, los clientes volvieron a sus lecturas. El camarero se enderezó en señal de aprobación y los guió a través del añejo suelo de parqué hasta un reservado tapizado en terciopelo. El regio morado de la tela estaba desgastado.

Sin echarle ni una mirada al menú que le ofrecían, Vaquero consolidó sus credenciales.

—*Tsvoh melanges, bitte.* —Pidió dos cafés utilizando la forma coloquial de dos, *tsvoh*, en lugar de *tsvai*.

Levantando la cabeza con aprobación, el camarero desapareció. Vaquero sacó su móvil y lo dejó sobre la mesa, preparándose para recibir la llamada de Max. El artefacto era en realidad un dispositivo electrónico portátil con entornos de seguridad móvil, un ordenador SME-PED manual. Con ese artefacto uno podía enviar correos electrónicos secretos, acceder a redes secretas y realizar llamadas ultra-secretas. Creado según las pautas marcadas por la Agencia Nacional de Seguridad, parecía una BlackBerry vulgar y corriente, en tanto que, con la modalidad de seguridad conectada o desconectada, podía ser utilizado como cualquier teléfono inteligente con acceso a Internet. Todos los agentes secretos llevaban los manuales.

—Sin duda no todos sus informantes son desconocidos —dijo Bay—. He oído que era un maestro reclutando.

—Cuando trabajaba en Berlín Occidental en los viejos tiempos, utilizábamos un sistema llamado código IVR. Era el acrónimo de «intima, valora y recluta». Parece una cosa sencilla, pero puede saltar por los aires en un abrir y cerrar de ojos. Para ponerte un ejemplo: recuerdo un informante potencial que trabajaba en el archivo de la embajada de Alemania Oriental. Tenía acceso a lo que queríamos. También tenía una amante con tres niños, además de una esposa con dos hijos. Estaba de deudas hasta las cejas. Uno de mis hombres había conseguido que sacara un par de expedientes intrascendentes a cambio de dinero. Ése era el momento en que podíamos coger cualquier camino: o darnos media vuelta y arriesgarnos a delatarlo, que probablemente es lo que imaginó que no haríamos, o profundizar a cambio de mucho más dinero, lo cual habría sido una sentencia de muerte si lo atrapaban. Así que hice que mi hombre lo llevara a un piso franco. En cuanto el archivero entró por la puerta, crucé la habitación con una enorme sonrisa en la boca y la mano extendida y me presenté, diciendo: «Mis amigos me llaman Vaquero». El hombre relajó los hombros, y su cara se llenó con una gran sonrisa de tonto. Entonces le expresé mi compresión por ser un hombre con tantas obligaciones familiares, le dije que todos sus hijos tenían derecho a recibir una educación de primera clase y que si no sería fantástico que pudieran escapar todos a Occidente. Lo que hice fue «mostrar respeto» por aquel tipo. Para cuando habíamos acabado con una botella de vodka Stoli, el archivero estaba dispuesto a vender su alma. —Suspiró con alegría—. Ah, por los viejos tiempos.

El camarero llegó con dos cafés con leche espumosos.

Vaquero alargó la mano para coger el suyo.

—Los torrefactos vieneses no se pueden comparar con los Illy y los Lavazza del mundo, pero aun así siguen siendo buenísimos.

A Bay también le gustaban los *melanges*. Le dio un sorbo a la bebida caliente.

Vaquero consultó su Rolex.

—¿No se retrasa Max? —preguntó Bay.

—Tranquilo. —Cuando más enfrascado estaba en su bebida, sonó el teléfono. Lo cogió rápidamente y leyó la pantalla—. Max está llamando.

Bay asintió despreocupadamente con la cabeza mientras el corazón le latía de forma acelerada.

Vaquero escuchó, y luego habló en ruso.

—Dale al muchacho tu informe, y te pagará de la misma manera que yo. Esto ya no está en mis manos, Max, pero él te cuidará bien. ¿Dónde quieres reunirte? —Cortó la conexión—. No le hace muy feliz que yo no esté allí, pero quiere el dinero. No tendrás problemas. Recuerda, muéstrale respeto. Ésa es la respuesta que esperan los chechenos. Amenázalo, y recibirás una puñalada en las costillas.

—No tengo ninguna razón para amenazarlo.

—Sé que no, pero lo que importa es lo que crea él. —Vaquero dejó unos euros sobre la mesa, y salieron del café. Ya en la calle, le dio la dirección a Bay—. Herb es un asno. Nunca debería haberte puesto en esta situación. Te estaré esperando.

Con los nervios de punta, Bay se alejó bajo la luz de los faroles. En la misma calle se abrió una puerta, y el lastimero sonido de un saxo de jazz salió flotando. Las diminutas gotas de lluvia permanecían suspendidas en el aire nocturno como fantasmas. Al pasar junto a un callejón, escudriñó la oscuridad. Vacío.

Continuó adelante y dobló la esquina. Seis tiendas más allá, llegó a otro callejón. Le echó un vistazo a las calles y valoró a los pocos transeúntes. No había coches en la peatonal Innere Stadt.

Al final entró en el callejón. Edificios de ladrillo se alzaban a ambos lados, y los cubos de basura se apostaban junto a puertas cerradas con candado. Había algunas luces en lo alto de los edificios, pero cuando se adentró en el oscuro callejón, las luces estaban hechas añicos. Con una opresión en el pecho, era incapaz de ver lo bastante bien como para localizar nada. Sacó una diminuta linterna e iluminó los adoquines.

—Deténgase —ordenó una voz en ruso. Era profunda y grave—. ¿Es usted?

—Me envía Vaquero, Max —respondió Bay en ruso. Entonces se acordó de la historia de Vaquero sobre Berlín Occidental—. Mis amigos me llaman Bay. —Sonrió afectuosamente y extendió la mano. Sólo podía distinguir una forma alta e imprecisa.

La sombra estaba inmóvil.

—Apague la luz y siga acercándose.

Al empezar a caminar de nuevo, Bay fue dejando caer la mano.

—Estuve en Chechenia hace unos cuantos años. Las montañas son aún más hermosas que las de Suiza. ¿Es de Grozni? Allí estuve comiendo en el restaurante Hollywood. Una comida excelente. —Lo que se calló es que la mayoría de los clientes iban armados, y que la hora de cierre era incierta—. Lamento que se haya tenido que exiliar. Me gustaría ayudarle a usted y a su familia. Si no quiere volver a Chechenia, podemos arreglar los papeles para que tenga una vida mejor en Viena o en cualquier otra parte.

Pero Max no picó el anzuelo de la familiaridad del código IVR.

—Llevo gafas infrarrojas —advirtió—. Y le estoy observando. No saque su arma. Y deme el dinero.

Bay sintió el tranquilizador peso de la Browning de nueve milímetros enfundada en su axila.

—Lo siento, pero no, Max. Primero dígame cómo averiguó lo de los proyectos nucleares del Líbano, y luego le daré el dinero. —Empezó a meterse la mano en el bolsillo del impermeable.

—Deténgase —ordenó Max.

—Quiere que le pague, ¿no es así?

La voz del checheno descendió amenazadoramente.

—Continúe.

Bay sacó el abultado sobre y lo levantó en el aire.

—Todo está aquí. Cinco mil preciosos euros.

—Enséñemelos... lentamente.

Bay abrió el sobre, desplegó en abanico los billetes y los volvió a meter en el sobre.

—Hábleme acerca de lo del Líbano, y por supuesto deme la información que traía para Vaquero.

—Los libaneses no son amigos míos, como lo es Vaquero, así que he escrito la información para él.

Unos tacones chasquearon sobre los adoquines en dirección a Bay. Una mano enguantada se extendió. Pero en lugar de ofrecer la prometida nota plegada, le arrebató el sobre a Bay.

Éste reaccionó sin pensar. Lanzó un golpe de puño en garfio *kagi-zuki* contra el pecho de Max, pero éste ya estaba retrocediendo. El golpe quedó corto, mientras el checheno giraba sobre sí mismo y soltaba una experta y seca patada lateral *yoko-geri* contra el costado de Bay, clavándole el anguloso tacón. Cuando Bay salió despedido hacia atrás, una segunda patada le alcanzó en la sien. Cayó con fuerza, golpeándose la cabeza contra los adoquines.

Como si procediera de una gran distancia, oyó a Max advertirle:

—Yo sólo trabajo con Vaquero, muchacho.

Adolorido, Bay intentó hablar, darse la vuelta, incorporarse. La cabeza le daba vueltas. Oyó gemir a alguien, y entonces se dio cuenta de que era él. Fue presa de una oleada de náuseas.

Limpiándose el sudor de la cara, Bay volvió a doblar la esquina cojeando. Le dolía todo el cuerpo, y sentía los latidos en la cabeza. Pero tenía la mente despejada. La buena noticia era que no había ninguna costilla rota. Y ésa era la única noticia buena. No le gustaba lo que estaba pensando.

Había poca gente en la calle. Pasó junto al primer callejón, en dirección al café Militant. Una sensación de fantasmagórico abandono llenaba la calle. Al acercarse al café, la imponente figura de Vaquero, que lo miró atentamente a través de sus gafas empañadas, surgió de una entrada a oscuras y se unió a él. La jovial expresión de su cara se esfumó cuando reparó en el aspecto de Bay.

—¿Qué carajo te ha ocurrido? —preguntó.

—Tenía razón. Max no se alegró de no trabajar con usted esta noche.

—No le insultaste, ¿verdad? Los chechenos tienen la piel muy delicada.

—No, y tampoco lo amenacé. El resultado final es que Max no me dio ninguna información. Cogió el dinero, me golpeó y se abrió.

—¡Caray! ¿Qué has hecho? ¡Era uno de mis mejores informantes! Le dije a Herb que no era una buena idea. Puñetero Herb. Debería haberte enviado de vuelta a Langley hace tiempo, ¡a hacer trabajos administrativos donde no pudieras joder una operación!

—Pero sí que conseguí alguna buena información «sobre» Max. —Bay habló lentamente para asegurarse de que Vaquero entendiera todas las palabras.

—¿El qué?

—Su identidad.

Vaquero lo miró con atención. En su cara ancha se reflejó la sorpresa.

—¡Joder! ¿Y quién es?

—Devuélvame los cinco mil euros, Vaquero.

—¿De qué cojones estás hablando?

—Las botas. El sonido que hacen contra los adoquines. Ese talón duro con que me golpeó en el costado y la cabeza.

—Estás delirando. Max te ha dejado sonado.

—Y luego está lo de sus desconocidos informantes que necesitan una pequeña fortuna en dinero cada mes. —Bay prosiguió en tono grave—. Su Jaguar. Su Rolex. El hecho de que «Max» supiera que tenía un arma. Cuando por fin conseguí levantarme del suelo, volví a tientas por el callejón. En esa calle hay una puerta que da al callejón. Echó a correr por ahí para llegar a la cita antes que yo. Max es usted, pedazo de cabrón.

Bay vio que la mano de Vaquero se movía nerviosamente, y entonces se produjo un repentino movimiento en el aire. Bay se metió la mano dentro de la gabardina para sacar su Browning, pero casi de una manera invisible había aparecido la Glock de Vaquero. El hombre alto retrocedió un paso y apuntó al corazón del joven.

—Bueno, ya sé cómo conseguiste esa llave Pi Beta Kappa —dijo Vaquero con un gruñido—. Eres un listillo de mierda, ¿verdad? Saca la mano del impermeable.

Mientras permanecían uno enfrente del otro en la calle solitaria, Bay sintió que en su frente se formaban las gotas de un sudor frío. Sacó la mano lentamente y la bajó al costado.

—Apuesto a que se ha inventado toda la información de sus desconocidos…, incluida la historia del Líbano. ¿Cómo ha podido hacer eso?

Vaquero parpadeó.

—Bien sabe Dios que a la policía le traerá sin cuidado si te liquido. A estas alturas puede que ya te hayan identificado como miembro de la base…

—¿Por qué?, ¡maldita sea!

Las emociones pugnaron en la cara de Vaquero, que finalmente terminó adoptando una gélida indiferencia.

—Goethe dijo algo como que las cosas más importantes no siempre se tienen que encontrar en los archivos. Nos inventamos la historia sobre la marcha, y sólo unos pocos de los millones de puntos de vista conseguirán entrar en los archivos o en los libros de historia. Ahora te preguntas cómo «fui capaz de hacerlo», así que te hablaré de Nick Shadrin. ¿Has oído ese nombre?

Bay negó con la cabeza. Con los nervios quemándole, intentaba resolver cómo desarmar a Vaquero o al menos escapar.

Pero la mirada del hombre estaba alerta, y su pistola preparada.

—Shadrin fue un desertor soviético allá en los años cincuenta. Su verdadero nombre era Nikolai Artamonov, y se convirtió en espía nuestro. Luego, a finales de los setenta, se esfumó aquí, en Viena. Algunos dijeron que había muerto accidentalmente a causa del exceso de cloroformo cuando el KGB lo secuestró. Otros afirmaban que había sido por causas naturales, y que había sido enterrado en secreto para ocultar la muerte al KGB. Pero la historia que a mí me gusta fue que había pertenecido al KGB desde el principio. Después de veinte años de actuar en secreto contra nosotros, su misión se acabó y quiso volver con su familia a Moscú. El Mossad lo averiguó y llegó a un acuerdo con el KGB de no destapar la operación a cambio de que les entregaran a unos cuantos disidentes judíos recluidos en el Gulag. Imagínatelo. Los bosques de Viena. El fin del invierno. Un puñado de judíos maltrechos, el KGB y el Mossad armándose hasta los dientes, y Nick Shadrin. Hasta hoy día siguen ocultando el intercambio. Nadie quiere que sepamos que nuestro oponente y nuestro supuesto amigo conspiraron en beneficio propio y para provocar nuestro descrédito. Así que ésa es la cuestión. La historia es una construcción imaginaria. Una mezcla de verdades a medias y mentiras. Si estás en primera línea y estás atento, acabas siendo víctima de una profunda decepción. Al mismo tiempo, te liberas. Te das cuenta de que todo es un juego, y de que el objetivo de todo juego es separar a los ganadores de los perdedores. Por eso lo hago.

Bay lo entendió entonces.

—Lo que está diciendo es que para usted no existen las normas.

—Ni tampoco para ti. Eres joven. Te enseñaré todo lo que sé y te daré una parte. Pronto tendrás tu propia sarta de desconocidos. Aprenderás a manejarte. A cómo hacer las mejores jugadas. Y si quieres llegar a lo más alto de la montaña en Langley, también te puedo ayudar con eso.

Bay sintió un sabor nauseabundo en la boca.

—¡Pobre e infeliz bastardo!

Vaquero echó la cabeza hacia atrás con una sacudida, como si le hubieran abofeteado. Su dedo se cerró sobre el gatillo.

—Adelante, dispare —le desafió Bay—. Prefiero estar muerto que hacer lo que hace. Podría haber seguido siendo uno de los mejores. ¡Con lo que podría aportar! ¿Decepcionado? ¡Joder!, no está decepcionado. Se rindió y luego se transformó. ¡Es un fracaso!

Una sonrisa irónica se extendió por el rostro de Vaquero.

—Ah, otro caso en el que la historia se escribirá de más de una manera. Pero, por otro lado, Viena es el lugar. Tienes mucho que aprender, aunque sospecho que eres del tipo que lo conseguirás. —Giró sobre sus talones y echó a correr hacia el este.

—¡Deténgase, Vaquero! —Bay se lanzó en su persecución, sintiendo un punzante dolor en la cabeza—. Vuelva conmigo a la base. Será mejor para usted, si es usted quien se lo cuenta a Herb. ¡Vaquero, deténgase!

Aunque Vaquero era un cincuentón, sus largas piernas devoraban el espacio, mientras que para Bay cada zancada era una fuente de dolor. Tenía los músculos debilitados. Sacando fuerzas de flaqueza, recurrió a sus años de corredor, aunque Vaquero seguía manteniendo la distancia.

En la Parkring los coches rugían al pasar. Sus faros eran conos de luz blanca; las luces traseras, cruentas estelas de rojo. Vaquero subió de un salto a un Jaguar XK8 verde oscuro aparcado junto al bordillo. Incluso a distancia, Bay oyó la potencia del motor al acelerar. Sin dejar de correr, vio al coche incorporarse al tráfico. Pero entonces, sin previo aviso, el Jaguar salió disparado de entre el tráfico congestionado con un brusco viraje, inclinado sobre un costado.

—¡No! —gritó Bay.

Sin control, el coche se subió al bordillo y fue a estrellarse contra un grueso poste telefónico. La capota se abrió con un crujido, y un vapor blanco como un fantasma se elevó rodeando el vehículo. El estallido ensordecedor del claxon llenó el aire. Cuando el tráfico ralentizó la marcha, una sirena de policía empezó a aullar. Los peatones se fueron congregando alrededor del Jaguar, hasta que Bay ya no pudo verlo.

Jadeando, se abrió paso a empujones entre la muchedumbre. El claxon había dejado de sonar, y un coche de la policía estaba parado junto al bordillo. Se pasó la manga con furia por el rostro mojado. La puerta del conductor del Jaguar estaba abierta, y un policía se inclinaba sobre su interior.

—¿Cómo está? —preguntó Bay en alemán.

El policía dio un paso atrás.

—¿Lo conoce, señor? —Aunque el tono y los modales fueron corteses, Bay detectó cierta cautela.

—Se llama Jacob Crandell, funcionario del consulado de Estados Unidos. Yo también trabajo allí. ¿Cómo está? —repitió, mirando fijamente el interior. Vaquero ya no estaba apoyado sobre el claxon, y su cuerpo relajado descansaba de nuevo contra el respaldo del asiento. La cabeza le colgaba a un lado, y las gafas colgaban de su nariz dobladas, con uno de los cristales rotos. Tenía los ojos cerrados. La sangre le corría por la comisura de la boca, aunque, curiosamente, estaba sonriendo.

—Lamento decírselo, señor, pero no le encuentro el pulso —dijo el policía—. He pedido una ambulancia. Por favor, enséñeme su documentación.

Sin mostrar ninguna emoción, Bay sacó su cartera y se le entregó.

Mientras el policía escribía, intentó sentir la acera bajo los pies, la niebla contra la piel, oler el humo del tubo de escape en el aire.

Un segundo policía se unió al primero.

—¿Quién es?

—Vaquero Crandell —dijo el primero—. Llevo un rato preguntándome qué estaría tramando. —Le devolvió la billetera a Bay.

—Bueno, entonces éste es un caso fácil. Un accidente de tráfico.

Ninguno de los dos miraba a Bay; no querían que nadie les diera otra explicación, se percató el joven.

—Sí, un accidente de tráfico —dijo el otro—. Sencillísimo.

Bay volvió a meterse en silencio entre la muchedumbre y se alejó caminando. Mientras el tráfico de la Parkring atronaba, su mente repasó erráticamente la noche, recordando las historias, los consejos y la brusca amabilidad de Vaquero. Éste siempre había vivido al límite, lo cual era fantástico, aunque por otro lado había muerto a causa de ello como si se tratara de una enfermedad. Sin embargo, había muerto como había querido.

Caray, éste es un lugar antiguo y hermoso… Operar aquí es como estar en un museo, salpicado de aburrimiento, claro. La calma antes de la tormenta. En el pasado creía que podría morir feliz en mi Jaguar. Ahora sé que Viena es el lugar.

Bay hundió las manos en los bolsillos de su impermeable y se dirigió de nuevo al Innere Stadt. Pasó junto a cafés abarrotados y bares ruidosos. El gentío pululaba por la calle, decidiendo dónde encontrarían su siguiente dosis de alegría en la noche gris. Mientras caminaba, oía la voz de Vaquero: *Tienes mucho que aprender, aunque sospecho que eres del tipo de los que lo consiguen.* Bay sonrió para sus adentros, percatándose de que procuraba moverse sin ninguna gracia, como Vaquero le había dicho que hiciera. Con los dedos fríos se limpió las lágrimas de los ojos. Entonces echó un disimulado vistazo a su alrededor y se desvaneció entre la multitud.

El interrogador

David Morrell

A medida que Andrew Durand fue creciendo, su padre jamás perdió una oportunidad de enseñarle el oficio. Cualquier cosa que hicieran era una ocasión para que el chico aprendiera sobre buzones seguros, encuentros aparentemente casuales entre agentes, intermediarios, obtención de información mediante presión y otras artimañas de la profesión de espía.

No es que el padre de Andrew pasara mucho tiempo con él. Como miembro de alto rango del Directorio de Operaciones de la Agencia, tenía responsabilidades mundiales que lo obligaban a viajar constantemente. Pero cuando las circunstancias lo permitían, la atención que prestaba a su hijo era absoluta, y éste jamás olvidaría sus expediciones conspirativas.

En particular, Andrew recordaba la tarde de julio en que su padre lo llevó a navegar en el *Chesapeake* para celebrar su decimosexto cumpleaños. Durante una tregua del viento, le habló de su época de estudiante de posgrado en la universidad George Washington y de la manera en que su profesor de ciencias políticas le había presentado a un hombre que resultó ser un reclutador de la CIA.

—Eran los años de la Guerra Fría, en la década de los cincuenta —dijo con una sonrisa nostálgica, mientras las olas lamían el casco—. La carrera armamentística nuclear. El hongo nuclear. Los refugios nucleares. De hecho, mis padres hicieron construir uno donde ahora tenemos la piscina. Era tan profundo que cuando tiempo después lo desmantelamos no tuvimos necesidad de excavar mucho para hacer la piscina. Para mí, neutralizar a los soviéticos era el trabajo más importante al que uno podía aspirar, así que, cuando el reclutador terminó de hacerme la corte y me formuló la pregunta, no necesité mucho tiempo para decidirme. La Agencia ya había investigado mis antecedentes. Quedaban todavía algunas formalidades, como pasar el polígrafo, pero antes de que llegaran a eso, decidieron poner a prueba mis aptitudes para el trabajo que tenían en mente.

La prueba, explicó el padre de Andrew, consistió en hacerle sentar en una habitación sin ventanas y leer una novela. Escrita por Henry James y publicada en 1903, el libro se titulaba *Los embajadores*. A través de largas y prolijas oraciones, la primera parte presentaba a un norteamericano de mediana edad con el extraño nombre de Lambert Strether, que viajaba a París para llevar a cabo cierta clase de misión.

—James tiene fama de ser difícil de leer —dijo el padre de Andrew—. Al principio, pensé que me estaban gastando una broma. Después de todo, ¿qué sentido tenía hacerme sentar en una habitación y leer? Al cabo de una media hora, empezó a sonar una música por un altavoz escondido en el techo, algo con mucho metal cantado por Frank Sinatra, «I've Got You Under My Skin». Me acuerdo del título porque más tarde comprendí la ironía de aquello. La siguió otra canción de Frank Sinatra con mucho metal. Y luego otra. Entonces la música cesó de repente, y la voz de un hombre que no había oído nunca me conminó a que pusiera el libro en mi regazo y describiera lo ocurrido hasta el momento en la novela. Contesté que Strether trabajaba para una mujer rica de una ciudad de Nueva Inglaterra. Ella lo había enviado a París para que averiguara por qué su hijo no había regresado a casa después de un largo viaje al extranjero. «Siga leyendo», ordenó la voz. Y en cuanto levanté el libro, empezó a sonar otra canción de Sinatra con mucho metal.

»A medida que iba pasando las páginas, empecé de repente a ser consciente de unas débiles voces mezcladas con la música, de un hombre y de una mujer. Hablaban en un tono apagado, pero pude darme cuenta de que estaban enfadados. De pronto, la música y las voces cesaron.

»—¿Qué está ocurriendo en el libro? —me preguntó la voz desde el techo.

»Yo respondí:

»—A Strether le preocupa perder el trabajo, si no consigue convencer al hijo de que vuelva a casa con su madre.

»—¿Perder sólo su trabajo? —preguntó la voz.

»—Bueno, la mujer rica es viuda, y se da a entender que ella y Strether podrían casarse. Pero eso no ocurrirá si él no lleva de vuelta a casa al hijo.

»—Había algunas personas hablando por debajo de la música.

»—Sí. Un hombre y una mujer.

»—¿De qué estaban discutiendo?

»—Se suponía que tenían que encontrarse en un restaurante para cenar. Pero el hombre llegó tarde, alegando un imprevisto en la oficina. Su esposa cree que estaba con otra mujer.

»—Siga leyendo —dijo la voz.

Andrew recordaba a su padre explicando que la prueba se había prolongado durante horas. Además de la música, dos y luego tres conversaciones tuvieron lugar simultáneamente mezcladas con las canciones. De vez en cuando, la voz le preguntaba por cada una de ellas (una mujer que estaba asustada ante una inminente intervención quirúrgica para extirparle la vesícula biliar; un hombre se enfadaba por el coste de la boda de su hija; un chico estaba preocupado por su perro enfermo). La voz también quería saber qué estaba ocurriendo en la novela de trama tan abstrusa.

—A todas luces era un ejercicio para determinar de cuántas cosas era capaz de darme cuenta al mismo tiempo o si el examinador podía distraerme y sacarme de quicio —dijo su padre—. Resultó que mi profesor de ciencias políticas me había recomendado a la Agencia por mi capacidad para pensar en varias cosas al mismo tiempo sin que me distrajera. Superé la prueba, e inicialmente fui asignado a ciudades que eran un caldo de cultivo, como Bonn, que en aquel tiempo era la capital de Alemania Occidental. Haciéndome pasar por agregado, me dedicaba a estar de palique en las concurridas fiestas de las embajadas mientras no perdía ripio de lo que comentaban los diplomáticos extranjeros que me rodeaban. Nadie esperaba que se revelaran secretos de Estado. A pesar de todo, mis superiores quedaron gratamente sorprendidos por los útiles detalles personales que era capaz de recopilar en esas recepciones diplomáticas: quién estaba intentando seducir a quién, por ejemplo, o quién tenía problemas económicos. El alcohol y la supuesta seguridad que ofrecía el caótico vocerío de una sala atestada volvían a la gente imprudente. Después de eso, me ascendieron a analista subalterno, donde fui subiendo en el escalafón gracias a mi capacidad para sopesar la importancia relativa de diversas crisis que estallaran simultáneamente por todo el globo.

Las olas golpeaban con más fuerza contra el casco. El barco cambió de dirección. Los recuerdos hicieron titubear al padre de Andrew. Sumido en el pasado, tardó un instante antes de echar un vistazo a las nubes que cruzaban el cielo.

—Por fin se levanta el viento. Coge el timón, hijo. Mira la brújula. Pon rumbo sudoeste, a casa. A propósito del libro ese de James, *Los embajadores*. Después de todos mis esfuerzos, me decidí a terminarlo. Al final, resultó que la experiencia de Strether en París fue tan enriquecedora que pensó que se había hecho más inteligente y consciente de todo lo que le rodeaba. Pero estaba equivocado. El hijo de la mujer rica se ganó su confianza con la única intención de tomarle el pelo. A pesar de su toma de conciencia, Strether volvió a Estados Unidos, donde suponía que lo había perdido todo.

—Cuatro días —prometió Andrew al pesimista grupo reunido en la sala de conferencias de alta seguridad. Tenía treinta y nueve años y hablaba con el mismo tono autoritario que su padre.

—¿Eso es una garantía?

—Posiblemente pueda obtener resultados antes, pero sin duda no más tarde de cuatro días.

—Existe un elemento temporal —le advirtió un funcionario de aire severo—, la probabilidad de la dispersión de la viruela en una red de metro durante las horas punta. Dentro de diez días. Pero no sabemos la hora exacta ni el país, por lo que es ocioso hablar de la ciudad. Nuestra gente detuvo al sujeto en París. Sus cómplices estaban con él. Uno escapó, pero el resto murió en un enfrentamiento armado. Tenemos documentos que sugieren que se han puesto en marcha…, aunque no conocemos los detalles. Y el que estuvieran en París no descarta como blanco a otras ciudades con una red de metro importante.

—Cuatro días a partir de que empiece, y tendrán los detalles —les aseguró Andrew—. ¿Adónde va a ser extraditado el sujeto?

—A Uzbekistán.

El fornido cuello de Andrew se arrugó cuando asintió con la cabeza.

—Saben ser discretos.

—Deberían, dado lo mucho que les pagamos.

—Pero no quiero que intervenga ningún interrogador extranjero —subrayó Andrew—. Los matones utilizan métodos poco fiables. Un sujeto confesará cualquier cosa si se le tortura lo suficiente. Ustedes quieren una información fiable, no una confesión histérica sin fundamento.

—Exacto. Está usted completamente al mando.

—De hecho, no hay razón para que esto tenga que ser una extradición extraordinaria. —La utilización del término «extradición» por parte de Andrew hacía referencia a la práctica de trasladar a un prisionero de una jurisdicción a otra, algo frecuente en el sistema legal. Pero cuando la extradición era «extraordinaria», el prisionero era sacado del sistema legal y situado donde las normas habituales ya no eran de aplicación y rendir cuentas ya no era un elemento de la ecuación—. El interrogatorio podría tener lugar sin ningún problema en Estados Unidos.

—Por desgracia, no todo el mundo aprecia la diferencia entre la tortura y sus métodos, Andrew. Un reactor le espera para llevarlo a Uzbekistán.

El padre de Andrew había sido corpulento. Andrew era más fornido. Un gigantón con el pecho como un tonel, parecía un boxeador de los pesos pesados, una impresión que con frecuencia hacía que el detenido abriera los ojos como platos la primera vez que lo veía. Con su voz profunda y ronca, emanaba de él una sensación de peligro y fuerza que provocaba que los tipos que apresaba sintieran un temor creciente, ignorantes de que el verdadero poder de Andrew procedía de los numerosos cursos de psicología que había seguido en la Universidad George Washington, donde había hecho un máster bajo una identidad falsa.

Un fornido vigilante civil norteamericano lo recibió en un remoto aeródromo de Uzbekistán junto a un edificio de bloques de hormigón que era el centro de extradiciones, la única construcción en aquel valle salpicado de peñascos.

Andrew se presentó como el señor Baker.

El guardia dijo que era el señor Able.

—Le tengo preparados los documentos del sujeto. Sabemos su nombre y los de sus parientes, y dónde viven y trabajan, por si quisiera hacerle hablar amenazándole con matar a la gente que quiere.

—Eso no será necesario. Apenas le hablaré. —Un viento frío sacudió el traje negro de Andrew. Cuando trabajaba, siempre vestía con mucha formalidad, otra manera de expresar la autoridad.

Acompañado por el señor Able, pasó por el control de seguridad, entró en el centro, que tenía una intensa iluminación cenital y una hilera de puertas con ventanas enrejadas. Las paredes eran de bloques de hormigón sin pintar. Todo daba la sensación de humedad.

—Su habitación está a la derecha —le dijo el señor Able.

La bolsa de viaje de Andrew contenía ropa para cuatro días, lo máximo que necesitaría. La colocó en el suelo de hormigón junto a un camastro. Apenas miró el fregadero de acero inoxidable y el inodoro; por el contrario, se concentró en una mesa de metal sobre la que descansaba un ordenador portátil.

—El resto del equipo debería haber llegado.

—Lo están instalando. Pero no sé por qué tenemos que molestarnos. Mientras le esperábamos, mis hombres y yo podíamos haberle infundido un poco de temor de Dios.

—No logro imaginarme cómo sería posible eso, cuando resulta que está convencido de que Dios está de su lado. ¿Está listo el intérprete?

—Sí.

—¿Es de fiar?

—Mucho.

—Entonces, empecemos.

Andrew observó al señor Able mientras abría el cerrojo de una puerta metálica. Con una pistola Glock del calibre cuarenta y cinco en la mano, el guardia y otros dos hombres armados con sendas pistolas idénticas entraron en la celda y apuntaron al prisionero. Andrew y el interprete permanecieron en la entrada abierta. El compartimento carecía de ventanas, a excepción de la abertura con rejas de la puerta. Se sentía más humedad que en el pasillo. Había un eco pronunciado.

Un iraquí de corta estatura y demacrado estaba tirado en el suelo de hormigón, la espalda contra la pared, las muñecas engrilletadas a unas cadenas por encima de la cabeza. Tenía algo más de treinta años; la cara oscura y delgada y el pelo negro y corto. Sus labios estaban cubiertos de costras. Con moretones en las mejillas. Iba vestido con una camisa y unos pantalones negros roñosos, manchados de sangre seca.

Como si estuviera aturdido, el sujeto miró fijamente al frente, sin reaccionar ante la entrada de Andrew.

Éste se volvió hacia el señor Able, y la severidad de su rostro dejó ver bien a las claras que había enviado órdenes explícitas de no maltratar al prisionero.

—Eso es de cuando el equipo lo atrapó en París —explicó el guardia—. Tiene suerte de que no lo mataran en el tiroteo.

—Él no es de la misma opinión. Quiere morir por su causa.

—Sí, bueno, si no habla, quizá podamos arreglarlo para satisfacer sus deseos —dijo el señor Able—. La cuestión es que, por mucho que deseara ser un mártir, estoy seguro de que no sería su intención que mediara sufrimiento alguno. —El guardia encaró al prisionero—. ¿No es así, amigo? Imaginabas que te ahorrarías la agonía y podrías disfrutar sin más de las vírgenes del paraíso. Bueno, te equivocaste.

El prisionero no mostró ninguna reacción y siguió con la mirada fija al frente. Como experimento, Andrew levantó un brazo por encima de la cabeza y apuntó al techo, pero los ojos del prisionero no siguieron su amplio gesto. Permanecieron tan decididamente fijos en la pared de enfrente que Andrew acabó convencido de que el sujeto no estaba tan atontado como aparentaba.

—Tradúzcame —ordenó Andrew al intérprete, y se concentró en el prisionero—. Tienes información sobre un atentado inminente en una red de metro. Ese atentado se realizará con toda probabilidad utilizando el virus de la viruela. Me dirás exactamente cuándo y dónde tendrá lugar ese atentado. Me dirás si el atentado se realizará con el virus de la viruela y cómo se obtuvo éste. Me dirás cómo se llevará a cabo el atentado. La próxima vez que me veas, me dirás todas esas cosas y cualquier otra que desee saber.

El prisionero siguió mirando fijamente al frente.

Cuando el intérprete terminó, Andrew señaló hacia una estrecha yacija atornillada al suelo junto a una de las paredes. Se dirigió al señor Able:

—Llévesela. Déjele una manta ligera. Quítele los grilletes. Cierre la habitación con llave. Cubra la ventana de la puerta.

—Mire, ¿realmente es necesario todo esto? —se quejó el guardia—. Déjeme dos horas a solas con él y…

Andrew salió de la celda.

Por la manera en que evita el contacto visual, pensó Andrew, *está claro que le han alertado sobre algunas clases de interrogatorios.*

Como la mayoría de los agentes de inteligencia, había recibido formación acerca de cómo los humanos procesan la información. Según una teoría conocida como programación neurolingüística, la mayor parte de la gente se guía o por la vista o por el sonido o por el tacto. Una persona que se guía por la vista tiende a utilizar un lenguaje que incluye metáforas visuales, como «ya veo lo que quieres decir». Un observador notará que este tipo de personas tiende a alzar la vista hacia la izquierda cuando produce un pensamiento y a la derecha cuando recuerda algo. Por el contrario, una persona que se guía por el sonido tiende a utilizar metáforas del tipo «entiendo lo que insinúas». Cuando producen un pensamiento, estas personas miran directamente a la izquierda del observador, y cuando recuerdan algo, lo hacen directamente a la derecha. Por último, una persona que se guía por el tacto se inclina por las metáforas como «tengo la sensación de que funcionará». Cuando este tipo de personas bajan la vista a la izquierda o a la derecha, estos movimientos también son reveladores.

Apenas hay personas que pertenecen exclusivamente a un tipo, aunque mediante una observación detenida, un interrogador experimentado podría determinar la orientación sensitiva a la que tiende un individuo. El interrogador podría preguntar: «¿Qué ciudad sufrirá el atentado?» Si un prisionero que se guía por el sonido mira directamente a la izquierda y dice: «Washington», la respuesta sería un pensamiento creado, una invención. Pero si el prisionero mira a la derecha y dice lo mismo, la respuesta estaría basada en un recuerdo. Por supuesto, cabría la posibilidad de que el prisionero estuviera recordando una mentira que se le hubiera ordenado contar. No obstante, mediante una observación detenida del movimiento de los ojos, un interrogador hábil podría llegar a conclusiones bastante seguras sobre si un prisionero está mintiendo o diciendo la verdad.

El problema con aquel detenido en particular era que se negaba obstinadamente a mirar a Andrew a los ojos.

¡Demonios!, sabe qué es la programación neurolingüística, pensó. *Le han advertido que el movimiento de sus ojos podría revelarme algo sobre su misión.*

La sofisticación molestaba a Andrew. Considerar a aquellos fanáticos como unos ignorantes era un error letal. Cada vez aprendían más cosas y cada día que pasaba parecían más peligrosamente complejos.

No pudo evitar pensar en la sencillez de una técnica de interrogatorio que gozaba de gran aceptación durante la juventud de su padre, allá en la década de 1950. Entonces a los prisioneros se les inyectaba pentotal sódico o uno de aquellos llamados sueros de la verdad. Aquello los relajaba hasta tal punto, que su disciplina mental era puesta en peligro y en teoría eso les hacía vulnerables al interrogatorio. Pero el método se parecía con frecuencia a intentar obtener información de un borracho: fantasías y exageraciones, y la realidad se volvía indistinguible. Necesitados de claridad y fiabilidad, los interrogadores desarrollaron otros métodos.

En su cuarto, Andrew se sentó a la mesa, conectó el ordenador portátil y observó la aparición de una imagen. Transmitida desde una cámara oculta, mostraba al prisionero en su celda. De acuerdo con sus instrucciones, el camastro había sido retirado. La abertura enrejada de la puerta estaba cubierta. Una manta delgada reposaba sobre el suelo de hormigón. El sujeto tenía los brazos libres de grilletes. Se frotaba las muñecas laceradas. Una vez solo, confirmó las sospechas de Andrew al mirar recelosamente a su alrededor, sin fijar ya la mirada en un punto de la pared.

Andrew pulsó una tecla en el teclado del ordenador y aumentó sutilmente el brillo de las luces cenitales de la celda. El cambio fue tan imperceptible que el sujeto no lo advertiría. Durante los siguientes cuatro días, la intensidad seguiría aumentando hasta que el resplandor fuera cegador, aunque en ningún momento sería perceptible la creciente atrocidad del cambio.

Andrew apretó otra tecla y redujo la temperatura de la celda un cuarto de grado. De nuevo, el cambio era demasiado pequeño para que el prisionero lo notara, aunque durante los cuatro días siguientes, el frío húmedo del cubículo llegaría a ser extremo.

El sujeto estaba sentado en un rincón con la espalda apoyada en la pared. En un momento dado, sus ojos se cerraron, quizá porque estuviera meditando.

No lo permitas, pensó Andrew. Apretó una tercera tecla, que activó una sirena en la celda del prisionero. En la pantalla, el hombre abrió los ojos de golpe. Asustado, miró hacia el techo, donde estaba situada la sirena. Por el momento, ésta estaría al mínimo de su potencia. Duró sólo tres segundos. Pero a lo largo de los cuatro días siguientes, y a intervalos impredecibles, se repetiría, cada vez más alta y durante más tiempo.

El prisionero recibiría pan y agua en pequeñas cantidades para que conservara las fuerzas en un nivel suficiente para evitar que perdiera el conocimiento. Pero el inodoro de su celda dejaría de funcionar, sus excrementos se acumularían y el hedor resultante se sumaría al resto de sus otras terribles experiencias sensitivas.

A Andrew le vino a la cabeza la historia que su padre le había contado hacía tanto tiempo en el velero. En el caso de su padre, se habían producido una serie de desafíos crecientes para sus sentidos; en el del prisionero, habría «ataques» crecientes a sus sentidos. Pronto perdería el sentido del tiempo. Los minutos se le antojarían horas, y las horas, días. La descarga creciente de estímulos dolorosos destrozaría sus defensas psicológicas y lo dejaría tan aplastado, desorientado y desgastado que revelaría cualquier secreto con tal de poder dormir.

El prisionero aguantó tres días y medio. El esporádico y débil sonido de la sirena acabó convirtiéndose en un prolongado aullido que le obligaba a taparse las orejas con las manos y gritar. Como es natural, su grito quedaba silenciado por el de la sirena; sólo la O de su boca insinuaba el sonido angustiado que profería. El abrasador resplandor final de las luces se transmutó en un pulsátil efecto estroboscópico luz-oscuridad, luz-oscuridad que obligaba al prisionero a cerrar los ojos con todas sus fuerzas para proteger la vista. La delgada manta que le habían dejado no tenía otra finalidad que la de darle una falsa esperanza, porque en cuanto el frío se intensificó, filtrándose a través del suelo de hormigón calándole los huesos, la manta no le proporcionó ninguna protección. El hombre se acurrucaba inútilmente debajo de la tela, incapaz de refrenar la tiritona.

El señor Able y los otros dos guardias entraron en la celda. Una vez más, Andrew y el intérprete se quedaron en el quicio de la puerta.

El prisionero se movió nerviosamente, en esta ocasión impresionado, sin lugar a dudas, por la estatura de Andrew.

—¿Cuándo y dónde se llevará a cabo el atentado? —preguntó el interrogador—. ¿Se utilizará el virus de la viruela para cometer el atentado? Y si es así, ¿cómo lo obtuvo tu grupo? ¿Cómo se llevará a cabo el atentado? Dímelo, y esto es lo que haré.

Andrew sacó un mando a distancia del bolsillo de la chaqueta del traje y apretó un botón que hizo disminuir la intensidad de las luces hasta un brillo placentero.

—También desconectaré la sirena —prosiguió—. Y la temperatura del cuarto volverá a ser confortable. Te dejaré dormir. ¿No sería maravilloso poder dormir? Dormir es el mayor de los placeres. Dormir te despejará.

Abrazándose a sí mismo para combatir el frío, el prisionero confesó. Debido a que no había dormido durante casi cuatro días, la información no siempre fue clara. Andrew necesitó reformular las preguntas y provocarlo en numerosas ocasiones, a veces volviendo a conectar la sirena y las luces pulsátiles para desquiciarlo. Al final, el interrogador se enteró de todo lo que quería, y el prisionero ya no evitaba mirarle. Con mirada suplicante, el desesperado hombre le contó lo que necesitaba oír, y el movimiento de sus ojos rojos e hinchados por la falta de sueño indicaron a Andrew que no estaba mintiendo.

El objetivo era la ciudad de Nueva York. El atentado se haría con el virus de la viruela. Al cabo de cuatro días, a las cinco de la tarde y en diversos andenes de las estaciones de metro, los terroristas sacarían de sus mochilas aerosoles con aspecto de bote de laca. Presionarían el mecanismo pulverizador, y lo fijarían con cinta adhesiva y volverían a meter los botes en las mochilas. El aire presurizado de los botes se escaparía a través de un tubo instalado en las mochilas, dispersando el virus entre la multitud. Las víctimas no sabrían nada del atentado hasta días después, cuando empezaran a aparecer los síntomas de la enfermedad, pero para entonces habrían extendido el virus mucho más lejos.

Cuando Andrew se dirigía a la habitación donde estaba la radio vía satélite provista de un desmodulador para informar de lo que se había enterado, oyó unos gritos sordos procedentes de otra celda. Molesto por lo que aquellos sonidos daban a entender, corrió hasta una puerta abierta por la que vio a un hombre atado con correas a una tabla, que estaba inclinada para que la cabeza del preso estuviera más baja que los pies. La cabeza estaba sujeta con una abrazadera para que no pudiera girarla a los lados. Se hallaba desnudo, salvo por los calzoncillos. Tenía la cara cubierta por una tela, pero el moreno de su piel coincidía con el del hombre que Andrew había interrogado, llevándolo a la conclusión de que aquel hombre también era iraquí.

El señor Able estaba junto al detenido, vertiéndole agua sobre la cara cubierta. El tipo emitía un sonido como si se estuviera ahogando. Se retorcía desesperadamente, incapaz casi de moverse.

—Nuestro equipo de París atrapó al cómplice que escapó —le dijo el guardia a Andrew, y vertió más agua sobre la cara del prisionero—. Llegó mientras usted estaba con el interrogatorio.

—Pare —le ordenó Andrew.

—Usted ha tardado casi cuatro días. Al empezar, le dije que podía hacer confesar a cualquiera en dos horas. Aunque lo cierto es que todo lo que realmente necesito son diez minutos.

Lo que Andrew observaba impotente se llamaba «el submarino». El prisionero inmovilizado recibía un fuerte chorro de agua sobre la cara. El trapo empapado sobre la nariz y la boca se sumaba al peso del agua y le dificultaba todavía más la respiración. El trapo le cubría los ojos y aumentaba el terror, porque el detenido no podía ver por adelantado cuándo iba a recibir otro chorro de agua. La inclinación de la tabla garantizaba que el agua le entrara a raudales por los orificios nasales.

Incapaz de expulsar el agua, el sujeto no paraba de atragantarse y quedaba expuesto implacablemente a la sensación de estarse ahogando. Andrew sabía de casos en los que el prisionero se había ahogado realmente. Otras veces, el pánico acababa por volverlos locos. Los agentes de inteligencia que consentían en someterse a la tortura en su afán de comprender la experiencia, rara vez eran capaces de soportar siquiera un minuto de la prueba. Los prisioneros que al final eran liberados informaban de que el pánico soportado les provocaba traumas para toda la vida, que les hacía imposible observar el chorro de agua de una ducha o incluso la que salía de un grifo.

En aquel caso, el prisionero se retorcía con tal furia que Andrew estaba convencido de que acabaría dislocándose las extremidades.

—Muy bien, gilipollas —dijo el señor Able, valiéndose del traductor. Arrancó de un tirón el trapo empapado de la cara de la víctima.

Andrew se quedó horrorizado al ver un trozo de cinta adhesiva adherido a la boca del prisionero. La única manera en que el hombre podía respirar era a través de la nariz, de la que expulsó violentamente agua y mocos en su esfuerzo por despejar las fosas nasales.

—Ésta es tu oportunidad de no morir ahogado. —El guardia arrancó la cinta de la boca del prisionero—. ¿Qué línea de metro va a ser atacada?

El prisionero escupió agua. Respiró entrecortadamente, levantando y bajando el pecho.

—Habla, tarado. No tengo todo el día.

El detenido hizo un ruido como si estuviera a punto de vomitar.

—Muy bien. —El señor Able extendió el trozo de cinta adhesiva sobre la boca del prisionero. Le arrojó el trapo goteante sobre la cara, cogió otro recipiente de agua y se lo vertió encima.

El tipo se retorció con unas arcadas enloquecidas cuando el agua cayó en cascada sobre el trapo que lo asfixiaba y se le metió en las narices.

—Por última vez, amigo. —De nuevo, el guardia arrancó el trapo y el trozo de cinta ahesiva de la cara del prisionero—. Responde a mi pregunta o te ahogarás. ¿Qué metro va a ser atacado?

—París —consiguió decir el detenido.

—No te gustará si averiguo que estás mintiendo.

—París.

—Espera aquí, amigo. No te vayas. —El guardia dejó al tipo atado a la tabla y se dirigió por el pasillo hacia la celda del otro hombre.

—No —dijo Andrew. Echó a correr detrás del guardia, y lo que vio cuando llegó a la celda lo llenó de consternación. Los guardias habían desnudado al primer prisionero y lo habían atado a una tabla, con la cabeza inclinada hacia abajo. Una tela le cubría la cara.

—Deténganse —dijo Andrew.

Pero cuando intentó intervenir, los otros dos guardias lo agarraron y lo hicieron retroceder a la fuerza. Frenético, forcejeó para zafarse, pero de pronto el cañón de una pistola impactó dolorosamente en su espalda, y dejó de resistirse.

—No dejo de recibir llamadas por radio de gente importante y nerviosa —dijo el señor Able—. No paran de preguntar por qué demonios se demora esto tanto. Pronto morirá un montón de gente si no conseguimos la información correcta. Le digo a esa gente importante y nerviosa que usted tiene su manera especial de hacer las cosas, que no cree que «mis» métodos sean fiables, que piensa que un prisionero me dirá lo que sea, con tal de hacerme parar.

—Y es verdad —replicó Andrew—. El pánico los vuelve tan desesperados que dirán cualquier cosa que piensen que usted quiere oír. Esa información no es fiable. Pero mi método deshace sus defensas. Para cuando he terminado con ellos, ya no ofrecen ninguna resistencia. No tienen fuerzas para mentir.

—Bien, señor Baker, el submarino los aterroriza demasiado para mentir. —El guardián empezó a verter agua sobre la cara del prisionero. Tardó menos tiempo que con el otro hombre, porque aquel hombre ya estaba agotado por las agresiones sensoriales a que Andrew lo había sometido. Se debatió. Tuvo arcadas. Cuando el agua cayó sobre su cara inclinada hacia abajo, metiéndosele a raudales por las narices, se le oyó atragantarse bajo el asfixiante trapo.

—¿Qué metro va a ser atacado? —preguntó el señor Able.

—¡Ya me lo ha dicho! —gritó Andrew.

—Bueno, oigamos qué responde esta vez. —El guardia arrancó el trapo y el trozo de cinta adhesiva de la cara del prisionero.

—París —gimió el prisionero.

Andrew lo miró boquiabierto.

—No. Ésa no es la respuesta que me dio. Me dijo Nueva York.

—Pero ahora dice París, y el otro tipo también. Fue en París donde los detuvieron. ¿Por qué habrían de estar allí, si no fuera porque iban a cometer el atentado en esa ciudad? Ya se ha perdido bastante tiempo. Nuestros jefes esperan mi informe. No lo necesitamos aquí. Es a mí a quien deberían haber contratado como interrogador.

—Está cometiendo un error.

—No, el error lo cometió usted al tardar tantísimo tiempo. No podemos perder más tiempo.

Andrew forcejeó para soltarse de los guardias, que le sujetaban los brazos con tanta fuerza que habían hecho que se le durmieran las manos, al cortarle la circulación de la sangre.

—A esas personas a las que quiere impresionar…, dígales que el objetivo es Nueva York o París. Dígales que aumenten la vigilancia en todos los metros importantes, pero que hagan hincapié en Nueva York y París. Dentro de cuatro días. El jueves. A las cinco de la tarde, hora local. Los terroristas llevarán unas mochilas. Dentro llevarán unos botes de laca. Los botes contienen el virus de la viruela.

—Aún no he empezado a interrogar a estos gusanos sobre el

resto de los detalles —dijo el señor Able—. Ahora mismo, lo único que me preocupa es comunicar a todo el mundo la zona del objetivo.

—Cuando le han hecho la confesión, ¡no le han mirado en ningún momento! —gritó Andrew.

—¿Y cómo carajo habrían podido mirarme, si tenían las cabezas inmovilizadas? —preguntó el señor Able—. Yo estaba junto a ellos a un lado.

—Sus ojos. Deberían haber movido los ojos hacia usted. Deberían haber utilizado sus ojos para suplicarle que les creyera. Por el contrario, mantuvieron la mirada clavada en el techo, de la misma manera que, cuando llegué aquí, el primer prisionero miraba fijamente la pared.

—¿Espera que me crea toda esa basura de la programación neurolingüística? Si miran a la izquierda, es que se están inventando las cosas. Si miran a la derecha, es que están recordando algo. Así que si miran al techo es para evitar que sepa si están mintiendo o no.

—Ésa es la teoría.

—Bueno, ¿suponga que lo que están recordando es una mentira que han ensayado? Izquierda, derecha…; todo eso no significa nada.

—La cuestión es que ellos creen que significa algo. Ésa es la razón de que no lo miren. Después de tres días y medio, cuando el hombre que he interrogado estaba listo para el interrogatorio, no dejó de mirarme ni un instante. Sus ojos no dejaban de suplicarme que lo dejara dormir. Y siempre miró a la derecha. Quizás estuviera recordando una mentira, pero al menos sus ojos no me estaban diciendo que estaba inventándose algo. Pero los hombres a los que ha sometido al «submarino», cuando confesaron, no le dieron ninguna oportunidad de saber nada por sus ojos.

—Pero… —Una duda repentina hizo que el señor Able arrugara la frente—. Si usted tiene razón, la única manera de que eso funcione…

—… es que ya hubieran sido sometidos al «submarino» otras veces. Como parte de su adiestramiento —dijo Andrew—. Una vez que se han acostumbrado, su entrenamiento les prepararía para controlar los ojos.

—Pero el pánico que se siente es insoportable. Nadie aceptaría ser sometido al «submarino» repetidamente.

—A menos que reciban la muerte con agrado.

La crudeza de las palabras hizo que el guardia ladeara la cabeza, sintiéndose amenazado por la lógica de Andrew.

Aparentemente, los otros guardias reaccionaron de la misma manera. Confundidos, lo soltaron. Al sentir fluir de nuevo la sangre por sus brazos, Andrew dio un paso al frente.

—Lo único que estos prisioneros desean es morir por su causa e ir al paraíso. No temen a la muerte. La reciben con alegría. ¿Cómo es posible que el «submarino» los aterrorice?

Transcurrió un buen rato. El señor Able bajó la mirada hacia el suelo.

—Informe de lo que le dé la gana.

—Lo haré dentro de un momento. —Andrew se volvió hacia los otros guardias—. ¿Quién me golpeó con la pistola en la espalda?

El hombre de la derecha dijo:

—Yo. Sin rencores, ¿eh?

—Te equivocas. —Andrew le propinó un golpe en la cara con la palma de la mano y le fracturó la nariz.

Cuatro días más tarde, poco después de las cinco de la tarde, zona horaria del Este, Andrew recibió por radio el mensaje de que cinco hombres, con mochilas que contenían aerosoles con gérmenes de viruela, habían sido detenidos cuando intentaban acceder a diferentes estaciones de la red de metro de Nueva York. Tuvo la sensación de que le desaparecía cierta opresión en el pecho; por primera vez en mucho tiempo, respiró con tranquilidad. Después del aplomo con que se había enfrentado al señor Able, le habían empezado a asaltar las dudas. Eran tantas las vidas que dependían de su pericia. Y dada la sofisticación de los prisioneros, por primera vez le había empezado a preocupar que pudieran haberlo engañado.

En ese momento estaba en Afganistán, dirigiendo otro interrogatorio de agresión sensorial. Como siempre, la persona habitualmente al mando se sentía molesta por su intromisión, y no paraba de quejarse de que podía obtener resultados de forma mucho más rápida que él.

Andrew lo ignoró.

Pero la víspera del tercer día de interrogatorio, cuando Andrew estaba seguro de que su prisionero no tardaría en perder todas sus defensas psicológicas y revelaría lo que él necesitaba saber, se volvió a acordar de su padre. Estaba sentado a su mesa, delante del ordenador, observando la imagen del prisionero, y recordó que a su padre le habían pedido en alguna ocasión que fuera al centro de adiestramiento de la Agencia en Camp Peary, Virginia, donde enseñaba a los agentes a ampliar los límites de sus percepciones.

—Es como la mayoría de las cosas. Requiere práctica —le había explicado su padre—. Por los viejos tiempos, hacía que mis alumnos leyeran *Los embajadores*. Intentaba distraerles con una música retumbante. Intercalaba conversaciones con la música. Un nivel cada vez. Transcurrido un tiempo, los alumnos aprendían a estar más atentos, a percibir muchas cosas a la vez.

Mientras Andrew estudiaba la pantalla del ordenador y pulsaba las teclas que hacían destellar las cegadoras luces de la celda del prisionero, al tiempo que hacía aullar una sirena, pensó en la enseñanza que su padre le dijo que había extraído de la novela de Henry James.

—A medida que avanza la novela, Lambert Strether se vuelve más atento —le había dicho su padre—. A final, repara en toda una serie de cosas que normalmente le habrían pasado desapercibidas. Los trasfondos de las conversaciones. Los matices en la manera que alguien mira a otra persona. Todos los detalles en la forma de vestir de las personas y lo que esos detalles revelan sobre ellas. Se convierte en un maestro de la atención. Las frases dramatizan ese aspecto.

Y se van haciendo cada vez más largas y complicadas a medida que avanza la novela, como si quisieran estar a tono con la perspicacia cada vez mayor de Strether. Tengo la sensación de que James esperaba que esas complicadas frases hicieran que la mente del lector se desarrollara en la misma medida en que lo hace la de Strether. Aunque ése es el meollo de la novela, Andrew. Nunca olvides esto, sobre todo si te dedicas a la profesión de espía, como espero que hagas. Pese a toda su atención, Strether pierde. Al final, se burlan de él. La confianza que tiene en su sensibilidad para percibir las cosas lo destruye. El día que alcances una seguridad absoluta sobre algo será el día en que tendrás que empezar a dudar de ello. La esencia de la profesión de espía es que nunca puedes ser lo bastante perspicaz, nunca lo bastante consciente de todo, porque tu enemigo está decidido a serlo aún más que tú.

Andrew siguió mirando la pantalla del ordenador y el suplicio de su prisionero bajo el destello de las luces y el aullido de las sirenas. De pronto, pulsó las teclas que desconectaban las luces y la sirena. Buscaba crear diez minutos de paz, diez minutos en los que el detenido fuera incapaz de relajarse, temiendo la siguiente agresión a sus sentidos. Era un infierno, y no tardaría en hacer cualquier cosa para que terminara.

Excepto..., pensó Andrew.

El día en que alcances una seguridad absoluta en algo, es el día en que tienes que empezar a dudar de ello. Las palabras de su padre resonaron en la memoria de Andrew cuando pensó en su convencimiento de que el único método seguro de interrogación era el suyo. Pero ¿sería posible que...?

Una idea ominosa logró colarse en su imaginación. Un agente podía ser adiestrado para sumar una percepción a otra, y luego otra más, hasta que él o ella fuera capaz de controlar múltiples conversaciones mientras leía un libro y escuchaba una música atronadora.

Entonces, ¿por qué un agente de una clase diferente no podía ser adiestrado para soportar la progresiva intensificación del frío, los destellos de la luz y una sirena hiriente durante tres días y medio sin dormir? La primera vez sería un suplicio, pero el suplicio de la segunda vez quizá fuera menor porque le resultaría familiar. La tercera vez sería una experiencia de aprendizaje, de comprobación de métodos de autohipnotismo para conseguir que el ataque resultara menos doloroso.

Al observar la supuesta angustia del prisionero, Andrew se sintió vacío. ¿Podía un enemigo llegar a ser tan sofisticado? Si estudiaban los mecanismos de la programación neurolingüística para vencerla, si se sometían voluntariamente al «submarino» para controlar sus reacciones a la tortura, ¿por qué no iban a poder aprender otros métodos de interrogación para ser capaces de soportarlos? Un grupo cuyos miembros se autoinmolaran con una bomba o se infectaran con viruela para destruir a sus enemigos y así alcanzar el paraíso sería capaz de cualquier cosa.

Andrew pulsó las teclas del teclado de su ordenador e hizo que las luces estroboscópicas y la sirena se reanudaran en la gélida celda del prisionero. Imaginando el estruendo, vio cómo el hombre insomne gritaba.

¿O acaso el prisionero sólo fingía haber llegado al límite de su resistencia? Andrew tuvo la molesta sensación de que el hombre de la pantalla estaba reaccionando predeciblemente, casi de forma programada, como si hubiera sido adiestrado para saber lo que se avecinaba y estuviera comportándose de la manera que esperaría el interrogador.

Pero ¿cómo puedo estar seguro?, se preguntó. *¿Cuánto tiempo más he de presionarlo para estar seguro de que no está fingiendo? ¿Cuatro días y medio? ¿Cinco? ¿Más? ¿Puede alguien sobrevivir a eso y seguir cuerdo?*

Andrew se acordó de su padre cuando le contó uno de los interrogatorios más dramáticos en la historia del espionaje norteamericano. Durante la década de 1960, un desertor soviético llegó a Washington y le contó a la CIA que conocía la existencia de numerosos topos soviéticos infiltrados en el servicio de inteligencia de Estados

Unidos. Su acusación desembocó en investigaciones que a punto estuvieron de paralizar la Agencia.

Poco después, un segundo desertor soviético llegó a Washington y acusó al primer desertor de ser un doble agente enviado por los soviéticos para paralizar la Agencia, haciendo falsas acusaciones sobre topos infiltrados. A su vez, el primer desertor aseguró que el segundo desertor era el verdadero doble agente y que había sido enviado para desacreditarle.

Estas acusaciones contradictorias condujeron finalmente a la paralización de las operaciones de inteligencia norteamericanas. Para romper semejante situación, el segundo desertor, a quien se le había prometido dinero, una nueva identidad y un puesto de asesor en la Agencia, fue trasladado a un centro de confinamiento secreto donde fue interrogado periódicamente durante los cinco años siguientes. La mayor parte de aquel tiempo lo pasó solo, confinado en una pequeña celda con un angosto catre y una solitaria bombilla en el techo. No se le daba nada para leer. No podía hablar con nadie. Sólo se le permitía bañarse una vez a la semana. Salvo por el transcurso de las estaciones, el ruso no tenía ni idea de qué día o semana, mes o año era. Intentó hacer un calendario, utilizando los hilos de una manta, pero cada vez que terminaba uno, los guardias lo destruían. La ventana tapiada de su celda le impedía incluso respirar aire fresco. En verano, su cuarto parecía una sauna. Durante quinientos sesenta y dos días de aquellos cinco años, fue interrogado exhaustivamente, a veces durante todo el día. Pero a pesar de su prolongado calvario, jamás abjuró de su acusación —como tampoco el primer desertor—, aunque sus historias eran mutuamente contradictorias y uno de ellos tenía que haber estado mintiendo. Nadie consiguió saber la verdad jamás.

Cinco años, pensó Andrew. *Puede que me conforme con poco. Quizá necesite más tiempo.*

De pronto, anhelando la inocente época del pentotal sódico, pulsó otra tecla y observó llorar al prisionero.

Le pareció que el hombre jamás pararía.

Durmiendo con mi asesino

Andrew Klavan

Sabía por qué había venido —por supuesto que lo sabía—, pero de todas formas me enamoré de ella… por supuesto. Era para lo que había sido ideada y para quien era yo, aquel que ellos me habían hecho. Para ser sincero, ni siquiera le di muchas vueltas. Para entonces había llegado a detestar el filosofar sobre esa clase de cosas. Discusiones interminables sobre la herencia frente a la educación o el destino frente al libre albedrío. Al final, ¿de qué estás hablando realmente? De nada: de la manera en que actúan las palabras, de la manera en que el cerebro humano junta las ideas; de lo que somos capaces de concebir, vaya, no de la auténtica verdad fundamental de la cuestión. Estoy seguro de que la vida de una persona tiene una lógica y todo eso. Algún algoritmo de casualidades y providencia y personalidad innata que la explique. Quizá Dios pueda resolverlo, si existe y tiene una calculadora a mano. Puede incluso que haga caso omiso de todo el asunto, como si fuera un grano en el culo celestial.

Pero para mí, en consecuencia, fue más poesía que filosofía o matemáticas. La vi y pensé: *Ay, sí, por supuesto, es a quien ellos enviarían, ¿verdad?* Era la muerte, y el pasado, y mis sueños encarnados. Y me enamoré de ella, aun sabiendo por qué había venido.

Tuve premoniciones del final en cuanto leí la noticia de la catástrofe ferroviaria. Lo vi en el *Drudge Report* ante mi café matutino y enseguida sospeché que era uno de los nuestros. Un fallo en el sistema informático en el pasillo ferroviario Distrito de Columbia-Nueva York. Una colisión frontal, veintisiete muertos, nadie, aparentemente, a quien culpar. Todavía estaban extrayendo cuerpos de los restos humeantes cuando el FBI anunció que no era un atentado terrorista. Un cuento chino. Por supuesto que era terrorismo. Por la tarde y a lo largo de los dos siguientes días, varios grupos islamistas estuvieron reivindicando la autoría a través de diversos vídeos de YouTube en los que aparecían varios magos de barbas grasientas, narices coloradas y sombreros completamente ridículos. Otro cuento chino. Aquellos payasos enloquecidos por el odio carecían de la infraestructura necesaria para realizar atentados, al menos en este país.

Lo cual significaba que era un verdadero enigma. Porque nosotros sí que teníamos la infraestructura, aunque no teníamos el motivo.

Estuve preocupado por el asunto un día o dos, intentando poner en orden las posibilidades. Stein era nuestro hombre en los ferrocarriles del Este, y supongo que después de tantas décadas de silencio y desconocimiento, podría haber enloquecido sin más y haber apretado el botón. Pero siempre había sido un personaje apático, así que era improbable que se hubiera vuelto un bellaco. Y en cualquier caso, el instinto me decía que había algo más, algo más inquietante. Aquello tenía el olor de la auténtica catástrofe.

Al final, la angustia llegó a excederme. Y decidí correr el riesgo. No podía ponerme en contacto con Stein, por supuesto. Si no estábamos en servicio activo, éramos un peligro inútil. Si lo estábamos, eso significaba la muerte para ambos. Utilizando mi tapadera, llamé en su lugar a un contacto de la Agencia —un analista de amenazas de la oficina de Nueva York— y juntos dimos un paseo a la hora de la comida por los aledaños del agujero donde antaño se levantaba el World Trade Center.

No había nada especialmente raro en ello. Había una multitud de charlatanes de la CIA por allí. Te sorprenderías. Muchos de esos tipos no son más que burócratas con demasiados estudios que juegan a *Spy vs. Spy*. Terminan la carrera con una ideología y quizás algunas habilidades informáticas, aunque sin un verdadero sentido del mal en absoluto. El secreto no significa mucho para ellos. El cotilleo es el único talento verdadero que atesoran —y el único poder auténtico que tienen—, y saben que hay que dar para recibir. Invítalos a una copa y te largarán los secretos de Estado como la tía May pueda hablar sobre el aborto de la prima Jane: todo cejas arqueadas y murmullos confidenciales e insinuaciones teóricamente sutiles que tendrías que ser un idiota para no entender.

Pero Jay —lo llamaré Jay— era diferente. Para empezar, había estado en Afganistán. Había visto la clase de cosas que las personas se hacen unas a otras en nombre de una mala religión o en virtud de la lógica de las ideas equivocadas o simplemente por pura mezquindad simiesca. Sabía que el universo de la moral no era una simple máquina en la que viertes bondad por un extremo y por el otro sale una bondad digna de confianza. Todo esto lo hacía ser mejor en su trabajo que los geniales mocosos universitarios, más circunspecto, más paranoide y reflexivo, menos proclive a alcanzar un acuerdo fácil por obtener información. De hecho, su único objetivo era la sutileza. Las cosas no dichas que dejaban abierto un mundo de posibilidades. El cual era su mundo, porque, como Jay lo veía, realmente uno nunca sabía nada.

Estábamos en la pasarela junto al socavón de las ruinas, moviéndonos a un paso lento y moderado en medio de la multitud acelerada y espasmódica de la hora de la comida. Caminábamos hombro con hombro, con la mirada al frente. Los dos con abrigo, ambos con las manos en los bolsillos. Era un día gélido de octubre.

Jay hizo un gesto insignificante con la cabeza hacia el estrago. Nada dramático, apenas perceptible. Pero lo suficiente para responder a mis objeciones de culpar a los yihadistas, lo suficiente para decir: *Ellos hicieron esto, ¿no?*

—Eso fue diferente —dije, mascullando con los labios apretados—. Primitivo. Además tuvieron suerte. Además entonces éramos
idiotas.

—Ah, ahora somos estúpidos —replicó Jay con una carcajada—.
Créeme.

—Aun así.

Me miró mientras seguíamos caminando, y continuó mirándome hasta que me volví y leí en sus ojos. Me di cuenta de que también
estaba perplejo; de que también olía a catástrofe.

—¿Sabes algo? —me preguntó.

Me encogí de hombros. No, no sabía nada.

—Hubo habladurías antes del hecho —dije—. Sabían que iba a
ocurrir.

Aquello no era más que una suposición, aunque estaba seguro
de que era buena. Era el único motivo para que pensara a cuenta de
qué los hombres sabios de YouTube con sus absurdos sombreros
deberían de haber tenido algún atisbo de credibilidad para Jay. Me
di cuenta por su reacción de que lo había entendido correctamente.
Había habido habladurías. Lo habían sabido.

Jay frunció los labios y expelió el aire, un silbido susurrado. Ambos volvimos a mirar al frente. Le vi mover la cabeza con el rabillo
del ojo, confirmando mis sospechas.

—Entonces, ¿por qué no hay huellas dactilares? —se preguntó
en voz alta.

Bueno, exacto. Ésa era la cuestión. Porque los árabes dejan huellas
dactilares. Tienen que dejar bastantes. Quieren dejar bastantes, pero
aunque no lo quisieran, lo harían. Porque no tienen la infraestructura necesaria. No están implantados ni integrados, no son invisibles a
la manera que lo somos nosotros. ¿Y cómo si no? Piensen en nuestra
preparación, en el tiempo que tuvimos para establecernos aquí.
Tiempo suficiente, de hecho, para que lo que nos importaba, nuestro propósito, haya expirado.

Lo cual me llevó directamente de vuelta al punto de partida. Ellos tenían el motivo, pero no la infraestructura. Nosotros teníamos la infraestructura, pero no el motivo. Era incapaz de verle la lógica, y eso me tenía preocupado. Seguí dándole vueltas en la cabeza mientras me dirigía caminando por Broadway hacia la zona residencial, camino de mi oficina.

Fue un largo paseo en el frío melancólico del tiempo. Pronto, la inútil serie de razonamientos se agotó en sí misma, y ya no pensé más en ellos, sino que en su lugar me fui dejando llevar hasta sumirme en las ensoñaciones diurnas.

Siempre había sido así, un soñador; toda mi vida. Aunque en los últimos tiempos la naturaleza de las ensoñaciones había cambiado. Había un no sé qué de compulsión en ellas, puede incluso que de adicción. A veces, estaba más allí que aquí. Y deseaba estar más allí. Cuando me engolfaba en las ensoñaciones, encontraba una especie de paz que de lo contrario jamás obtenía.

Siempre tenían que ver sobre El Pueblo. Siempre sobre Centerville. Ningún recuerdo de mi infancia, fíjense. También tenía de ésos, pero las ensoñaciones eran algo distinto, algo más patético, la verdad, si piensas en ello. En las ensoñaciones estaba en mi pueblo natal de nuevo, pero de mayor, de unos treinta y pocos años, es decir, un hombre un cuarto de siglo más joven de lo que soy ahora, aunque unos quince años mayor que cuando abandoné El Pueblo para siempre. Supongo que si quisieran ponerse psicológicos al respecto podrían decir que me estaba imaginando con la edad de mi padre, la edad de mi padre cuando yo era pequeño. Pero creo que es más acertado decir que soñaba conmigo con una edad en la que todavía era romántico, aunque no irreconociblemente joven, más como soy ahora que a los diecisiete años, aunque lo bastante lozano como para interpretar al atractivo héroe de una historia de amor.

Eso es lo que eran mis ensoñaciones: historias de amor. Sus argumentos son demasiado infantiles y vergonzosos para explayarse en ellos, aunque unos cuantos detalles darán una idea. El escenario tenía un papel destacado: los verdes céspedes de Centerville y las elegantes casas de listones, las barras y las estrellas ondeando sobre las galerías, las bicicletas y triciclos que traqueteaban por las aceras. Las iglesias, los parques y los estanques, y los caminos entre las casas a los que daban sombra los olmos. Y el colegio, por supuesto, la gris escuela de tablillas típicamente estadounidense. En otras palabras: el mundo de mi infancia.

Ella —la chica, el interés amoroso— se llamaba alternativamente Mary o Sally o Jane. Smith era siempre el apellido. Mary o Sally o Jane Smith. Era siempre muy remilgada y decorosa, a veces tímida, a veces cariñosa y extrovertida, pero siempre decorosa y sin pretensiones, como eran las mujeres buenas allí y entonces. Eso era, según creo, el busilis de lo que yo ansiaba. No los apacibles céspedes y casas del Pueblo —o no sólo sus céspedes y casas y caminos flanqueados de árboles—, sino la dulzura de sus mujeres, su virginidad o al menos su virtud, o al menos lo que yo pensaba de niño que era su virtud y que tanto admiraba, deseaba y amaba.

El resto de la ensoñación —el argumento— era, ya digo, una completa majadería. Yo era alguna figura romántica que volvía a casa de una guerra o una aventura, por lo general luciendo una gallarda cicatriz en la mejilla. Habría malentendidos y separaciones, a veces heroísmo físico y finalmente reconciliación, e incluso matrimonio, e incluso, si estaba soñando a mis anchas en la soledad de mi apartamento, noche de bodas. Insípidos escenarios adolescentes, lo sé, pero sería difícil exagerar lo ensimismado que podía llegar a estar en ellos, lo tranquilizador que era para mí volver mentalmente a la inocencia y la paz de aquel escenario de pequeño pueblo norteamericano en los alrededores de 1960, el volver a experimentar el decoro de las mujeres en los días previos al radicalismo, el feminismo y el sexo por encargo. El viejo e inocente Estados Unidos, ya desaparecido por completo, extinguido para siempre.

Mientras caminaba hacia casa desde la Zona Cero aquel día, iba de hecho tan enfrascado en mis pensamientos que llegué a mitad del parque de Washington Square antes de regresar a mí mismo... y entonces desperté a lo que me rodeaba con una especie de precipitación que me dejó sin resuello, con un amenazante aleteo de pánico. Permanecí inmóvil junto a la fuente seca llena de hojas. Me paré con las manos en los bolsillos y escudriñé las ringleras de paisaje a derecha e izquierda del arco de mármol. Entonces me di la vuelta y recorrí con la vista el sendero que tenía a mi espalda. Tuve la inquietante sensación de que me estaban siguiendo o vigilando. Estaba casi seguro de ello. Repasé con la mirada las caras de las pocas personas sentadas en los bancos, de las pocas sentadas en el borde de la fuente y de las que pasaban por los caminos bajo los árboles pelados. Tuve la sensación de haber visto a alguien que conocía o que reconocí, de que había sido eso lo que me había sacado de una sacudida de mi estado de fuga onírico.

Pero no había nadie. Transcurrido un instante o dos, seguí adelante. Estaba nervioso, aunque no sabía qué podía hacer para resolver aquello. Por un lado, mi pericia como espía se había oxidado a consecuencia de la prolongada inactividad, y dudaba que pudiera fiarme de ella. Por otro, odiaba incluso contemplar la idea de que aquel accidente ferroviario y sus enigmas pudieran señalar una vuelta a la paranoia de los malos tiempos.

Los malos tiempos, como todavía los considero, llegaron a principios de la década de 1990, después de que el sistema se derrumbara y el muro se viniera abajo. La comunicación con nuestros superiores, siempre infrecuente, había cesado por completo y, teniendo prohibido establecer contacto entre nosotros, nos encontramos en la oscuridad más absoluta. Los durmientes —cualquier agente infiltrado, pero los durmientes en especial— viven en permanente peligro de perder la noción de su propósito, de llegar a zambullirse e identificarse tanto con la cultura en la que se han infiltrado que acaben por alejarse de su patria y sus misiones. Pero entonces nuestro propósito se había perdido «de hecho»; nuestra patria y nuestra misión habían desaparecido definitivamente. ¿Qué sentido tenía que un soviético fingiera ser un norteamericano una vez que la Unión Soviética ya no existía?

El pequeño enigma era un infierno interior considerable, créanme, pero entonces empezaron las muertes. Tres de los nuestros en el lapso de año y medio. David Cumberland, el director de cine, se desplomó encima de una aterrorizada estrella de cine después de que él o ella o su camello o alguien, los investigadores jamás determinaron quién, calculara mal la proporción de morfina en la cocaína de uno de sus chutes. Luego Kent Sheffield se precipitó por la ventana de un hotel de París tras los rumores de que había malversado las inversiones de algunos de sus clientes. Y, por último, Jonathan Synge, uno de los primeros multimillonarios de Internet, se hundió con su velero de casi ocho metros de eslora en las encrespadas olas en la salida del Golden Gate. Todo lo cual podía haber sido una mera coincidencia, o podía haber significado que la infraestructura había saltado por los aires y que los norteamericanos estaban haciendo limpieza o que nuestros propios amos se estaban deshaciendo de nosotros, borrando sus huellas a la luz de la nueva situación. Por si fuera poco el terror, la incertidumbre.

Y el terror, y no miento, era tremendo. No había información ni contactos, nada, excepto las muertes y la espera. Me sentía desorientado, incesantemente asustado. Mi disciplina se vino abajo. Empecé a beber. Mi matrimonio, lo poco que quedaba de él, evolucionó hasta convertirse en una serie de líos amorosos y discusiones violentas y «debates» que eran peleas encubiertas aún más feroces. Como es natural, no podía contarle la verdad a Sharon, así que nuestras peleas nunca venían al caso y sólo servían para aumentar mi soledad.

—Ya era bastante malo cuando sólo eras frío y callado, pero es que ahora eres asqueroso —me dijo. Yo estaba entrando por la puerta en la oscuridad de la primera mañana. Parada en la entrada del dormitorio con un camisón rosa, se abrazaba con fuerza por debajo del pecho. Estaba demacrada, con una expresión adusta en el rostro. Era una mujer sofisticada y competente, pero la furia la hacía parecer malencarada y débil. Mientras habíamos sido mínimamente civilizados el uno con el otro, su compañía (el ciego conformismo de sus expectativas, la escasa normalidad de sus ambiciones de ascenso social, su mera presencia fiable y poco exigente en el día a día) había sido una especie de consuelo para mí. Entonces incluso eso había desaparecido.

—Deja al menos que cierre la puerta —dije—. No tiene por qué oírte todo el edificio.

—¡Dios! La puedo oler en ti desde aquí.

—Entonces quítate el olor de ellos primero. ¿En qué te convierte eso? ¿En la Virgen María?

Naturalmente, no era eso lo que quise decir. Habría querido hablarle del miedo interminable y del silencio, y de la soledad que empeoraba el miedo y el silencio. Quise gritarle que mi único propósito en la vida había desaparecido y que lo que había conocido había dejado de existir hacía años, pero que una vez que podía leerlo todo en la primera plana de los periódicos no me lo podía seguir negando por más tiempo. Quise postrarme de rodillas y hundir la cara en su vientre y aferrarme a ella como a un puntal contra un viento muy fuerte, y decirle: ay, ay, ay; no quería morir, no entonces, cuando todo se había vuelto tan inútil, y no así, metido a toda prisa en el centro de algún monótono escenario de diario sensacionalista por un par de inexpresivos expertos en fingir suicidios y accidentes, para quien mi eliminación no sería más que otro trabajito.

—Oh, deja de mirarme así —dije en cambio, aunque ella había apartado la cara para ocultar su llanto—. Lo nuestro ya ni siquiera tiene sentido, ¿no te parece? Quiero decir, ¿de qué sirve? ¿Por qué no habría de engañarte? ¿Qué puñetas voy a conseguir con ello? No es lo mismo que si te ocuparas de la casa y me prepararas las copas y las zapatillas. No eres la madre de mis hijos…

—¿Y de eso quién tiene la culpa? —replicó exhausta, entre la furia y las lágrimas.

—Tú trabajas, ganas tanto dinero como yo. No es lo mismo que si me necesitaras como un hombre quiere que se le necesite. Las mujeres… —Agité una mano en el aire, demasiado bebido para construir el pensamiento que quería, algo relativo a como solían ser las cosas, a como eran las mujeres, a como era el matrimonio en los buenos tiempos—. Tú no eres más que una compañera de cuarto con una vagina —concluí, al fin—. Ni que se supusiera que eso importara algo. Bueno, me gusta probar una vagina diferente de vez en cuando, así que si todo el problema es ése, pide el divorcio...

El teléfono sonó, interrumpiendo aquella manida digresión sobre las buenas costumbres sociales modernas. Tanto a Sharon como a mí nos irritó y nos quedamos mirando el artefacto, indignados, como si fuera un sirviente que hubiera osado interrumpir un asunto entre ambos. Si una pareja no puede hacerse añicos mutuamente en paz a las cuatro de la mañana, ¿qué mundo nos espera?

Volvió a sonar. Sharon dijo:

—Ve y habla con tu zorra. —Entonces se giró en su camisón rosa y volvió a entrar hecha una furia en el dormitorio, cerrando la puerta detrás de ella con un portazo.

—Mi zorra no sabe nuestro número —dije..., pero en voz baja, porque Sharon ya no estaba allí para que le doliera. Mientras, pensé: *¿Quién puñetas será?* ¿Una equivocación? ¿Un vecino quejándose por el ruido? ¿La señal para desencadenar un desastre o un heraldo de mi propio asesinato? ¿Qué? Intentaba convencerme para abandonar las perspectivas menos agradables, pero aquello no era nada bueno. Cuando el teléfono volvió a sonar, saboreé el miedo, un sabor agrio a productos químicos, en mi garganta.

Me dirigí a la lámpara de pie que había junto al sofá y levanté el auricular. Escuche sin decir palabra.

—No lo soporto más —dijo de pronto una voz aterrorizada.

—¿Quiés es? —Pero ya lo sabía..., lo adiviné de todos modos.

—Me trae sin cuidado el protocolo —Estaba gimiendo—. ¿En qué me beneficia el protocolo? No podemos quedarnos sentados de brazos cruzados y que nos eliminen uno a uno. Tenemos que hacer algo.

—Se ha equivocado de número —dije.

Colgué. Me quedé en el centro de la habitación, con la mirada fija en nada, y me tragué el sabor agrio de mi boca. De pronto, estaba completamente sobrio.

Eso fue hace casi —¿será posible?—, sí, hace casi veinte años. Y esa noche…, ésa fue la peor de todas. Fueran cuales fuesen sus causas, las muertes entre nosotros se quedaron en aquellas tres. Al transcurrir el tiempo sin que hubiera ningún contacto ni más desastres, la paranoia casi desapareció.

Veinte años. Veinte años de silencio e ignorancia, la red se había quedado huérfana, el régimen que la creó había desaparecido. ¿La misión? Se convirtió en un hábito residual de pensamiento, como cierta rareza desfasada de una inclinación o deseo adquirido en la infancia, aunque inútil o incluso contrario a la vida de adulto. Continué como se me enseñó a continuar, «porque» había sido adiestrado y por ninguna otra razón. Lo que una vez había sido el fin de todos mis movimientos se convirtió en algo más parecido a una superstición neurótica, a un impulso contumaz como el de lavarse las manos incesantemente. Manejaba mi carrera y cultivaba mis contactos con un ojo puesto en el sabotaje, situándome donde pudiera ocasionar el máximo daño posible. Pero no había ningún daño que infligir, y ningún sentido en hacerlo. Y de todas formas tampoco quería ocasionarlo. ¿Por qué habría de querer? ¿Por qué habría de hacerle daño a este país ahora?

No me malinterpreten. No se trataba de que hubiera llegado a amar a Estados Unidos. No lo amaba. No a ese Estados Unidos, débil, gris y anquilosado. Con sus élites convertidas en un grupo de engreídos onanistas, y sus sebosos paletos mascullando «negrata», y sus negratas reducidos a esqueletos de ojos saltones por la leche aguada de la teta del Estado. Corruptos alquimistas de la política que centrifugaban la culpabilidad y el miedo dentro del poder. Famosos depravados sin talento para nada que no fuera la autodestrucción. ¿Y el hombre de la calle? Encendía la televisión y allí se las dieran todas, intentando ganar un millón de dólares en algún programa concurso de cámara oculta, revolcándose en las babas de su propia disipación. Ése era el espectáculo entonces —ésa era la cultura—, ése el arte. Y luego las mujeres. Salías a la calle y allí estaban, gritando «joder» y «mierda» por sus móviles. Trabajaban como hombres mientras sus hombres se comportaban como niños, jugando a los videojuegos, palmoteando, bebiendo cervezas con sus gorras de béisbol puestas de lado, y luego, entrando lentamente en casa con un dócil «sí, cariño» dirigido a sus asexuadas y adustas esposas-madres del joder y la mierda. Ya no había alma en la tierra. Ninguna lógica espiritual que condujera a nadie al amor o a la caridad. Nada por lo que el alma tuviera que esforzarse, salvo el dinero a espuertas y circos *online*. Una Roma sin un mundo que valiera la pena conquistar. No amaba a ese Estados Unidos; no. Si a algo le guardaba lealtad, era al país que había conocido en la infancia. A la inocente comunidad pueblerina con sus banderas, iglesias y céspedes. A las mujeres virtuosas y a sus faldas por debajo de la rodilla. A los padres de traje y corbata con su probidad. Amaba el orgullo en la libertad de entonces, no a la libertad de joder a quien quieras y de soltar los tacos que sea, sino a la libertad nacida de la confianza en uno mismo y del autocontrol. El Pueblo, amaba al Pueblo. Amaba a Centerville. Y Centerville había desaparecido.

De todas maneras —de todas maneras lo que quedaba de él, lo que quedaba de este país aquí y entonces— seguía siendo un paraíso relativo de comodidad y conveniencias. ¿Qué, si no, había quedado que importara, salvo eso? ¿La revolución? ¿Qué se derivaba de la revolución, excepto esclavitud y sangre? No. Tenía mis rutinas, tenía mi próspero negocio, los restaurantes que me gustaban, mis partidas de golf, mis deportes en la televisión, mis mujeres ocasionales. ¿Por qué —en nombre de qué causa arrinconada— habría de infligir ningún daño a semejante ruina placentera de un lugar para vivir y morir como éste?

Así que cuando percibí nuestra mano en el choque de trenes, lo único que sentí es que mi comodidad estaba amenazada, ésa es la pura verdad. Me puso frenético —con una preocupación que casi rozaba el pánico— pensar que podría perder mi agradable y placentera vida.

¿Y qué otra cosa se suponía que tenía que sentir, dadas las posibilidades reales?

Los días posteriores a mi reunión con Jay los pasé en mi piso en soledad virtual, entrando en todo tipo de foros en Internet buscando respuestas. Stein ya había sido puesto al mando de la investigación interna, así que no había nada que se pareciese a una información digna de confianza en ninguna de las fuentes oficiales. Pero había pistas. Al menos pensé que las había. Creí percibir trazas de la verdad a plena vista, allí mismo, en las noticias diarias. Un resurgimiento de la arrogancia rusa a pesar de la caída en picado del precio del petróleo. Un silencio de película de terror en las capitales de Oriente Próximo a pesar de todos los sabios que se golpeaban el pecho. Todo propiciado por una especie de débil y rizado rastro de humo de razonamiento apenas perceptible, si sabías cómo verlo, si sabías cómo seguirlo. Las implicaciones se me antojaron demasiado terribles para hacerles frente directamente, pero de todas formas en algún nivel de mi inconsciente debía de haberlas comprendido, porque mi angustia se hacía más insoportable a cada día que pasaba. Protocolo o no, el impulso de intentar ponerme en contacto con el propio Stein era casi irresistible.

Y también podría haberlo hecho, de no haberme acordado de Leonard Densham.

Fue Densham quien me había llamado aquella madrugada veinte años antes, la madrugada de mi primera pelea con Sharon. Suya era la voz quejosa del teléfono: «No lo soporto más. Tenemos que hacer algo». Siempre había sido el eslabón débil, siempre, incluso cuando éramos niños, allá en Centerville. El último en asumir un desafío, el primero en aprovechar una excusa por cobardía. Debería haber sido eliminado entonces, pero tenía aptitudes peculiares relacionadas con cohetes y satélites y cosas así, las cosas importantes de la época. De hecho, había acabado en el Departamento de Defensa, trabajando en el sistema de navegación global por satélite. Pero de todas formas seguía siendo un eslabón débil. Debería haber sido abandonado.

A medida que pasaban los días —aquellos días obsesivos a caballo de mi angustia en mi piso, frente a mi ordenador—, llegué a convencerme de que él —Densham— era el que me había estado siguiendo en el parque de Washington Square. Tenía lógica. Si había peligro, incertidumbre, angustia, era lógico que Densham fuera el primero en infringir la norma, el primero en establecer contacto, entonces como antaño. Llegué a convencerme de que en realidad lo había visto en el parque, y había reconocido inconscientemente su cara, y que eso fue lo que me había sacado de mi ensoñación.

Dándolo por cierto, no creía que fuera difícil encontrarlo. Si me estaba siguiendo, debía de estar buscando una oportunidad para realizar un acercamiento seguro. Lo único que tenía que hacer era darle la oportunidad.

Escogí un lugar llamado Smoke, un pequeño bar de fumadores embutido entre los viejos almacenes de ladrillos del Lower West Side. Nada más que dos filas de mesas de cóctel en una sala estrecha alfombrada en rojo, paredes rojas y unas cortinas negras sin ninguna ventana detrás. La luz era tenue y la música estaba alta: imposible cualquier escucha, difícil la observación. Fui allí tres días seguidos. Aparecía a primeras horas de la noche, antes de que se empezara a llenar. Me sentaba en una mesa cerca del fondo, desde donde podía ver a todo el que iba y venía. Todos los días me fumé un Sherman largo, pedí un güisqui de malta y, tras consumirlo, me marché.

Al tercer día, justo cuando mi cigarrillo estaba llegando a su fin, Densham entró al bar y se dirigió a toda prisa hacia mi mesa por el pasillo central.

Hubo un tiempo en que habría dicho que se había vuelto loco. Nadie utiliza ya esa palabra. Ahora hay síndromes y patologías. La esquizofrenia y el trastorno bipolar y éste y aquel otro trastorno. Supongo que la idea de que alguien pueda perder contacto con la realidad resulta problemática en una época en la que nadie está realmente seguro de que exista siquiera la realidad. Pero Densham estaba «algo», de acuerdo: delirante, paranoico, angustiado, frenético, un chiflado furioso… Hagan su propio diagnóstico.

Sólo había que mirarlo para darse cuenta. Afuera hacía un frío que te calaba hasta los huesos —había una ventisca de nieve— y el bar tenía una calefacción deficiente. Me había sentado a tomar mi copa con el abrigo puesto. Pero ¿y Densham? El sudor le perlaba la cara cuando entró. Tenía el pelo mustio y brillante por el sudor. Los ojos irritados. No podía mantener quietas las manos. Se sentó a la pequeña mesa redonda enfrente de mí, inclinado hacia delante, balanceándose ligeramente sin dejar de mover los dedos, así que parecía que estuviera tocando un clarinete invisible en el aire vacío.

La camarera era una jovencita preciosa ataviada con una blusa blanca, falda negra y medias negras, pero él apenas la miró. De hecho, de entrada, la despachó con un gesto de aquellos dedos que no paraban de juguetear, y sólo la hizo volver y le pidió una cerveza cuando se lo pensó mejor; para no parecer sospechoso, supongo. Asimismo, negó con la cabeza cuando abrí mi caja de Sherman para ofrecerle uno, y luego me agarró rápidamente la muñeca antes de que pudiera retirarla. Cogió un cigarrillo, y se inclinó tanto sobre mi mechero de plástico que me llegó un olorcillo de algo que llevaba encima, cierto clásico perfume femenino que me enterneció por alguna razón.

—Tranquilízate —le murmuré mientras mantenía la llama—. Sólo conseguirás llamar la atención. Así que tranquilízate.

También me encendí un nuevo cigarrillo, y ambos nos recostamos en nuestros asientos y fumamos. Densham no sabía qué hacer para sonreír y parecer relajado. Lo cual le hacía parecer aún más loco.

—Te has percatado de lo que han hecho, ¿verdad? ¿Te das cuenta?

En cuanto habló, las pistas y mis sospechas empezaron a encajar. Pero antes de que tuviera tiempo de juntarlas todas, Densham se inclinó hacia delante de nuevo, apremiante, con la mirada ardiente, tamborileando espasmódicamente con los dedos encima de la mesa. Y dijo:

—Nos han vendido. Han vendido la red.

Se me cayó el alma a los pies y empecé a ver con claridad.

—A los árabes.

—¡Por supuesto que a los árabes! ¿A quién si no habrían…?

La camarera apareció con la cerveza, y él volvió a recostarse en la silla, chupando como un loco su cigarrillo hasta que se atragantó y empezó a toser. Vi alejarse a la chica. Entonces, aparentando más calma de la que sentía, dije:

—Eso es ridículo, Densham. Cálmate. Te estás viniendo abajo.

—¡Por supuesto que me estoy viniendo abajo! ¡No vine aquí a hacer volar las cosas para un puñado de pirados!

—¡Cállate! ¡Por Dios santo!

Se aplastó la mano del cigarrillo contra la boca como para hacerse callar.

—Eso no tiene ninguna lógica —dije—. ¿Por qué habrían de vendernos?

Densham hizo un espasmódico encogimiento de hombros mientras agitaba la mano en el aire, ahora como una mariposa al final de una cuerda, con el cigarrillo dejando un rastro de humo detrás.

—Petróleo. ¿Qué si no? El precio del petróleo. Eso es todo lo que les queda ahora, después de toda la maravillosa filosofía que nos hicieron mamar. Necesitan una subida del precio del petróleo… y pronto. ¿Y qué es lo que tienen para vender a cambio que los árabes quieran? ¡A nosotros! ¡A la red!

Me eché a reír, o intenté hacer un ruido parecido a una risotada.

—Estás loco. Te lo estás inventando todo.

—No me lo invento. Lo deduzco.

—Puedes deducir cualquier cosa. Puede que sólo se trate de un accidente ferroviario, Densham. ¡Por Dios!

Me miró fijamente, examinándome con aquella peculiar fuerza interior que tienen los locos.

—Lo sabes. Sabes que tengo razón, ¿verdad?

Me escondí detrás de mi copa.

—¡Ah! A uno se le pasan cosas por la cabeza cuando está nervioso. Nos ocurre a todos.

—Creo que Stein se ha debido de pasar.

—¿Qué? ¿De pasar a quién?

—¡A los norteamericanos! —dijo con un siseo—. ¿Si no, por qué no lo han asesinado como hicieron con Cumberland y los otros? ¿O detenido al menos?

Esta vez no me molesté en responderle. En ese momento me di cuenta de lo que le pasaba. Había estado sentado en casa, en la vida que fuera que hubiera tenido en esos veinte años, macerándose en sus terrores y sospechas, y ahora todas las teorías extravagantes se le antojaban la pura verdad, y todas las peores situaciones posibles le parecían de una evidencia demostrada. Era como una de esas personas que llaman por la noche a los programas de radio para hablar sobre platillos volantes y conspiraciones del Gobierno. Él se daba cuenta claramente de todo, y los demás estaban ciegos. En otras palabras: estaba loco.

—Ya lo verás, ya lo verás —dijo—. Estamos activados. Activados y reventados. Dentro de una semana, un mes, un año, cada uno recibiremos la llamada para ponernos al servicio de la *yihad*. Niégate, y nuestros amos nos tirarán por la ventana. Acepta, y los norteamericanos nos pasarán por encima con un coche en algún callejón. En uno u otro caso, estamos muertos. —Se rió con amargura.

Ya tenía suficiente. Me metí la mano en el bolsillo para sacar la cartera.

—Estás loco. Te has estado macerando en tu propio jugo. Tienes que salir más. Ve a un buen psiquiatra. Pero, hagas lo que hagas, no te vuelvas a acercar a mí.

—¡No lo voy a hacer! ¿Entiendes? Pirados. No lo haré. Eso no es lo que convine.

Me encogí de hombros.

—Éramos unos niños. Ninguno convino nunca nada.

—Puede que los norteamericanos puedan utilizarme —prosiguió—. Me perdonarán. ¿Por qué no? Perdonaron a Stein, ¿no? Los norteamericanos siempre han sido así de sentimentales. Lo entenderán todo. Entenderán que ahora tengo algo por lo que vivir. Por fin. Algo por lo que vivir para…

—¡Callate! ¿Quieres callarte de una vez? Tranquilízate. ¡Maldita sea!

Tiré algunas monedas sobre la mesa y me levanté. Densham me miró como si sólo entonces hubiera recordado que yo estaba allí. Mordisqueó el extremo de su cigarrillo como una ardilla mordisquea una nuez. Parecía pequeño, sospechoso y avergonzado.

—¿Nunca lo has echado de menos? —preguntó.

—¿A qué te refieres? —repliqué con irritación mientras me abotonaba el abrigo—. ¿Echar de menos qué?

—El Pueblo. Centerville. Lo extraño a veces. Lo extraño mucho.

Aparté la mirada, avergonzado. Fue como si hubiera leído mis ensoñaciones.

—No seas ridículo —dije—. No hay nada que extrañar.

—Lo hay para mí. —Soltó otra patética risilla, casi un sollozo—. Lo amaba. Es lo único que he amado de verdad.

—Todos… idealizamos nuestra infancia.

—No. No —repitió, con una gran seriedad—. Esa vida, esa forma de vida. Eso es por lo que deberíamos haber luchado desde el principio.

Sentí que me ardía la cara. Lo miré fijamente como si estuviera diciendo algo increíble, algo que no hubiera pensado yo mismo miles de veces.

—¿Por lo que haber luchado? —dije, intentando no levantar la voz—. ¿Cómo podíamos luchar por eso? Ni siquiera era real.

—Para mí sí lo fue.

Hice una mueca de desprecio, indignado con él; indignado porque entonces se me representó como mi patético ser interior hecho carne.

—Busca que alguien te ayude, Densham.

Se volvió a reír, o a sollozar. Lo dejé allí y atravesé la sala a grandes zancadas hasta la puerta.

Su muerte llegó a ser noticia, pequeños recuadros en las páginas interiores de los periódicos sensacionalistas, obituarios igualmente pequeños, pero más majestuosos en los periódicos de gran formato, y luego, inevitablemente, en los enlaces *online*. En Instapundit fue donde lo encontré. Tenían un enlace con un artículo del *New York Post*: «Espeluznante suicidio sadomasoquista de un pionero de los satélites». Densham había sido hallado colgado de la barra de los trajes de su armario empotrado, ahorcado con su cinturón y vestido con una estrafalaria corsetería de piel y otra parafernalia. Un fallo fatal en el vestuario durante una noche, por lo demás silenciosa, de asfixia autoerótica; eso dijo la policía local.

Como asesinato, una obra de arte…, si es que era un asesinato. En eso consistía la genialidad del asunto. ¿Cómo podía saberlo con seguridad? Pero lo sabía. Al menos, pensaba que lo sabía. Leí el artículo con el estómago revuelto, cayendo en barrena. De inmediato me di cuenta de que aquél era el final de mi paz mental, el final de lo que quedaba de mi paz mental. ¿Qué clase de rompeolas mental soportaría entonces la riada de paranoias? No. No había forma de escapar de aquello: los malos tiempos habían vuelto.

¡Qué horroroso es el suspense! Peor que cualquier catástrofe real. Cuántas veces no has oído decir a un enfermo de cáncer: «La peor parte fue esperar a los resultados». Peor que el propio cáncer: la espera, el no saber, el miedo. Terrible. Y eran días, semanas, meses.

Quizás eso también contribuyera a que me enamorara de ella. No sólo de su aspecto y su forma de comportarse y lo que representaba. Todo eso estaba en la mezcla, por supuesto. Pero puede que tan sólo me sintiera agradecido —muy agradecido— de que por fin ella hubiera llegado.

Para entonces, el invierno oscuro y nevoso había dado paso a una primavera tan templada que parecía una especie de música muda. Me obligué a salir al aire libre sólo para tener la experiencia, para sentir el aire. El aire de la melancolía. Verdaderamente, como el sonido de una música recordada a medias. Incluso en Nueva York, con el calor de su tráfico, con sus ruidos y olores, no podías sentir aquel aire sin que se abriera cierta dulzura en tu interior, una sensación de añoranza del pasado, daba igual lo que añoraras. Yo, por supuesto, caminaba por las calles de la ciudad y soñaba con Centerville, soñando conmigo mismo en historias de amor ambientadas en el Pueblo. Era el único alivio que tenía para el suspense, para la pesada nube invernal de la espera, la ignorancia y el miedo.

Todavía andaba sumido en aquellas ensoñaciones cuando se acercó a mí. Fue en una cafetería, en el mostrador de la ventana, mientras sujetaba flácidamente mi vaso de cartón y miraba sin ver por el cristal de la fachada.

—¿Le importa si me siento aquí? —preguntó ella. Tenía una voz bonita. Me di cuenta enseguida. Era clara y dulce, con una dicción fluida a la vez que precisa. Era la manera en que hablaban las mujeres cuando pensaban en la forma en que debían hablar, cuando se entrenaban para hablar como señoras.

Levanté la vista; era preciosa. Puede que unos veinte años más joven que yo, de unos treinta y tantos. Con aplomo, aunque sin esa seguridad brusca y varonil que con tanta frecuencia veo en las mujeres de hoy. Elegante a conciencia, como si su elegancia fuera algo que sacara a relucir para la gente, un obsequio que les hacía. Era el suyo un estilo en general elegante y ligeramente desfasado de una manera dulce y primorosa. El pelo rubio hasta los hombros recogido con una cinta. Un primaveral vestido azul ancho de hombros, ceñido en la cintura que acababa recatadamente por encima de las rodillas. Me llegó el olor del perfume que llevaba, y también era encantador, también elegante y tradicional. Creí reconocerlo de alguna parte, aunque no fui capaz de recordar de dónde.

—¿Le importa si me siento aquí a su lado?

—En absoluto —le dije, aunque al mismo tiempo mis ojos recorrieron el local y vi que había muchas mesas libres, multitud de sitios donde se podía sentar.

Lo vio en mis ojos, me leyó los pensamientos.

—Hay un hombre fuera —me dijo—. Me ha estado siguiendo y haciendo comentarios. Pensé que si me sentaba a su lado, que si parecía que nos conocíamos…

Lo que sucedió a continuación ocurrió con mucha rapidez, el cerebro sopesando las cosas, la respuesta emocional, todo en cascada en un instante. Mi primera reacción fue instintiva, automática; una mujer atractiva me había pedido protección: sentí nacer el afecto en mí y de inmediato me puse en guardia ante la posibilidad de un romance. Pero al instante siguiente —o al siguiente segmento de ese mismo instante, tan rápido fue todo— recordé dónde había olido antes aquel perfume. Era el mismo aroma que percibí en el bar, cuando Densham se había inclinado hacia mí para que pudiera encenderle el cigarrillo. «Ahora tengo algo por lo que vivir —me había dicho—. Por fin. Algo por lo que vivir.»

Mis ojos se dirigieron a los de la chica —unos ojos azul claro— y pensé: *Ah, sí, por supuesto, es a quien ellos enviarían, ¿verdad?* Y lo que era, supongo, terrible —terrible y sin embargo en cierto modo cautivador— fue que me percaté de que me leyó el pensamiento, y que me di cuenta de que se había percatado que yo lo comprendía todo y que me daba cuenta de que ella lo comprendía, comprendía que no me importaba, y que de hecho eso era una ventaja para ella, porque la deseaba y le daba la bienvenida.

Era la muerte y el pasado, y la encarnación de mis sueños, y yo ya estaba enamorado de ella. Siempre lo había estado.

Deben de pensar que lo que siguió debió de haber sido más o menos extraño, pero no lo fue. No para mí. De todas formas, todos los amantes, al principio, están en una especie de ficción. La circunspección, la contención, el poner lo mejor de uno. Incluso esta última generación de putas y bárbaros deben tener algún que otro ritual de cortejo antes de ir a ello como monos y luego separarse para ir a cuidar sus resacas. Todos los mamíferos tienen sus rituales, su método de aproximación.

Así que el hecho de que ella y yo nunca reconociéramos la realidad de nuestra situación no se me antojó tan extraño como todo eso. Cenábamos juntos, íbamos al cine y dábamos largos paseos, y hacíamos excursiones en coche al campo para ver el paisaje primaveral, como hacían los demás. Hablábamos más o menos al azar de aquello que nos gustaba, de lo que habíamos visto y de lo que deberíamos hacer. Le hablaba de mi negocio, que consistía en ofrecer almacenamiento seguro y seguridad *online* a los archivos informáticos de las principales empresas y agencias estatales. Ella me hablaba de su trabajo de profesora de inglés como segundo idioma para forasteros e inmigrantes. Ése era un detalle bonito: yo, un empresario rico; y ella, una altruista que se las arreglaba como podía. Eso me daba todo tipo de oportunidades para cuidarla, para interpretar el papel de hombre. A ella le gustaba que la cuidara. Le gustaba que le abriera la puerta y esperara a que entrara en una habitación y que le sujetara la silla cuando se sentaba. Aceptaba aquellos toques de respeto caballeroso con elegancia, aunque también con agradecimiento. Tenía habilidad para anidar en mis cuidados, para disfrutar de mi protección y de la vulnerabilidad que eso le permitía. Sabía cómo levantar la vista con una deferencia expectante cuando había que tomar una decisión, de manera que me sintiera impotente para tomar cualquiera que no fuera la que al final la complaciera y obrara en su protección. Era todo suavidad y belleza, y me encontré cuidándola como si fuera la última flor que quedara en un mundo por lo demás pedregoso.

En cuanto al pasado…, en cuanto a hablar del pasado: en aquellos primeros días sólo compartimos fragmentos, fragmentos a intervalos ocasionales, y si mis recuerdos estaban distorsionados y los suyos eran mentiras, ¿en qué nos diferenciábamos de cualesquiera en las etapas iniciales de la atracción?

Nos hicimos amantes de la manera más bonita, tierna y elegante, sólo después de semanas y semanas de noviazgo, sutil seducción y lenta entrega. Ojalá tuviera palabras para describir la dulzura de su reticencia y de su recato, de la acompasada rendición de su recato a sus pasiones y a las mías. ¿Me quieren decir que era todo ficticio? ¿Falso? ¿Una actuación? Como dicen los chicos hoy día: ¡lo que tú digas! ¿Acaso han sido alguna vez tales cosas algo distinto a una especie de actuación, a un tipo de baile? Una forma artística, si quieren. ¿Y qué es el arte sino una clase especial de falsedad, una falsedad mediante la cual expresamos la verdad inexpresable sobre nosotros mismos y sobre la condición humana?

Bueno, de todas formas así fue como lo consideré, como una especie de arte, un tipo de cuento que estábamos contando con nuestras vidas, una especie de danza encantadora. Hasta el preciso instante del clímax, hasta el momento exacto de correrme, sujetándola desnuda entre los brazos y dándole gracias a Dios —de verdad, dándole gracias— por lo que ella suponía de bendición en mi madurez. Y entonces todo se convirtió en cenizas en mi mente. ¿Qué tendrá, me pregunto, el orgasmo masculino que evapora toda estructura permanente de emoción y embeleso?

Una hora más tarde estaba sentado, sintiéndome amargado, en la oscuridad, fumando un Sherman junto a la ventana abierta, mirando de manera malsana su figura durmiente sobre la cama. El gusto del cigarrillo me trajo a la memoria mi reunión con Densham. Las notas de su voz flotando entre el humo y la música... *Estamos activados. Activados y reventados. Niégate, y nuestros amos nos tirarán por una ventana. Acepta, y los norteamericanos nos pasarán por encima con un coche en algún callejón. De una u otra manera estamos muertos.*

Ella se movió en las sombras y murmuró mi nombre. Entonces, localizándome junto a la ventana enmarcada por la relativa luz de la ciudad nocturna, se apoyó en un codo.

—¿Te encuentras bien, cariño?

—¿Qué fue? —le dije—. ¿Aceptó la misión o la rechazó?

—¿Qué? ¿De quién hablas?

—Densham. Dijo que les iba a decir que no y confiar en la protección de los norteamericanos. Pero no creo que al final hubiera tenido el valor de hacerlo. Una vez enfrentado realmente a la disyuntiva, le resultaría más fácil aceptar. —Las palabras brotaron de mí en voz baja, con una precipitación atropellada—. Se convencería de que estaba completamente equivocado respecto de los norteamericanos, que éstos no tendrían ni la menor idea de nuestra existencia, que por eso Stein se había pasado y quedado impune. Podría haberse convencido de lo que fuera si creía que eso significaba estar contigo. Eras todo lo que él quería, el sentido de su vida. Y ahí estabas tú, desde el principio, esperando pacientemente, observando para ver qué era lo que sabía, con quién hablaba, cómo iba a cambiar de bando. Igual que estás haciendo conmigo.

No respondió. No dijo: «No sé de qué estás hablando». Era estremecedor. Ni siquiera se molestó en fingir.

—Supongo que eso significa que «estás» con los norteamericanos —dije—. Él aceptó la misión y tú tenías que detenerlo… O, quién sabe, a lo mejor eres una de los nuestros. Quizás él se negó y ésa es la razón de que lo hicieras…

—¿Qué hora es? —murmuró—. Lo siento…, todavía estoy dormida. Sea lo que sea, podemos hablarlo por la mañana. Vuelve a la cama conmigo.

Al final, aquel estado de ánimo pasó y me acosté.

Curiosamente, con todo lo que estuve esperando la llamada definitiva, ésta llegó de forma inesperada. Y fue así debido a lo ensimismado que estaba en ella, a lo inmerso que me encontraba en el sueño viviente de nuestro romance. Hora tras hora, día tras día, fui olvidando que se iba a producir la llamada, aunque siempre lo supe. Cuando al final se produjo, nada podía haber estado más alejado de mi mente.

Estábamos en el parque. Era un día de principios de verano. Estábamos comiendo en el café que daba al lago. Yo estaba contando una divertida anécdota sobre el sitio web que le había vendido a un adolescente millonario que había dejado el instituto y que tenía todo el dinero del mundo, pero ninguna educación. Ella se estaba riendo de la manera más encantadora y lisonjera, cubriéndose gentilmente la boca con una mano. Yo estaba pensando en lo encantadora que era, en lo verdaderamente encantadora que era y en lo dichoso que eso me hacía.

El teléfono empezó a vibrar en el bolsillo de mi chaqueta. En circunstancias normales, por supuesto, no habría contestado durante la comida, pero ésa era la tercera vez que había sonado en otros tantos minutos.

—Perdóname —le dije—. Podría ser una emergencia de mi oficina. —También me lo creí. Así de absorto me encontraba en nuestro cuento de hadas.

Saqué el móvil y me lo puse en la oreja, e incluso entonces, aun cuando oí la cantata al fondo, pasó un instante antes de que comprendiera. Bach 140: la primera parte de la señal. Y luego una voz dijo: «¿George?», que era la otra parte.

—Lo siento, se ha equivocado de número —respondí automáticamente.

—Ay, lo siento, disculpe —dijo el hombre. La música se interrumpió cuando colgué.

Volví a meterme el móvil en el bolsillo, ya sin apartar la vista de ella todo el rato.

—¿Una equivocación? —dijo ella, por fin. Así, con total naturalidad, con una verosimilitud absoluta.

Y de igual manera, con idéntico tono, casi creyéndomelo yo mismo, respondí:

—Sí, perdona. Bueno, ¿qué estaba diciendo?

Cuando volvíamos caminando a mi apartamento, por encima de todo me sentí triste, triste porque se fuera a acabar. Aunque la luminosidad estival del día siguió brillando hasta últimas horas de la tarde, había adquirido, reparé, un aura añil conmovedora, una melancólica cenefa de oscuridad que recordaba haber visto en mis días de universidad, cuando había acompañado a la estación de ferrocarril a una amante en la que sabía sería la última vez. En ese momento, le sujetaba la mano fría en la mía, y de vez en cuando miraba su cara lozana que levantaba hacia mí y escuchaba aquella dicción fluida y refinada mientras charlaba sobre éste o aquel plan de futuro... y me dolía cada minuto que pasaba, cada minuto que nos acercaba al final.

—¿Por qué no vas sirviendo unas copas de vino? —dije, mientras la ayudaba a quitarse el abrigo en el recibidor—. Tengo que consultar el correo electrónico un momento.

Entré en el estudio, apreciando conscientemente los ruidos domésticos que ella hacía al moverse por la cocina. Encendí el ordenador.

Nuestros procedimientos habían sido actualizados por última vez hacía más de veinte años. Seguían incluyendo arcaicos preparativos como puntos de entrega y llaves de consignas y encuentros fortuitos. Dudaba que esa clase de cosas siguiera siendo operativa, y resultó que estaba en lo cierto. Habían enviado el material directamente a mi ordenador: un paquete imposible de rastrear que aparecía tan sólo como un icono en el escritorio cuando encendí el aparato. No leí todo el código; sólo lo suficiente para ver qué era: un virus que podía meterse en mis copias de seguridad de modo que mis clientes perdieran parte de sus archivos. Luego, cuando fueran a restablecer los archivos a través de mi servicio, éstos estarían reescritos con instrucciones que provocarían fallos insignificantes e indetectables, aunque finalmente devastadores en todos los sistemas. En otras palabras, sería una bomba de relojería cibernética que maniataría las reacciones de seguridad clave en momentos esenciales y dejaría a todo el país inerme contra... lo que nuestros amigos pirados estuvieran planeando hacer. A primera vista, el asunto parecía bastante elegante y devastador. Pero creo que lo que más me impresionó fue su realismo clínico y eficiente. Estaba tan desprovisto de romanticismo como unos nuevos rayos X malos. Aquello arrojó de mi mente toda idea de romanticismo.

Quizá fuera ésa la razón de que me pareciera verla de una manera diferente cuando volví a entrar en el salón. En ese momento estaba en el centro de la estancia, con nuestras copas de vino, una en cada mano. Vestida con una falda plisada y una blusa abotonada y con un collar de perlas contra su piel rosácea. Fue la primera vez que se me apareció sencillamente como un fraude. Hermosa, pero fraudulenta. Como una sátira de un ama de casa de los años cincuenta. Ni siquiera eso. Como una sátira de un programa de televisión sobre un ama de casa de los años cincuenta. Su visión me trajo un gusto amargo de ironía a la boca y a la mente, y cuando le cogí una copa de la mano, sonreí burlonamente a aquellos maravillosos ojos, mientras me miraban sin que pudiera detectar otra cosa que una inmensa y triste inocencia.

Me senté en mi sillón preferido. Ella lo hizo en la alfombra, a mis pies. Eso, también, para mi estado de ánimo repentinamente prosaico, me pareció algo excesivamente deliberado: una evidente y elaborada interpretación, un cínico retablo de una mujer plegándose a la autoridad de un hombre un tanto mayor.

De todas formas, levanté mi copa hacia la suya y ella la suya hacia la mía y las entrechocamos. Di un trago y suspiré.

—Me crié —dije— en una ciudad llamada Centerville. —No sé por qué sentí que tenía que contarle aquello, pero el caso es que lo hice. Era el último acto de la obra, supongo. La única manera que se me ocurrió de prolongarla sólo un poquito más.

Ella también interpretó su papel. Apoyó la cabeza en mi rodilla y levantó la vista hacia mí con aire soñador mientras le acariciaba el pelo.

—Sí —dijo—. Ya me lo mencionaste. En Indiana, me dijiste.

—Sí. Sí. Se suponía que tenía que estar en Indiana, una pequeña ciudad de Indiana. Pero, de hecho, estaba en algún lugar de Ucrania, por supuesto. Rodeada por aquellos inmensos campos de trigo. Era bastante bonita, la verdad. Con un aspecto bastante americano. Querían que creciéramos como típicos norteamericanos. Ésa fue la razón de que se construyera el lugar. Al mismo tiempo que nos adiestraban para lo que íbamos a hacer, querían que perfeccionáramos hábitos de comportamiento y de pensamiento norteamericanos, para que luego pudiéramos introducirnos en los sitios que nos tenían preparados y de ese modo no llamáramos la atención, ya sabes, que no nos delatáramos.

Ella era muy buena. Callada y atenta, su expresión era impenetrable. Podía haber estado pensando en cualquier cosa. Podía estar esperando sencillamente a que se le aclarara la lógica de todo aquello.

—El problema era, por supuesto, que a nuestros servicios de inteligencia... bueno, digamos que nunca se les dieron bien los matices. Ni el sentido del humor, ya puestos. —Me eché a reír—. No, nunca se les dio muy bien nada que tuviera que ver con el humor, eso seguro. Construyeron el lugar según algunos informes de campo medio serios, artículos de revistas que aceptaron sin preguntar y programas que veían en la televisión. Sobre todo los programas que veían en la televisión, aquellas comedias de situación de media hora que fueron tan populares en los años cincuenta, ya sabes, sobre la vida familiar de algún pequeño pueblo. Desarrollaron todo el programa en torno a ellas. Adiestraron a nuestros guardianes y profesores con esas comedias. Las reprodujeron al por mayor, a la manera literal y afanosa de los rusos, para que fueran el escenario de nuestra educación. Por consiguiente, ahora diría que crecimos en un Estados Unidos desconocido para los verdaderos estadounidenses. Crecimos en un Estados Unidos que Estados Unidos quería ser o que pensaba de sí mismo que era o... No sé cómo expresarlo con precisión. Era una extraña dicotomía, eso sin duda. Psicológicamente brutal en algunos aspectos. Se nos plantó siendo niños en medio del sueño americano y luego se nos enseñó que aquello era el mal y que había que destruirlo...

Le di un sorbo al vino. Le acaricié el pelo. Me quedé con la mirada fija en la media distancia, hablando más que nada para mí, reflexionando en voz alta, recapitulando, si quieren.

—Pero ésa fue... mi infancia. ¿Sabes?, allí era un niño. Ya sabes, con amigos, días de verano y nevadas. Recuerdos felices. Fue mi infancia.

—Parece como si la echaras de menos —dijo ella.

—Oh, muchísimo. Casi como si hubiera sido real. —Volví a bajar la vista hacia ella. Hacia su cara dulce, suave, joven y pasada de moda—. De la misma manera que te quiero. Como si fueras real.

Se incorporó. Me cogió la mano.

—Pero yo soy real. —Me quedé sorprendido. Era la primera mentira que me contaba, aparte de todo el asunto, quiero decir—. Me ves, ¿no es así? Por supuesto que soy real.

—No voy a hacerlo —le dije—. Ya se lo puedes ir diciendo a quienquiera que te haya enviado. Ya he borrado el código. —Entonces, una vez más, sencillamente esperó, se quedó mirándome sin más. Le acaricié cariñosamente la mejilla con el dorso de la mano—. Lo he pensando mucho. Fue difícil saber cómo enfocarlo, realmente. ¿Debía intentar anticiparme a ti, determinar lo que activaría tu protocolo? ¿O intentar comprender lo correcto o incorrecto del asunto…? Aunque supongo que es un poco tarde para eso. Aunque al final…, al final, ¿sabes lo que era? Era una cuestión de autenticidad. De todo. De verdad, hablo en serio. Cuando era más joven, intentaba comprenderlo: ¿quién soy?, ¿quién se suponía que tenía que ser?, ¿quién habría sido si nada de esto hubiera ocurrido? Pero ¿para qué sirve todo esto? ¿El pensar así? Todos tenemos historia. Todos tenemos infancia. Accidentes, traiciones, crueldades que dejan sus cicatrices. Ninguno de nosotros somos como nos hicieron. Así que pensé, bueno, si no puedo ser quien soy, déjame al menos que sea lo que parezco. Déjame que sea leal a mis anhelos, por lo menos. Déjame que sea leal a las cosas que amo. Aunque sólo sean ensoñaciones, son mías, ¿no es así? Deja que sea leal a mis sueños.

Ella no respondió. Claro. Y la expresión de su rostro siguió siendo imposible de descifrar. En ese punto me sorprendí agradeciéndolo. Le estaba agradecido por ello, aunque su belleza me rompía el corazón.

Le di un último sorbo al vino, dejé la copa sobre una mesa y me levanté. Le rocé la cara una última vez, dejando que los dedos se entretuvieran, para luego arrastrarlos por la suavidad de su mejilla cuando me alejé.

No me volví de nuevo hacia ella hasta que llegué a la entrada del dormitorio. Y entonces me paré, me giré y la volví a mirar. Componía una bonita foto, sentada en la alfombra, con los pies metidos bajo el cuerpo y la falda extendida a su alrededor como un estanque azul. Me había seguido con la mirada y me observaba, y entonces sonrió con vacilación.

—Mírate —dije, lleno de emoción—. Mírate. Nunca has estado más hermosa.

Cuando me di la vuelta de nuevo para salir del salón, añadí con ternura:

—Ven a la cama.

La redención de Hamburgo

Robert Wilson

Al despertar, el malestar de la resaca hizo que se desplomara de nuevo sobre la almohada con un gruñido. No recobró la conciencia hasta que las imágenes parpadearon en la cancela de su mente. Se incorporó de golpe con el espasmo de un vómito y se apuntaló la cabeza en sus manazas. Se la apretó con los ojos bien cerrados y la mente atenta.

—Volved —dijo para sí—. Volved dentro, cabrones.

Un reloj colocado en la cabecera de la cama le informó de que eran las 04.06. Un récord. Llevaba meses sin dormir más allá de las 03.30.

¿Dónde puñetas estoy?, pensó, sabedor de que en los últimos tiempos cada vez hablaba más para sí porque eso lo ayudaba a mantener la mente a raya.

Se levantó, un poco mareado. Estaba desnudo. No recordaba haberse desvestido. Acostumbraba despertarse completamente vestido, a veces en la cama, otras en el suelo del baño, bañado en sudor.

Descorrió la cortina gruesa y pesada que cubría la ventana. La noche lo saludó. La única luz visible en las inmediaciones procedía de unas letras mayúsculas azules que parecían colgar sin sujeción en la oscuridad.

FLEISCH GROSSMARKT

Una arcada envió a borbotones a su garganta el recuerdo líquido y ardiente de la ferocidad alcohólica de la última noche. No pudo tragar lo suficiente para librar a su garganta del ácido. Jadeó como si se estuviera ahogando.

—Hamburgo —dijo, moviendo los labios, sin emitir ningún sonido—. Estoy en Hamburgo.

Había ido allí porque era su hogar, donde había pasado los primeros doce años de su vida antes de que su padre, científico, se hubiera trasladado a Estados Unidos en 1964, justo seis meses después de que asesinaran a JFK. Su padre, que se había desentendido de la culpa colectiva de su patria, había abrazado Estados Unidos y le había enseñado a hacer lo mismo a él. Y él lo había hecho. Dios mío, vaya si había abrazado a aquel país. Lo había estrechado entre sus brazos con tanta fuerza que se había convertido en una parte del aparato que lo protegía contra cualquier enemigo oculto. ¿Y en ese momento? Se estremeció como si un tren hubiera pasado por debajo de él, y se aferró al alféizar. La culpa estaba sacudiéndole los cimientos. No sólo la culpa de lo que había hecho, sino la culpa de lo que iba a hacer. Tomó aire y tranquilizó sus pensamientos concentrándose en lo físico.

El hotel, sí, el hotel —lo recordaba porque no estaba demasiado borracho cuando había llegado— era una torre de agua remodelada en la Sternschanzenpark. Giró un poco la cabeza y vio las luces de la enorme torre de televisión a la izquierda. Asintió cuando esas certidumbres se revelaron. Afirmó los pies sobre la alfombra. Era extraño lo reconfortantes que las cadenas de hoteles se habían vuelto para él, aunque aquel colosal cilindro decimonónico, con su entrada cavernosa, tenía una cinta móvil de metal que subía hasta la recepción de ladrillo visto, con efectos sonoros del goteo del agua, lo que le había inquietado tanto que había tenido que agarrarse a la barandilla deslizante de caucho con ambas manos.

Ningún dolor de cabeza todavía, sólo náuseas y una sed inmensa. Abrió el minibar, sacó una botella de agua del cubo de luz y se la bebió. Las lágrimas afloraron a sus ojos. Su cerebro había empezado a trabajar en insólitas secuencias, y en lugar de las habituales escenas terroríficas que tenía que esforzarse en suprimir, vio unos arroyos de montaña de aguas frías y tranquilas, y la inocencia de su hija de siete años en un sueño perfecto y continuado. Supo entonces que era poco probable que volviera a verla de nuevo. De ahí las lágrimas. Aunque no todo era sentimental. El agua estaba fría.

—¿Qué estás haciendo ahí?

La voz procedente del otro lado de la oscura habitación lo atravesó como un arpón frío. Incluso hizo que se tambaleara de espaldas hacia la pared unos centímetros. ¿Había alguien más en la habitación? La estupidez de la lógica retumbó.

Un movimiento.

—No enciendas la luz —dijo él rápidamente, una orden.

—Sólo voy a coger mi agua… ¿De acuerdo?

Una voz femenina. Un inglés perfecto. Una ligerísima inflexión alemana. ¿Qué demonios estaba haciendo ella allí? Olisqueó el aire. No olía a mujer.

—No recuerdas nada, ¿verdad?

Nada sobre él.

—Eh, mal asunto —dijo ella con un susurro ronco—. Un agujero negro. No recuerdas nada, ¿no?

—No —respondió él—. ¿Quién eres?

—Leena —dijo—. ¿Y quién eres tú?

—¿No te dije un nombre?

—Un nombre —dijo ella—. ¿Es que tienes diferentes para cada puerto donde haces escala?

Silencio. Un comienzo aun peor que el horror habitual de la conciencia.

—Me dijiste tu nombre —dijo ella—. Pero ¿por qué no habrías de dármelo?

—No lo sé —dijo él, intentando pensar en cuál habría utilizado.

—Roland Schafer —dijo ella—. Tu apellido significa «pastor» en alemán antiguo. ¿Lo sabías?

Lo sabía. Una imagen de su padre apareció fugazmente en su

mente: pastoréandolos a él y a su hermana al International School, donde los estaban preparando para el sistema educativo norteamericano. Tenía las manos en sus cabezas. Incluso recordaba la presión del tacto de su padre, y que más que sentirse reconfortado por él, le hacía sentir extrañamente avergonzado.

—¿Y qué clase de nombre es Leena? —preguntó él.

—Es el diminutivo de Marleena.

—¿Como Dietrich?

—Casi. Ahora estás desvelando tu edad, Roland —dijo ella—. Nos conocimos en una librería. ¿Lo recuerdas?

—No, no lo recuerdo —dijo, pero sí se acordaba; por el momento tenía que manejar las cosas con cuidado.

—Bebiste mucho. Vaya, realmente mucho —dijo ella—. Casi tuve que traerte a rastras hasta aquí.

—¿Dónde vives?

—No muy lejos, pero hacía mucho frío, y en cuanto te subí aquí, te desnudé y te metí en la cama, pensé… ¿qué carajo?

—¿Que carajo qué?

—Que me podía quedar a dormir aquí —dijo—. ¿Puedo encender ya la luz?

—No tengo ninguna toalla.

—Lo he visto todo, Roland —dijo ella, y con un chasquido encendió la lámpara de pie, que arrojó su luz sobre el sillón vacío que había junto a él.

Roland se sentó en él y se mesó los cabellos. Sacudió la cabeza.

La mujer tenía el pelo largo y rubio. Puede que anduviera cerca de la treintena, que era todo lo que él podía deducir dada la oscuridad del rincón donde ella se encontraba. Leena se sacó de encima el edredón. Su desnudez lo sobresaltó. Pezones respingones. La mujer giró el cuerpo, cogió algo del suelo, y se puso a juguetear con ello mientras la visión de Roland quedaba obstruida por su espalda desnuda.

—Tengo que hacer pis —anunció ella, y pasó por su lado sin el menor atisbo de timidez.

Casi se la podía considerar musculosa, con hombros definidos y senos que no necesitaban sujetador. Sus músculos abdominales resaltaban sobre los pantis negros. La actividad de los tendones de sus muslos era patente, y sus nalgas tenían un declive en los lados. Sólo cuando se dirigió al baño, pudo ver él una ligera diferencia entre la pierna izquierda y la derecha.

—¿Has sido deportista? —preguntó él.

—Lo fui —respondió ella, y desapareció.

La paranoia de Roland irrumpió de repente. ¿Quién era? ¿Qué estaba haciendo allí? ¿Quién la enviaba? ¿Sabían algo?

Ella regresó, le arrojó una toalla y volvió a meterse en la cama. Esta vez, puesto que sabía dónde mirar, vio que la pierna derecha era una prótesis de la rodilla para abajo.

—Los cirujanos creían que no volvería a caminar jamás —dijo ella—. Pero siempre dicen eso para que pongas más empeño.

—¿Hablamos de eso anoche? —preguntó él.

—¿Sabes?, te bebiste casi una botella entera de *grappa* sin la ayuda de nadie.

—¿*Grappa*?

—No fue en un restaurante italiano, si es eso lo que te confunde.

Memoria en blanco. Algo que ocurría con demasiada frecuencia en los últimos tiempos. La piedad sólo hacía borrón y cuenta nueva del presente, pero no limpiaba ni un ápice del pasado.

—Era deportista —le contó ella—. Antes del accidente de coche.

—¿Atleta? —aventuró él.

—Era bastante buena. Saltadora de pértiga. Parece que te mantienes en buena forma… o al menos te mantenías.

—Sí. Hago pesas. Y jugaba al fútbol.

—Deberías volver a hacerlo antes de que sea demasiado tarde.

—Vas a tener que contarme lo que ocurrió desde el principio. No recuerdo absolutamente nada.

—Yo sí que lo recuerdo todo. Ése es mi problema. Memoria fotográfica. Recuerdo incluso la inconsciencia, los cuatro días que pasé en coma después del accidente de tráfico, aunque eso no estuvo mal del todo, porque fueron los mejores cuatro días de mi vida. Tuvieron que sacarme a empujones de aquel mundo para traerme a éste.

—¿Por qué? —preguntó él, sorprendido por sentir curiosidad.

—Porque por primera vez en mi vida había un hombre que me quería.

—¿Lo conocías?

La mujer parpadeó al oír la pregunta, porque siempre había supuesto que sí.

—Sí. Me parecía que lo conocía de siempre.

—Entonces debe de haber sido tu padre —concluyó él, dejando que la paranoia volviera de nuevo, dispuesto a no bajar las defensas tan al principio de la partida.

—Anoche tampoco reparaste en la pierna —dijo ella, desviándose bruscamente de la fea zanja que él había abierto delante de ella—, pero llevaba pantalones. Aunque sí que reparaste en otras cosas.

—¿En qué? —preguntó él, estudiándola con atención.

Leena volvió a quitarse el edredón de encima, gateó hasta la esquina de la cama más cercana a él, y se retiró el pelo del lado izquierdo de la cara.

—¿Te acuerdas?

No se acordaba, y lo habría recordado. Ella tenía parte del hueso hundido en el lado izquierdo de la cabeza, y una cicatriz le rodeaba la sien por delante de la oreja del mismo lado. Leena trazó una línea con el dedo que cruzó el ojo izquierdo.

—Es de cristal —comentó él.

—Quisieron reconstruir el hueso hundido, pero para entonces ya tenía suficientes operaciones encima —explicó ella, sentándose sobre los talones—. Quince en los brazos, piernas, cara y cerebro. Les dije que me dejaría el pelo largo. ¿Alguna vez has tenido relaciones sexuales con una amputada?

—Por el momento no soy operativo en ese departamento.

—Eres militar —sugirió ella.

—¿Qué te hace pensar eso?

—«No soy operativo en ese departamento» —repitió la mujer—. Y no has respondido a mi pregunta. Dos tácticas clásicas de los militares.

—Estoy retirado del sexo. Y nunca he tenido una relación física con nadie al que le faltara una extremidad. ¿Estuvo tu padre en el ejército?

—¿Mi padre? —preguntó ella, e hizo una pausa como si fuera capaz de clasificarlo de diferentes maneras—. Mi padre era el director ejecutivo y propietario de Remer Schifffahrtsgesellschaft mbH & Co. KG, de Hamburgo.

—¿Era?

—Murió.

—¿Te gustan los hombres mayores? —preguntó Schafer, ya de una forma más calculadora.

Ella inclinó la cabeza a un lado, evaluándolo.

—Me gustan —dijo, encogiéndose de hombros, de manera que sus pechos temblaron. Se dejó caer hacia atrás y se enrolló en el edredón como si buscara protección. Aquellas preguntas sobre su padre la irritaban.

—¿Cuándo tuviste ese accidente de tráfico? —inquirió Roland.

—Hace cuatro años. Tenía veintiséis, estaba casada y era una empresaria de éxito que se dirigía al trabajo, cuando un autobús se estrelló contra el lateral de mi coche. Estuve cuatro días en coma, y seis meses en el hospital. Tuve que aprender a caminar y a hablar de nuevo.

—Tu inglés es perfecto.

—Estuve casada con un inglés. Fue una cosa rara, porque después del accidente tuve que perfeccionar mi alemán.

—¿Y el inglés no te amaba?

—Escuchas a la gente, Roland. Me percaté de eso anoche. Y dices cosas que otros podrían pensar, pero que jamás soñarían con decir en voz alta.

—Pero lo decisivo es que no recuerdo.

—Tienes razón. No me amaba.

—¿Te dejó?

—Después del accidente.

—Eso no estuvo bien.

Ella se encogió de hombros.

—¿Quién te cuidó? —preguntó él—. ¿Tus padres?

—Mi madre y su novio.

—¿Ya había muerto tu padre? —preguntó Schafer, incapaz de resistirse al instinto de buscar una debilidad, y ella asintió con la cabeza—. ¿Hace cuánto de eso?

—Cuatro años.

—Así que... antes de tu accidente.

Ella encogió las piernas en actitud defensiva.

—¿Sabes?, pareces alguien que tenga que hacer muchas preguntas... por su trabajo —dijo Leena—. Pero no eres periodista.

—¿Por qué piensas eso?

—Porque no me pegas para conseguir tus respuestas —dijo ella—. Y eres despiadado.

—Perdona —dijo él—. Ha pasado mucho tiempo desde que acabé desnudo en una habitación de hotel con una mujer que es tanto como una extraña, con una sola pierna, un solo ojo y sin que recuerde lo más mínimo de cómo llegamos aquí.

—Así que ¿cuándo fue la última vez que te ocurrió? —preguntó ella con curiosidad.

Estuvieron a punto de echarse a reír, igual que la gente para quien el humor se hubiera convertido en una isla en medio del mar. Se sentía extrañamente tranquilo, algo que no le ocurría desde hacía algún tiempo. Su instinto le decía que podía relajarse, lo que, paradójicamente, le hacía estar más vigilante.

—Cuando nos fuimos del restaurante, me pediste que viniera al hotel contigo —dijo ella—, porque creías que te estaban siguiendo.

—¿Te dije eso?

—Sí, y lo sorprendente es que aun así me vine contigo.

—Últimamente estoy un poco paranoico.

—¿Quieres decir que no es cierto?

—¿Tú qué crees? —respondió él, trufando su voz de cierta ironía.

—No lo sé. No suelo dudar de las personas sólo porque sean un poco raras, porque… yo misma soy un poco rara. Sé lo que se siente cuando no te creen.

—Al menos tienes una buena excusa.

—En la librería, estábamos sentados en un sofá junto a la ventana y, cuando no me estabas mirando fijamente la cabeza igual que mi neurocirujano, no parabas de mirar a un lado y a otro de la calle como si te fuera la vida en ello.

Schafer parpadeó. Ningún recuerdo.

—Asistíamos a la presentación de un libro —dijo Leena, intentando ser útil—. De un escritor norteamericano llamado James Hewitt.

—Lo conozco. Escribe novelas de espionaje.

—La audiencia éramos unas veinte personas. Bebiste dos copas de vino antes de la lectura, y otra después.

—Vamos, que no me quitaste ojo.

—Me gustan los tipos mayores. Después te pregunté si habías leído a James Hewitt y te llevé una copa de vino.

—¿Qué estabas haciendo allí?

—El propietario de la librería es inquilino de uno de mis pisos. Me invita a las lecturas, sobre todo la de los extranjeros, por mi inglés.

—¿Y después de la lectura?

—Diez de los asistentes cruzamos la calle para ir a un restaurante donde nos habían reservado una mesa. Fue a eso de las diez y media.

—¿Nos sentamos todos juntos?

—Tú enfrente de mí. Yo estaba al lado de James Hewitt. Uno de sus amigos estaba a tu izquierda, un músico con una larga coleta rubia. Le dijiste que tocabas el saxo contralto.

Aquello lo propulsó contra el respaldo del sillón con una sacudida. Nadie sabía eso. Ni siquiera su segunda y tercera esposas. Ni sus antiguos compañeros de la Compañía. Llevaba más de veinte años sin tocar.

—Así que eres una mujer con recursos económicos propios —dijo él, para disimular el susto—. ¿Te dejó papá una fortuna?

—¿Te das cuenta de a qué me refiero? Escuchas de una manera como nadie más escucha, y entonces haces «esa pregunta». Eres despiadado. ¿A qué te dedicas, Roland?

—Soy empresario.

—Sólo que eres lo que mi ex marido habría denominado un «mercachifle cabrón».

—¿A qué te dedicabas antes, que los periodistas tenían que golpearte?

—Me parece que no conozco tu juego —dijo Leena, dándose un golpecito en el lateral de la cabeza—. Dirijo mi propia empresa de importación de café desde que tenía veintiún años. Creé una forma completamente nueva de envasar el café. Era joven y guapa, una combinación excitante para los medios de comunicación. Háblame de tu formación militar.

—¿Cómo murió tu padre, Leena?

—Se pegó un tiro.

El viento golpeó con fuerza el edificio. La lámpara zumbó.

—¿Qué estás haciendo aquí? —volvió a preguntar él, suavizando el tono, pues, desvanecida la posibilidad de que fuera una recluta de la Compañía, le estaba empezando a coger el gusto a estar con ella—. Una mujer rica y hermosa en una habitación de hotel con un idiota lo bastante viejo para ser su padre.

Ella se lo quedó mirando sin pestañear con unos ojos inescrutables.

—Valoro los daños —respondió.

La pared donde colgaba un cuadro adquirió una textura granulosa en la vista de Schafer. Sentía la toalla áspera en el regazo. Dio un respingo al sentir un pinchazo en el costado.

—Porque te has estado haciendo daño —observó Schafer, con inquietud—. De eso me doy cuenta.

—Los peores daños nunca están a la vista —dijo ella.

—¿Por qué te dejó tu marido? —preguntó él, desviándose del perspicaz comentario de la mujer.

Metida debajo del edredón, lo miró como una niña pequeña, pero con los ojos de un adulto atribulado.

—No iba sola en el coche —respondió ella en voz baja.

Al oír aquello, él fue consciente de que un dolor terrible había sido acorralado en la habitación.

—Mi hijo de cuatro años iba en el asiento trasero y recibió toda la violencia del impacto. Murió en el acto.

Silencio, la conciencia de ambos agudizada, desnudos en una habitación de la torre del agua, mientras el mundo permanecía indiferente al otro lado de la ventana. Él quería saber algo, pero se dio cuenta de que no había nada que decir. No quería saber lo que haría consigo si su hija muriera, para qué hablar de si se sintiera responsable en alguna medida de ello. No estaba seguro de cómo iba a afrontar su ausencia, dado que a la semana siguiente lo más probable es que su hija no volviera a hablar con él nunca más. Pero al menos no estaría muerta.

—Eres la primera persona, fuera del pequeño círculo de personas a las que llamo amigos, a la que le he contado esto —dijo Leena.

—¿Y por qué a mí?

—Hay algo en ti que está destrozado de la misma manera que lo hay en mí.

—¿Cómo lo sabes?

—Soy experta en sentimientos de culpa. Reconozco todos los síntomas.

Schafer supo entonces la razón de que estuviera tan tranquilo. La observación de Leena le hizo sentir que pertenecía a alguien otra vez. En sus ojos se transparentó de pronto una intensa emoción. Parpadeó y tragó saliva para sofocarla. Y con ese último intento de control, una fatiga tan profunda que no podía haber sido sólo física lo aplastó, sumiéndolo en un sueño letal.

Dos hombres estaban sentados en una cafetería a un tiro de piedra del Sternschanzenpark. Eran hombres grises, a los que el frío y los abrigos que llevaban agrisaban más. El de más edad, Foley, estaba leyendo por encima un informe que el más joven, Spokes, acababa de entregarle con el título «Marleena Remer».

—¿Heredó? —preguntó Foley.

—Recibió el sesenta por ciento de la compañía naviera, la casa de campo y el piso en la ciudad, además de veinte millones de euros.

—Así que no tiene que trabajar.

—Las heridas de su cabeza fueron graves —dijo Spokes—. Se habló de daños cerebrales y problemas psicológicos. Su contable vendió la empresa de café en su nombre mientras ella estaba todavía en el hospital.

—¿Tienes alguna declaración de renta?

—Hay un ingreso por la compañía naviera, pero la mayoría de dinero que percibe proviene de sus propiedades. Vive en las dos últimas plantas de un edificio que es suyo, y tiene alquilados el resto de los pisos. Los ingresos por los arrendamientos son casi de un millón de euros, y las rentas por otras inversiones ascienden a la mitad de eso, más o menos.

—A mí eso no me parece tener el cerebro tan dañado.

—Puede que no, pero hay algo raro —dijo Spokes.

—Cuéntame —le instó Foley, arrojando el informe sobre la mesa.

—Alí, el de la casa de té Moroccan de la Susannenstrasse, tiene una hija que limpia los espacios comunes del edificio de viviendas y el piso de Marleena. Dice que hay un ascensor privado que lleva a los aposentos de Marleena para que ella sepa exactamente quién sube allí —desembuchó Spokes—. Y Leena, como es bien sabido, recibe frecuentes visitas de varios hombres mayores, cincuentones y sesentones. Siempre los mismos, a unos los ve con regularidad, a otros con no tanta. A cualquier hora del día y de la noche.

—¿Tiene tan dañado el cerebro como para volverse puta?

—Quizá —concedió Spokes, encogiéndose de hombros—. Sufrió tres operaciones del cerebro y toma antidepresivos, somníferos y analgésicos, que es lo que tiene en su botiquín, según la mujer de la limpieza.

—¿En qué anda metido ahora Schafer? —masculló Foley.

—La hija de Alí limpia hoy. Leena le enviará un mensaje con el código del ascensor, que cambiará más tarde.

—Alguien tendrá que subir allí con ella —comentó Foley—. Haz que el Turco la acompañe.

—¿Arslan? —preguntó Spokes—. ¿No es eso un poquito… drástico?

—Sólo va a echarle un vistazo —dijo Foley—. Así, si necesitamos que sea «drástico» más adelante, ya conocerá el lugar. De esa manera limitamos el número de personas metidas en el ajo.

—¿Crees que habrá que llegar tan lejos?

—Hay gente bastante más importante que yo cuyos trabajos dependen del resultado de todo esto. Me acaban de comunicar desde Londres que el amigo inglés de Schafer, Damian Rush, llega a Hamburgo a las nueve menos cuarto.

—¿Bajo su verdadera identidad?

—Ahora es sólo un periodista.

—Debería irme al aeropuerto.

—Mira —dijo Foley, haciendo un gesto con la cabeza hacia el parque.

Estaban bebiendo a sorbos sus cafés cuando Marleena Remer pasó caminando cubierta con un abrigo negro hasta los tobillos con el cuello de piel, sombrero negro también de piel y guantes.

—¡Qué casualidad! —exclamó Foley sin levantar la cara del café.

Schafer se despertó en el sillón con la cabeza latiéndole con tal fuerza que se mantuvo completamente inmóvil mientras examinaba la habitación. Sobre la toalla de su regazo había una nota. Leena, una dirección de la Schanzestrasse, un número de teléfono y un mensaje: «Llámame. Creo que nos podemos ayudar mutuamente». Consultó su reloj. Las 8.30. Había dormido durante más de tres horas. Insólito en su estado. Hacía meses que no estaba tan descansado.

Como agente viejo y prudente, debería haberse sentido intranquilo por ella, pero, por el contrario, sentía algo que no era capaz de definir del todo: casi como con un primer amor, pero sin la inocencia. Se levantó con un gruñido debido al aporreo que estaba recibiendo su cerebro.

La ventana reveló un día gris y deprimente. El rótulo que anunciaba FLEISCH GROSSMARKT aún brillaba, pero un edificio fue tomando forma debajo de él, mientras que las ramas peladas de los árboles que flanqueaban la vía férrea eran agitadas por el viento. Bajo la nieve asomaban zonas de verde. Sus ojos se posaron sobre el alféizar en el que había unos radios de alambre de espino. No estaban en la séptima planta para impedir que la gente entrara por allí.

Se tomó tres Tylenol con sendos sorbos de agua del grifo en el baño. Se duchó y vistió. Un inesperado ataque de paranoia profesional lo llevó a realizar un meticuloso registro del cuarto. No encontró nada, que era lo que había esperado, aunque eso también lo sumió en la inquietud. Bajó a desayunar. Iba a ser una día largo y duro.

Un cuenco de muesli. Beicon frito, *blutwurst* y huevos. Jamón y queso con pan de centeno. Cuatro cafés con azúcar y algunos pasteles. Fuera iba a necesitar algún aislamiento térmico. Cero grados con un viento horrible del norte. Salió directamente, vestido con un grueso jersey bajo un abrigo reversible. El azul a la vista, el marrón no. También llevaba un par de sombreros y algunas gafas; unos cuantos utensilios básicos para disfrazarse.

Con esa clase de tiempo normalmente habría cogido el metro desde Schlump hasta el Gänsemarkt, pero quería ver con qué tipo de recursos contaba la Compañía, así que optó por dar un paseo por el parque, alrededor del desértico Janischer Garten. Hacía frío y humedad, y sus pantalones se endurecieron como el cartón aun antes de que hubiera cruzado la calle por debajo de la torre de televisión.

Desde el 11 de septiembre y el descubrimiento de la célula de Hamburgo, la Compañía había preparado a multitud de inmigrantes —turcos, marroquíes, iraníes— para realizar trabajos básicos: pegar la oreja en las mezquitas y husmear por las escuelas coránicas. La Compañía no quería que demasiados de éstos supieran que estaban siendo utilizados para seguir de cerca a algún ex colega, pero por otro lado así no tenía que preocuparse de la lealtad de los que lo hicieran.

El café del parque estaba cerrado, las sillas apiladas y las sombrillas metidas en fundas, esperando a la primavera, que parecía muy lejana. Los saltos de agua habían sido vaciados para que no se helaran. Las plantas que crecían en unos medio huevos de piedra habían sido cubiertas con bolsas de plástico. Como había sospechado, no había un alma en el parque.

Schafer localizó a su primer perseguidor en la estación del metro de Stephansplatz por delante de él. Un tipo de cabeza cuadrada, probablemente del Magreb, que estaba parado en la entrada de la estación, helado de frío, fingiendo manifiestamente que estaba leyendo un periódico. Lo condujo desde la Dammtorstrasse hasta el Gänsemarkt. De niño acostumbraba ir a aquella plaza con su madre, aunque tenía forma triangular y allí nunca había habido ningún ganso; siempre había sido una parte importante de su vida familiar en Navidades. Las luces estaban encendidas en las enormes ventanas arqueadas de Essen & Trinken, y había algo de nieve convertida en hielo sobre su tejado de cobre verde. Schafer no tardó en despistar a su perseguidor en la estación, al que vio mirar de un lado a otro en el andén equivocado mientras subía al tren de Jungfernstieg.

Al salir del metro Schafer le dio la espalda a la gris extensión encrespada del lago Binnenalster y contó los edificios de enfrente de izquierda a derecha. Tercer edificio. Cuarta hilera de ventanas. La segunda. La persiana estaba bajada. Damian le informaba de que tenía compañía. ¿Y qué esperaba? Habría sido una arrogancia pensar que podían llevar a cabo aquello pasando desapercibidos. Fue hasta la estación del S-Bahn e hizo una marca con tiza en la parte interior del soporte de acero de la derecha. El plan B.

Dio un paseo por el canal Alsterfleet por la orilla de la Rathaus. Quería ver el Elba, pero caminó sin rumbo hasta que terminó en la plaza de Altstadt, ante la fachada neorrenacentista del ayuntamiento del siglo XIX, que parecía negra y gótica en la penumbra. En 1962, cuando tenía diez años, se había parado allí mismo con sus padres para asistir a un funeral en memoria de las trescientas víctimas del desbordamiento del mar del Norte. Recordó la enorme tristeza que embargaba a la multitud de adultos aquel día, que como niño que era no había podido comprender. Se sentía más emocionado en ese momento de lo que había estado entonces.

Cuando llegó al río Elba, que en aquel sitio estaba tan liso como una chapa de hierro, empezó a preguntarse qué era lo que estaba haciendo. Miró fijamente al otro lado del agua, hacia las grúas que se alineaban en los muelles del puerto, con unos ojos que siempre habían guardado los secretos que habían visto. Y en ese momento iba a desvelarlo todo de golpe, y se dio cuenta de que sus movimientos por su antigua ciudad tenían algo de despedida.

Cogió un tren en la estación de Lanungsbrücken. Lo primero era lo primero, y tenía que recoger lo que se suponía que tenía que haber recogido la noche anterior en la lectura antes de que la mujer, Leena, lo hubiera desbaratado todo. Se dirigió de nuevo hacia Schlump. ¿Qué clase de trabajo era ése para un hombre hecho y derecho? ¿La de dar vueltas en círculos interminablemente, buscando diferentes maneras de vigilar tu espalda?

Una vez en el tren y seguro de haberse librado de cualquier perseguidor, procedió a evaluar la situación. La bebida se le había ido de las manos, eso era evidente. Intentó reconstruir la escena en la librería la noche anterior. Pero seguía sin poder recordar el encuentro con Leena. ¿Cómo era posible que olvidara eso? Ella era la única razón de que se hubiera marchado sin lo que había ido a buscar allí. Pero sí se percató de «eso»: se había ido con las manos vacías…, ¿verdad? Su certeza se tambaleó en su mente paranoide. ¿Era ésa la razón de que estuviera tan ansioso por llegar a la librería? ¿Por qué había registrado su habitación? ¿Para asegurarse de que no lo había cogido, de que no se había llevado el material a su habitación del hotel y dejado que Leena se marchara con él esa mañana? Sabía que no había ocurrido nada así. Para empezar, ella no habría estado allí cuando se despertó. Seguro que había echado a perder la misión. Pero tenía que abrirse camino a través de la niebla, el vacío y la obliteración de la memoria causada por el alcohol para conseguirlo.

El tren se detuvo traqueteando en St. Pauli y un minuto después partió como una centella. Schafer alcanzó a ver su reflejo en el cristal de la ventana. No fueron las abultadas bolsas bajo sus ojos ni la profundidad de las arrugas que discurrían desde su nariz hasta las comisuras de la boca lo que lo inquietó. Lo preocupante era que no acabara de reconocerse, que tuviera que llevarse las manos a la cara para asegurarse de que era él. Eso era lo que perder tu centro moral te hacía; eso era lo que te hacía el traicionar a tu país.

Y con aquel reconocimiento terrorífico cayó en la cuenta: no había ido al cuarto de baño de la librería. Le había trastornado tanto que Lenna le tirara los tejos, convencido que era una trampa sexual, que no se había atrevido a entrar ni siquiera a orinar.

En Schlump caminó deprisa hasta la librería con un viento gélido en la espalda. Se sentó con una taza de café y un ejemplar en alemán de la última novela de James Hewitt. Las sillas y los micrófonos de la última noche habían sido retirados, y la superficie de la planta estaba ya ocupada de nuevo por las mesas repletas de libros.

Oyó abrirse la puerta. La tienda se vació cuando los dos empleados y un cliente salieron a fumar a la escalera delantera. Schafer se dirigió al baño, cerró la puerta con llave, levantó la tapa, se subió al borde y, utilizando una navaja, desatornilló la carcasa del ventilador del extractor, colocado en lo más alto, junto al techo. Su correo más fiable había dejado la bolsa de plástico negro que en ese momento encontró en el interior del ventilador. Contenía una hoja de papel doblada y una memoria USB, que se metió en el bolsillo. Volvió a colocar la carcasa, limpió el borde del inodoro, tiró de la cadena y, dejando la tapa levantada, volvió para reanudar su lectura. Los empleados regresaron. El cliente tiró su cigarrillo y se marchó.

Schafer aparentó leer un par de capítulos, cuando en realidad estaba pensando en Leena. La nota: «Creo que podemos ayudarnos mutuamente». Con la remisión de su paranoia, estuvo seguro, una vez más, de que ella no era ninguna trampa sexual. Dejando a un lado el hecho de que el «reclamo» de la nota era bastante fuerte, ella era un personaje harto estrafalario para el agente medio de la Compañía, y su historia de una autenticidad demasiado convincente para que fuera otra cosa que la verdad. La nota le hizo pensar que quizá, dado que la Compañía sabría ya de la existencia de Lenna, ella podría resultar de alguna utilidad en el Plan B. Metió el papel en el libro, el cual pagó.

Volvió sobre sus pasos y cruzó el Sternschanzenpark hasta el hotel, donde supo que lo habían vuelto a seguir. De vuelta en su habitación, introdujo el número de Leena en la memoria de su móvil. Partió por la mitad la nota, dejando sólo la parte del mensaje como punto de libro y la dejó dentro de la novela encima de la mesilla de noche. Arrugó la otra mitad y se la metió en el bolsillo.

Sacó un rollo de cinta adhesiva de la maleta y abrió la bolsa de plástico que había cogido en el baño de la librería. Comprobó que fuera el memorándum para los contratistas privados que había robado seis semanas atrás. No estaba mentalmente preparado para comprobar el contenido de la memoria USB en su ordenador portátil, aunque confirmó que la pequeña marca que había grabado en la cubierta de plástico seguía allí. Volvió a meter el papel y la memoria en la bolsa de plástico, que precintó con cinta adhesiva. Quería entregar las dos pruebas juntas, personalmente, porque iba a comentarle a Rush las devastadoras imágenes almacenadas en la memoria. Dado que estaba decidiendo el destino propio y el de otros, incluido el de sus compañeros de misión, sus superiores de la Compañía y los funcionaros de mayor rango del Pentágono, debería haberse dado cuenta de que ellos no se lo pondrían fácil.

Al subir por las escaleras, descubrió que ya estaban limpiando las habitaciones de la décima planta. Pasó junto a dos carritos y vio que, mientras que una de las mujeres llevaba su llave maestra alrededor del cuello, la otra prefería conservar la suya atada al manillar del carrito con una cinta elástica. Las estuvo observando desde detrás de la columna del ascensor central mientras se movían en el sentido de las agujas del reloj alrededor del rellano circular. Cuando empezaron a pasar la aspiradora, Schafer hizo su jugada. Desenhebró la llave maestra y abrió una de las habitaciones que las mujeres ya habían limpiado, la número 1015. Encajó una moneda entre la puerta y el marco para mantenerla abierta y devolvió la llave maestra al carrito. Al cabo de quince minutos las mujeres que limpiaban subieron a la planta undécima.

Schafer entró en la habitación vacía y miró por todas partes. No era necesario ser muy listo para hacer aquello. Levantó de la pared el único cuadro de la habitación. El marco era lo bastante ancho para albergar la memoria. Fijó con cinta adhesiva la bolsa de plástico al dorso de la pintura y volvió a dejar el cuadro en su sitio. Salió de la habitación, bajó de nuevo a la suya, cogió papel de carta y escribió un anuncio clasificado en alemán. Aquello era para el Plan C, en el caso de que el B saliera mal. Miró la hora: 12.30. Media hora para volver de nuevo a la ciudad y comer algo.

El hombre de la Compañía sobresalía entre las veinte personas del andén en Schlump. No había campo de entrenamiento para aquella gente. Cuando cumplió los treinta y cinco años, Schafer ya llevaba un decenio haciendo aquel tipo de trabajo en Berlín.

En esa ocasión quería a su perseguidor con él. Cogió el tren hasta Jungfernstieg y recorrió la parte delantera con el viento azotando desde el lago, así que fue un alivio llegar a Grosse Bleichen, y una experiencia casi erótica entrar en el acogedor restaurante Edelcurry. Tres minutos antes de la hora. Ocupó una mesa al fondo del restaurante y pidió una pilsner. La combinación del alcohol de la noche y la adrenalina de esa mañana le había provocado un temblor en la mano derecha. La cerveza lo corrigió y le mejoró el ánimo. Se recordó que tenía que mostrarse alegre.

Thomas Lüpertz era el hijo del mejor amigo del padre de Schafer. Las familias habían hecho intercambios para que Thomas pudiera aprender inglés y Roland mantener su alemán. La amistad adolescente se había fortalecido cuando Schafer acabó siendo destinado a Hamburgo después de que su primer matrimonio se rompiera, a principios de la década de 1980. Los dos hombres llevaban años sin verse. No importaba. Se lo pasaron en grande comiendo salchichas con curri y bebiendo cerveza. Se rieron de los absurdos de la vida. Schafer le pidió a Lüpertz que le hiciera un favor; le entregó el anuncio clasificado que había escrito y le pidió que lo insertara en el periódico hamburgués *Abendblatt*, y se lo pagó. Su viejo amigo ni siquiera titubeó.

Poco después de las dos, Lüpertz se fue sin coger su ejemplar de *Die Zeit*, que había depositado en la silla contigua al llegar. Schafer se llevó el periódico con él al lavabo. Hizo un pis muy largo, toda aquella cerveza, e invirtió algún tiempo en lavarse las manos. Volvió a su asiento y pidió un café. Bebió dos más durante la siguiente hora mientras leía el periódico.

La oscuridad avanzaba hacia un prematuro anochecer invernal cuando salió a la calle. Su perseguidor parecía tener mucho frío. Caminó hasta la Axel-Springer-Platz y llamó a Leena por el móvil.

—Dijiste que podríamos ayudarnos mutuamente.

—¿Quién es? —preguntó ella sin titubear.

—¿Cuántas ofertas de ayuda sueles dejar a los borrachos en las habitaciones de hotel?

—¿A la semana?

Schafer se echó a reír. Con ganas. Había pasado mucho tiempo desde la última vez.

—Soy el borracho del hotel de la Torre de Agua, habitación setecientos trece.

—En este momento estoy con mi contable —dijo ella—. ¿Por qué no vienes a mi casa a eso de las siete?

—Allí estaré.

—Enviaré el código del ascensor a este número de teléfono.

Colgó.

Schafer cogió un tren hasta Landungsbrücken, trasbordó al metro y salió en Sternschance, dejando a su perseguidor en el vagón. Era de noche cuando se dirigió caminando al hotel con el hielo crujiendo bajo sus pies.

De vuelta en su habitación se tumbó en la cama, donde no paró de eructar salchichas con curri. El informativo rebosaba de noticias sobre el actual desastre financiero y el anuncio del electo presidente Obama de que cerraría Gitmo, la base naval de Guantánamo. No podía ocurrir más deprisa. Había pasado su tiempo allí. A punto de morirse de la depresión. Cambió a Bloomberg, donde todos los presentadores parecían demasiado desesperados por dar buenas noticias sobre una recesión que no había hecho más que empezar. Se sentía considerablemente tranquilo, si se tenía en cuenta que se estaba formando un nuevo orden mundial ni setenta años después del último, mientras él andaba sumido en el grave asunto de traicionar a su país.

La televisión lo cabreó. La apagó y se quedó mirando de hito en hito el techo que se iba alejando, dejando que acudieran a él los recuerdos fragmentados de su tercera esposa, que se estaba difuminando gradualmente. El alejamiento y la afición a la bebida de Schafer los habían llevado a un estado de alienación que él no soportaba. Lo único que quedaba era la pequeña. La habían llamado Femi, «amor» en egipcio. Pero eso no iba a ser suficiente para mantenerlos unidos. Era lo que los había separado. Su esposa había dejado el trabajo, y él había tenido que volver a trabajar para ganar dinero, aunque no había querido volver a ingresar en la Compañía porque le habían llegado noticias de que se había echado a perder completamente en la década de 1990.

Sintió una tensión creciente en el pecho. Sin levantarse de la cama se acercó al minibar y engulló un botellín de vodka y otro de güisqui escocés. Volvió a la mesilla de noche, abrió la novela de James Hewitt y sacudió la cabeza con abatimiento: ni siquiera habían vuelto a poner el punto de libro en la página correcta.

Su móvil vibró; Leena le estaba enviando el código de acceso del ascensor.

Estaban sentados en la parte delantera del salón de té Moroccan de Susannenstrasse; eran las cinco de la tarde. Las hileras de narguiles de la ventana los ocultaban de cualquiera que mirara desde la calle. A Foley no le había causado muy buena impresión el informe que Spoke le acababa de entregar. Le parecía que la situación se estaba descontrolando y sentía sobre sus hombros el peso de una probable decisión grave.

—Damian Rush se registró en el Park Hyatt —dijo Spokes—. Se ha pasado en el puerto la mayor parte del día, pues según parece está preparando un artículo sobre el derrumbe del milagro industrial alemán.

Foley no respondió nada, sólo tamborileó con los dedos sobre la mesa.

—Lüpertz está en su oficina, y la señora Remer ha vuelto a su piso —prosiguió Spokes.

—Voy a tener que contarte esto para que sepas lo que está ocurriendo aquí y quizás eso te ayude a comprender lo que vamos a tener que hacer. ¿De acuerdo? —dijo Foley—. Schafer y Rush estuvieron juntos en Rabat.

Entonces captó toda la atención de Spokes.

—Después de los atentados con bomba de julio en Londres, el MI5 andaba desesperado por conseguir información, y el MI6 envió a Rush a hacer algunas preguntas por ellos. Él y Schafer actuaron juntos en algunos de los interrogatorios.

—Vale. No creo que sea una coincidencia que estén los dos juntos en Hamburgo.

»Ni que Rush dejara el MI6 hace un año más o menos y que ahora sea periodista.

Spokes calló.

—Cuando el contrato de Schafer expiró junto con el de los de-más, fui a Rabat para cerrar «el sitio negro» poco después de las elecciones de noviembre —dijo Foley—. Fue entonces cuando descubrí que el informe de los contratistas privados había desaparecido. Y seis semanas de trabajo después, y por el proceso de eliminación de los otros dos miembros del equipo de Schafer en Rabat, aquí estamos, en Hamburgo con Schafer y Rush.

Spokes percibió el progresivo endurecimiento de Foley ante cada una de aquellas revelaciones.

—Todavía tienen que reunirse —dijo.

—Lo sé. Y los encuentros personales y los intercambios de material son los momentos más peligrosos para los agentes —dijo Foley, citando literalmente el manual para Spokes—. ¿Y qué crees que está haciendo Schafer al respecto, con toda la experiencia en trabajo de campo adquirida durante su etapa en el Berlín del muro?

—Está intentando confundirnos.

—No lo está intentando. Lo está haciendo —precisó Foley—. Anoche lo perdimos, y lo hemos vuelto a perder esta mañana. Sabe que no podemos pedirle ayuda a los alemanes y que tenemos recursos fiables limitados a nuestra disposición. Así que nos está dispersando sobre el terreno. Ya tenemos tres esquinas que vigilar: Rush, Lüpertz, y el comodín, Marleena Remer.

Spokes había sospechado que llegarían a eso. Era la naturaleza de las tapaderas. Una vez que la contención parecía imposible, entonces sólo quedaba otra forma de proceder.

—¿Qué encontró el Turco esta tarde? —preguntó Foley.

—El ascensor se abre directamente en el piso que tiene la mujer en la última planta —dijo Spokes, como un autómata—. Hay dos dormitorios con baño, un vestidor para sus ropas y zapatos, una cocina, un comedor, un enorme salón con forma de ele, donde puso el dispositivo de escucha, y un despacho. La otra mitad de esa planta alberga una galería de arte que contiene unas veinte obras. Más interesante es lo que hay abajo. Consiste sólo en una habitación dentro de otra.

—¿Y?

—Estaba cerrada con llave. Arslan dijo que la puerta parecía de las que requieren tiempo y dedicación y que las paredes eran de ladrillo.

—¿Ha estado allí alguna vez la mujer de la limpieza?

—No, y sólo limpia el pasillo de casi dos metros que rodea la habitación cuando Marleena se lo dice.

—¿Vive alguien más en el piso?

—No es seguro —respondió Spokes—. Arslan mencionó que tenía dos piernas de repuesto de colores ligeramente diferentes en el vestidor. Eso es todo.

—¿Sigue vigente el código del ascensor?

—Interceptamos un SMS de Leena a Schafer dándole el nuevo código.

—Dile al Turco que venga a verme.

El ascensor del hotel Park Hyatt bajaba hasta un centro comercial de lujo, lo que significaba que el Turco no tuvo que esperar en el exterior a una temperatura bajo cero a que el inglés se dignara aparecer a la seis de aquella tarde.

Rush siguió una tortuosa ruta hasta la Hauptbahnhof antes de volver a pasar dos veces por las iglesias de St. Jacobi y St. Petri y acabar bajando a la estación de Jungfernstieg. El Turco no quiso que en un lugar tan iluminado Rush tuviera ninguna oportunidad de verlo. Esperó durante un minuto, antes de que el inglés volviera a subir con un ejemplar del *Abendblatt* hamburgués bajo el brazo. Desde la estación, Arslan vio a Rush subir por la Ballindamm por el lado de la calle donde estaban los edificios. El Turco lo siguió desde la otra acera, que daba a los árboles que crecían junto al lago Binnenalster. Rush entró en el café Wien y ocupó una mesa, se quitó el abrigo y el sombrero de lana y se dispuso a encender un cigarrillo, momento en el que cayó en la cuenta, y lo volvió a meter en la cajetilla.

El Turco empezó a caminar por la acera de un lado a otro bajo los árboles, nervioso e intentando conservar el calor. Aquélla iba a ser su única oportunidad. Estaba muy oscuro, y las ramas tableteaban sobre su cabeza. El frío intenso había ahuyentado a todo el mundo en los alrededores. Incluso el tráfico, a primeras horas de la noche en un día laborable, era ligero. Vio a Rush pedir un café y leer el periódico en el luminoso establecimiento. El inglés parecía estar examinando unas columnas de números o algo parecido en las cotizaciones de Bolsa.

Rush sacó su móvil, miró a su alrededor y cambió de idea. Demasiada gente. Pagó el café al camarero, y se volvió a poner el abrigo y el sombrero. Seguía teniendo el móvil en la mano.

El viento era cortante, y el inglés se estremeció al salir del café Wien. Miró a un lado y a otro de la calle y entonces cruzó el puente que unía los dos lagos. Arslan deseó fervientemente que cruzara la calle, cosa que, cuando cambió el semáforo, hizo. Rush caminó entre los árboles antes de dirigirse a la barandilla sobre el empinado terraplén que descendía hasta el borde del agua. Encendió un cigarrillo e hizo su llamada de teléfono. Arslan se movió con rapidez, utilizando los árboles para ocultarse. En el preciso instante en que Rush cerraba su móvil, el Turco ya estaba encima de él y le asestaba un golpe despiadado en el cuello que envió al inglés por encima de la barandilla y por el terraplén abajo. Arslan saltó la barandilla y bajó a trompicones hasta el borde del agua, donde Rush se había detenido. Hubo un pequeño forcejeo, y allí acabó todo. El Turco lo arrojó al lago de una patada, cogió el teléfono de Rush y lo tiró también.

Había un corto paseo desde el hotel al piso de Leena en la Schanzenstrasse. Schafer estaba nervioso ante la perspectiva de verla de nuevo. Cuando se puso en camino, poco antes de las siete, hacía casi dos horas y media que había anochecido. Localizó a uno de sus perseguidores esperándole bajo el puente. No le preocupó.

Introdujo el código del ascensor y subió. Las puertas se abrieron a un suelo de madera y a Leena, que iba vestida con una minifalda negra, botas por encima de la rodilla, pantis negros, un *top* del mismo color de manga larga y un collar de cuentas romboidales de acero inoxidable. Llevaba recogido el pelo rubio en lo alto, y el maquillaje ocultaba la cicatriz del lado de su cara.

Schafer no estaba seguro de cómo debía hacer. La extraña y tempranera intimidad entre ambos, así como la mutua desnudez, exigía algo más que un apretón de manos. Leena lo besó en la mejilla. Sus labios le rozaron ligeramente la comisura de la boca con un efecto electrizante. Lo condujo por el brazo hasta el enorme ventanal de la parte trasera del piso, que daba sobre la ciudad antigua hacia el lago. El repetidor de televisión se erguía imponente a la izquierda. Ambos se quedaron mirando fijamente la villa titilante. A Schafer le agradó la presión de la mano de Leena sobre su bíceps. Tuvo la extraña sensación de que ella estaba a punto de hacerle una oferta descabellada, del tipo: «Todo esto por tu alma». Le hizo sentar en el sofá y le ofreció una copa. Aceptó un güisqui con hielo, y ella lo acompañó con lo que parecía un vaso de agua.

—Tienes mejor aspecto que esta mañana —dijo.

—Hacía tiempo que no dormía así —replicó él—. He estado pensando sobre lo que me dijiste.

—No necesito saberlo.

—Me refiero a lo de poder ayudarnos mutuamente.

—Te hablé de mi habilidad. Creo que tú también eres un experto.

—No me siento experto en nada.

—Haces preguntas y escuchas.

—¿No lo hace todo el mundo?

—Hoy en día nadie escucha, a menos que les hables de sí mismas a las personas, e incluso así son selectivas sobre lo que oyen. Al principio pensé que podrías ser policía. Un detective, ya sabes, acostumbrado a hacer preguntas y a escuchar…, y a pensar todo el rato. Conservador y metódico, jerárquico, aunque también acostumbrado a ver cosas horribles y a tratar con gente malvada.

—No soy poli. Soy un mercachifle de mierda, ¿recuerdas?

—Ésa es una parte de tu trabajo. Sólo para evitar que la gente sepa lo que eres realmente.

El rostro de Schafer no dejó traslucir ninguna emoción. Sorbió lentamente su guïsqui.

—¿Has tenido tres esposas? —preguntó ella.

—La de en medio sólo duró unos meses.

—Y estás fuera muy a menudo.

—¿Y cómo puedes saber eso?

—No eres tan norteamericano como la mayoría de los norteamericanos —dijo ella—. Has asimilado las culturas con las que te has mezclado. Hablas alemán y otros idiomas.

—Ruso y árabe —precisó él, asintiendo con la cabeza.

—Y tienes cincuenta y... ¿seis años?

—Cincuenta y siete.

—Tienes algo de viejo guerrero, Rolando.

—¿Has dicho: «guerrero»?

—Te reconozco, o sea que reconozco a los de tu clase.

—¿Estuvo tu padre en el ejército?

—Antes de meterse a empresario —dijo Leena—, estaba en inteligencia. Ése fue uno de los motivos de que tuviera tanto éxito y también la razón de que mi madre lo dejara.

—¿Y eso por qué?

—Nunca supo muy bien con quién estaba.

—¿Se volvió a casar?

—Con un fontanero —dijo Leena—. Y sabe muy bien a qué atenerse con él.

—Sí —dijo Schafer—, los fontaneros son más seguros que los espías y más útiles en el hogar. ¿Tu padre se pegó un tiro porque tu madre lo abandonó?

Leena sacudió lentamente la cabeza, como si el suicidio de su padre hubiera tenido algo que ver con Schafer.

—¿A qué se debió?

—No lo sé con certeza. Y mi madre no supo decirme nada. Pero dos semanas después de su funeral, recibí la visita de una mujer que me dijo que su marido y mi padre habían trabajado juntos en Berlín en 1979. Su marido jamás regresó. Sugirió que mi padre había tenido algo que ver al respecto. Fue complicado por el hecho de que quería dinero. Debió de verme como alguien a quien era fácil explotar. Eso fue sin duda lo que pensaba mi ex marido.

—¿La volviste a ver?

—Hace un año. Para entonces había hecho algunas investigaciones entre los «amigos» de mi padre, y había averiguado que existían ciertas dudas acerca de su lealtad. Nada que se pudiera probar, pero existían dudas sobre la procedencia del capital con que había fundado su compañía naviera. Le di algún dinero a la mujer.

—¿Tuvo tu padre motivaciones políticas alguna vez?

—Jamás. Aunque ya no eres espía, ¿verdad?

—¿Qué te hace pensar eso?

—Anoche. Aquello no fue una interpretación. No creo que un espía se arriesgase a emborracharse tanto. Mi padre bebía hasta perder el sentido, pero sólo cuando estaba solo.

—Ya no trabajo para nadie. Fui espía hace algunos años, y luego cayó el muro y me reciclé.

—¿Como qué?

—Especialista en interrogatorios.

—Y lo del árabe, ¿tuvo que ver con la lucha antiterrorista?

—No, mi tercera esposa es egipcia —dijo Schafer—. Habla inglés, pero pensé que sería divertido aprender su idioma. En casa hablamos en árabe.

—¿Prole?

—Una hija. Inesperada. Mi mujer me había dicho que no podía quedarse embarazada, y de repente a los treinta y ocho años se quedó embarazada. Dejó su trabajo. Y yo volví al mío.

—Un ex interrogador que domina el árabe. ¿Cuándo fue eso?

—En 2002.

—Una sincronización perfecta.

—No quise volver a la Compañía, así que conseguí trabajo en

una empresa privada de seguridad. Pagaban más. Y podía conseguir el triple si iba a Afganistán o, más tarde, a Irán.

—¿A Abu Ghraib?

—Estuve allí, pero no en las celdas de la compañía trescientos setenta y dos de la Policía Militar —dijo Schafer, poniéndose a la defensiva—. La idea era ganar todo lo que pudiera lo más rápidamente posible y volver a mi jubilación.

—¿Así que no incluyeron un curso sobre el efecto del dinero en el cerebro humano?

—¿Cómo dices?

—Cuanto más ganas, más necesitas y más quieres.

Schafer le dio un sorbo a su copa y se encogió de hombros. Sintió algo parecido a la incomodidad de unas almorranas incipientes.

—Así que tus días de espía han terminado. —Prosiguió Leena—. Igual que tus días como interrogador. Y ya no trabajas para nadie. Deberías estar retirado de nuevo. Así que ¿qué estás haciendo en Hamburgo, Roland?

Silencio. Ni siquiera el ruido del tráfico atravesaba la densidad de las cristaleras. Un reloj invisible hacía tictac en alguna parte. Quizá fuera en su cabeza. Schafer no supo exactamente por qué, tal vez por algo que tuviera que ver con su prematura intimidad y su extraño y retrospectivo día, pero lo cierto es que decidió algo impropio de él: sincerarse.

—Estoy expiando mis pecados.

—Ésa sí que es una cosa rara para hacer aquí. Para ese tipo de cosas estarías mejor en Westfalia, con Nuestra Señora de Aachen.

—Nací en Hamburgo. Mis padres se trasladaron a Estados Unidos cuando yo tenía doce años. Luego vine a trabajar aquí en los ochenta. Me pareció el lugar perfecto para empezar a recordar quién había sido.

—¿Y cuáles son esos pecados?

Schafer se sorprendió de encontrarse en la misma disposición de ánimo que intentaba provocar en sus interrogados: la de confesar. Y supo cómo ella lo había llevado hasta allí. Porque él lo había querido.

—La compañía para la que estaba trabajando me asignó una misión especial. Había mucho dinero por medio. ¿Has oído hablar de las «extradiciones extraordinarias»?

Leena asintió con la cabeza.

—Yo dirigía varios «sitios negros» en el Europa del Este.

—¿Y qué son esos sitios?

—Lugares donde los sospechosos de terrorismo que habían sido «trasladados» ahí dentro del programa de «extradiciones extraordinarias» podían ser interrogados utilizando una «serie de procedimientos alternativos» —dijo Schafer, y las manos empezaron a sudarle—. Se había decidido que en la lucha antiterrorista no se aplicara la Tercera Convención de Ginebra a los prisioneros.

—No es necesario que utilices la jerga militar. Me crié con los daños colaterales.

—Después de los atentados terroristas de julio de 2007 en Londres, se me asignó otra misión que era tan secreta que sólo se aludía a ella por su nombre clave: «Pasa palabra». Éramos tres. La Brigada de la Verdad, así se nos llamaba. Éramos todos contratistas externos y se nos entregó un informe especial.

El corazón se le había puesto a cien, y de repente le faltaba el aire. Le dio un sorbo al güisqui.

—El informe ampliaba la «serie de procedimientos alternativos», permitiéndosenos utilizar «técnicas extremadamente violentas» para obtener información vital de los «detenidos valiosos».

—¿Y eso qué significa exactamente? La administración Bush tenía talento para los eufemismos.

—Electroshock, calor, fuego, apaleamiento en las plantas de los pies, garrucha, humillación extrema…, cualquier cosa que supere los límites de la tolerancia humana. ¿Sabes? —dijo Schafer, después de un largo y meditabundo trago—, una vez que has decidido que la tortura es algo que está bien, es inevitable traspasar los límites.

—Se supone que te pagaban un plus por hacer todo eso, ¿no es así?

—Setenta mil dólares al mes.

Respiró con dificultad, como si tuviera un peso en el pecho. El teléfono sonó. Un contestador automático saltó al cabo de siete timbrazos. Ningún mensaje. El teléfono volvió a sonar. Ningún mensaje todavía. Sonó una vez más.

—Voy a tener que cogerlo —dijo Leena—. Es uno de mis clientes.

Atendió la llamada en su despacho, con la puerta cerrada. Regresó para explicarle que iba a tardar un poco y que él tendría que entretenerse solo. Le indicó la galería de arte y le sirvió más güisqui.

—¿Un cliente? —preguntó él—. ¿Eres psicoanalista?

—Ya te lo dije, soy una experta en la naturaleza de la culpa —respondió ella desde el umbral de su despacho—. Sé cómo aliviar sus síntomas y las consecuencias que tiene si se la ignora.

Schafer permaneció en el sofá durante un rato, como si se hubiera quedado inmovilizado por la declaración y agotado por sus propias revelaciones. Entonces se apoderó de él la irritación, se bebió el güisqui de un trago y fue a buscar otro. Cogió un puñado de hielo y se llenó el vaso hasta el borde. Recorrió el largo de la ventana, preguntándose si no habría cometido un gran error. ¿Su vulnerabilidad de esa mañana había hecho que le diera demasiada importancia a lo que sentía por Leena? Se quedó mirando fijamente el enorme cristal en dirección a una inmensa mancha negra en el corazón de la ciudad. ¿Qué sentía por ella? No se sentía atraído por ella, no sexualmente. ¿Pensaba que ella tenía algunas respuestas? ¿Podría ayudarlo a entender?

Se apartó de la ventana y entró en la galería de arte. Estaba como boca de lobo, sin ningún paisaje urbano a la vista. Le dio al interruptor. Sólo se encendieron las luces que iluminaban los cuadros. Las ventanas estaban cegadas. Se movió lentamente por el laberinto de obras. No sentía un gran interés por el arte moderno. Demasiado conservador. No lo entendía. Todo paisajes deprimentes. Grandes telas blancas con grises poco claros en varias partes. El único retrato estaba en el extremo opuesto de la galería. Un anciano con traje que estaba sentado en un sillón en el interior de una especie de jaula. Estaba aferrado a los brazos del asiento y gritaba. Le provocó un escalofrío.

Al final de la galería había una puerta, lo que le despertó la idea de fugarse. La puerta daba a unas escaleras que subían al tejado y bajaban al piso de abajo. Descendió por ella, con la bebida en la mano haciendo tintinear el hielo contra el vaso. Otra puerta se abría a un ancho pasillo de suelo de madera con una vista de la ciudad, visible al final. La práctica iluminación era de neones. Recorrió el pasillo, miró por la esquina y se dio cuenta de que era una habitación construida dentro de la planta entera del piso. Quizá, dada la extraordinaria forma física de Lenna, fuera su gimnasio.

Le volvieron a sudar las palmas cuando alargó la mano hacia el picaporte de la puerta, y abrió. El aire del interior era frío y olía a humedad y a algo desagradable como aguas residuales. La superficie del suelo era distinta; tenía la aspereza del hormigón sin pulir. Mientras palpaba la pared en busca de un interruptor, la puerta se cerró con un chasquido.

El parpadeo de un neón inclemente arrojó cuatro imágenes a su retina. Cuerdas y poleas sobre un gran charco. Una estructura metálica delante de un muro de tochos de hormigón. Una cama con correas que colgaban de ésta. Una manguera enrollada. Aun antes de que el neón se hubiera encendido del todo, cayó al suelo inconsciente.

Alguien le acariciaba la cara con una manopla húmeda y le pasaba la mano por el pelo. Resultaba tan tranquilizador que le hizo pensar que estaba siendo mecido en un cochecito de niño bajo los árboles. Volvió en sí, desnudo hasta la cintura, el vaso roto sobre el suelo. El hormigón le picaba en la espalda. Tenía la visión borrosa, aunque pudo adivinar una cara sobre él. Poco a poco su vista se aclaró. Leena le apoyó la cabeza en el suelo y se sentó en un taburete a sus pies. Iba vestida con un mono naranja, del tipo que llevaban los prisioneros en Guantánamo.

—¿Qué es esto, Leena? —preguntó, viendo sangre en su pecho.

—Te desmayaste, dejaste caer el vaso de güisqui y te cortaste la cabeza y la mano al caer. Te pusiste la camisa perdida de sangre —le explicó—. Esta clase de cuarto debe resultarte familiar.

—¿Qué es esto? —volvió a preguntar, girando la cabeza para asimilar el entorno.

—Lo llamó retorno al equilibrio —dijo Leena.

—¿Es una habitación de tratamiento para tus clientes?

—Ayudo a personas, especialmente hombres, que sienten que tienen una cantidad de poder tan desproporcionada para controlar las vidas de los demás que padecen un abrumador sentimiento de culpa. Al reducirles a una condición de impotencia, infligiéndoles dolor y humillación, consigo que recuperen el equilibrio mental. Esto reduce sus tendencias suicidas y, en algunos casos, fortalece su sentimiento de pertenencia a la raza humana.

—¿Y quiénes son tus clientes?

—Principalmente capitostes de la industria, políticos, militares, policías y el extraño director de una cárcel, pero nada de interrogatorios. ¿O es que estoy siendo demasiado eufemística? La idea es la de enfrentarse a las cosas, después de todo. Entre mis clientes no he tenido nunca a ningún torturador a sueldo.

—Te dije que estaba expiando mis pecados. Me enfrento a mi culpa a mi manera. Me voy a descubrir ante el mundo como el hombre que soy y por el trabajo que he hecho en nombre de mi Gobierno. Me voy a condenar a través de los medios de comunicación. ¿Crees que mi esposa me aceptará de nuevo? ¿Te parece que querrá verme cerca de nuestra hija?

—Pues no lo estás llevando muy bien, que digamos. No creo que anoche fuera la primera vez que te emborrachaste hasta perder el conocimiento. Todos los que estaban en el restaurante estaban preocupados por mí…, no por ti. Se dieron cuenta de que habías perdido la fe en algunas de las cualidades humanas esenciales. Y luego entras aquí y te desmayas.

—Bueno, ¿y qué propones?

—Que pases por algunas de las experiencias de la víctima. No puedo simularlo todo. Puedo mantenerte durante días en una habitación cerrada con un poco de comida y en unas condiciones malas o extremas, sin dormir. Puedo reducir tu humanidad a la condición de ganado y hacer que odies la luz, inmovilizado y reducido a una impotencia absoluta, y luego, lo que quizá sea lo peor, hacer que otro ser humano te haga cosas terribles durante horas y días, sobre las que no tendrás ningún control, ni aunque digas la verdad. No querría hacer eso. También me rebajaría a mí.

—Entonces, ¿qué vas a hacer?

—Puedo hacer que te sientas impotente y humillado y suministrarte cierto nivel de dolor. Hay beneficios psicológicos.

—Según parece, tengo que confiar en ti.

—Éste no es un vínculo habitual entre torturador y víctima, como estoy segura de que entenderás, pero forma parte de ello.

—¿Y qué sacas tú de todo esto?

Silencio, salvo el goteo del agua. Se miraron mutuamente durante unos instantes.

—Ni un solo minuto del día dejo de pensar en lo ocurrido en el accidente. Me salté un semáforo. Estaba ofuscada. Tenía la cabeza tan llena de lo que había hecho mi padre al suicidarse que me había sumido en un estado de distracción casi permanente. Era una conductora prudente, no una muchacha alocada, y de repente mi cerebro dejó de comprender la diferencia entre el rojo y el verde.

—Estás castigando a tu padre.

—Es la única manera que tengo de seguir adelante. De lo contrario, no tengo nada. Todo el dinero, todas las comodidades, todo el interés de los hombres, todas las posibilidades que tiene que ofrecer la vida no significan nada.

Schafer se desnudó. Ella le ató las muñecas y los tobillos a las cuatro esquinas del armazón metálico colocado en el suelo. Estaban en silencio y actuaban en complicidad. Leena se apartó de él, alargó la mano para coger un control remoto que colgaba del techo y apretó uno de los botones. Un extremo del armazón de acero empezó a levantarse sobre unas guías metálicas hasta que quedó en posición vertical y Schafer colgado con los brazos y las piernas abiertos dentro de él. El dolor que sintió en las articulaciones de los hombros fue atroz. Era una técnica cuyos resultados conocía.

Leena pulsó otro botón en el mando a control remoto y el armazón metálico giró ciento ochenta grados, de manera que Schafer quedó boca abajo y de espaldas a ella. Sintió como si se le fueran a dislocar las caderas. Ella seleccionó una vara de ratán de dos metros y azotó el aire frío, adelante y atrás.

Foley le había dado al Turco su aprobación en cuanto se enteró de que tanto Leena como Schafer estaban en el piso inferior y habían perdido el contacto sonoro. Arslan introdujo el código en el ascensor y subió hasta el último piso con las manos enfundadas en guantes de látex. Tenía una Glock 19 de nueve milímetros con silenciador de titanio, que no pretendía utilizar. En el bolsillo llevaba un garrote de cuero retorcido.

Las puertas del ascensor se abrieron. Atravesó el dormitorio principal hasta el cuarto de baño anexo e hizo un cóctel con los medicamentos de Leena, mezclándolos en uno de los botes. Cogió una botella de güisqui escocés de la bandeja de las bebidas y se la metió debajo del brazo. Atravesó a grandes zancadas la galería de arte, bajó las escaleras y entró en el piso de abajo. Caminó en silencio con sus zapatillas de deporte sin dibujos en las suelas, sacó la Glock y abrió la puerta. La insonorización de la habitación supuso que no hubiera oído nada de lo que estaba sucediendo dentro. Se quedó momentáneamente asombrado por lo que se desarrollaba ante su vista.

—Ya probaste la vara de ratán —decía Leena, jadeando ligeramente—. Éste es un *sjambok*. Está hecho de piel de rinoceronte. Apreciarás la diferencia.

De Schafer no se escapó ni una palabra, sólo un grito ahogado. La sangre le corría desde los verdugones abiertos de su espalda, las nalgas y los tendones de las pantorrillas. Hilillos de sangre le bajaban por el cuerpo y sobre la cara y la frente, haciéndole cosquillas y goteando sobre el hormigón.

—Suelte eso —ordenó Arslan a la mujer en el umbral de la puerta, sujetando la Glock en la mano extendida.

Leena giró en redondo, lívida la cara por el esfuerzo.

—¿Qué está haciendo aquí? —replicó, como una profesora cuyo espacio hubiera sido invadido por un alumno—. ¿Tiene algo que ver contigo, Roland?

—Tire el látigo y venga hasta aquí —insistió el Turco.

Aquello era mejor de lo que hubiera podido haber imaginado. Su mente se abrió a un abanico de posibilidades de un final limpio. Podía ser una sesión sexual que terminara trágicamente mal.

—Él lo necesita—comentó Leena.

—Puede —admitió Arslan.

—Un latigazo —dijo ella, y antes de que el Turco pudiera protestar, cruzó la espalda de Schafer con el *sjambok*. La vara aterrizó con un chasquido sordo y fue acompañado de un silencio de asombro y seguido de un grito ahogado. Arslan cerró la puerta de un portazo. La mujer arrojó el látigo al suelo.

—Bájelo de ahí —ordenó el Turco.

Leena utilizó el control remoto para poner a Schafer boca arriba y tumbado en el suelo. Cuando su espalda entró en contacto con el hormigón, un sufrimiento exquisito se concentró en su cuerpo; le rechinaron los dientes.

—Suéltele los pies. ¿Tiene esposas?

Leena señaló la pared de detrás donde colgaba su colección de esposas y grilletes. Arslan le arrojó un juego.

—Espósele las manos a la espalda. Y déjelo boca abajo.

El Turco recorrió la habitación con la vista mientras Leena se encargaba de Schafer. Puso la botella de güisqui sobre la mesa, hizo girar una polea y su cuerda para colocarlas encima de los dos y movió el taburete que había debajo. Sacó el garrote de cuero y le dijo a Leena que lo atara a la cuerda.

Ella conocía su trabajo, y utilizó un calibrador para asegurarse de que la juntura no se soltara, tras lo cual le pasó el garrote a Schafer por la cabeza. Arslan tiró de la cuerda. La cabeza de Schafer se levantó, y él se tambaleó hasta acabar de rodillas.

—Siéntelo en el taburete.

Schafer quedó sentado de espaldas al Turco, con las manos atrás. Su pecho se expandía lenta y superficialmente, como si el respirar le causara un sufrimiento insoportable. Arslan le dijo a Leena que atara la cuerda a una anilla que había en el suelo. Luego le hizo un gesto con su Glock hacia la mesa y sacó las pastillas de su bolsillo.

—Se va a beber esto —dijo Arslan—. O eso…, o la violencia. Me resulta más agradable de esta manera.

Lo único que Leena sabía de su interminable recreación del accidente de tráfico era que, aunque pudiera aguantar el dolor, era incapaz de soportar el impacto. Conocía las consecuencias del impacto, y el mero hecho de pensar en ello le provocaba un intenso sentimiento de terror. Miró el frasco de pastillas, que contempló durante unos segundos muy largos. Abrió el frasco y sacó un puñado.

Arslan desenroscó el tapón del güisqui.

—Éstas —dijo Leena, levantando una pastilla redonda y blanca— son para que duerma. Por lo general, una es suficiente para que un adulto duerma durante toda la noche. Si tomo tres, puedo conseguir dormir durante cuatro horas.

Cogió seis y se las tragó con el güisqui.

—Éstas —prosiguió, levantando una cápsula mitad roja, mitad gris— son antidepresivos. La parte roja es el «anti» y la parte gris el «depresivo». Se supone que tienen que hacerme feliz, pero lo único que consiguen es volver el negro intenso en gris.

Se tragó otro puñado; el güisqui le goteaba por las comisuras de la boca.

—Bueno, éstas son las preciosidades —continuó, levantando una pastilla azul redonda—. Las tomo sin parar. La verdad es que funcionan. Oxy-Contin ciento sesenta miligramos. Principio activo: oxicodona. En Estados Unidos es conocido como la heroína del

Hillbilly. Te envuelven en algodón y te apartan de la vida en un pequeño cajón. Curan todos los dolores conocidos, excepto… el dolor de la pérdida.

Se metió ocho de golpe y detrás se echó al coleto una buena cantidad de güisqui. Entonces cogió otro puñado variado y consiguió tragárselas. Ya no se entendía lo que decía, le fallaron las piernas y Arslan la depositó en el suelo, donde Leena puso los ojos en blanco y perdió el conocimiento.

El Turco se dirigió hasta la cuerda de la polea y estiró de ella con fuerza para poner de pie a Schafer. Dio otro tirón aún más fuerte y consiguió subirlo al taburete, y con otro más, que se pusiera de puntillas. La sangre latía con fuerza en las carótidas de Schafer; los músculos de las pantorrillas se tensaron y crujieron. Sintió que se tambaleaba. Su mente había alcanzando una gran clarividencia desde que lo habían vuelto a poner boca arriba. El extraordinario dolor de la paliza que había sufrido había contribuido a ello. Empezó a comprender algo de la naturaleza de la flagelación religiosa. Cuanto mayor era la conciencia de su envoltorio mortal por medio de la vulnerabilidad extrema, más capaz parecía de concentrarse en lo que era puro e intangible. Jamás había creído en Dios. No había tenido tiempo para el alma ni para cualquier otra paparrucha espiritual. Había dejado de ir a la iglesia en cuanto había salido de la férula paterna. Pero en ese momento se encontró al borde de una revelación. Y la posibilidad de que así fuera lo excitó.

Un hombre con pinta de ser de Oriente Próximo estaba delante de él. No era capaz de imaginar qué aspecto debía de presentar ante aquel extranjero. La sangre le surcaba la cara formando una red de grietas, como la brotada de la corona de espinas de Jesucristo, aunque por otro lado, como probablemente el hombre era musulmán, ¿qué sabría él? Sus ojos brillantes y negros eran insondables.

—Sabes para lo que estoy aquí —le anunció el Turco—. Puedes hacer esto corto o largo y duradero.

—¡Que te jodan! —le espetó Schafer.

Arslan desapareció; Schafer sintió temblar la cuerda, y entonces sus pies perdieron contacto con el taburete. Estaba forcejeando para volver a apoyarse en él cuando el garrote se hundió en su cuello. La oscuridad le nubló la visión. Y cuando las cosas empezaban a desaparecer rápidamente, cayó sobre sus rodillas de golpe. El mundo volvió a él y su visión se aclaró. De nuevo la cuerda tiró de él hacia arriba, hasta que volvió a estar de pie encima del taburete. Arslan se metió en el interior del armazón con un tarro de un polvo rojizo.

—Esto es una mezcla de chile y sal. No me obligues a hacerte esto, Schafer.

El aludido se humedeció los labios con la lengua, sintiendo una horrible sequedad en la boca. Tenía tan poco que perder que decidió que podría ver qué había más allá del límite de su resistencia.

—¡Que te jodan! —repitió con la voz ronca.

El polvo le picó en cuanto cayó en cascada por sus pantorrillas. Entonces empezó una sensación de quemazón que aumentó hasta que Schafer se convenció de que había un soplete de por medio. Se retorció en el taburete. Su cuerpo ya no parecía pertenecerle, ¿o era que el dolor había alcanzado un nivel que no era soportable? Y entonces se le ocurrió una idea extraña: ¿sería ésa la naturaleza del fuego del Purgatorio? Y en ese instante, cuando pensó que había dejado de ser corpóreo pero que todavía no se había convertido en nada, se sintió invadido por una luz limpia y una aplastante sensación de gratitud por algo que se le había concedido. Y con aquella emoción en el pecho, pegó un grito y saltó fuera del taburete, tirándolo de una patada.

El Turco observó, sacudiendo la cabeza. Esperó hasta que las piernas de Schafer dejaron de patear. Atravesó el suelo hasta donde yacía Leena, le subió la pernera del mono y le quitó la pierna ortopédica. Dejó la luz encendida y cerró la puerta. Minutos más tarde abandonaba el edificio.

Fue un paseo de quince minutos a temperatura bajo cero hasta el bar Hefner, en Beim Schlump. Arslan pasó junto a los taburetes de piel de la barra y encontró a Foley en un rincón con Spoke enfrente de él sentados en unos cómodos sillones. El local era acogedor y relucía con una luminiscencia ámbar, como si se lo mirase a través de un vaso de güisqui.

Foley ofreció a Arslan asiento y bebida. El Turco rechazó los dos.

—No me voy a quedar —dijo—. Tengo que coger un avión a Estambul. Sólo vengo a entregar esto.

Entregó la pierna ortopédica a Spokes, que la escondió rápidamente en el suelo, al lado de la mesa.

—¿De qué va esto? —preguntó Foley con frialdad.

—Lo último que gritó antes de morir fue que lo que queríais era la pierna de la mujer —dijo Arslan, tras lo cual titubeó, hurgando en su memoria—. Al menos es lo que creo que dijo.

El Turco se encogió de hombros, se dio la vuelta y salió del bar.

Cuarenta y ocho horas más tarde, de acuerdo con las instrucciones que Rush había dado por teléfono, un periodista británico del periódico *The Guardian* llegó a Hamburgo en el vuelo de las 20.30 procedente de Heathrow. Cogió un taxi hasta el hotel Torre del Agua en el Sternschanzenpark. Cuando hizo la reserva, se había asegurado de que le dieran la habitación 1015. Una vez allí, dejó caer sus maletas e inmediatamente levantó el cuadro de la pared. Arrancó la bolsa de plástico y la puso en el fondo de su maletín sin mirar el contenido. Abrió la cortina y vio las letras mayúsculas azules recortadas contra la oscuridad de la gélida noche.

FLEISCH GROSSMARKT

El correo

Dan Fesperman

En este vertedero de la memoria nazi donde me gano la vida, a diario
nos encontramos con todo tipo de cosas, desde listas de muertos a
las preguntas insignificantes de burócratas mezquinos. El lugar donde trabajamos es conocido simplemente como el Centro Federal de
Archivos, y está alojado en la primera planta de una antigua fábrica
de torpedos, junto a un embarcadero podrido del río Potomac.

Tengo entendido que en alguna otra parte de este enorme e in-
sondable edificio hay un almacén de huesos de dinosaurios del
Smithsonian y un archivo de las películas de propaganda alemanas.
Pero en nuestra planta sólo hay papeles, una caja tras otra de documentos requisados, con esvásticas que asoman como aletas de tibu-
rones de los grises océanos de los textos. Cuantos más documentos
movemos, más polvorientos se vuelven, y todos los días, al final de la
tarde, el aire está adensado con motas de historia en descomposi-
ción. Los rayos sesgados de sol que entran por las altas ventanas
rielan como los rayos dorados de una tumba faraónica.

Al darse cuenta de que la guerra terminó hace trece años, uno
podría suponer que a estas alturas tendríamos ordenado todo este
desorden. Pero como he descubierto en los últimos tiempos, hay
muchas cosas sobre la guerra que no son tan fáciles de clasificar, y
mucho menos de dejar a un lado.

Me llamo Bill Tobin, y mi trabajo consiste en decidir qué documentos tirar, desclasificar o guardar bajo llave. El Gobierno me con-

trató porque domino el alemán y sé cómo guardar un secreto. Llevo un año trabajando aquí, y hasta el momento los contenidos han sido más o menos lo que me esperaba: informes de diversos ministros nazis haciendo una y otra vez las mismas preguntas: ¿han llegado los cupones de racionamiento de *herr* Muller? ¿Debemos ponerle las iniciales a todas las páginas de los contratos de armamento? ¿Cuántos polacos deberían ser ejecutados este sábado?

Lo que no me había esperado encontrar —aquí ni en ninguna otra parte— era el nombre del teniente Seymour Parker, un copiloto del 306 Grupo de Bombarderos de la Fuerza Aérea norteamericana. Y sin embargo allí estaba el otro día en la lengüeta doblada de una carpeta marrón, nuestra más reciente recuperación de un batiburrillo que hemos empezado llamando el Archivo de la Confusión Absoluta, sobre todo porque nunca sabemos qué membrete ministerial aparecerá a continuación.

Al principio, el nombre de Parker fue una sorpresa agradable, como la que provoca la inesperada visita de un viejo amigo. Después de leer lo que había dentro, deseé que se hubiera ahorrado la visita.

Habían pasado catorce años desde que entregáramos a Parker a los alemanes en la primavera de 1944, junto con otros tres pilotos norteamericanos. Formaba parte de un intercambio de prisioneros. Los alemanes habían aceptado enviar a nuestros chicos a casa a través de la Francia ocupada. Habríamos estado encantados de hacerlo nosotros, por supuesto, aunque a la sazón yo estaba trabajando para el OSS en Suiza, un país neutral rodeado por los ejércitos del Eje. Hablando en plata: no teníamos salida, como tampoco la tenían los aviadores norteamericanos que regularmente se lanzaban en paracaídas sobre los prados y pastizales suizos después de que sus bombarderos fueran acribillados sobre Alemania.

Así que escoltamos a Parker y a los otros hasta la frontera francesa en Basel y luego observamos cómo un altivo oficial de la SS vestido con un uniforme negro los hacía subir a un tren con destino a París. Desde allí viajarían a España, donde serían puestos bajo custodia norteamericana para viajar a casa.

Yo había ayudado a Parker a hacer el equipaje para el viaje. Llevaba el petate lleno de cartones de cigarrillos, y la cabeza atestada de secretos. Los primeros eran para repartir entre los alemanes durante el viaje. En cuanto a los últimos, bueno, la cosa era más complicada.

Ésa fue la última vez que lo vi, y desde entonces los integrantes del equipo de Berna rara vez mencionamos su nombre, porque no teníamos duda de que todo habría discurrido según lo planeado. Kevin Butchart se había presentado voluntario un año después, la misma tarde en que la radio interrumpió su programación para dar la feliz noticia de que Hitler se había volado los sesos en Berlín. Alguien —creo que fue Wesley Flagg— preguntó casualmente si alguien sabía qué había sido de Parker.

—¿No os habéis enterado? —dijo Butchart—. Ha vuelto a su casa, en Kansas. A la granja, con Dorothy y Toto, y ni siquiera tiene que entrechocar los talones. Todo acabó sin problemas.

Desde entonces, sólo una vez había pensado en Parker: el último verano, mientras veía a mi hijo jugar un partido de la liga infantil de béisbol un apacible sábado. Era un momento trascendental del partido. El mejor jugador de su equipo, uno de esos atletas natos que enseguida ves que en su futuro asoma una beca universitaria, estaba rodeando la tercera cuando el paracortos del equipo contrario lanzó la pelota al receptor. Corredor, pelota y receptor se encontraron en el *home plate* y se produjo una colisión dolorosa.

El receptor, un muchacho regordete con gafas, que temblaba cada vez que el bateador hacía un *swing* al batear, recibió el impacto de lleno en la panza y cayó a tierra boca abajo. Cuando se incorporó y se quitó la mascarilla, todos pudieron darse cuenta del conflicto de emociones que pugnaban en su cara: una inminente tormenta de lágrimas que podía estallar en cualquier momento, y sin embargo también una encarnizada determinación a aguantar el tipo sin soltar un quejido.

Para sorpresa de todos, el chaval levantó en lo alto la pelota, que jamás había abandonado su guante. El árbitro determinó que el corredor había sido puesto *out*. Entonces el *catcher* hizo un gesto con la cabeza al lanzador para que se reanudara el juego, aunque las lágrimas le resbalaban por las polvorientas mejillas.

Algo en aquel chico me hizo recordar a Parker. Él también había tenido aquel porte contradictorio —tembloroso en un momento, estoico al siguiente— y durante el resto de la tarde me vi agobiado por una inexplicable tristeza. Tristeza que borré de un plumazo por considerarla otro retorno al pasado, uno de aquellos momentos angustiosos en los que te das cuenta, una vez más, de que la guerra todavía no te ha abandonado del todo. Entonces preparé en una jarra unos *gimlet* para mi esposa y para mí, y a la mañana siguiente me había olvidado de todo.

No mucho tiempo después me ofrecieron trabajo en el Centro de Archivos. El sueldo no era fantástico, pero parecía infinitamente más interesante que firmar facturas en la fábrica de zapatos de mi suegro en Wilmington, Delaware. Así que lié el petate y me trasladé a una casa alquilada a la ciudad de Alexandria, Virginia.

Cuando me topé con la carpeta de Parker, uno de aquellos postreros rayos dorados de sol me iluminaban de golpe mientras sacaba la última pila de documentos de la caja 214. Mi plan era liquidarlo todo pronto y llevar a mi hijo al cine. Entonces empecé a leer, y a los pocos párrafos me vi transportado de nuevo a aquella tarde de principios de 1944, cuando me encontré por primera vez con Parker a bordo de un tren de pasajeros suizo.

Entonces Suiza era un lugar de lo más raro. Cercado por el Eje, su deliberada neutralidad la había convertido en una isla de intrigas. En la superficie era el ojo de la tormenta de Europa, un metódico refugio contra los disparos y la devastación, un lugar donde los cansados exiliados podían recuperar el aliento y curarse las heridas. Los banqueros seguían moviendo el dinero. Los empresarios seguían cerrando negocios.

Pero bajo esta fachada se desarrollaba una caballerosa guerra de espionaje entre los fisgones de todos los países, y a veces daba la sensación de que todo el mundo anduviera involucrado: exiliados, banqueros, aristócratas arruinados, magnates de la industria a la caza de negocios y, por supuesto, los propios suizos, que estaban intentando congraciarse con los norteamericanos, aunque engatusaban a Hitler para que no les enviara los tanques desde el norte. Todo el mundo tenía información que ofrecer —alguna dudosa, otra espectacular— y, como tuve ocasión de descubrir por propia experiencia, todas las agencias de inteligencia en liza estaban más que encantadas de competir por ella con todos los medios a su alcance.

El día de finales de marzo en que conocí a Parker, iba acompañado del ya mencionado Kevin Butchart. Ambos recorríamos a bandazos el pasillo del oscilante vagón del tren procedente de Zúrich con destino a Adelboden, vía Berna.

La vista desde las ventanillas era la de un prado alpino —vacas y flores silvestres de la incipiente primavera—, aunque nuestra atención estaba centrada en los pasajeros. Varios aviadores norteamericanos recién llegados, con aspecto cansado y abatido, iban a bordo. Habían caído del cielo después de que su B-17 hubiera entrado renqueando en el espacio aéreo suizo tras realizar un bombardeo sobre Baviera. Dutchart y yo habíamos ido a echarles un vistazo mientras viajaban a un campo de internamiento. Ambos confiábamos en encontrar al sujeto adecuado para utilizarlo en una operación inminente.

Sabíamos que teníamos que andar con pies de plomo. Aunque el país estuviera lleno de espías, el espionaje era ilegal. Los sabuesos suizos nos vigilaban, y estaríamos reclutando a un agente delante de sus narices.

Los pilotos también estaban pendientes de sus modales. Los suizos ya habían internado a más de quinientos en Adelboden, una ciudad turística de los Alpes, donde jugaban al ping-pong, leían novelas encuadernadas en rústica, daban paseos por la ciudad y comían queso en las tres comidas diarias. El impaciente que intentaba volver a la guerra escapando a la Francia ocupada se arriesgaba a ser confinado en un pequeño y estricto campo de internamiento llamado Wauwilermoos. El campo en cuestión estaba dirigido por un pequeño maniático de la disciplina, supuestamente neutral, que habría hecho sentirse orgulloso al mismísimo Hitler. Gente rara, los suizos.

Le tiré de la manga a Butchart.

—¿Qué tal ése?

Señalé a un tipo corpulento con una cazadora de piel de piloto que estaba masticando ruidosamente una tableta de chocolate de su equipo de supervivencia.

—Ni hablar —respondió Butchart—. Mira lo raída que lleva la cazadora. Lleva años en esto. Y deja de señalar. He visto a tu sombra en el vagón de atrás.

Miré por encima del hombro en busca del barbudo sabueso suizo a quien había bautizado Tío Alpes, más que nada porque ignoraba su verdadero nombre. No se le veía por ninguna parte, a Dios gracias.

Butchart me empujó para que siguiera avanzando.

—No te pares. Sólo tenemos una hora.

Era así de prepotente, uno de esos tipos musculosos y bajos cuyos agresivos movimientos pueden sacarte de quicio enseguida. Pero como subordinado del agregado militar de la legación norteamericana, aquél era su espectáculo, así que asentí con la cabeza y seguí avanzando.

Cuando Butchart quería entablar conversación contigo, se acercaba como un boxeador, incisivo y zigzagueante, como si buscara una brecha. La menor insinuación de que su punto de vista era defectuoso provocaba un contragolpe inmediato. Y entonces golpeaba tus puntos débiles hasta que tus opiniones acababan en la lona. Había aprendido a no entrar en aquellas peleas a menos que pudiera tumbarlo con la primera frase, o a menos que estuviéramos en presencia de un oficial superior, momentos en que tendía a retraer los puños. Por el momento me sentí inclinado a adherirme a su juicio.

Me tiró de la manga.

—Ahí está nuestro chico. En el siguiente compartimento a la derecha. Un tipo flacucho de pelo rojo. ¿Lo ves?

Justo entonces el tren iba dando tumbos entre el chirriar de las ruedas al tomar una larga curva descendente, y de pronto se produjo una mejora en el paisaje de la derecha. Una alta lechera rubia con trenzas transportaba unos cántaros hacia un granero. El vagón prorrumpió en silbidos y aplausos, y uno de los aviadores abrió una ventanilla y gritó:

—¡Eh, preciosidad!

Entonces lo abuchearon.

—¡Cierra esa ventana de mierda!

—Hace un frío que pela. ¿Estás pirado?

—¡Pero si era Heidi! —protestó el aviador irrespetuoso—. ¡Sólo que ha crecido!

Heidi, faltaría más. Mi propia experiencia con las mujeres locales ya me había proporcionado una amplia constancia de que los nativos eran amistosos, aunque en aquella estrecha franja de bosque la mayoría hablaba alemán. Pero podía ser peligroso que te dejaras engañar por la hospitalidad.

—¿Alguna señal del Tío Alpes? —preguntó Butchart.

Me volví, escudriñando el vagón.

—Todavía ni rastro.

En los últimos tiempos nuestros vigilantes parecían estar perdiendo el interés. La primera vez que nos dimos cuenta fue después de la derrota alemana en Stalingrado. Cuanto peor le iban las cosas a la Wehrmacht, más indulgentes se mostraban los suizos con los Aliados.

Me acerqué con cuidado a nuestro objetivo, pero Butchart me agarró de la manga.

—No importa. Olvídalo.

—¿Por qué?

—Una cicatriz, en la parte trasera del cuello. La vi cuando se volvió para mirar a Heidi.

—¿Y?

—Bueno, probablemente sea una herida importante, aunque de todos modos ha vuelto a volar. No es nuestro hombre. Estamos buscando a Clark Kent, no a Superman.

Butchart y yo habíamos sido escogidos para aquella misión porque sabíamos exactamente por lo que habían pasado aquellos muchachos. Nosotros también habíamos llegado a Suiza en unos bombarderos inutilizados que no habían podido regresar a Inglaterra.

No me avergüenza decir que para mí fue una novedad bien recibida. La caída anterior había ocurrido durante mi decimoséptima misión. Diecisiete no parece mucho hasta que pruebas la primera, un paseo terrorífico por entre los proyectiles del fuego antiaéreo y los disparos de los Messerschmitt y los Focke-Wulf. Como artillero de estribor de un B-17, mi trabajo consistía en derribar a aquellos torturadores, una estrategia aproximadamente tan efectiva como rociar de insecticida con un pulverizador por bombeo un cielo lleno de langostas. Si tenías suerte, conseguías derribar uno o dos. El resto se ponían las botas.

En mi sexto paseo acabé rociado con las entrañas del artillero de babor cuando un proyectil de veinte milímetros le explotó en el tronco. En el octavo mi ametralladora se encasquilló, y me pasé las siguientes dos horas observando impotente cómo los bandidos agujereaban la piel de nuestro avión. En el decimocuarto tuvimos que hacer un amerizaje de emergencia en el canal de la Mancha, aunque nos rescataron de las balsas. Tres miembros de nuestra tripulación se ahogaron. Después de cada viaje tardaba horas en calentarme, y la rutina de los días de misión no tardó en hacerse insoportable: levantarse a las dos de la madrugada para recibir las instrucciones. Tragarse un desayuno con el estómago revuelto. Inhalar los vapores de la gasolina y el aroma dulzón de los pastizales mientras cargabas en la oscuridad. Luego, ocho horas o más en angostos habitáculos, congelados la mayor parte del tiempo, mientras la gente intentaba matarte desde todos los ángulos. Al cabo de un rato, las vibraciones de los motores era lo único que seguías sintiendo en las manos y en los pies. Voces espasmódicas que gritaban su pánico y su dolor en tus auriculares. Desde la tronera no veías más que carnicerías por todas partes; los bombarderos de tus colegas echando humo y luego cayendo en espiral, escupiendo puntos negros a medida que iba saltando la tripulación. Ése podría ser yo, pensaba siempre, aterrizando en un pastizal en Alemania.

Hasta que finalmente un día me tocó a mí. Tres de nuestros cuatro motores quedaron fuera de combate, y Harmon, nuestro piloto, nos llevó hacia el sur, hasta la frontera suiza, con sumo cuidado. Cuando nos dio la orden de que saltáramos, todavía no estábamos seguros de haberlo logrado. Saltamos mientras Harmon luchaba con los mandos. Los cazas seguían en las cercanías, así que no tiré del cordón de apertura hasta que estuve por debajo de los trescientos metros de altitud. Incluso entonces, en cuanto el dosel se abrió, oí a un Messerschmitt que se dirigía zumbando hacia mí por detrás. Me volví torpemente en mi arnés y esperé a que las ametralladoras empezaran a destellar. No pasó nada. El avión pasó rugiendo por mi lado, lo bastante cerca para que el chorro de aire de la hélice hiciera balancear mi paracaídas. Sólo entonces reparé en la gran cruz blanca de su costado; la fuerza aérea suiza nos daba la bienvenida con sus aviones alemanes.

Aquello hizo que me sintiera bastante bien hasta que vi a nuestro avión estrellarse contra el suelo convertido en una bola de fuego y humo negro. Alguien dijo que Harmon había saltado poco antes del impacto, pero su paracaídas nunca se abrió.

Los soldados suizos nos rodearon. Esa noche nos alojaron en un colegio cercano, y a la mañana siguiente nos metieron en un tren con destino a Adelboden, donde se suponía que nos tenían que alojar en un viejo hotel. Pero fue entonces cuando me sonrió la fortuna. El hombre que no tardaría en convertirse en mi nuevo jefe me encontró echando una cabezada en uno de los compartimentos traseros. Según parece, lo que llamó su atención fue un manoseado ejemplar de *El cero y el infinito*, de Arthur Koestler, abierto sobre mi pecho. Me desperté cuando sentí que alguien lo cogía, y me encontré con los ojos azules de un viejo caballero que llevaba una pipa entre los dientes. Llevaba los bolsillos del abrigo llenos de periódicos. Se sentó frente a mí y empezó a hablar en inglés de Estados Unidos.

—¿Le parece bueno? —dijo levantando el libro.

—No está mal.

—Soy Allen Dulles, de la legación norteamericana.

Charlamos el tiempo suficiente para que averiguara que yo dominaba el alemán y había ido dos años a la universidad. Entonces me sorprendió sugiriéndome que trabajara para él. Me sentí halagado, aunque no tenía motivos para ello; más tarde me enteré de que Dulles había conseguido entrar en Suiza sólo unas horas antes de que se cerrara la última frontera abierta del país, lo que le privaba de la posibilidad de conseguir refuerzos.

Aquello suponía que tenía que ser creativo para encontrar nuevos empleados. Los banqueros y gente de la alta sociedad norteamericanos con problemas para volver a casa figuraban ya en su nómina, así que apenas era sorprendente que se interesara por mí en cuanto un puñado de aviadores norteamericanos empezaron a caer literalmente del cielo. Dije que me gustaba la idea, y él que vería qué podía hacer. Dos semanas después me citó en su despacho de Berna.

Sólo entonces me enteré de que iba a trabajar para el OSS. A la sazón era lo más parecido a la CIA que teníamos, aunque jamás había oído hablar de ella. Decidí que debía de ser algo poco corriente, dado que en la solicitud de empleo se incluía una «lista de control del agente» en la que se me pedía una contraseña «por la que el agente pueda identificarse ante sus colaboradores». También me asignaron un nombre clave, un número de identificación para utilizar en toda la correspondencia oficial y una mesa en un despacho sin ventanas en una vieja casa de ladrillo en Dufourstrasse.

La mayor parte de mis obligaciones consistían en traducir, aunque supongo que oficialmente era un espía, a menos que haya otro nombre para describir un trabajo en el que el jefe envía informes sobre análisis de inteligencia e insiste en que le llames 110, o Quemaduras, o como te salga de las narices, siempre que no utilices nunca su verdadero nombre. Aquel primer encuentro en el tren fue la única vez que me sentí cómodo llamándole señor Dulles.

Así que allí estaba, pues, con Butchart en el tren, intentando reclutar a otro de la misma manera que Dulles me había reclutado a mí, sólo que estábamos buscando una especie de candidato completamente diferente.

—¿Y qué pasa con ése? —dije, señalando, aunque Butchar me había pedido que no lo hiciera.

—¿Dónde?

—El último compartimento a la izquierda, junto a la ventana. El tipo con gafas.

El tío en cuestión parecía uno de los tripulantes más jóvenes, pero lo que me había llamado la atención era su expresión recelosa. Mientras que la mayoría de los otros tenían una cansada expresión de alivio, aquél seguía con la guardia alta. También había cierta blandura en sus rasgos y una expresión infantil de asombro mientras miraba fijamente por la ventanilla. Te dabas cuenta de que jamás había visto unas montañas como aquéllas.

—Promete —dijo Butchart—. Apuesto a que es navegante.

—¿Por qué lo supones?

—Las gafas. Debe de tener un talento especial o jamás le habrían dejado entrar en la fuerza aérea, y siempre andan escasos de copilotos. No lo pierdas de vista mientras echo un vistazo en el vagón siguiente.

Hice exactamente eso. Butchart regresó al cabo de unos segundos, sacudiendo la cabeza.

—Cada vez me gusta más tu copiloto.

—¿Quieres que me siente a su lado?

—Espera a que casi estemos en la estación. Mientras, se lo diré a su superior. También hablaré con el oficial suizo al mando y empezaré a engrasar la maquinaria.

—¿Qué les dirás?

—Algo que el coronel Gill les dijo cuando me contrataron. Que pertenezco a la agregaduría militar, que andamos cortos de personal y que buscamos voluntarios.

A estas alturas ya deben de estar pensando que ésta no es precisamente la misión más fascinante de un espía de la que hayan tenido noticias, aunque sin duda superaba con creces lo que había estado haciendo hasta entonces. Dulles me había recluido en un despacho para realizar labores burocráticas, y estaba a punto de volverme tarumba. No era tanto que ansiara emociones como que necesitaba distraerme. Al menos dos veces a la semana seguía soñando que estaba de nuevo en un bombardero: la cama oscilaba como si fuera sacudida por el fuego antiaéreo, y el frío de las grandes alturas se colaba por debajo de las sábanas. Me despertaba agotado, con las manos entumecidas, como si acabara de regresar de una misión de toda la noche. La verdad, me preocupaba que pudiera volverme chalado si algo no venía pronto a ocupar mi mente.

Butchart había oído que estaba impaciente por entrar en acción, y había sugerido que me reuniera con su jefe, el coronel Gill, que llevaba el control de los asuntos de la inteligencia en la agregaduría militar. Me dijo que tal vez tuvieran un trabajo especial para mí.

Yo le dije que estaba dispuesto a intentarlo, y eso debió de dar sus frutos, porque a la noche siguiente Dulles me citó en su casa de Herrengasse. Fui después de anochecer, que era la orden que recibía casi todo el mundo que iba a su casa. El piso ocupaba toda la segunda planta de un magnífico edificio antiguo que databa de la Edad Media. La casa estaba en el cogollo de todas aquellas calles con soportales de la parte vieja de Berna. Policías vigilaban la puerta principal, así que las visitas como yo entraban por la trasera, después de acercarse cuesta arriba por los jardines en terraza que daban al río Aare.

Visitar a Dulles era siempre un gusto. Tenía una doncella, una cocinera francesa, un oporto sensacional y montones de troncos para la chimenea. También tenía un par de amantes, una debutante bostoniana casada con un banquero suizo y una condesa italiana que era hija del director Toscanini. Dulles era probablemente el único combatiente en el teatro de operaciones europeo aquejado de gota.

No es que el hombre fuera un donjuán. Antes, era un auténtico caballero a la vieja usanza, todo trajes de *tweed* y humo de pipa, con una elegancia sutil que te hacía sentir cómodo de inmediato. Era un hombre que sabía escuchar como nadie —lo cual, probablemente, era lo que le gustaba a las mujeres—, y fuera el tema que fuera el que se tratara enseguida se centraba en los aspectos importantes. Mirar sus vivarachos ojos azules cuando estaba totalmente enfrascado en algún pensamiento era como escudriñar el funcionamiento de alguna brillante pieza de una sofisticada maquinaria, un artificio de información que nunca dejaba de funcionar. Aquellos periódicos metidos en sus bolsillos no eran meros accesorios de utilería; devoraba cualquier información al alcance de su mano y la rumiaba aun cuando estuviera entablando una charla contigo sobre, pongamos por caso, las virtudes de tu universidad o las rarezas de algún conocido común. Si uno intentaba pasarle una idea mal concebida por delante de su campo de visión, él se incautaba de ella cual celoso inspector de aduana, y tú acababas deseando haber seguido balbuceando sobre tu universidad.

Cuando la doncella me hizo pasar, la chimenea estaba encendida. Dulles estaba golpeando los troncos con un atizador.

—Sírvase usted mismo —dijo, señalando el decantador de oporto situado en una mesita auxiliar.

Alguien había dejado un bombín junto a ella, y supuse que debía de haber otro invitado esperando en alguna otra parte de la casa. Dulles confirmó esta sospecha cuando prescindió de las habituales cortesías y pasó directamente al asunto.

—He oído que el coronel Gill demanda sus servicios.

—Sí, señor. Una nimiedad para sacarme de la oficina.

Dulles sonrió e hizo un gesto de asentimiento con la cabeza.

—Sé que está inquieto, aunque tengo planeado sacarlo a patrullar a no tardar mucho. Sin embargo, puede que esto le venga bien para practicar. Podrá estirar un poco las piernas. Así que tiene mis bendiciones, si está dispuesto, aunque ellos consideren que son nuestra competencia. Yo no lo veo así, atención, pero algunos de esos tipos del Pentágono parecen estar resentidos con nosotros. Ándese con pies de plomo, Bill. Y no les permita que traten de engañarlo para lograr sus propósitos.

—¿Alguna razón para pensar que podrían intentarlo?

—En realidad, no, salvo por el propio Gill. Anda como loco por lograr un ascenso, lo cual siempre vuelve a un hombre un poco peligroso. A veces en el buen sentido, lo admito, pero nunca se sabe.

—Sí, señor.

—Y Bill.

—¿Sí?

—Aunque diga sí, si el primer paso es inseguro, no se sienta en la obligación de tener que dar el segundo. No se sienta orgulloso de deshonrarse por hacer algo estúpido. Si se echa para atrás, por mí perfecto. Ahora, no les diga que se lo he dicho.

Al día siguiente, por la mañana temprano, Butchart me hizo pasar al despacho de Gill. Éste se había instalado en la parte posterior de una casa de la legación en Dufourstrasse, desde donde tenía una vista a un estrecho pero exuberante jardín. Estaba de pie detrás de una gran mesa barnizada, un tipo alto y esbelto con las sienes encanecidas. Me recibió con un gran apretón de manos y se dirigió a mí con una voz ronca de barítono, lo que me causó una poderosa primera impresión. El uniforme almidonado y todos los galones también ayudaron.

Butchart se quedó en la habitación después de las presentaciones, lo que resultaba un poco molesto, aunque no iba a ser yo quien dijera nada. Gill se dirigía a él por su nombre y no por el rango. Puede que ésa fuera su manera de indicar que aquella reunión no se atenía al manual.

—Kevin, aquí presente, me dice que no se siente muy feliz con las labores que Allen le ha encomendado. Mucho ruido y pocas nueces, según tengo entendido.

—Puede que yo sea un poco impaciente.

—Un hombre tiene derecho a impacientarse cuando se está en guerra. No es el momento de estar sentado detrás de una máquina de escribir. Tampoco es que le prometa que vaya a haber mucha acción, me temo. Pero al menos estará sobre el terreno.

—Sí, señor. El sargento Bu… esto, Kevin, me dijo que tenía una misión en mente.

—Y la tengo. Trabajarían los dos juntos. ¿Está al tanto del intercambio de prisioneros realizado hace unas semanas, el de aquellos seis aviadores norteamericanos que enviamos a Francia?

—Sí, señor. ¿Salió algo mal?

—Todo lo contrario. Salió a las mil maravillas. Actualmente los seis están en Estados Unidos esperando un nuevo destino. Según parece, los alemanes también se alegraron de recuperar a sus seis hombres. Y según se cuenta, están de acuerdo en volver a hacerlo. Pero ¿sabe que su jefe, el señor Dulles, fue quien montó todo el espectáculo?

No, no lo sabía, y mi cara debió de dejarlo traslucir.

—Eso creía. Bueno, pues lo hizo él. Y actuó de forma bastante ingeniosa. Y también reservada. Hasta mis jefes ignoraban lo que había estado tramando hasta hace unos pocos días, y eso no ha caído tan bien en Washington. Cuando algún civil quiere poner a sus soldados en peligro, prefieren que se les diga de antemano. Claro, ahora que todo ha salido tan bien, prudentemente, se quejan lo mínimo. Y, con franqueza, esto ha propiciado la oportunidad de que nosotros podamos hacer un intento similar. Y es ahí donde usted y Kevin entran en escena.

—¿Así que fue una especie de operación?

—Oh, sí. Sin que nosotros lo supiéramos, dos de los aviadores actuaron como correos del OSS. Según parece, Dulles había recopilado una gran cantidad de información sobre el movimiento de tropas alemanas a lo largo del Muro del Atlántico. Resolvió que era demasiado peligrosa para transmitirla por radio, aunque fuera en clave, así que el señor Dulles hizo que esos dos tipos se la aprendieran. Pura memorización. Él mismo hizo de maestro.

En aquellos días no era ningún secreto para nadie que la invasión de Francia estaba a punto de producirse, y ésa era la razón de que la información sobre la concentración de tropas alemanas a lo largo de la costa francesa fuera tan valiosa.

—Parece una idea ingeniosa —dije.

—Y lo fue. El único problema es que dejó el trabajo a medio hacer.

—¿Y eso?

—Bueno, piénselo un minuto. En el mundo de la inteligencia, la única cosa mejor que pasar un montón de buena información es convencer al enemigo de que realmente tienes un montón de mala información. De esa manera, lo más probable es que calculen mal cuando intenten averiguar dónde vas a desembarcar.

—Así que a ustedes también les gustaría utilizar a un par de prisioneros, salvo que en esta ocasión sería con un montón de mala información, ¿no es así?

—Exacto. Uno es todo lo que se necesita, en mi opinión. Luego, claro está, tienes que encontrar la manera de que los alemanes sospechen lo suficiente para que pesquen a tu chico para interrogarlo. Por supuesto, eso significa que tienes que escoger al hombre adecuado para el trabajo. Uno que les diga lo que quieren oír, pero de una manera bastante convincente.

—Se refiere a un mentiroso muy bueno.

—Exactamente. ¿Y cuál supone que sería la mejor manera de hacer de nuestro muchacho un mentiroso muy bueno?

—¿Adiestrarlo?

—Sólo si dispone de meses o incluso años. No nos podemos permitir ese lujo. En el mejor de los casos sólo disponemos de semanas. Así que se me ha ocurrido una alternativa. Enviar a un novato. No decirle que transporta mala información. De esa forma, creerá lo suficiente en el material para hacerlo convincente.

—Si habla.

—Justo. Y ésa es la razón de que tengan que escoger al tipo adecuado. Ni un héroe ni nadie que guarde su secreto a toda costa. Alguien un poco más…, bueno, más maleable. Un navío más frágil, si prefiere verlo de esta forma.

—¿Alguien que se venga abajo por la presión?

—Y preferiblemente no con una presión excesiva. Y ésta es la razón de que Kevin y usted sean perfectos para este trabajo. Usted ha experimentado en sus propias carnes por lo que pasan esos aviadores, y conoce su estado de ánimo cuando llegan. A mayor abundamiento, ha visto por sí mismo a los incompetentes, a los que se hunden bajo presión.

Como yo, estuve a punto de decir. Podía haberle hablado largo y tendido sobre mi última pesadilla, pero dudo que lo hubiera entendido.

—Bueno, ¿y qué es lo que piensa? —preguntó. Parecía bastante satisfecho de sí mismo.

Lo que pensaba era que la idea era turbia, y me acordé del consejo de Dulles.

Quizá fuera el momento de echarme atrás. O a lo mejor Dulles me había ofrecido una salida fácil sólo para ponerme a prueba. Si me retiraba entonces, era posible que me mantuviera atado a la mesa durante el resto de la guerra. Nunca sabías con seguridad lo que pasaba por una mente como la suya.

Así que, a pesar de mis reservas, decidí decir que sí. Pero primero hice algunas preguntas.

—¿Cómo vamos a tener la seguridad de que los alemanes lo pesquen?

—Me temo que ese aspecto de la operación no es de su incumbencia, Bill.

Aquello escoció, pero era lo que tenía que decir, aunque Dulles se habría limitado a guiñar un ojo y a no decir ni una palabra. Pero el coronel Gill, como no tardaría en descubrir, nunca dejaba pasar una oportunidad de impresionarte, por más que debiera haber mantenido la boca cerrada. Y cuando estaba a punto de contestarle, empezó a entrar en detalles acerca de su afirmación de una manera que a todas luces pretendía demostrar la genialidad de su fantástico plan.

—Sin duda un tipo ingenioso como usted no debería tener demasiados problemas en imaginar cómo lo haremos —dijo—. Afrontémoslo, los alemanes están por toda la ciudad. Ni siquiera puede uno tomarse una copa en el Bellevue sin toparse con la mitad de la Gestapo local. Así que puede que tengamos que arreglar que se produzcan unas cuantas filtraciones en los lugares adecuados. Un desliz aquí y allá. Lo suficiente para que se enteren de que nuestro hombre podría resultarles interesante cuando viaje a través de su territorio. En esto estriba la belleza de todo el plan, ¿sabe? No hay ninguna necesidad de gobernar un barco con mano de hierro ante la proximidad de la hora decisiva. Lo único realmente necesario es la precisión a la hora de elegir al hombre adecuado para el trabajo.

—¿Y luego qué?

—¿A qué se refiere?

—Bueno, pongamos que cogen a nuestro hombre para interrogarle. Que lo presionan. Él habla, y les cuenta todo, exactamente como queremos. ¿Y entonces qué? ¿Todavía se le canjeará como prisionero?

—Bueno, de una u otra manera haremos que todo salga bien. Y si la cosa va de mal en peor, el tipo acabará donde empezó, como prisionero.

—Excepto que en manos de los alemanes, no de los suizos.

—Su preocupación es admirable, Bill. Pero ¿se ha dado una vuelta por Wauwilermoos? Me han dicho que es absolutamente brutal. Estoy seguro de que hay *stalag* alemanes que supondrían una mejora sobre ese agujero de ratas. Esto es la guerra, Bill. Además, cualquiera que se presente voluntario conocerá los riesgos que corre. Si fuera del tipo duro, del tipo que aguanta hasta el final, entonces diría, de acuerdo, tiene razón. Pero ésa es la belleza de nuestra operación. Con el hombre adecuado, con el temperamento adecuado, el riesgo es mínimo. Así que realmente todo depende de usted. O de usted y de Kevin, por supuesto.

Traducción: el fracaso recaería sobre nuestras cabezas, y especialmente sobre la mía. Al reclutar a un hombre de la OSS, Gill se había agenciado un chivo expiatorio del que poder responsabilizar a Dulles, su rival. Si por el contrario, la misión tenía éxito, podría vanagloriarse de haber sabido cómo sacarle provecho al personal del OSS.

De todas formas dije que sí. Puedo llegar a ser muy tozudo, sobre todo cuando intuyo que una oportunidad, con independencia de lo arriesgada que sea, quizá sea la única en presentarse. Y allí me encontraba unos pocos días más tarde, entrando en el compartimento de un tren para hablar con el joven al que habíamos elegido nuestro candidato favorito.

—Buenos días, teniente. Trabajo en la legación norteamericana de Berna y querría hacerle algunas preguntas. Lo primero que necesito saber es su nombre.

El joven aviador pareció convenientemente intimidado y estrechó con firmeza su equipo de supervivencia contra el pecho. Pero respondió sin preguntarme primero mi nombre, lo que tomé por una buena señal. Fácil de intimidar por la autoridad, conjeturé, aunque tenía un rango aceptable.

—Teniente Seymour Parker. Emporia, Kansas.

—Copiloto, ¿verdad?

—¿Cómo lo sabe?

—Sé muchas cosas. Venga conmigo, por favor. Tenemos que hacerle algunas preguntas más.

—¿Es usted oficial?

—Como ya le he dicho, trabajo en la legación.

—Pero los oficiales suizos dijeron…

—Ya han sido informados. Igual que su superior. Vamos.

Miró a los compañeros que lo rodeaban, que se encogieron de hombros. Saqué la impresión de que no hacía mucho que se conocían, o de lo contrario habrían salido en su defensa.

Parker se levantó con torpeza. Un viaje largo en un Fortress te dejaba anquilosado, sobre todo después de una noche de sueño agitado sobre un camastro suizo en una escuela vacía. Me siguió mansamente por el pasillo hasta donde esperaba Butchart, justo cuando el tren estaba entrando en Adelboden. Lo habíamos organizado para que la legación enviara un coche con chófer, lo que pareció impresionarle. Butchart y yo nos sentamos a ambos lados de él en el asiento trasero de un gran Ford.

Si hubiera estado en el pellejo de Parker, habría hecho un millón de preguntas. Intentó hacer una o dos, y luego desistió por completo cuando Butchart le dijo bruscamente que se callara. Si hubiéramos sido alemanes haciéndose pasar por norteamericanos, podríamos haberlo secuestrado con la misma facilidad. Butchart me miró e hizo un gesto con la cabeza, como si hubiera estado pensando lo mismo.

Las carreteras estaban limpias de nieve, y conseguimos llegar a Berna en más o menos una hora. Hablamos poco durante el camino, dejando que la presión aumentara, y cuando llegamos a la ciudad, lo llevamos a una habitación interior vacía en las dependencias de la legación. Ver la bandera norteamericana en la fachada y oír a otras personas hablar en inglés pareció tranquilizarlo. Cerramos la puerta e instalamos a Parker en una silla de respaldo recto. Lo primero que le preguntó Butchart fue por el número de misiones que había volado.

—Ésta, ejem, ésta era la primera.

Perfecto, y ambos lo supimos. Lo suficiente para paladear el terror sin llegar a acostumbrarse a él.

—Algunos de sus compañeros de tripulación parecían tener bastante experiencia —dije.

—Y la tienen. Estaba haciendo una suplencia.

—¿Y qué ocurrió? —preguntó Butchart—. ¿La cagó con los mapas y se perdieron?

Parker se sonrojó, y por primera vez el desafío afloró a su voz.

—No, nada parecido. Estábamos en medio de la formación y recibimos varios impactos. Ni siquiera llegamos al objetivo. Cuando estábamos cerca de Regensburg nos quedamos sólo con dos motores, de los que uno estaba echando humo. El teniente Braden, nuestro piloto, me pidió que trazara una ruta hacia el lago Constanza.

—Bueno, no tuvo ningún problema, supongo.

Butchart aflojó un poco la presión y le hizo algunas preguntas personales. Llevó una silla para sentarse junto a Parker y empezó a asentir con la cabeza a medida que el chaval respondía. Digo «chaval», pero Parker tenía veinte años, y era hijo de un agricultor. Estaba estudiando tercero de ingeniería en la Universidad de Kansas, lo cual explicaba que hubiera cumplido los requisitos para formarse como copiloto.

A medida que hablaba quedó claro que era un hombre de gustos inocentes y sencillos. Le gustaba leer, no fumaba, prefería los refrescos a la cerveza y no tenía novia formal. Hasta el momento de su llegada a Inglaterra parecía haber creído que Emporia, su ciudad natal, era el centro del universo, y que Lawrence, la ciudad donde estaba su universidad, era una auténtica Atenas. La información más importante que salió de aquella parte de nuestra charla fue que el verano anterior había estado trabajando de socorrista en una piscina local.

—Así que socorrista, ¿eh? —Butchart pareció preocupado—. ¿Como voluntario?

—Pues claro.

—¿Y acabó todos los cursos de formación?

—Bueno…

—Bueno, ¿qué?

—Era una especie de suplente. Los profesionales se habían alistado, así que lo cierto es que no hubo tiempo de que siguiera los cursos.

—¿Algo parecido a lo ocurrido con su misión de bombardeo?

—Supongo.

Parker volvió a mostrarse dócil y callado de nuevo, como si acabáramos de desenmascararlo como impostor.

—Chicos, ¿puedo preguntarles algo?

—Pues claro —dijo Butchart.

—¿De qué va todo esto? Quiero decir, sé que mencionasteis algo de un trabajo. Pero ¿qué clase de trabajo?

—Es un trabajo para una sola ocasión. Un misión, siempre que demuestre que está cualificado. Sería enviado a casa en un canje de prisioneros. Pero para ello tendría que memorizar cierta información que pasaría a los generales en cuanto volviera a Estados Unidos. Datos y números, puede que muchos.

—Eso se me da bien.

—Estoy seguro. Y a cambio recibiría un viaje gratis a casa. No está mal, ¿eh?

Sonrió al oír aquello, y luego arrugó el entrecejo, como si se hubiera dado cuenta de que parecía demasiado bueno para ser verdad.

—Pero ¿por qué yo? Hay muchos otros tipos que han hecho más méritos que yo.

—¿Siempre le mira el diente al caballo regalado? ¿Rechazó el trabajo de socorrista?

—No, pero…

—Pero ¿qué?

—No sé. Hay algo en todo este asunto que me parece raro.

Intenté tranquilizarlo.

—Mire, es copiloto, lo que significa que probablemente tiene una buena cabeza para los números y la memorización. Usted mismo lo dijo, que era bueno en eso.

Asintió, aunque no dijo nada más.

Butchart invirtió los siguientes minutos en analizar los preparativos que serían necesarios. También describió la probable ruta a casa, a través de la Francia ocupada en compañía de los escoltas alemanes de la SS. Los ojos de Parker se abrieron un poco durante esa parte, y Butchart me hizo un gesto de aprobación con la cabeza.

—Bueno, pongamos por caso que lo pillan, Parker. Pongamos por caso que a mitad de camino de ese pequeño paseo en tren hasta París, uno de esos boches sospecha y le hace bajar en la siguiente parada para someterle a un pequeño interrogatorio. ¿Qué hace entonces?

—¿Se refiere a si me hacen prisionero?

—No, tonto del culo. Ya es un prisionero. Por eso forma parte de un intercambio. Pero digamos que deciden investigarle un poco y le aprietan un poco las clavijas. ¿Qué va a decirles?

—El nombre, el grado y el número de serie.

—Sí, por supuesto. Pero ¿qué más?

—Bueno…, nada, espero.

Butchart le pegó la cara a la suya como un sargento instructor.

—¿Espera?

—De acuerdo, lo sé. Sé que lo intentaré.

—Vamos, Parker, puede sincerarse con nosotros. ¿De verdad cree que podría manejar a cualquier matón de la Gestapo que se le echara encima? ¿Qué le diría?

—Me gustaría creer que no les diría ni lo más mínimo.

—¿A pesar de que lo intentaran?

Butchart sacó un cuchillo de su cinturón. Entonces agarró a Parker por un mechón de pelo y le echó la cabeza hacia atrás. Antes de que el chico se diera cuenta siquiera de lo que estaba ocurriendo, Butchart había puesto el filo del arma contra el cuello de Parker, el acero sobre la piel, como si estuviera a punto de pelarlo igual que a una fruta.

Parker tragó con dificultad, y su nuez subió y bajó. Durante un momento pensé que se iba a poner a gritar.

—¿Qué está haciendo?

—Poniéndolo a prueba.

Butchart le bajó un poco la cabeza de una sacudida mientras mantenía firme la hoja. El sudor perló las sienes de Parker, y los ojos se le salieron de las órbitas. Cuando volvió a hablar, su voz era una octava más alta.

—Yo no soy el enemigo, ¿vale?

—¿Ah, no? ¿Cómo podemos estar seguros de eso?

Otro tirón de pelo, y esa vez sí que provocó un agudo chillido de pánico.

—Podría ser una trampa. Subió a este tren para engañarnos. O para infiltrarse entre nuestros muchachos para robarles sus secretos. Rutas aéreas, planes de escape, nuevos visores de bombardeo. ¿Cómo es que ninguno de los de su compartimento actuó como si le conociera?

—¡Porque soy nuevo! —dijo Parker estridentemente—. ¡Nadie habla con los sustitutos!

Butchart lo soltó sin previo aviso y se guardó el cuchillo. Parker se incorporó e intentó recuperar la compostura, pero no le sirvió de nada. Su piel blanca estaba como carne de gallina, y tragaba saliva tan deprisa que su garganta se movía como un pistón. Se tocó el sitio donde Butchart había apoyado la hoja. Seguía teniendo las marcas rojas dejadas por sus nudillos. Un poco cruel, sin duda, aunque supongo que era necesario.

Butchart se volvió hacia mí e hizo un gesto con la cabeza, y supe sin que mediara palabra que aquélla era la señal de confirmación.

—Hablaré con el coronel Gill —dijo Butchart, levantándose de la silla.

—¿Quiere decir que he sido rechazado?

No quedó claro si Parker sentía alivio o decepción, lo que no hizo sino reforzar su idoneidad a nuestros ojos.

—No —dije, evitando su mirada y decidiendo que a partir de ese momento le tutearíamos—. Estás dentro. Has aprobado con creces.

—Empezarás tu adiestramiento mañana —añadió Butchart—. Tobin revisará el horario.

Teníamos dos semanas para instruirlo a toda velocidad sobre la información basura que el coronel Gill quería meterle en la cabeza. Calculando que su negrero necesitaría estar tan comprometido con los «hechos» como el desorientado alumno, el coronel ordenó a un sargento de su plana mayor llamado Wesley Flagg que se encargara de las sesiones de aprendizaje.

Flagg fue la elección perfecta: agradable, bondadoso y sincero donde los hubiera. La formalidad de Flagg volvía loco a Butchart, tanto que me endosó la tarea de controlar las clases. Pero por lo que hacía al coronel Gill, el principal atributo de Flagg era que jamás cuestionaba las órdenes. Aunque Flagg hubiera sospechado que la información era falsa, no había prácticamente ninguna posibilidad de que hubiera montado un escándalo. Se limitaba sencillamente a dar por sentado que sus superiores sabían lo que se hacían.

Parker fue un alumno aventajado. Cada vez que le pedía a Flagg que me pusiera al día, el sargento se deshacía en elogios sobre la enorme capacidad de trabajo de su pupilo. Pero pese a los elogios, yo tenía la intuición de que en su fuero interno le inquietaba la idoneidad de Parker para el trabajo. Flagg sólo se atrevió a mencionarlo una vez, al preguntar:

—¿Está seguro de que el coronel Gill está convencido de que Parker es la persona ideal? Quiero decir que Parker es fantástico con el material, aunque, bueno…

—Bueno, ¿qué? Parker fue elegido por el coronel

—Entonces nada.

Nunca más volvió a sacar el tema.

La noche antes de que fuera a tener lugar el canje, Butchart me pidió que le llevara a Parker su remesa de cigarrillos. Los cuatro aviadores iban a recibir varios cartones para ayudarlos a difundir su buena voluntad durante el camino. También era probable que tuvieran que sobornar a algún burócrata mezquino, aunque su escolta oficial sería la SS.

Parker estaba alojado en un pequeño hotel del centro de Berna. El establecimiento estaba convenientemente situado —por lo que a nosotros concernía— en la misma manzana en que un par de oficiales de la Gestapo tenían alquilado un piso. Era de suponer que para entonces ya se habían cruzado con él en la calle. Parker seguía poniéndose el uniforme de vez en cuando, y los alemanes enseguida se habrían preguntado qué estaría tramando.

A los agentes del OSS que trabajaban para Dulles se les enseñaba que cuando tuvieran que reunirse con un contacto era mejor disimular los ires y venires y buscar un lugar de encuentro en un terreno neutral. En el caso de Parker se me ordenó que no me tomara ninguna molestia, aunque eso provocaba que se me hiciera un nudo en el estómago por el simple hecho de entrar en el pequeño vestíbulo del hotel y preguntar por él utilizando su nombre. Un hombre estaba sentado en un sofá del vestíbulo. No sabía su nombre ni nacionalidad, y no lo pregunté.

Parker estaba inquieto, como lo habría estado cualquier otro la víspera de semejante empresa. Pero por las razones que fuera no era el mismo tipo de unas semanas antes que recordaba. ¿Era mi imaginación, que me engañaba, o es que había perdido parte de su inmadurez a medida que se había ido adaptando a su nuevo rol?

Terminó de hacer el equipaje casi en un pispás, así que le pregunté si podía invitarle a una cerveza.

—No, gracias —dijo—. Probablemente no podré dormir mucho de ninguna manera, así que quizá debería intentar hacerlo con la cabeza despejada. Pero sí que me puede hacer un favor.

—Por supuesto.

—Dime, ¿verdad que hay algo raro en esta operación? ¿Algo que quizá, bueno, que quizá no se me haya mencionado?

Me esforcé en mirarle directamente a los ojos, tanto por mí como por él.

—En todas las operaciones siempre hay aspectos que no se revelan a los agentes. Por su propia seguridad.

—¿Eso es todo lo que tienes permitido decir?

Al preguntarlo, fue cuando su rostro adquirió la misma expresión que la del receptor del partido de la liga infantil de mi hijo: de vulnerabilidad aunque de decisión, de timidez aunque de resolución de seguir adelante pasara lo que pasase. Por un instante sentí la tentación de contárselo todo.

Pero no lo hice, aunque sólo fuera porque la aclaración que acababa de hacerle era cierta: el no saber actuaba en su beneficio. Por un lado, la verdad lo habría aplastado; por otro, los alemanes le habrían visto las intenciones inmediatamente. Una cosa es hacer que el enemigo te atrape ejerciendo de correo secreto, y otra bien distinta es que te atrapen actuando como propagador de un engaño. Esto último habría equivalido a ponerlo delante de un pelotón de fusilamiento.

Así que procuré ofrecerle un consejo indirecto, esperando que cuando llegara el momento oportuno recordara mis palabras e hiciera buen uso de ellas.

—Mira, si por algún motivo imprevisto la cosa se pusiera realmente fea, procura recordar que eres tú, y no nosotros, el que estará allí recibiendo los golpes. Así que obedece a tu instinto.

Aquello sólo pareció confundirlo. Al final, sonrió.

—Después de todo, quizá debería aceptarte esa cerveza.

—Muy bien.

Al final, se bebió tres, la primera vez en su vida que trasegaba tres de una sentada, lo que quedó demostrado por su temblor cuando lo acompañé de nuevo a la habitación. Apagó la luz justo cuando me marchaba.

El verdadero canje en la frontera casi resultó decepcionante.

Bueno, el hombre de la SS apareció, de acuerdo, igual que había hecho en el trueque anterior pergeñado por Dulles. Supongo que sus forzados andares prusianos y su bastón de mando, y sin duda su forma de entrechocar los talones y brindar su saludo nazi acompañado del obligatorio «*Heil Hitler*», lo hacían convenientemente siniestro.

Aquello, sin duda, atrajo la atención de Parker, aunque no recuerdo que me infundiera mucho temor. O puede que haya reinventado la escena en mi memoria, después de haber visto innumerables versiones hollywoodenses que han convertido los sombríos gestos del oficial en un remedo disfrazado, con el cliché del acento y todo. Supongo que siempre he querido considerarlo como un estereotipo inocuo, y no como una verdadera amenaza que todavía tenía una guerra en la que combatir y enemigos que matar.

Fuera lo que fuese, el caso es que Parker me dirigió una triste sonrisa por encima del hombro cuando se puso en la cola con sus tres compañeros de aviación y subió al tren. Todos estaban un poco nerviosos, pero también sin excepción estaban excitados ante la perspectiva de volver a casa.

Llegué a Berna de noche, ya tarde. Cogí un taxi hasta la legación para informar de que todo había ido bien. Pero Butchart y el coronel Gill no estaban, y tampoco habían dejado recado de en dónde encontrarlos. Sólo Flagg estaba esperando, impaciente por saber cómo le había ido a su pupilo.

Sonrió después de que le describiera la escena en la estación de ferrocarril.

—Admito que durante un tiempo albergué ciertas dudas —confesó—. Pero ¿sabe?, al final me quedé tranquilo. Parker es la clase de tío que engaña. Tiene recursos ocultos.

—¿De verdad lo cree?

—Oh, sí. Y fue tan rápido aprendiéndose todo el material que incluso tuve tiempo de enseñarle unas cuantas tácticas de fuga y evasión. Por si acaso.

—Buena idea —dije sin entusiasmo.

Nos dimos las buenas noches y crucé el solitario puente para dirigirme a casa. Estaba agotado y eran bien pasadas las doce, aunque no recuerdo haber dormido ni un rato.

Dos días después, un trabajador ferroviario francés, uno de nuestros contactos con los maquis, informó a través de los canales habituales que Parker había sido sacado del tren en la tercera estación, mucho antes de París. En nuestro departamento nadie dijo mucho al respecto, sobre todo al no recibirse más noticias en los días sucesivos.

No tardé demasiado en ocuparme de nuevas misiones. Si Dulles me había puesto a prueba valiéndose del coronel Gill, entonces debía de haber aprobado, porque enseguida empezó a cumplir su promesa de sacarme de paseo.

Las distracciones añadidas fueron bienvenidas, y al cabo de unas semanas ya no soñaba con Messerschmitts ni camaradas masacrados, aunque el cándido rostro de Parker sí que siguió pasando por delante de mí de vez en cuando. Entonces llegó el día que Hitler se pegó un tiro. Flagg planteó bruscamente la pregunta, y Butchart proporcionó la respuesta tranquilizadora, y desde entonces no volví a soñar con Parker. Me contenté con dejarlo vivir en mi recuerdo como una estrafalaria información accidental de los años de la guerra. Al menos, hasta que me topé con su carpeta en el Centro de Archivos.

Era un expediente delgado que tan sólo contenía cuatro páginas mecanografiadas. Pero lo que verdaderamente captó mi interés fueron las marcas de la Gestapo en la cubierta. Cuando me armé de valor para leerlo en 1958, se me ocurrió que pronto no habría apenas necesidad de tipos como Parker. Sólo unos meses antes, el Sputnik había caído a tierra después de su viaje triunfal. Sustitutos más grandes y mejores ya estaban esperando en la plataforma de lanzamiento, y, de hacerle caso a los periódicos, la comidilla en los círculos de la inteligencia era que la mitad del trabajo de los espías no tardaría en quedar obsoleta. Pronto a ambos lados podrían otear las posiciones del enemigo desde las alturas. Pero en 1944 teníamos gente como Parker, buenos soldados que hacían lo que se les decía, aun cuando se les decía muy poco.

Llegado al segundo párrafo me enteré de que Parker había sido considerado un probable espía casi desde el momento de subir al tren. En el cuarto párrafo me enteré de que lo habían sometido a un feroz interrogatorio durante doce horas, bien que con sus descansos. Los detalles eran exiguos —siempre lo eran en aquellos informes cuando la Gestapo ponía toda la carne en el asador—, pero estaba familiarizado con los suficientes relatos de testigos acerca de sus tácticas habituales como para rellenar los espacios en blanco: obligados a permanecer de pie horas enteras; dejar que se mearan en los pantalones mientras esperaban; golpearlos, quizás, y, si eso no daba resultado, golpearlos con más fuerza, o amenazarles con un pelotón de fusilamiento.

«Espía» era la palabra que utilizaba el informe una y otra vez. Doce horas de eso, y sin embargo, Parker, el veterano de una única misión de combate sobre Alemania, resistió. El juicio de Flagg resultó ser certero. El muchacho tenía recursos ocultos. De hecho, nos había hecho mejores a todos. El teniente Parker había intentado escapar.

Había ocurrido a la mañana siguiente temprano, decía el informe, poco después de que el centinela abandonara la habitación para fumar. El oficial al mando consintió el descanso porque el sujeto se había mostrado más desmoralizado que nunca. Y en ese punto del informe, quizá para salvar su culo, el oficial se permitió el lujo de una detallada descripción del estado físico del sujeto: un ojo a la funerala, cardenales en toda la cara y el pecho, las espinillas sangrando y agotamiento aparente a causa de la falta de sueño. Sin embargo, tan pronto como el centinela se hubo esfumado, sin saber muy bien cómo, Parker había conseguido reducir al oficial interrogador y abierto la puerta.

Había recorrido unos veinte metros antes de que lo alcanzaran los disparos. Todavía sobrevivió dos horas más antes de morir a causa de las heridas. El oficial autor del informe parecía haberse resignado a la idea de recibir una reprimenda por su equivocación, que había conducido a la pérdida de un prisionero potencialmente valioso antes de que se le hubiera podido sacar alguna información de interés.

A esas alturas yo tenía las manos frías, igual que los pies. Suspiré profundamente, cerré la carpeta y levanté la vista hacia el reloj. Pasaba una hora de nuestra hora de cierre habitual, y mi ayudante me estaba mirando con curiosidad desde su mesa. Estaba impaciente por marcharse. Lo que yo necesitaba era una copa fuerte, aunque en esa ocasión la jarra de gimlet no iba a ser suficiente. Pero primero tenía que ocuparme allí de un asunto más.

Llevé la carpeta a una mesa situada al lado de la de mi ayudante, y durante un momento estuve dando vueltas por el incinerador. Cuando me mentalicé para arrojar el informe para su destrucción, quise creer que no lo hacía guiado principalmente por un instinto de autoconservación. También estaba pensando en los padres de Parker, quizá todavía en su granja cerca de Emporia. Al ser padre de un hijo, me pregunté qué se sentiría al enterarte de que tu único hijo ha muerto mientras protegía unos secretos que se suponía no tenía que proteger, que había fracasado en su misión por ser demasiado valiente y demasiado firme.

Pero no conseguí soltar el informe.

—¿Señor? —preguntó mi ayudante—. ¿Pasa algo?

—Este corresponde al material del OSS.

—¿Secreto?

—No. De hecho, me gustaría que circulara. Tú vete. Prepararé la traducción y la lista de distribución y lo tendré todo listo para que envíes las copias por la mañana.

Tardó sólo unos segundos en irse, y yo volví a mi mesa con la carpeta todavía en la mano. La lista surgió inmediatamente en mi cabeza. El coronel Gill y Butchart, donde fuera que estuvieran, recibirían sendas copias. Dulles, también, abajo, en su gran mesa del despacho de director de la agencia a la que ahora llamamos CIA. O puede que todos lo supieran ya y que siempre lo hubieran sabido. En ese caso, tenían que saber que otros también lo habían averiguado.

Pero ¿qué pasaba con los padres de Parker? Les ahorraría los detalles truculentos, claro está, pero al menos se merecían los detalles fundamentales de la historia, empezando con aquel primer encuentro a bordo del tren. Sin embargo, la parte más importante sería el resumen, y ya tenía uno en mente. Su hijo no les dijo ni una palabra a los alemanes. Ni una. De hecho, hizo exactamente lo que le pedimos, aunque en absoluto como habíamos planeado. Nunca soltó la pelota que tenía en el guante.

Rodeado

Stella Rimington

Por lo general, Ron Haddock sabía lo que quería hacer. En ese preciso instante quería meterle una bala a los neumáticos traseros del antiguo Bentley descapotable aparcado en el camino de acceso delante de la ventana de su salón. Pero no podía, no más de lo que podía hacer rechinar los dientes. Y no podía hacer rechinar los dientes porque había adquirido el vicio de mascar chicle durante sus años de policía armado, mientras permanecía de pie bajo la lluvia custodiando embajadas o esperando a que los delincuentes realizaran su siguiente movimiento, y en ese momento estaba mascando chicle para conservar la calma. Y no podía dispararle a las ruedas del Bentley porque el coche pertenecía a su vecino de la casa de al lado, y tenía todo el derecho a estar allí. El camino que conducía desde la cancela de Haddock hasta su puerta delantera no le pertenecía, debido a ciertos ridículos derechos de propiedad que se remontaban a la época de Guillermo el Conquistador. En realidad, el bastardo de la casa de al lado tenía derecho a aparcar allí su coche, lo cual enfurecía a Haddock.

Pero es que todo lo relacionado con su vecino de la casa de al lado enfurecía a Haddock. Le enfurecía que el bastardo hubiera plantado un seto de coníferas de casi cinco metros de altura entre su casa y su bungaló, un seto que le quitaba toda la luz por delante y por detrás y que de paso le obstruía el paso al mejor sendero que conducía al campo cuando Haddock quería ir a cazar conejos.

Tal vez su vecino no debería de enfurecerle tanto, porque, después de todo, el hombre estaba fuera por motivos de trabajo más de un tercio del tiempo. Pero eso también lo enfurecía, porque a Haddock no le gustaba la gente que iba y venía; eso era algo sospechoso y poco fiable. Los delincuentes, absolutamente todos, se merecían que les pegaran un tiro. El bastardo incluso había llegado a despertarlo un día muy temprano para hacerle abrir la cancela del jardín y así poder meter el Bentley. Y no le vendía el camino de acceso. Cuando Haddock lo había abordado para proponérselo, le había dicho que necesitaba el espacio para su segundo coche. Su coche número uno era un Audi que conservaba en el exterior de la casa, invisible tras las coníferas. Era evidente que le gustaba tener una segunda salida para cuando lo necesitara. Había algo que olía a chamusquina en todo eso, en opinión de Haddock.

¿Dónde estaba Phyllis?, se preguntó, mirando su reloj. Era más de mediodía, y se suponía que ya tenía que estar de vuelta del gimnasio para prepararle la comida. Ése era el acuerdo al que habían llegado los dos. Tres veces por semana ella iba al gimnasio, volvía y le hacía la comida. Luego era el turno de Haddock: de pasar la tarde en el club de tiro.

Con las armas de fuego, cualquier tipo de armas de fuego, era un artista, porque realmente le encantaban. Las armas de fuego eran honradas. Hacían lo que les decías y no discutían. Eran realidades, realidades poderosas, cosas que podías sujetar, cosas que podías acariciar sin que hubiera respuestas, sin complicaciones. Estaba especializado en armas antiguas, Lee-Enfield, Webley, Mauser, Colt... Nada de esas pedorreces modernas rusas, de hecho nada que fuera moderno. Excepto una sola arma, su orgullo y alegría, su rifle de francotirador Barret, la única arma que realmente poseía porque nadie sabía que la tenía. Su arma sin licencia, el arma que sólo podía utilizar en el exterior, de noche, con su maravilloso visor nocturno, y por lo tanto no muy a menudo. Y no sólo sin licencia; el arma jamás había sido registrada en Inglaterra, porque Haddock la había cogido de la bodega de un pequeño barco que transportaba armas para el

IRA cuando había estado destinado en la lucha antiterrorista, nada menos que quince años atrás. Sí, se había arriesgado, y mucho. Lo habrían echado del cuerpo el día que hubieran averiguado que se había quedado con cualquier propiedad criminal, daba igual que fuera un arma de fuego sin registrar y sin licencia.

Haddock sonrió para sus adentros. Se había burlado de su gente y se había salido con la suya. Entonces dejó de sonreír. Después de todo, lo habían echado. Expulsado de la Respuesta Armada, en cualquier caso, y eso para él era estar fuera de todo. Así que se había jubilado, hacía unos cinco años, y había contraído matrimonio con Phyllis y montado una granja de pollos. Ella también había sido una especie de mujer policía, pero había heredado algún dinero y estaba preparada para establecerse. La granja de pollos no había funcionado, así que se habían trasladado allí. Vivían del capital de Phyllis y de la pensión en un bungaló de segunda mano en la rural Norfolk.

Su expulsión de la Respuesta Armada fue fruto de un mal momento, por culpa de todos los demás, por supuesto. Estaba interviniendo en una manifestación en contra de la guerra de Irak, como integrante de un equipo de la Respuesta Armada. Permanecían sentados en silencio, al margen de la acción, esperando sólo a que ocurriera algo, sin pensar en ningún momento que fueran a ser necesarios. Entonces había aparecido aquel tío. Bueno, en realidad avanzaba por los empujones de unos doce manifestantes, que agitaban sus pancartas y gritaban sus consignas, con él al frente. El sujeto llevaba lo que a todas luces era un arma de fuego, envuelta en papel marrón. Y la agitó hacia algunos de los tipos uniformados, en actitud amenazante. ¿Había oído el alto dado por Haddock? Por supuesto que sí, todos lo habían oído, pero la Encuesta no creyó que se hubiera realizado de la manera adecuada. La Encuesta —pensó con un resoplido—, una panda de estirados bastardos que jamás habían visto una acción policial en toda su crudeza, ni se habían enfrentado jamás a una multitud vociferante, pensaba que todo era tan fácil como mantener el orden en una fiesta parroquial. Bueno, Haddock le había disparado, y cuando arrancaron el papel marrón, resultó que lo que llevaba era la pata de una silla de madera. Bien merecido lo tuvo el idiota por intentar engañar a la policía. ¿Qué había pensado que estaba haciendo, el muy idiota, blandiendo una arma ofensiva que parecía un arma de fuego? ¿A cuántas personas iba a golpear en la cabeza con ella?

Haddock buscó una lata de cerveza en el frigorífico que se suponía no tenía que beberse antes de que Phyllis llegara, y, cuando la cogió, un ruido al otro lado de la ventana hizo que se volviera y mirara fuera. La puerta del Bentley estaba abierta, y allí estaba el señor Casa de al Lado inclinado en su interior, toqueteando la luz del lado del acompañante. Haddock ni siquiera había sabido que estuviera en casa, y entonces aparecía allí, una vez más. Ya había abierto la cancela del camino. Lo vio subir al coche. El vehículo avanzó lentamente por el camino, giró a la izquierda en la calle y se alejó. Y no se apeó para cerrar la verja. El bastardo nunca lo hacía.

Haddock lo vio marchar. ¿Qué sabía de aquel hombre? Sólo que iba y venía más de lo que a él le agradaba. El apellido era como extranjero, Lukas, escrito con ka. En esos días había inmigrantes por doquier. Era un tipo de aspecto normal, complexión media, cara bastante angulosa, nada que llamara la atención, una de esas personas que uno podría describir en veinte segundos o por el contrario tardar media hora. No era británico, o por lo menos no era inglés. Quizá fuera galés. Gente poco fiable, los galeses. Haddock había conocido a un polaco con acento alemán que había resultado ser galés de Caernarvon.

Lo miraras como lo mirases, el tipo no era inglés ni de Norfolk. También era una especie de aficionado a la radio. Tenía todo tipo de chismes allí dentro; podías ver algunos desde el camino de herradura que pasaba junto a su casa. Antenas en la chimenea. Aquello no encajaba con la idea que Haddock había tenido a menudo de que podría tratarse de uno de esos mujeriegos clandestinos que encubren sus travesuras con las chicas detrás de un seto de coníferas. Si estaba enterrando cuerpos en el jardín, Haddock no podría ver cómo lo hacía.

De pronto se le ocurrió una idea. Dado que a todas luces era un tipo poco fiable, probablemente un delincuente, ¿llevaría armas? Reconocerlo era algo que había formado parte del trabajo de su vida, algo que podía costarte la vida si te equivocabas. Para él era una verdad incontestable que había que pasar revista a cualquier extranjero, incluso a uno que llevara sombrero de copa en una boda. No había advertido ninguno de los habituales abultamientos, pero, vaya, tampoco su ausencia. Pero en sí mismo eso tenía su interés; puede que el tipo llevara un arma, aunque se encargaba de ocultarlo. Eso lo convertía en un profesional. Había maneras de moverse, de no estarse quieto, que incluso despertaban las dudas en un experto. Haddock las conocía todas, pero seguía sin saber si el tipo llevaba un arma, y eso estaba empezando a preocuparle.

Oyó abrirse la puerta lateral. Sería Phyllis. Era Phyllis, todavía en chándal y zapatillas de deporte, con la ropa en una bolsa de lona colgada del hombro. Haddock se obligó a sonreír, eliminando de su cabeza al vecino y al hecho de que estaba hambriento y que ella querría darse una ducha antes de ponerse a cocinar. ¿Por qué llegaba tan tarde? Sus sesiones en el club de tiro duraban sólo tres horas, y ya iba a perder media hora. Aunque no fue suficiente para que gritara a Phyllis. Ella sabía cómo desquitarse.

—¿Te entretuviste con algo, cariño?

Ella chasqueó la lengua. Uno de sus irritantes hábitos.

—¿Te acordaste de vaciar el cubo de la basura? Hay algo que huele mal —dijo ella.

—Lo olvidé. Lo siento.

—Bueno, hazlo ya. Bajaré en cuanto me haya empolvado la nariz.

Era verdad que tenía la cara roja y que su nariz parecía como si necesitara que la empolvaran. Y ya puestos su pelo parecía como si hubiera atravesado un seto de espaldas.

—¿Fue duro en el gimnasio?

Ella le lanzó una mirada antes de doblar la esquina y enfilar el pasillo hacia el baño.

Haddock lo almacenó en la memoria, donde chocó con una idea idéntica que había estado esperando allí desde el lunes, el día de la última sesión de Phyllis en el gimnasio. La misma secuencia. Poco después de que Lukas se hubiera ido, apareció Phyllis, veinticinco minutos tarde, con la misma pinta que si hubiera atravesado un manglar.

Phyllys. La serena y tranquila Phyllis. Veinte años más joven que él. Ni cuarenta años todavía. Quizá fuera mejor no decir demasiado, sólo intentar tomárselo con calma. Control de daños, así había que actuar con Phyllis. Si había algo que no encajaba bien, era la curiosidad. Cualquier tipo de investigación sobre lo que había estado haciendo o a quién había visto se lo tomaba como una ofensa.

Oyó a Phyllis en el baño, y con la fuerza de una avalancha se le ocurrió que estaba celoso: totalmente, locamente, furiosamente celoso. Eso era una estupidez, por supuesto; pues claro que Phyllis había estado en el gimnasio; por supuesto que no se estaba follando a aquel cabrón checo-húngaro que vivía en la casa de al lado. Pero ¿y si se lo estaba follando? Por Dios, si descubriera que lo había estado haciendo, la azotaría con su cinturón de policía con tachuelas. Puestos a pensar en ello, era algo que siempre había querido hacer. Azotarla hasta matarla, y luego salir y matar al bastardo, y luego pegarse un tiro. Se detuvo de repente, casi ahogándose, respirando deprisa, con los ojos llenos de lágrimas, e intentó controlarse.

—¿Pasa algo, cariño?

La serena, la irónica Phyllis. Él no dijo nada.

—Bueno, menuda pinta de idiota tienes ahí parado jadeando, con esa apestosa bolsa de plástico en la mano. Mira, dámela. La pondré en el contenedor. La comida está en esa cesta. La compré en Marks and Spencer. Tu pudín de chocolate favorito. Dos por uno, la oferta de hoy.

—No quiero comer. Me voy a dar un paseo.

—Tranquilízate, Ron, y siéntate. Parece que hubieras visto a un fantasma. No salen de día, ¿lo sabías?

Él se sentó, se comió su comida y pensó. La sesión de tiro quedaba suspendida. Mientras Phyllis dormía su siesta vespertina, iría a echar un vistazo a la casa de al lado. En cuanto se le ocurrió, se sorprendió de que no se le hubiera ocurrido nunca.

La puerta del dormitorio se cerró. Consultó su reloj. Las dos y media. Se metió el móvil en el bolsillo.

—Adiós, cariño.

—Adiós. Que te diviertas. Y no dispares a nadie que no debas.

Hizo una mueca hacia la puerta del dormitorio y empezó a caminar por el camino. La formación policial se puso en funcionamiento. Un acercamiento frontal no tenía sentido. Al final del camino, giró a la derecha. A unos cuarenta metros calle adelante, saltó por encima de una verja, cruzó el campo hasta la esquina de la arboleda y tomó a la derecha, hacia el pajar que en ese momento se levantaba entre él y las dos propiedades. No había necesidad de ocultarse —Phyllis no podía verlo desde el dormitorio y Lukas estaba fuera—, pero aun así agradeció el callejón inferior que conectaba el pajar con su objetivo. Apoyándose contra el pajar, sacó su móvil y marcó un número.

—Gimnasio Gemini.

—¿Está la señora Haddock ahí? Estoy esperándola para comer.

—¿Con quién hablo?

—Me llamo Ron Morley. Soy un amigo.

—Lo siento, señor Morley. No le puedo ayudar. La señora Haddock no ha venido esta mañana. ¿Quiere que le demos algún recado si aparece?

Haddock cortó la comunicación y se metió el móvil en el bolsillo. Estaba pensando con claridad en ese momento. Si no con el bastardo checo, entonces con otro. Más le valdría a Phyllis que su historia fuera buena.

Avanzó por la colina. Era principios de mayo. Los manzanos estaban cubiertos de capullos; el campo estaba precioso, aunque Haddock no reparó en ello; no estaba para bellezas. Llegó al camino de herradura que pasaba junto a la casa de Lukas.

Aquella casa era mucho más vieja que su bungaló. En sus orígenes había sido una granja, quizá tuviera unos doscientos años de antigüedad, aunque era pequeña, no más de cinco habitaciones.

Todo el terreno había pertenecido otrora a la granja, aunque en algún momento se había vendido una parte para construir el bungaló, de ahí el problema sobre la propiedad del camino. Los graneros e instalaciones anejas de la granja seguían en pie diseminados por todo el patio, ya limpios, pero aún podía olerse a vacas y a heno. Ninguna señal de vida.

Haddock atravesó el patio y probó a abrir la puerta con cuidado. Cerrada. Las ventanas de abajo estaban cerradas, pero una del piso superior estaba un poco abierta. Necesitaba una escalera. Se dirigió hasta el más grande de los dos edificios anejos y empujó la puerta. Un correteo, luego silencio. Una rata. El lugar era un granero de dos plantas vacío. Subió por la escalera de madera que conducía a la planta superior. Había una hilera de aberturas a ras de suelo en la pared delantera, quizá ventanas en algún tiempo, que daban directamente enfrente de la casa. En la parte trasera del granero, una puerta con una viga de madera encima daba acceso a otro camino de herradura, presumiblemente utilizado en tiempos para subir el heno desde una carreta. Abrió la puerta y miró hacia el camino, y luego la volvió a cerrar. Se dirigió de nuevo a la parte delantera y, tras agacharse, atisbó hacia la casa a través de una de las aberturas.

Fue entonces cuando vio a la chica. Estaba en el umbral de la puerta parcialmente abierta de un establo de una planta situado en la parte delantera del patio y que formaba ángulo recto con el granero donde estaba él. Se le ocurrió que la muchacha debía de haberlo visto llegar y que no le importaba que la viesen; al menos que la viese él. Entonces salió al patio y, levantando la vista hacia él, dijo:

—Interesante lugar.

Era guapa, aunque demasiado delgada para su gusto, y sus ojos gris azulado, demasiado observadores para ser bonitos. Se preguntó si sería lesbiana. Bajó la escalera y salió al patio.

—¿Echando un vistazo? —preguntó ella.

—Sí. Estoy pensando comprar el lugar.

—¿Es de aquí?

—Se puede decir que sí.

De repente Haddock reparó en algo que podría haber visto antes, de no haber sido por las interrupciones. Había una sandalia de mujer en la linde del patio, justo al lado de la pared del granero. Una chancleta que había visto por última vez en el pie de Phyllis cuando se había marchado al gimnasio esa mañana. No era sorprendente, pues, que llevara las zapatillas de deporte cuando volvió a casa. Debía de habérsele caído, o alguien se la había llevado. Apartó la mirada de la chancleta e intentó concentrarse en la chica.

—¿También está echando un vistazo?

—En realidad, no —respondió, mirándolo con atención, como si estuviera calibrando su reacción—. Vivo aquí.

—¿Vive aquí? ¿Es la mujer de Lukas?

—No exactamente.

Aquello se estaba complicando.

—Él se ha marchado.

—Sí. Yo también me voy a ir.

—¿Y cuándo volverá él?

—No es asunto mío.

—¿Y cuál es exactamente su asunto?

—Si no le importa que lo diga así, ¿señor…?

—Pearson.

—Bien, señor Pearson. Esto se está poniendo un poco personal. Dejémoslo ahí.

Llevaba una parka. Se subió la cremallera.

—Buenas tardes, señor Pearson. Que tenga mucha suerte con su reconocimiento.

La muchacha salió del patio y, un instante después, Haddock oyó que arrancaba un coche más arriba en el camino de herradura y se alejaba.

Una tenue brisa arremolinó las últimas hojas del otoño. Había visto suficiente, demasiado. Sintió náuseas y se preparó para vomitar. Pero, pasara lo que pasase, sabía lo que iba a hacer.

Se dirigió a casa, sin saber apenas por dónde le llevarían sus pasos. Levantó el cierre de la cancela de su jardín, pasó junto al césped aplastado donde había estado parado el Bentley descapotable, metió la llave en la cerradura, recorrió el pasillo y abrió la puerta del dormitorio de una patada. Destapó a Phyllis apartando de un tirón la ropa de cama, la agarró del pelo y empezó a pegarle. La abofeteó con la palma de la mano, luego la golpeó con el dorso y finalmente le dio un puñetazo, de manera que la cabeza de Phyllis salió despedida hacia atrás. Entonces se detuvo, reuniendo fuerzas, y ella le dio un rodillazo en la entrepierna, así que Haddock cayó de la cama al suelo, donde ella le pateó con fuerza en las costillas.

—¡Hijo de puta! —dijo ella—. ¡Eres un completo hijo de puta!

Y eso fue todo. La observó mientras ella amontonaba algo de ropa y algunas joyas en una maleta. Luego, lenta y parsimoniosamente, Phyllis se arregló el pelo, se puso un poco de maquillaje y salió del dormitorio, deteniéndose sólo para decir:

—Volveré por el resto. Y por la casa.

Haddock oyó marcharse al coche.

Se levantó lentamente, se volvió a sentar y repasó todos los actos y todas las palabras de las últimas cuatro horas. Su intención era inamovible; sólo quería estar seguro de que podría hacer lo que pretendía y tener una posibilidad razonable de salirse con la suya. Una cosa sí sabía: podía estar tranquilo. Por furiosa que su esposa pudiera estar, jamás declararía en su contra. Se lo impediría el orgullo. En cuanto a la chica del patio, le había mentido cuando dijo que vivía allí. Jamás había oído hablar de ella, ni la había visto, y ella no lo conocía. No se imaginaba qué podía haber estado haciendo allí, pero una cosa era segura: no era policía. Quizá no fuera más que una turista intrusa.

La cuestión principal era: ¿cuándo volvería el bastardo? Recorrió el pasillo, colocó una escalera debajo de la trampilla del techo y bajó una gran paquete. Lo desenvolvió con tranquilidad y fue dejando las partes sobre la mesa de la cocina, después de correr las cortinas. Inspeccionó y limpió cada parte con un trapo, las encajó cuidadosamente y metió el arma completa en una vieja bolsa de golf. Volvió a colocar la bolsa y su contenido en el altillo, acariciándola afectuosamente. Su arma.

Cuando terminó, oyó el ruido del Bentley, que avanzaba con mucha lentitud por el camino. Era extraño; cuando Lukas cogía el Bentley solía estar fuera varios días en cada ocasión. Las demás veces utilizaba el Audi. ¿Y dónde estaba éste durante su visita de la tarde? Debía de estar en el establo, decidió. Así que la chica lo habría visto. «¿Y qué?», dijo en voz alta.

¿Esa noche, pues? No, esa noche no. Estaba demasiado colgado, como un hombre que llevara sin dormir dos semanas, o quizá como un hombre cuya esposa lo ha dejado para siempre sin una salchicha en el frigorífico. Se fue a la cama.

A la mañana siguiente, Haddock se levantó, se duchó, desayunó y, después de coger sus prismáticos, siguió una ruta idéntica a la de la tarde anterior, aunque se detuvo a la sombras de la arboleda. Se sentó en el suelo, la espalda apoyada en una árbol, el cálido sol sobre su hombro izquierdo, y escudriñó el campo palmo a palmo, deteniéndose una y otra vez en las dos casas. No había duda de que Lukas estaba allí; en un momento dado, salió y se metió en el establo, y al cabo, salió con un aparato. ¿Era eso lo que había estado buscando la chica? Nadie más parecía estar allí y, sobre todo, no había rastro de Phyllis. De hecho, nada se movía en todo el perezoso Norfolk, salvo una hilera de turbinas eólicas que giraban lentamente y el ocasional vehículo en la carretera que pasaba junto a su propiedad.

Haddock se fue a casa, procurando no ser visto. Todavía había mucho que hacer. Se puso una ropa negra y holgada y unas botas de suela blanda, no sin antes quitar todas las etiquetas. En una pequeña mochila metió zapatos, pantalones, un jersey y una camiseta de repuesto. Añadió un minisoplete, sólo para ser utilizado en caso extremo. Puso en hora el reloj por la radio y se sentó. A las nueve, sacó la bolsa de golf del altillo, y exactamente a las nueve y cuarto, apagó todas las luces.

Entonces se paró un momento en el dormitorio, preguntándose si realmente quería llevar a cabo aquello. No quería, pero lo haría. La caza, el cazador, la pasión inmemorial lo tenía atrapado. Había fracasado en todo en la vida: en su trabajo, en su negocio, en su matrimonio, y ahora iba a ganar. Se sabía experto en todas las técnicas necesarias para realizar el trabajo que pretendía llevar a cabo.

Además, odiaba a aquel bastardo con un odio verdadero y profundo. Lukas, el extranjero, el hombre que había destruido su vida, que le había quitado a su mujer, robado sus posesiones. Lukas era un ladrón, Y él, Haddock, era poli.

Consultó su reloj y salió de la casa por la puerta lateral, tomando exactamente la misma ruta que antes. Había luna, aunque la arboleda, donde dejó la mochila y la bolsa de golf vacía, estaba como boca de lobo. Se cubrió la cara con un pasamontañas y situó correctamente los agujeros para los ojos. Luego emprendió la marcha por el sendero, apoyando las suelas completamente sobre la superficie para reducir el ruido. No es que aquélla fuera precisamente una silenciosa noche de mayo, con los conejos que salían disparados, los chillidos de los murciélagos y el ruido que hacía un búho en la oscuridad de los árboles que dominaban la casa de Lukas.

Una vez en el patio, se puso a salvo en las sombras que proyectaba la luna junto al granero. Como había esperado, había una luz en la ventana con cortinas del piso inferior de la casa; el piso de arriba permanecía a oscuras, con las cortinas descorridas. Tendría que ser un desgraciado si no se presentaba la oportunidad de hacer un disparo, y a aquella distancia, Haddock sólo necesitaba uno.

Sólo hubo un momento de apuro. El camino de herradura de detrás del granero era muy poco utilizado por el tráfico. Pero en ese justo momento, mientras permanecía agachado en las sombras del granero dentro del patio, oyó un coche moviéndose con bastante lentitud por él. No vio nada, excepto un reflejo pasajero —casi como si el vehículo llevara las luces apagadas—, y para su alivio pasó de largo, haciendo crujir el suelo con los neumáticos, hasta que acabó por no oírse.

Haddock permaneció inmóvil durante un minuto, escuchando, y luego se coló en el granero y subió por la escalera de madera. Depositó cuidadosamente el arma cuan larga era sobre los tablones, donde podía verla por el reflejo de la luna. Entonces se dirigió a la parte trasera del granero y abrió muy despacio la ventana superior que daba a la carretera, asegurándola contra la pared valiéndose de su travesaño. Podría necesitarla como vía de escape. Escudriñó durante un instante el silencioso muro de árboles que tenía enfrente, a unos dos brazos de distancia, y al final volvió a la ventana sin cristales. Se puso en cuclillas, cogió el arma y se tumbó sobre el estómago, la posición que prefería para disparar con precisión. Apuntó más o menos en dirección a la ventana sin luz del otro lado del patio, que suponía era el dormitorio.

Mientras estaba allí tumbado, tuvo una idea desagradable. Cuando hubiera hecho lo que pretendía, ¿qué debería hacer con el arma? Podría abandonarla, pero su intuición se oponía a ello. De la misma manera, ocultarla en alguna parte en el vecindario podría sugerir que quienquiera que la hubiera utilizado no andaría lejos. ¿Debía volver a ponerla en el altillo? Pero se organizaría una batida de mil demonios cuando descubrieran que Lukas había perdido la mitad de la cabeza, y que había una bala incrustada en la pared opuesta.

Estaba sopesando todo aquello, cuando se pegó un susto tan grande que durante un instante el corazón por poco le explota.

—Hola.

La voz era medio familiar, casi burlona. No podía ver a la persona. Oyó una especie de gemido. Era el aire que se escapaba de sus pulmones.

—Tranquilícese —dijo la voz—. No contábamos con que se uniera a la fiesta. Debería entregarme esa cosa tan desagradable que ha traído consigo. Parece peligrosa. —Haddock intentó hablar, pero no pudo. Era la chica, la chica que había visto esa mañana.

Una mano hábil se estiró, cogió el arma del suelo y la colocó detrás de donde ella estaba agachada, claramente visible ya, a un metro más o menos de distancia. La joven se inclinó hacia delante para que él pudiera verla.

—Me llamo Liz —susurró—. Liz Carlyle. Y se va a estar muy callado, señor Haddock. Más de lo que ha estado hasta ahora. Callado como un ratón, por favor. Siga tumbado y observe.

¡Dios bendito! Sabía su nombre. Era mejor que hiciera lo que le decía. No se movió y observó, temblando ligeramente a causa del susto.

En la ventana de enfrente se encendió una luz. Una figura avanzó hasta las cortinas, se estiró y las corrió. El tipo era afortunado, reflexionó Haddock. Si hubiera tenido el arma, le habría disparado. La mitad de su mente había resucitado, aunque no la mitad que le habría dicho que él mismo era bastante afortunado.

Fue una señal. De inmediato todo enloqueció. Más allá del seto de coníferas, al otro lado de la casa, brilló una luz cegadora; procedía de su jardín, advirtió Haddock. El patio de abajo pareció llenarse repentinamente de figuras. Dos hombres vestidos de negro, que parecían no tener caras, abrieron violentamente la puerta de la casa. No tuvo ningún problema en reconocer a los policías armados. Haddock sabía exactamente lo que iba a ocurrir. Los dos hombres volvieron a aparecer llevando medio a rastras a una figura que se debatía. Le hicieron rodear a empujones el seto, fuera de la vista de Haddock, y entonces un coche arrancó y se alejó, acelerando.

En ese momento todas las luces de la casa estaban encendidas, además de la que emanaba de un generador que había aparecido milagrosamente en el patio. La vivienda estaba siendo registrada desde el sótano hasta el desván.

Haddock suspiró. Parecía lo único que podía hacer.

—¿Quiénes son ustedes? —preguntó a la chica, que seguía en el granero.

—Servicio oficial.

—¿Se refiere al MI5?

—Es usted quien va a tener que dar explicaciones, señor Haddock.

Brilló un soplete.

—¿De donde sacó esta arma?

—La tenía.

—Eso había pensado. Usted fue policía armado, ¿verdad? ¿Es un arma reglamentaria?

—No.

—Bueno, ¿te lo puedes creer?

La agresividad retornó a Haddock en una oleada cálida y familiar que lo anegó. Se aferró a una parte de ella, igual que un hombre que se ahoga se agarra al agua.

—¿Por qué habría de responder a sus preguntas? Usted no es policía. De todas maneras, ya parece saber muchas cosas. ¿Cómo sabe mi nombre?

—Conozco a su mujer.

—¿Conoce a mi esposa? —Aquello no tenía ningún sentido.

—Y ésa es la razón de que quizá pudiéramos tratar esto de manera oficiosa. Después de todo, no ha hecho nada, la verdad. O podríamos entregarlo. Hay un montón de antiguos compañeros suyos pululando por ahí. Como guste.

—¿Cómo es que conoce a Phyllis?

—Bueno, para empezar está en nuestra nómina. A tiempo parcial. Se retiró cuando se casó con usted. O mejor dicho, no se retiró. Bajemos, y puede que me explique.

Estaban de pie sobre los adoquines del patio. A Haddock le temblaban tanto las piernas que estaba a punto de caerse.

—Bien —dijo la chica—. Llevamos vigilando a este sujeto algún tiempo… de forma discontinua, claro. Ahí es donde entra Phyllis. Y por eso vive usted en su actual casa. Supongo que su mujer no le explicó esto. ¿Sabe lo que es un «durmiente»?

—¿Alguien que se duerme en todas partes?

—No se haga el tonto, señor Haddock. Un durmiente es un espía, un agente de inteligencia que no hace nada hasta que recibe instrucciones. Entonces actúa como sea necesario. Para ser durmiente, Lukas era bastante activo. Había recibido sus instrucciones y las estaba ejecutando. Nuestra técnica, si descubrimos a un durmiente, consiste en observar y esperar. Aprendemos mucho de esa manera, siempre que estemos satisfechos por su falta de peligrosidad, claro. Podemos llegar incluso a proporcionales información para que tengan contentos a sus jefes. Pero tenemos que mantenernos cerca de ellos; la cosa no funciona si los perdemos de vista. Así fue como Phyllis consiguió su trabajo a tiempo parcial. Vigilaba y observaba. Estuvo aquí conmigo esta mañana.

—Sé que estuvo aquí. Encontré su chancleta.

—¿De verdad? Debe de estar perdiendo práctica.

—Y pensé que se estaba tirando a Lukas.

—Tiene la mala costumbre de sacar conclusiones precipitadas, ¿verdad, señor Haddock? Pensamos en meterle en el ajo. Pero decidimos que podía ser excesivo para usted... debido a su pasado más que conflictivo.

Haddock se frotó la nuca, escupió su chicle sobre el suelo e hizo rechinar los dientes. No le gustaba aquella chica. Le estaba haciendo parecer un idiota, y sospechaba que se estaba riendo de él. Le habría gustado atizarla, aunque no se atrevió. Durante un instante no le pasó ninguna otra idea por la cabeza. Entonces dijo:

—Y Phyllis. ¿Se encuentra bien?

—Muy bien. Va a tener que esforzarse con ella, señor Haddock, si se le presenta la oportunidad. Por su propio interés, yo la dejaría tranquila durante algún tiempo.

—¿Se refiere a que no la llame, que me llamará ella?

—Sí y no.

—¡Mierda! ¿Puedo irme ya?

—Sí y no. No nos llame. Le llamaremos nosotros.

Haddock se marchó. Lo encontraron a la mañana siguiente en la arboleda. Estaba profundamente dormido, con la cabeza sobre su bolsa de golf, roncando.

Sabes lo que está pasando

Olen Steinhauer

PAUL

Lo que más le angustiaba era su miedo a morir. Aunque no tenía ninguna prueba de ello, Paul creía que los demás espías no padecían tal temor. Pero las pruebas ejercen poca influencia sobre la fe, y así era para él.

Pensó en Sam. La última vez que habían hablado había sido en Ginebra, en la sala de embarque de los vuelos internacionales antes de que él cogiera el avión para regresar allí, a Kenia. Años atrás habían sido compañeros en los cursos de entrenamiento, y mientras que Paul lo había hecho mejor que Sam en las pruebas escritas, fue en el ruedo donde éste se había mostrado superior. Más tarde, cuando oyó los rumores de que Sam era víctima de ciertas tendencias suicidas, lo entendió. Aquellos que no temen la muerte suelen ser mejores en el ruedo.

Pero la visita fue una sorpresa. Después de Roma, el único medio por el que había esperado tener noticias de Sam era a través de un telegrama disciplinario o presidiendo un tribunal de Langley. Pero su inesperada invitación para que se encontraran en el aeropuerto de Ginebra no había incluido ninguna amenaza ni reprimenda.

—Te limitas a obedecer —le dijo Sam en el aeropuerto—. Eres el financiero, un empleado de banca; yo soy el negociador. Utilizaré la documentación de Wallis…, recuérdalo. No tendrás que decir ni una palabra, y ellos querrán mantenerte en condiciones para que puedas ocuparte de la transferencia. Es un paseo por el parque.

—Comoquiera que Paul, que se estaba preguntando si habría alguna operación en África a la que honradamente se la pudiera denominar un paseo por el parque, no respondiera, Sam levantó el índice derecho y añadió—: Además, no me separaré de ti. Nada funciona sin la huella dactilar.

El objetivo era Aslim Taslam, un escindido grupo somalí formado seis meses antes tras una disputa ideológica en el seno de Al-Shabaab. Durante el último mes Aslim Taslam había iniciado una intensa ofensiva para recaudar fondos y ampliar sus contactos como preparación para cometer una acción a gran escala. No se conocían los detalles.

—Vamos a cortarlos de raíz —fue la forma de expresarlo de Sam.

Éste se había encontrado con ellos en Roma, poco después de que las cosas se hubieran ido a la mierda; quizá «porque» las cosas se habían ido a la mierda. Aslim Taslam estaba en Italia para establecer una alianza con Ansar al-Islam, el mismo grupo que él, Paul, Lorenzo, Saïd y Natalia habían estado manteniendo bajo vigilancia.

En ese momento, su tapadera era la información. Sam —la enérgica máquina de movimiento perpetuo de Sam— había contactado con el enviado italiano de Aslim Taslam con una oferta de dos millones de euros a cambio de información sobre los piratas somalíes que habían estado asolando las rutas marítimas del golfo de Aden. Y ésa era la razón de que hubiera convocado aquella precipitada reunión en el aeropuerto. Al cabo de tres días —el jueves— Paul aparecería en Nairobi como empleado de banca. Llevaría un pequeño maletín negro, vacío. Su contacto en el hotel tendría un maletín idéntico que contendría el ordenador especial.

—En cuanto hagamos la transferencia, coges el avión de vuelta a Ginebra. Sencillo.

Pero en los labios de Sam todo parecía sencillo. En Roma también había parecido sencillo.

—Sigues cabreado, ¿verdad?

Sam negó con la cabeza, aunque evitó los ojos de Paul, con la mirada fija más allá de él en la bonita cajera a quien le habían pagado el café. Acababa de regresar de unas vacaciones de trabajo en Kenia, un rali automovilístico campo a través que le había dejado una quemadura permanente en las mejillas.

—Es una condenada lástima, pero esas cosas ocurren. Yo lo he superado, y tú deberías hacer lo mismo. Mantén la cabeza en este trabajo.

—Pero no puedes dejar de darle vueltas —dijo Paul, porque sentía la verdad de aquello. Sólo habían pasado tres semanas desde Roma—. Lorenzo y Saïd... están muertos por mi culpa. No es ninguna tontería. Mereces odiarme.

Sam mostró una sonrisa forzada.

—Considera esto una oportunidad de redimirte.

Era tentador que le ofrecieran una manera de limpiar semejante porquería de la superficie de su alma.

—Todavía no salgo de mi asombro.

—No todos estamos hechos para esta clase de trabajo, Paul. Y tú nunca lo has estado. Pero con estas pérdidas no tengo más opción que utilizarte. No puedo enviar a Natalia allí..., una mujer no resultaría. No te preocupes. Estaré allí contigo.

Ésa fue la primera y última vez que Sam había dejado ver que era capaz de vislumbrar los sentimientos más recónditos de Paul. Después de Roma, la prueba de su cobardía se había hecho demasiado palmaria incluso para que un antiguo compañero de clase la ignorara. Bebiéndose sus largos *caffe latte* en la terminal demasiado fría, sonrieron de la manera que les habían enseñado a sonreír, y Paul había decidido que, aunque su viejo amigo no sintiera lo mismo, él indudablemente sí que odiaba a Sam.

Aquel cambio radical en los sentimientos no era ninguna novedad. A Paul siempre le habían repelido aquellos que lo veían como era. En el instituto, una novia le había dicho que era la persona más desesperada que había conocido jamás. Que hacía lo que fuera para seguir respirando. Se lo había dicho después de hacer el amor, mientras permanecían tumbados medio desnudos en el sofá de los padres de la chica, y en la lógica adolescente de ésta su intención había sido la de hacerle un cumplido. Para ella, aquello significaba que él estaba más vivo que nadie que hubiera conocido. Y por eso lo quería. Sin embargo, en cuanto lo hubo dicho, el amor de Paul —auténtico y absoluto— había empezado a desvanecerse.

En cierto sentido, Paul sentía más afecto por los dos extranjeros de piel muy oscura que en ese momento le interrogaban que por Sam, porque no lo conocían en absoluto. Era retorcido, pero así era como él era.

—Escucha a este tipo —dijo el larguirucho de la camiseta y la chaqueta azul, que se había presentado como Nabil. Hablaba como si hubiera aprendido inglés en las películas de Hollywood, que era probablemente lo que había hecho. Le hablaba a su amigo—. Quiere que creamos que ni siquiera conoce a Sam Wallis.

—No me lo creo —replicó con desánimo el amigo, uno de los dos hombres que lo habían secuestrado a punta de pistola. Su inglés se parecía más al extrañamente desmañado inglés del resto de Kenia, aunque ninguno de los dos era keniano.

—Me lo podría creer si fuera idiota —observó Nabil—. Pero no lo soy.

Aunque probablemente siguieran dentro de los límites de la ciudad de Nairobi, ambos hombres, además del pistolero del pasillo, eran somalíes. Paul sospechaba que el mero hecho de estar fuera de la desenfrenada fortaleza que era su país, atascados en otro que era mayoritariamente cristiano, ponía nerviosos a aquellos yihadistas. Desde su silla baja de madera, Paul levantó la cabeza para sostenerles la mirada, y luego volvió a bajar los ojos porque no tenía ningún sentido. El cuarto sin ventanas era agobiante, húmedo y caluroso, y se sorprendió soñando con un aire acondicionado suizo. Entonces dijo:

—Trabajo para la Banque Salève. No conozco al señor Wallis personalmente, pero vine aquí a petición de él. ¿Dónde está el señor Wallis?

—Quiere saber dónde está Sam —dijo el innominado.

—Mmmm —murmuró Nabil.

Paul había seguido a Sam hasta Nairobi esa misma mañana. Fue durante el largo trayecto en taxi por la carretera de Mombasa cuando recibió la llamada desde la estación de Ginebra comunicándole que Sam había desaparecido. El día anterior, un testigo keniano lo había situado en el barrio de Mathare con su contacto de Aslim Taslam. Una furgoneta se había parado junto a ellos, y algunos hombres habían metido a Sam a la fuerza en el interior del vehículo y se habían alejado entre el rugido del motor, dejando al contacto atrás. Aquello no había ayudado al estómago revuelto de Paul, ni tampoco el Mercedes negro que lo había seguido desde el aeropuerto hasta el hotel.

Había rumores de que Aslim Taslam, en su afán de reunir dinero lo más deprisa posible, se había introducido en el mercado negro de órganos. Las víctimas ocasionales aparecían con cortes en la región lumbar o con las cavidades torácicas abiertas y sin los órganos vitales.

Pero ni siquiera en lo más íntimo era esto lo que temía Paul. Podía vivir con menos manos, con un riñón o con un pulmón menos. Jamás se metería de buena gana en aquel mundo de dolor, pero no lo temía con la intensidad con que temía el verdadero final.

Para la mayoría de las personas era al revés: temían el dolor, pero no la muerte. A él se le hacía incomprensible. Cuando una película acaba, el espectador puede reproducirla en su cabeza durante el resto de su vida. Pero cada persona es el único testigo de su propia vida, y cuando el testigo muere, no queda ningún recuerdo en el espectador. La muerte actúa hacia atrás; se come el pasado, así que incluso aquel sofá manchado de sudor sobre el que había dejado de querer a su novia dejaría de existir.

—No voy a fingir que no estoy asustado —dijo Paul—. Han echado el pestillo a esa puerta, y he visto el arma que lleva el hombre que está fuera. Sólo puedo decirles lo que sé. Trabajo para la Banque Salève, y el señor Wallis me pidió que cogiera un avión hasta aquí para realizar una transferencia bancaria.

El innominado, que anteriormente había golpeado a Paul en la espalda, habló rápidamente en árabe, y Nabil dijo:

—De acuerdo, entonces. Hagamos la transferencia.

—Necesitaré la autorización del señor Wallis. ¿Dónde está?

—No creo que necesite a Sam.

—No lo entienden —dijo Paul pacientemente—. La transferencia se hace con un ordenador. Está en mi habitación del hotel. Tiene un escáner de huellas dactilares, y lo hemos ajustado para el dedo índice del señor Wallis.

—¿De qué mano?

—¿Perdone?

—¿El índice derecho o el izquierdo?

—El derecho.

Nabil frunció los labios. Tenía un rostro joven y agraciado que una barba corta que le llegaba hasta los pómulos apenas lograba volver masculino. Paul supuso que tendría que esforzarse especialmente para que se le tomara en serio en un sector lleno de compatriotas marcados por la guerra. Se preguntó si, en una inapelable necesidad de demostrar su valía, Nabil no acabaría algún día conduciendo un coche lleno de explosivos contra un control de carreteras o sentándose en el asiento del piloto de un avión de pasajeros, rezándole a su dios y después conteniendo la respiración. A los hombres como Nabil les traía sin cuidado lo único verdaderamente importante. Eran tan idiotas como Sam.

Un contacto keniano le había estado esperando en la habitación de su concurrido hotel. Benjamin Muoki, del Servicio de Inteligencia de la Seguridad Nacional, estaba sentado en la cama de Paul cuando entró, fumando un cigarrillo marrón que echaba humo a chorros. Una vez que hubieron intercambiado las contraseñas de presentación, Benjamin dijo:

—Esto es lo que ocurre cuando diriges una operación sin la ayuda adecuada.

—Sam recibió su ayuda, ¿no es así?

—Esto no es ninguna ayuda. Le estoy dando una máquina, eso es todo. Esto es lo que ocurre cuando su gente no es totalmente sincera con nosotros.

—No creo que seamos los únicos en tener secretos —dijo Paul mientras empezaba a sacar su ropa.

—¿Es eso lo que Washington les dice?

—Washington no tiene nada que decirnos.

—¿No ganamos ningún punto por darles un presidente?

—Si otro keniano me dice eso, me va a dar un ataque.

Benjamin le dio una calada a su cigarrillo y se quedó mirando fijamente el suelo, donde reposaba un pesado maletín negro. El color de su piel era algo más claro que el de la mayoría de sus compatriotas y tenía la nariz larga, y Paul se sorprendió preguntándose por los padres del hombre.

—¿Ése es el ordenador?

Benjamin asintió con la cabeza.

—¿Sabe la contraseña?

Paul se dio unas palmaditas en la sien.

—Está aquí. Mientras la máquina funcione, debería ser pan comido. ¿Lo ha comprobado?

La pregunta pareció hacer sentir incómodo al keniano.

—No se preocupe, funciona. —Subió el maletín a la cama y lo abrió para dejar a la vista un teclado y una pantalla empotrados en su interior—. Enciéndalo aquí y pulse aquí para conectarse con el banco. Introduzca la contraseña y ya está.

—¿Dónde está el escáner de huellas dactilares?

—¿El qué?

—Para que Sam dé su autorización.

—Tendrá que preguntarle a él.

Paul no estaba seguro de si se suponía que aquello tenía que ser una broma.

—¿Se conecta realmente con el banco?

—¿Y cómo podría saberlo? Yo sólo soy el correo. —Benjamin

cerró el maletín y lo volvió a dejar en el suelo. Entrecerró los ojos como si la luz fuera demasiado fuerte, aunque las persianas estaban bajadas—. Se llevaron a Sam ayer. Sospechaban de él, y también sospechan de usted. Lo seguirán.

—Ya lo hacen —le dijo Paul—. Me siguieron desde el aeropuerto.

Aquello pareció sorprender al keniano.

—Se lo toma con mucha tranquilidad.

Paul colgó una camisa en una percha de madera del hotel.

—¿En serio?

—Si yo fuera usted, estaría planeando la manera de huir de África.

Paul no se molestó en mencionar que estaba allí para limpiar su alma, ni que la idea de salir corriendo ya se le había ocurrido cientos de veces; en su lugar, dijo:

—Marcharse no es tan fácil como parece.

—Todo lo que debe hacer es pedirlo.

Paul alargó la mano para coger otra camisa.

—Escúcheme —dijo Benjamin—. Yo tengo secretos, y usted también. Pero con independencia de lo que Washington les diga o lo que Nairobi me diga, estamos juntos en esto. Su amigo Sam ha sido secuestrado. Fue un idiota; debería haberme pedido ayuda. Y no hay necesidad de que usted siga sus pasos. Si aparece muerto, sin el hígado o el corazón, entonces eso es una tragedia. La operación ya se ha ido al traste. Si se queda, morirá.

Benjamin Muoki rebosaba lógica. Más que Sam, que no hacía más que aplicar principios abstractos a la vida misma. Sólo un hombre con un sistema de valores tan retorcido podría haber sido capaz de perdonarle a Paul su fracaso de Roma. Así que aceptó. Benjamin masculló una oración de agradecimiento por la repentina sabiduría de Paul. Acordaron una evacuación para las ocho, y el keniano insistió en que permaneciera en el hotel hasta entonces.

Paul no se puso en contacto con Ginebra ni con el mando de Sam en Roma. O aceptaban desbaratar la operación, o no, en cuyo caso no quería verse obligado a desobedecer una orden directa. Había lugares bastante mejores para morir cuando llegara el momento. Lugares con aire acondicionado. Volvió a hacer su maleta, la dejó al lado del maletín del ordenador y bajó al bar de la planta baja. Fue allí, cuando se estaba tomando su tercera ginebra con tónica, cuando aparecieron.

No había podido ver las caras de los que le habían seguido desde el aeropuerto, pero supo que aquéllos eran los mismos hombres. Altos, de aspecto duro, negros como el carbón. Le pidieron que los acompañara en silencio, apretándose contra su espalda para que pudiera sentir sus pequeñas pistolas. Empezó a hacer lo que le pedían, pero entonces recordó la sencilla ecuación que Benjamin había trazado por él: *Si se queda, morirá.*

Meneó los brazos por encima de su cabeza. Querían silencio, así que gritó. Como un histérico.

—¡Que me raptan! ¡Socorro! —El camarero se quedó inmóvil, interrumpiendo la limpieza de los vasos. Dos empresarios chinos dejaron de conversar y miraron de hito en hito. El resto de los escasos clientes, todos kenianos, se agacharon instintivamente aun antes de que vieran las armas que los secuestradores empezaron a blandir en todas las direcciones, mientras gritaban en árabe y sacaban a Paul en volandas a la calle y lo metían en el Mercedes que los esperaba.

Se pusieron furiosos por la falta de colaboración de Paul. Mientras uno conducía, el otro lo mantenía inmovilizado sobre el asiento trasero y no paraba de darle puñetazos en los riñones para que se estuviera quieto. Eso hizo pensar a Paul que, aunque sólo fuera por eso, no planeaban quitarle esos órganos. Pero todas las jerarquías están plagadas de idiotas y de fallos en la cadena de comunicación, y no había motivo para pensar que más tarde, en la sala de operaciones, el cirujano de Aslim Taslam no fuera a dar un respingo a la vista de sus magullados riñones.

Hacía más frío cuando por fin Nabil regresó. Nadie había apagado la cegadora luz blanca del techo durante las horas que había estado ausente, pero Paul sospechaba que era de noche. Nabil parecía complacido consigo mismo.

—Puedes hacer lo que viniste a hacer.

—¿Y luego puedo marcharme?

—Por supuesto.

—Entonces, empecemos.

Nabil sacó de un tirón una capucha negra del bolsillo de sus pantalones.

—Primero haremos un viaje.

Durante su larga espera, Paul había empezado a creer que las cosas se le estaban poniendo demasiado fáciles. Aunque seguía dolorido por su tempestuoso secuestro, en cuanto había llegado a aquella habitación desnuda, nadie le había puesto un dedo encima. Le habían hablado con rudeza y no le habían ofrecido nada de comer ni de beber, pero, aparte del hambre que tenía, se sentía bastante bien.

Nabil lo condujo encapuchado por varios pasillos, le hizo bajar por una estrecha escalera y, una vez fuera, lo metió en el asiento trasero de un coche. Una voz desconocida le pidió que se tumbara de costado. Así lo hizo. Condujeron durante mucho tiempo, cambiando a menudo de dirección, y Paul creyó que estaban dando vueltas en círculos para confundir su sentido de la orientación. Si era así, lo habían logrado. Antes de que pararan definitivamente, subieron por una cuesta muy empinada con gran ruido de grava, que más tarde hicieron crujir bajo sus pies cuando Nabil lo hizo entrar en un edificio.

Cuando le quitaron la capucha, Paul se encontró frente a tres hombres en una gran habitación forrada de madera que parecía construida exclusivamente para albergar la gran mesa de comedor que la llenaba. Por dos pequeñas ventanas con barrotes se veían la noche y los pies de unas palmeras; aquella habitación estaba medio hundida en la tierra. A dos de los hombres los reconoció del secuestro; estaban fumando en un rincón, y el que había ayudado anteriormente con el interrogatorio incluso le hizo un gesto de reconocimiento con la cabeza. El tercero, un tipo orondo, iba vestido con un traje. Y como bien sabía Paul, su nombre era Daniel Kwambai.

Sam era el de la larga trayectoria en Kenia, no Paul, y en consecuencia, antes de abandonar Suiza, había echado un vistazo a los archivos kenianos para ponerse en antecedentes. Daniel Kwambai, el único keniano de la habitación, era un ex oficial del Servicio de Inteligencia de la Seguridad Nacional del que, tras un desacuerdo con la administración Kibaki, se sospechaba se había aliado con los yihadistas somalíes del otro lado de la frontera. El motivo era sencillo: dinero. Era un ludópata con gustos caros a los que no podía renunciar, ni siquiera después de ser excluido de la vida política. Allí, pues, estaba la prueba. Le sirviera para lo que le sirviese.

Kwambai alargó una mano.

—Señor Fisher, gracias por venir.

Indeciso, Paul la cogió, y el saludo de Kwambai fue tan breve que tuvo la sensación de que el hombre temía sujetarle la mano demasiado tiempo. Entonces advirtió que el maletín del ordenador no estaba por ninguna parte en la habitación; sólo había un cenicero de cristal en el extremo opuesto de la mesa, que utilizaban los secuestradores. Paul dijo:

—Bueno, no tuve mucha elección. ¿Podemos acabar con esto?

—Primero, algunas preguntas —dijo Kwambai. Hizo un gesto hacia una silla—. Por favor.

Paul se sentó a la cabecera de la mesa. Detrás de él, Nabil se había retirado a la puerta; los secuestradores permanecían en el rincón, fumando. Daniel Kwambai se sentó y entrelazó los dedos, como si estuviera rezando.

—Nos gustaría saber algo más sobre el señor Matheson, el hombre que usted conoce como Wallis. Ya ve, hemos descubierto que estaba trabajando para la Agencia Central de Inteligencia. Quería comprarnos algo, y creemos que mediante esta transacción iba a intentar destruirnos.

—¿Entregándoles dos millones de euros?

—Sí, parece increíble. Pero ahí está. Nabil, aquí presente, tiene miedo de los dispositivos de seguimiento.

Paul meneó la cabeza.

—Este ordenador es de mi banco, y no lo he perdido de vista.

—Excepto cuando dejó su habitación y bajó al bar del hotel.

—Bueno, sí. Excepto entonces.

Kwambai sonrió con tristeza.

—Nabil tiene una fe ciega en los dispositivos de seguimiento y en las cosas que puede sujetar en las manos. Yo deposito mi fe en lo efímero. En los datos, en la información. No, no creo que haya ningún dispositivo de rastreo en su ordenador. Creo que el acto de la transferencia del dinero forma parte del plan.

No sin inquietud, Paul se dio cuenta de que Daniel Kwambai casi había dado en el clavo. Como Sam le había explicado, los euros virtuales enviados a la cuenta de los somalíes estaban marcados con un indicador que dejaba un rastro en cada cuenta a la que iban a parar. A medida que Aslim Taslam moviera el dinero entre sus cuentas, iría dejando un rastro. Seguirlo hasta la cuenta definitiva no tenía importancia, porque en su interior, aquel indicador de información era una bomba de relojería, un virus que en el plazo de dos semanas vaciaría todos los contenidos de aquella cuenta final, luego retrocedería y vaciaría cualquier cuenta por la que hubiera pasado. Por cuantas más cuentas pasara, mayor sería el daño causado.

En el Aeropuerto de Ginebra, Sam había dicho:

—No sé, yo tampoco lo entiendo, pero funciona. Langley lo probó el mes pasado en algunas cuentas y desvalijó a los cabrones.

En ese momento, en las afueras de Nairobi, Paul dijo:

—No diría que soy un experto en esas materias (hace sólo dos meses que trabajo en el banco), pero no entiendo cómo se podría hacer eso. Si el dinero se hace pasar por el número de cuentas suficientes, rastrearlo se hace imposible. —Negó con la cabeza de forma convincente, porque esa parte era verdad, pues incluso el hecho de que Sam se lo hubiera explicado no había hecho que le resultara más fácil entenderlo—. No creo que se pueda hacer.

Kwambai reflexionó. Golpeó la mesa con los nudillos antes de levantarse.

—Sí, yo tampoco lo entiendo. Pero hay otra cosa que ha echado por tierra nuestra transacción. Lo cual es una lástima.

—¿Y es?

—Usted, sí.

El tono del hombre fue conminatorio.

—¿Y qué pasa con la transferencia? Sólo necesito la huella del señor Wallis…, del señor Matheson.

Nabil se movió detrás de él, y Paul oyó un golpazo sobre la mesa. Una mano. Una mano toscamente amputada, con el extremo cortado ennegrecido por la sangre seca y añeja. A Paul se le revolvió el estómago una vez más.

—Como ve —dijo Kwambai—, estábamos preparados para hacer la transferencia. Pero hay un problema. Su ordenador. No está en su habitación del hotel.

Aquello le cortó en seco la náusea. Paul miró al político de hito en hito, con la boca seca.

—Tiene que estar.

—Su maleta, sí, llena de ropa…, ni siquiera había deshecho el equipaje. Pero ni rastro del ordenador mágico.

A pesar del miedo que se había apoderado de él, Paul repasó las posibilidades. Benjamin se lo había llevado. O lo había puesto a buen recaudo porque no pensaba que sería necesario, o lo había robado por motivos particulares.

El personal del hotel…, pero ¿para qué les iba a servir?

O Daniel Kwambai estaba mintiendo. Tenían el maletín en alguna parte y le estaban haciendo sudar la gota gorda. Eso o…

O habían encontrado el maletín y lo habían hecho analizar por uno de los analistas de Nabil. Y habían descubierto la trampa. Sam le había jurado que no había ninguna, porque eran demasiado fáciles de detectar. Pero… Lorenzo y Saïd. Quizá no fuera más que un acto de venganza póstuma. Quizás a Sam le preocupaba la vida, a pesar de todo.

—No le creo —dijo Paul, porque era el único papel que le quedaba por interpretar. Oyó abrirse la puerta que tenía detrás y echó un vistazo por encima del hombro hecho un manojo de nervios. Nabil estaba saliendo; la mano había desaparecido.

—¿Adónde va?

—Yo también me voy —dijo Kwambai—. Esto me duele, de verdad que sí. Que lo sepa. —Hablaba con la elocuente falsa compasión de un político.

—¡Espere! —gritó Paul cuando Kwambai empezó a alejarse. Los secuestradores, todavía en el rincón, levantaron la vista al oír su arrebato—. Dígame qué está pasando.

Kwambai se detuvo.

—Ya sabe lo que está pasando.

—Pero ¿por qué?

—Porque hacemos todo lo que podemos, y esto es lo mejor que podemos hacer.

Una corriente subterránea le tiró de los pies; el miedo en sus intestinos adquirió la consistencia del hormigón. Todo parecía estar ralentizándose, incluso su desesperada respuesta:

—¡Pero es que no lo entiende! ¡No trabajo para el banco! ¡Jamás he trabajado para él! Trabajo con Sam. Yo también soy de la CIA.

Kwambai ladeó la cabeza y se humedeció los labios, interesado.

—Sam nos dijo que lo era, pero no estábamos seguros de creerle.

—¿Que Sam dijo qué? —barbotó Paul, confundido. ¿Qué estaba pasando?

—Gracias por aclarárnoslo —dijo Kwambai.

—¿Y?

El keniano le puso la mano en el hombro. Era pesada y húmeda. Le dio varias palmaditas.

—Y debo irme.

—Pero el dinero es auténtico —le dijo Paul—. ¡Es real! Y sé las claves.

—Pero no hay ordenador. Las claves son inútiles.

—Alguien lo tiene. En cuanto lo encuentre, puede utilizar las claves.

Kwambai dio un paso atrás, con la frente arrugada. No era un hombre acostumbrado a dudar.

—Pero ¿quién tiene el ordenador?

—Benjamin Muoki. Del SISN. Él tiene que tenerlo.

—¿Benjamin? —Kwambai sonrió abiertamente—. Bien, bien, Benjamin.

—Recupere el ordenador. O lo haré yo mismo. Luego yo…

—Dígame el código.

—Es… —empezó Paul, y entonces se interrumpió—. Lo introduciré yo.

—No podemos arriesgarnos a que teclee alguna señal de emergencia. Dígame el código ahora —dijo Kwambai—. Por favor.

Paul levantó la vista hacia la carnosa cara del keniano.

—Si se lo dijera, necesitaría ciertas garantías de que estaría a salvo.

Entonces Kwambai le guiñó el ojo, y de pronto estalló en una carcajada. Fue una risa grave, que llenó la habitación.

—Pues claro, pues claro. —Meneó la cabeza—. ¿No pensará que lo vamos a matar, no?

Paul intentó recordar las palabras del hombre. No, no había dicho que Paul fuera a morir. Jamás había dicho tal cosa. Alguna insinuación, alguna indirecta. Alguna amenaza. Entonces soltó el aire ruidosamente, cerrando los ojos, y recitó la combinación secreta para conectar con el banco, el número de diez dígitos que daba acceso a la sección de cuentas, y luego el número de la cuenta de origen.

—¿Alguna otra cosa? —preguntó Kwambai, con la sonrisa todavía en los labios.

—No. Eso es todo.

—Bueno. —Una vez más, el político le dio una palmada en el hombro—. Se ha mostrado usted muy colaborador. Aslim Taslam se asegurará de que su familia lo sepa.

Y se fue. La lógica de aquella última frase no se aclaró en su cabeza hasta que Daniel Kwambai estaba cerrando la puerta tras él y los dos hombres apagaron sus cigarrillos en el cenicero de cristal.

Paul empezó a decir más cosas, pero nadie estaba escuchando. No pudo ver las expresiones de los hombres mientras se aproximaban; unas lágrimas recientes hacían imposible distinguir los detalles. Se acordó de Sam diciendo: «No todos estamos hechos para esta clase de trabajo. Tú nunca lo has estado». Entonces, cuando los dos hombres se le acercaban —uno ya había sacado su pistola—, se dio cuenta de que no lo habían atado. Estaba sentado allí sin más, esperando a la muerte. ¡Y no lo habían atado!

Se levantó, tirando la silla, sintiendo el arrebato de esperanza que persistió incluso cuando sintió el martillazo de la primera bala en el pecho. Se tambaleó, tropezando con la silla al retroceder. Se quedó sin aire, incapaz de aspirarlo. Sus brazos mojados se movieron por el suelo cuando intentó encontrar un asidero, e incluso cuando aparecieron los dos hombres, mirándolo desde arriba, sus manos mojadas no dejaron de intentar agarrar algo, cualquier cosa. Sin dejar de resbalar. Los dos hombres rezaron una breve oración a su dios.

—No —consiguió articular Paul, pensando en un sofá húmedo y una chica hermosa que era capaz de ver en lo más profundo de su alma. Entonces desapareció todo (el sofá, la chica, el alma), como si jamás hubieran existido.

NABIL

El imán le recordaba a uno de aquellos afganos anormalmente serenos que fueron los primeros en enseñarle la Verdad que anidaba detrás de la verdad. Su barba era larga y espesa, los pelos eran cables negros que blanqueaban a medida que descendían por su túnica. La piel de alrededor de los labios estaba manchada de amarillo por las horas pasadas alrededor de la pipa de agua comunitaria.

El árabe que hablaba estaba trufado de su acento kurdo, aunque su gramática era hermosamente precisa. Casi parecía fuera de lugar en aquella casa de vecinos de las afueras de Roma.

—Me has traído tus ofrendas, joven Nabil, y por ello le doy gracias al profeta (alabado sea). Aunque escasa en número, tu gente me parece una valiosa suma para nuestra guerra santa. No es vuestro corazón lo que nos cuestionamos aquí, sino vuestras capacidades.

Nabil, sentado con las piernas cruzadas en la alfombra delante de él, mantuvo la cabeza humillada.

—Estamos reuniendo armas, imán. Tenemos medios de comunicaciones y el apoyo de tres importantes tribus en Puntland.

—Eso está bien —dijo el anciano—. Pero a lo que me refiero es a la capacidad mental. —Sonrió y se dio unos golpecitos en su arrugada calavera—. ¿Cómo distingue uno la verdad del engaño? ¿Cómo discierne uno el camino correcto del equivocado o el fácil? Incluso el corazón ablandado por el amor a Alá debe ser como una piedra cuando se enfrenta a los infieles. La vista ha de estar despejada.

Nabil quiso tener una respuesta preparada, pero no pudo. Era hijo de un pescador. No tenía ninguna capacidad especial, aparte del hecho de que amaba a su fe y había aprendido a hablar inglés como un nativo. Así que esperó.

Al cabo de un instante de silencio, el religioso dijo:

—El joven Nabil sabe cuándo tiene que sujetar la lengua, lo cual no es sólo una virtud, sino una señal de sabiduría. —Miró a los otros hombres presentes en la habitación, los jóvenes kurdos que a la sazón vivían como sus guardaespaldas romanos. Con aquella mirada pareció estar pidiéndoles su aportación, pero no hicieron ninguna—. Y creo que venís a nosotros a través de un amigo mutuo, el señor Daniel Kwambai, ¿no es así?

—Hace algún tiempo que lo conocemos. A veces es útil.

—Sí —dijo el imán, haciendo una pausa elocuente—. Pero no confundáis la utilidad con la amistad.

—Nos esforzamos en conocer la diferencia, imán.

—Aquellos que pueden ayudar son bienvenidos, pero aquellos cuya ayuda exige demasiado de nosotros, ésos deberían ser tratados con dureza.

Nabil volvió a asentir con la cabeza, aunque no pudo encontrar las palabras.

El anciano se recostó y se palmeó las rodillas.

—Primero de nada reconozcamos que uno no da la mano sin conocer primero la otra mano íntimamente. Así será aquí. Acudiremos a ti, joven Nabil. Tú puedes o no reconocernos, eso no es importante. Debes actuar como creas correcto. Eso es cuanto pedimos. Una vez que hayamos observado tu rectitud, tomaremos una decisión. ¿Te parece satisfactorio?

—Me parece una bendición, imán —dijo Nabil, aunque sintió una presión en el pecho. ¿Durante cuánto tiempo más se alargaría aquello? Había llevado el dinero que Ansar al-Islam había exigido, les había entregado el esquema de toda la organización e incluso había dejado que retuvieran a uno de sus hombres. Y sin embargo, allí estaba, sintiéndose con diferencia como el hombre más oscuro de la habitación.

—Tienes mucha paciencia para un hombre de tu edad —le dijo el religioso, como si pudiera leerle los pensamientos—. Eso no pasa desapercibido. —Cruzó las manos sobre su regazo—. De hecho, hoy puedes hacer algo por nosotros. Algo que haría que las cosas avanzaran con más rapidez.

—Sin embargo, puedo ser útil —dijo Nabil.

Una sonrisa. Un gesto de asentimiento con la cabeza.

—Abajo, en el sótano de este mismo edificio, hay dos hombres. Sólo son nuestros invitados desde ayer. Por el interrogatorio nos hemos enterado de que trabajan para los norteamericanos. Uno es italiano, aunque el otro es más despreciable, porque ni siquiera es europeo. Es marroquí. Un nauseabundo homosexual marroquí, de hecho. Lo que intentaban hacer en contra de Ansar al-Islam carece de importancia; lo único importante es que fracasaron. Lo consideraría como un detalle que los mataras por nosotros.

Uno de los guardas, al percibir la señal, se adelantó. Sujetaba una caja alargada de cartón, del tipo utilizado para las flores de tallo largo, y la abrió sobre el suelo delante de Nabil. Dentro había una espada bastante bonita.

Cuatro días más tarde, el domingo, después de que hubo terminado sus oraciones del Dhuhr y mientras hacía el equipaje para volver al continente que comprendía, donde cuando te marchabas podías decir exactamente lo que habías conseguido, el norteamericano llamó a la puerta de su habitación del hotel. Por la mirilla descubrió a un hombre de pelo claro, aunque de ojos oscuros que dijo:

—¿*Signore* Nabil Abdullah Bahdoon?

—¿Sí?

El hombre miró a un lado y a otro del pasillo, bajó la voz y habló en inglés.

—Me llamo Sam Wallis. Estoy aquí para ofrecerle un negocio. ¿Puedo entrar?

Aunque su impulso fue el de enviar al hombre a paseo, recordó: «Acudiremos a ti, joven Nabil», y abrió la puerta.

Una vez dentro, Sam Wallis fue sorprendentemente —puede incluso que estimulantemente— franco. Quería información sobre los piratas. Representaba a algunas compañías interesadas en asegurar sus rutas marítimas por el golfo de Aden.

—No sé qué rango tiene —le dijo Sam—, pero apuesto a que el dinero que puedo darle lo hará ascender.

—¿Ascender?

—En su organización.

Nabil arrugó el entrecejo.

—¿Y cuál cree usted que es mi organización?

—¿Importa eso algo? —dijo Sam, dejando caer pesadamente las manos en un gesto de despreocupación—. Siempre hay algún puesto encima de nuestras cabezas que preferiríamos ocupar.

—Piensa como un norteamericano.

—Pienso como un ser humano.

A pesar de su cara agraciada, Nabil era un hombre con una amplia experiencia. Había sido adiestrado durante tres meses en las montañas de Afganistán, y estuvo seis terribles meses en Irak en primera línea de fuego; y luego, una vez demostrada su valía, ayudaba a planear golpes precisos. A pesar de lo que Paul Fisher pensaría más tarde, Nabil no había tenido que demostrar su valía ante sus compañeros de armas durante años, y gracias a ese respeto jamás se encontraría conduciendo un camión ni una lancha motora cargada con explosivos de alta potencia. Era demasiado valioso para ser desperdiciado de esa manera.

Y ésa era la razón de que hubiera sido escogido como emisario de Aslim Taslam ante la célula romana de Ansar al-Islam. Sus camaradas sabían que pensaría detenidamente cada detalle y llegaría a las conclusiones correctas.

Así que cuando Sam Wallis le ofreció medio millón de euros a cambio de información sobre los piratas —una cantidad que Aslim Taslam necesitaba desesperadamente para avanzar en sus planes— no respondió de inmediato. Se apartó de la inmediatez de la situación e intentó verla desde fuera.

«Puede que nos reconozcas o no, eso no importa. Debes de actuar como creas correcto.»

¿Era posible que aquel norteamericano fuera un mensajero —consciente o inconsciente— del imán? ¿Podía ser aquélla la etapa inicial de la prueba? Corrió las cortinas de la habitación, encendió la lámpara del techo y examinó los ojos oscuros del norteamericano. Rechazar dinero de un infiel era una manera moralmente inequívoca de tratar la situación. Aunque quizá fuera demasiado simple para el imán. Demasiado simple para ayudar a la *yihad*.

Si el dinero era real, entonces serviría para comprar armas. Utilizar la tecnología y las finanzas de los infieles contra ellos era un método de la *yihad* demostrado históricamente. En cuanto a la información sobre los piratas, se podía elaborar sin ninguna dificultad, aunque Aslim Taslan y aquellos matones borrachos de alta mar se detestaban cordialmente.

—Si habla en serio —le dijo Nabil—, venga a África y lo discutiremos más detalladamente. A Mogadiscio.

Sam Wallis negó con la cabeza.

—No voy a ir a ninguna parte que esté cerca de Mogadiscio. Me pagan bien, pero no tan bien. La semana que viene estaré en Kenia para participar en el rali de Kajiado. ¿Qué tal si nos encontramos en Nairobi?

Nabil tuvo buen cuidado de no mantener aquello en secreto. En ese momento pensaba por capas. Si ocultaba lo del norteamericano a sus camaradas, a los observadores de Ansar al-Islam —que tenía que dar por sentado andaban por todas partes—, les parecería que planeaba o quedarse con el dinero del yanqui o esconderlo porque iba a vender información real. Ninguna de ambas cosas era verdad, y en una pequeña casa al este de Boitala se sentó con sus cinco hombres de confianza y les contó todo.

Todos aquellos cinco hombres altos y morenos eran de su pueblo, y en otro mundo habrían seguido siendo pescadores como sus padres. Pero en este mundo los peces empezaban a desparecer del golfo, absorbidos sus cuerpos lisos y brillantes por los grandes arrastreros de Yemen, Arabia Saudí y Egipto. Veían cómo los demás jóvenes pescadores, muchos de ellos amigos, habían aprendido que hacerse a la mar con lanchas rápidas y armados, hasta las cejas de alcohol y marihuana, podría reportarles más dinero del que nunca les habría reportado la pesca. Despilfarraban el dinero en televisores de pantalla de plasma y todoterrenos con los que iban y venían a toda velocidad por la costa, a veces atropellando niños en el camino. Nabil y sus amigos observaban, recordando lo que los visitantes de Afganistán les habían enseñado.

Ya no había pesca, y la piratería les parecía despreciable. Pero había un tercer camino. Un camino mejor.

Cuando les contó lo del norteamericano, se echaron para atrás sin miramientos, así que Nabil les desmenuzó concienzudamente su razonamiento. Aunque los piratas no eran amigos suyos, entregarlos no era una alternativa. Así que se inventarían la información. Rutas de tránsito, cuentas bancarias, jerarquías…

—Y si la cosa pinta que es un engaño del norteamericano, lo mataremos.

—¿Y qué pasa con el imán? —preguntó Ghedi, buscando sin ambages que le dieran buenas noticias.

Que sospechara que el norteamericano había sido enviado por el imán era demasiado pedir, así que sólo dijo:

—Quiere que aprendamos a ser pacientes.

Volvió a Kenia por algunas de las rutas terrestres más fáciles, y el sábado, antes de que empezara el rali, entró en la habitación de Sam Wallis en el hotel Intercontinental con una expresión de dolor en el rostro.

—Lo siento, no puedo correr el riesgo. Es una cantidad impresionante de dinero, pero en mi región de Somalia si te conviertes en enemigo de los piratas, tu vida ya no vale nada.

Sam se sentó a los pies de la cama y analizó el problema.

—Ésa es una de las razones de que acudiera a ti, ¿sabes? Tu grupo se escindió de Al-Shabaab debido a la colaboración que mantenía con los piratas. Pensé que tendrías los huevos para enfrentarte a ellos.

—Cree saber mucho sobre mí, señor Wallis.

—Son mis patrones los que creen saberlo.

—Puede que no nos gusten los piratas, pero tenemos que seguir viviendo en su país.

—No necesitáis quedaros en Somalia.

—Es nuestro hogar.

A todas luces aquel argumento no significaba nada para el norteamericano, aunque lo aceptó como parte de la lógica de las gentes primitivas.

—No debería decirte esto —dijo, después de pensárselo—, pero mis jefes dicen que puedo subir hasta dos millones de euros. Así que eso haré. La oferta es ahora de dos millones.

Era como Nabil había sospechado. Ninguna oferta inicial es una oferta definitiva, y en ese momento había cuadruplicado los ingresos de Aslim Taslam.

—¿Cómo los pagará?

—Una transferencia bancaria. Puedo hacer que uno de los empleados del banco venga a Nairobi a ocuparse del asunto.

—Preferiríamos diamantes.

—Todos preferiríamos diamantes, pero estoy limitado por lo que mis patrones están dispuestos a hacer.

—¿Cuánto tardaría en prepararse todo?

Sam meditó la respuesta.

—La carrera acaba el próximo domingo, y luego me iré a Suiza a organizarlo todo. Puedo estar de vuelta al viernes siguiente. Creo que el empleado del banco podría estar aquí el jueves. ¿Servirá así?

Antes de volver a casa, Nabil concertó una reunión con Daniel Kwambai, el hombre que había contactado inicialmente con Ansar al-Islam. Por los honorarios adecuados, Kwambai le había echado una mano a Aslim Taslam, así como a Al-Shabaab antes de que Nabil y sus camaradas se fueran.

Se habían encontrado cara a cara unas cuantas veces con anterioridad, pero ésa era la primera visita que Nabil hacía a una de las casas de Kwambai, una vivienda de cuatro habitaciones en las colinas al norte del bosque Karura. En la comodidad de su casa, el gordo Kwambai fumaba un cigarrillo tras otro y libaba güisqui como si fuera agua. Su casa estaba llena de obras de arte figurativas que se burlaban de la Creación. Era un sitio enervante.

Mientras ponía a Kwambai al corriente de la situación, tuvo cuidado de evitar dar los nombres verdaderos, lo cual no molestó en absoluto al político.

—Necesitarán un lugar seguro para la transacción —le dijo Kwambai—. Y el dinero… no puede enviarlo directamente a su cuenta. Haré que se mueva un poco por ahí.

—¿A través de sus cuentas?

El político se encogió de hombros, tirándose de su gordezuelo labio inferior.

—Tengo algunas cuentas preparadas. Han servido al mismo propósito con anterioridad. Las puedo poner a su disposición.

Nabil tuvo la sensación de que Kwambai le había estado esperando, con las cuentas ya listas. Se recordó a sí mismo que era un político, y que como tal había pensado por capas desde que era niño. Era un hombre al que había que observar detenidamente.

Kwambai también estaba casi en la quiebra. Con su caída en desgracia política había perdido los sobornos que habían mantenido su estilo de vida y tres mansiones en pleno funcionamiento. Las deudas eran una motivación maravillosa.

—Supongo que pedirá una comisión —dijo Nabil.

—¿Qué actitud es ésa? —dijo Kwambai, agitando el vaso vacío—. Llevo mucho tiempo ayudando a su gente. Por supuesto que necesitaré algún dinero (al fin y a la postre hay gastos bancarios), pero sin mi ayuda no tendrán nada. No lo olvide.

Nabil admitió que tenía toda la razón.

—¿Y qué tal este lugar? —preguntó, paseando la vista por toda aquella decadencia.

—¿Qué?

—Esta casa, para la transferencia. He visto que hay un sótano. Podemos traer aquí al empleado del banco con los ojos vendados y llevárnoslo de la misma manera.

A Kwambai pareció molestarle la idea, algo que Nabil había esperado. Aunque tenía un ático en Ngara West que podía utilizar de entrada, quería darle al político un motivo más, aparte del dinero, para que estrechara las medidas de seguridad.

—Como es natural, le pagaríamos por las molestias —insistió Nabil.

Volvió a Somalia y puso al corriente de los acontecimientos a sus camaradas. Les pidió a Ghedi y a Dalmar que lo acompañaran en la última fase, y al cabo de una semana, cuando se disponían a regresar a través de la frontera, Kwambai lo llamó presa del pánico.

—Se acabó, Nabil. No vamos a hacer esto.

—Explíquese.

—¿Sam Wallis? Uno de mis amigos del SISN lo conoce. Es el nombre de guerra de Sam Matheson. De la CIA.

La pregunta se volvió a plantear por sí sola: ¿era aquello una prueba? No lo parecía, pero el imán, como bien sabía él, trazaba sus planes de la misma laberíntica manera con que interpretaba el Corán. Su mano era larga, y sus pensamientos profundos. ¿Podía ser que hubiera enviado deliberadamente a un agente norteamericano para realizar el examen?

Pero aquello era lo que ocurría cuando empezabas a pensar por capas: era adictivo. Siempre había otra capa que levantar, otra verdad que encontrar.

—Nunca le hablé de usted.

—No sea mezquino, Nabil. Debería sentirse agradecido de que me haya enterado de esto por adelantado.

Con una suavidad que incluso le sorprendió a sí mismo, Nabil dijo:

—Ya lo sabía.

Un silencio de asombro.

—¿Lo sabía?

—Por supuesto. No era importante que lo supiera.

—¿Que no era importante? ¿Está loco? ¡Pues claro que es importante! No voy a traer a un agente de la CIA a mi casa.

—Él ni se va a acercar a su casa —replicó Nabil, sin saber si eso era verdad o no—. Sólo el empleado del banco.

Aquello pareció calmar un poco al político.

—Pero, aun así, esto no es lo que yo esperaba.

—Si es así como piensa, señor Kwambai, entonces podríamos doblarle sus honorarios.

Silencio de nuevo, aunque en esta ocasión no había ni rastro de asombro en ello. Era el silencio de los cálculos mentales.

—Ésa es mi oferta —anunció Nabil, sintiéndose muy seguro de sí mismo, más de lo que lo había estado en mucho tiempo—. Si no está interesado, llevaré el asunto a otra parte. Y sabremos que no debemos abordarlo nunca más.

—No nos precipitemos, ¿de acuerdo? —dijo Kwambai.

El miércoles volvió a encontrarse con Sam Matheson en su habitación del Intercontinental. El norteamericano tenía ojeras, y quemaduras del sol en la frente y las mejillas, y Nabil se preguntó si la carrera automovilística no le habría pasado una elevada factura. Había comprobado que un hombre llamado Sam Wallis se había inscrito, y que su coche había llegado el undécimo de treinta y ocho participantes. Según los registros, se había inscrito inicialmente con un compañero, un tal Saïd Mourit, pero Mourit se había retirado antes de empezar la carrera.

No dio ninguna muestra de que supiera el verdadero nombre de Matheson, y se limitó a sugerir que continuaran su conversación en la calle.

—¿Demasiado claustrofóbico? —preguntó Sam.

—Exacto.

En el cercano mercado de la ciudad, caminaron por la tierra apisonada entre la muchedumbre y los mercaderes que se escondían bajo sus sombrillas. Nabil dijo en voz baja:

—Señor Matheson, sé para quién trabaja.

En su honor, hay que decir que el norteamericano no alteró su paso. En lo alto, el implacable sol hacía que sus quemaduras tuvieran un aspecto lamentable. Una inamovible sonrisa de despreocupación cubrió su rostro, y se encogió de hombros.

—¿Y para quién trabajo?

—Para la CIA.

—Supuse que si se lo decía, no aceptaría el acuerdo.

—Estaba en lo cierto.

Al lado de una mesa cubierta de montones de telas con un precio excesivo, se volvió hacia Nabil. Era unos cuantos centímetros más bajo, pero el aplomo de sus movimientos le hacía parecer más alto de lo que era.

—La oferta sigue siendo la misma, Nabil. Esos piratas son una amenaza pública. Están jodiendo el mercado. Vamos a presionar desde todos los lados para conseguir toda la información que podamos.

—¿Incluso de gente como nosotros?

Sam desechó el comentario con un gesto de la mano.

—Su grupo es nuevo. Nadie sabe nada sobre ustedes. Dentro de unos años, quizá paguemos a los piratas para que nos den información sobre ustedes. Todo depende de lo que nos pidan nuestros amos.

—Eso es algo que tenemos en común —dijo Nabil mientras miraba fijamente al agente de inteligencia que de repente se le había sincerado de una manera que él jamás habría hecho. Era casi suicida. Lo que había esperado era una negativa, y luego una rápida retirada. Incluso era posible que eso hubiera sido calculado por Roma.

O quizá, se le ocurrió de pronto, Ansar al-Islam no tuviera nada que ver con aquello, y fuera exactamente como los norteamericanos lo planteaban. La CIA sólo quería alguna información.

Había llegado la hora de tomar una decisión.

—Y ese hombre del banco que va a llegar mañana —preguntó—, ¿qué es?

La sonrisa se desvaneció de los labios del norteamericano antes de volver a aparecer. Fue un descuido momentáneo —menos de un segundo—, pero Nabil no lo olvidaría. Sam dijo:

—Se llama Paul Fischer. Y sí, también es un agente. Pero el dinero es real. Después de que haya terminado de hacer la transferencia, pueden hacer con él lo que quieran.

—¿Quiere que matemos a su colega?

—No he dicho tal cosa —le corrigió Sam—. Depende de ustedes. Considérenlo un regalo. Si prefieren, pueden reivindicarlo, y se convertirá en su primera ejecución pública.

—Una decapitación grabada en vídeo. ¿Es eso lo que imagina?

—Tampoco es que no lo haya hecho antes.

Aquello fue inesperado.

—¿Yo?

Sam Matheson se humedeció los labios; ¿nerviosismo… o apetito?

—Como le he dicho, es cosa suya.

Fue entonces cuando Nabil supo lo que tenía que hacer. Aquel hombre, fuera o no de la CIA, había sido enviado por el imán. La certeza cayó sobre él como el sol cegador que llovía sobre sus cabezas, y entonces lo supo. Iba a matar a un hombre llamado Paul Fisher. Ése era el deseo del imán. ¿Por qué? Matheson no sería de gran ayuda al respecto; quizá ni lo supiera.

—Se ha convertido en un lastre. Ya no lo necesitamos.

Nabil se dio la vuelta hacia Koinange Street, empezó a caminar y se metió la mano en el bolsillo. Sacó unas gafas de sol de espejo y se las puso, haciendo una señal a Ghedi y a Dalmar.

—Es un regalo notable. Primero, el dinero, y luego uno de los suyos. Me pregunto por qué la CIA nos lo habría de entregar. No es que ustedes no sean capaces de deshacerse de él por sus propios medios.

—Pese a lo que diga la gente, la CIA prefiere no asesinar a sus propios empleados.

—Es usted verdaderamente malvado, Sam.

Sam Matheson no respondió. Parecía estar considerando todavía la afirmación cuando llegaron a la calle y la furgoneta se detuvo con la gran puerta deslizante abierta. Ghedi y Dalmar salieron de un salto, agarraron a Matheson por los bíceps y lo arrojaron al interior del vehículo. Nabil vio cerrarse la puerta de nuevo y a la furgoneta arrancar con una sacudida y alejarse haciendo un brusco viraje. La vio desaparecer entre el tráfico vespertino.

Mientras volvía caminando hasta su coche, rebuscó en su bolsillo y sacó un paquete de Winston. Encendió uno y aspiró profundamente. Era el primero que había fumado desde hacía tres días; lo estaba haciendo bien.

Cuando te están observando, todos tus actos, por pequeños que sean, adquieren una presencia propia; cada uno tiene su propio significado y su particular variedad de interpretaciones. Enciendes un cigarrillo, y eso podría querer decir que estás nervioso, que estás relajado, que estás siendo fagocitado por las formas decadentes de Occidente, o que estás deteniendo el tiempo desesperadamente para inventar tu siguiente mentira.

Tenía que dejar de pensar de esa manera. Si Ansar al-Islam estuviera observando, el único detalle importante sería el secuestro de Sam Matheson. Sabrían que Aslim Taslam dejaba las dudas para aquellos con menos fe.

Nabil cogió la mano seca y sorprendentemente pesada de Sam Matheson de la mesa, la volvió a dejar caer en la arrugada bolsa de plástico y luego se metió la bolsa en el bolsillo de la chaqueta cuando Kwambai le contó la mentira a Paul Fisher: «Su maleta, sí, llena de ropa…, ni siquiera había desecho el equipaje. Pero nada del ordenador mágico».

Nabil no estaba de acuerdo con aquella táctica, pero Kwambai había vivido con la doblez de los políticos demasiado tiempo. Ya no sabía cómo ser sincero, y para entonces ya había perdido el control. La prueba de la víspera había sido irrefutable. Nabil había vuelto del mercado, después de haberse detenido en una mezquita en el camino para hacer sus oraciones de la Asr. Después de Sam Matheson, había sentido la necesidad de buscar un poco de compañía comunitaria. Había subido la colina en coche y encontrado a Ghedi en el camino, con aspecto afligido.

—Lo ha matado —dijo Ghedi—. Kwambai ha matado al americano.

El político se explicó cuando estuvieron ante el cadáver de Sam Matheson en el sótano.

—Me vio. Tus hombres lo hicieron pasar por el salón sin ponerle una capucha y me vio. No podía dejarlo vivo.

Kwambai le había metido dos balas en el pecho a Sam y otra en el cuello; la sangre, pegajosa, cubría el suelo, y las moscas ya habían empezado a pulular. El político empezó a temblar de pies a cabeza. Probablemente fuera el primer hombre al que había matado con sus propias manos.

—Sus huellas. Dijo que las necesitaríamos para el ordenador.

—¿Por qué dijo eso?

—Pensó que así salvaría la vida.

—¿Así que antes tuvieron una conversación?

El político pareció quedarse sin palabras, por lo que Nabil les pidió a Ghedi y Dalmar que le cortaran las manos al norteamericano mientras él llevaba afuera a Kwambai y que buscaran un lugar para enterrarlo entre los árboles secos y achaparrados del patio trasero. Juntos, excavaron un profundo agujero. Nabil se paró una vez, preguntó dónde estaba el Este y se arrodilló en la tierra para su oración del Maghrib, mientras Kwambai se metía corriendo en la casa a buscar más bebida. Cuando terminaron, había anochecido. Los cuatro transportaron el cuerpo hasta el agujero, y luego Ghedi y Dalmar recibieron el encargo nada envidiable de limpiar la habitación del sótano.

A lo largo de esas últimas horas, mientras llenaban el hoyo y volvían a trompicones a la casa, la borrachera de Kwambai se fue disipando y su lugar lo ocupó un extraño vértigo. El hombre hablaba y no paraba del acto que había cometido, del tacto de la pistola, de la sacudida de la bala al abandonar la recámara, de los ojos de asombro del norteamericano que fueron perdiendo lentamente su brillo. Describió aquellas cosas como un hombre describe su primera vez con una mujer, con el placer de algo maravilloso recién descubierto.

El viejo político se había convertido en asesino, y había disfrutado de la experiencia.

Después la dinámica cambió. Kwambai no quería otra cosa que estar al frente de la operación. Dejó de hablar del dinero, y sólo hacía preguntas interminables y aportaba sugerencias para perfeccionar el plan; y cuando llevaron a Paul Fisher, estaba esperando en el sótano para mirarle fijamente a los ojos. Ya no le importaba quién lo viera, porque también lo quería matar. Nabil había perdido el control de la operación.

Y en ese momento el viejo político estaba retorciendo el interrogatorio con su doblez y sus mentiras. El ordenador estaba en el piso de arriba, sobre la larga mesa de roble, esperando el código y la huella dactilar. Todo lo que hubiera tenido que hacer era pedir a Fisher que tecleara el código, y todos serían dos millones de euros más ricos. Pero Kwambai quería alargar aquello, quería torturar al norteamericano, y Nabil no tenía ningún interés en verlo.

Así que cuando Paul Fischer dijo: «No le creo», Nabil había hecho una rápida aunque decisiva señal a Dalmar y Ghedi, tras lo cual subió las escaleras hasta el salón.

Durante las semanas transcurridas desde los acontecimientos en aquel sangriento sótano de Roma, había llegado a cansarse de todo. No estaba seguro de cuándo empezaría a brillar la luz. La gente no estaba muriendo por la *yihad*; estaba muriendo por los preparativos para la *yihad*. Por las cuentas bancarias, y las armas, y las huidas de los secuestros. Uno pasaba tanto tiempo ocupándose del momento que el sueño original, el que le había hecho deshacerse de sus redes de pesca, parecía más lejano que nunca. ¿Cuánto tiempo podía continuar aquello?

Incluso el imán le había preguntado más tarde si seguía teniendo el coraje para el combate. Para el combate, sí, siempre. Pero cuando bajas al sótano de una casa de vecinos en Roma y te encuentras a dos hombres magullados y descalabrados atados, mirando a una cámara colocada en un trípode, y entonces utilizas una hermosa espada ceremonial para decapitarlos, ahí no hay ningún embate guerrero, ninguna victoria en una batalla. Sólo un suelo encharcado, tu cuerpo empapado en sangre y sudor, y el dolor de tus brazos por blandir una espada más adecuada para adornar una pared.

La casa de Daniel Kwambai estaba llena de muebles europeos combinados con horteradas populares kenianas. Era tan desagradable como el propio Kwambai. Nabil se puso cómodo ante la larga mesa de madera debajo de un candelabro de hierro, abrió el maletín y pasó ligeramente los dedos por el teclado y la lisa pantalla, las cosas que ofrecían el acceso a los secretos más íntimos de un banco suizo.

Todo seguía resultándole demasiado extraño. Para el hijo de un pescador, nada de aquello podría haberle resultado agradable jamás. El ordenador. Las estrechas calles llenas del zumbido de las vespas de Roma y la algarabía de los cláxones de los taxis de Nairobi. El astuto animal político, ya bastante loco a esas alturas, que era Daniel Kwambai. Se sentía más cómodo con aquellos ex pescadores borrachos que el mundo llamaba piratas.

Oyó a Kwambai subir los escalones lentamente cuando el ruido apagado de los disparos se propagó por toda la casa. El hombre gordo se detuvo, miró hacia atrás y prosiguió su ascenso. Cuando llegó al extremo de la mesa, Ghedi y Dalmar habían terminado. Podía ocurrir con tanta rapidez.

—Pensaba que esperarían —dijo Kwambai.

—Les dije que lo hicieran en cuanto usted saliera de la habitación. Ya había sido torturado bastante.

—¿Tortura? —Kwambai meneó la cabeza—. ¿Acaso usted le habría planteado todos los hechos directamente? Ahora sabemos que Benjamin Muoki está trabajando con ellos, pero eso es todo lo que vamos a conseguir porque usted no quiere angustiar al pobre norteamericano.

Nabil se encogió de hombros.

—¿Y si el código es falso?

—Ya he pensado en ello —dijo Nabil, porque lo había hecho. Si perdían dos millones de euros, pues perdidos estaban. No iba a proporcionar a aquel monstruo la dicha de otro asesinato.

Kwambai dio la vuelta al ordenador, se lo acercó y se sentó.

—Bien, es una temeridad, y con todo este dinero uno no puede permitirse ser temerario. Sabe lo que está pasando aquí; tiene que pensar. Eso es lo que Roma espera de usted. Y es lo que yo espero de usted.

La verdad es que era sorprendente la manera que tenía Kwambai de comportarse, como si Aslim Taslam fuera su feudo. Pero el político estaba equivocado. Nabil llevaba semanas pensando. No se le habían escapado los propios movimientos imprudentes de Kwambai, y los había puesto bajo la luz para verlos mejor, emparejándolos aleatoriamente para encontrar conexiones. Pero sólo entonces, al oír su orden de que pensara, sí que le dio forma a una serie lógica que conectaba todas las claves dispares. Era de una sencillez tan perfecta que la vergüenza hizo que se le entibiaran las manos. Había estado dirigiendo sus pensamientos en la dirección equivocada.

No confundáis la utilidad con la amistad.

—¿Y la mano? —dijo Kwambai. Hubo una pausa—. ¿Qué sucede, Nabil?

El aludido parpadeó, pero seguía sin poder ver bien al anciano. Hurgó en el bolsillo de su chaqueta y sacó la mano. La dejó caer sobre la mesa.

Aquellos que puedan ayudar son bienvenidos, pero aquellos cuya ayuda nos exija demasiado, ésos deberían ser tratados con dureza.

Oyó el crujido del plástico cuando Kwambai la sacó.

—Esto debería funcionar —oyó decir al político—. Esta cosa es nauseabunda. ¿No la hueles?

—Asquerosa —masculló Nabil cuando Kwambai encendió el ordenador.

—¿En dónde puñetas se supone que tengo que escanear la huella dactilar?

—Puede que los norteamericanos te mintieran, Daniel.

Se produjo una pausa incómoda.

—Puede.

De abajo llegaba el ruido de los gruñidos de Ghedi y Dalmar al trasladar el cuerpo de Paul Fisher. Había cadáveres por todas partes. Y, sin embargo, allí estaba Nabil, haciendo planes de nuevo para cuando el dinero fuera transferido.

SAM

—Están dentro —dijo Natalia con voz estridente por el transmisor de radio que Sam llevaba en la oreja.

Él se inclinó hacia la alta ventana del piso, procurando no tocar el trípode ni el micrófono, y escudriñó la vía del Corso hacia la mezquita, y el sonido de las bocinas de los coches y el zumbido de las vespas ascendieron hasta él a través del calor. El sudor le hizo cosquillas al resbalarle por la espalda. Desde su posición en la terraza de un café, Natalia tenía una visión despejada de la entrada, mientras que Sam sólo podía ver la ventana superior de la habitación donde Saïd y Lorenzo serían llevados una vez se presentaran al imán.

Era una operación peliaguda, lo bastante para que una semana antes, sudando la gota gorda en su piso temporal de Repubblica, cerca de la estación, hubiera sugerido que Saïd abandonara la ciudad. El marroquí se había incorporado sobre el codo, con la luz jugueteando sobre su largo cuerpo cetrino, y se lo había quedado mirando con un destello de rabia en sus espesas cejas.

—¿Crees que no puedo hacerlo?

—Pues claro que puedes.

—He establecido los contactos. He tardado meses. Lo sabes.

—Lo sé. Sólo estoy...

—No deberíamos habernos enamorado.

Tal vez fuera verdad. Pero en ese momento Sam no era capaz de imaginar cómo sería la vida sin Saïd en ella.

—Demasiado tarde —dijo, mirando los carnosos labios de su amante—. ¿Quieres que oculte lo que siento?

El marroquí sonrió.

—Es a eso a lo que nos dedicamos. Deberíamos saber hacerlo bien. —Percatándose de que la broma no le había sentado bien, Saïd lo besó, y dijo autoritariamente—: Tenemos tiempo de sobra, joven. ¿Seguimos llegando a tiempo para el rali?

—Por supuesto.

—Tú y yo de nuevo bajo las estrellas de Kenia. Tendremos mucho tiempo para resolver nuestro futuro.

Sam cayó en la cuenta con satisfacción de que era la primera vez que Saïd había utilizado aquella bendita palabra: futuro.

Así que había repasado la operación cien veces más, perfeccionando los detalles de esto y de aquello e incluso aportado un agente extra que proporcionara protección desde dentro. Paul Fisher, de Ginebra.

—Paul —dijo desde su posición privilegiada en la ventana—. ¿Estás ahí?

—Sí —se oyó en un susurro.

—Todo en orden. Sigue haciendo lo que estés haciendo.

Aunque se habían conocido en la academia, fue una sorpresa volver a ver a Paul. Era el agente más manifiestamente nervioso con el que había tratado nunca. Sam llamó incluso a Ginebra para asegurarse de que fuera un hombre en el que se pudiera confiar. «Para su edad, Fisher es un agente de primera», había sido la respuesta, la cual no le decía nada.

Aunque mientras le informaba de todo en su piso, Sam había descubierto una pequeña P-83, una pistola polaca, en la chaqueta de Paul.

—¿De dónde sale esto?

—De un milanés que conozco.

—¿Por qué?

Paul se encogió de hombros.

—Me gusta contar con refuerzos.

—No en este trabajo —dijo Sam, y había metido la pistola en el cajón de su mesa—. No quiero que te maten.

Paul había permanecido sentado a los pies de la cama donde Sam había hecho el amor con Saïd la última vez. Detestaba que aquel hombre inquieto estuviera tocando las sábanas.

—No pensaba utilizarla.

—Entonces no necesitas llevarla encima.

Paul asintió indecisamente con la cabeza.

Aunque había llevado semanas montarla y podía estropearse fácilmente, la operación en sí era sencilla. Lorenzo y Saïd irían a la mezquita y se sentarían con el imán en su estudio para hablar de un cargamento de armas de la Camorra que habían interceptado y que deseaban vender a personas de ideas afines. Desde su puesto al otro lado de la calle, Sam grabaría la conversación. Natalia vigilaría la calle para detectar cualquier indicio de actividad o pedir refuerzos. Paul estaría esperando en la sala de rezos para ayudar a facilitar cualquier huida de emergencia.

Tardaron un rato en llegar al estudio del religioso. El cacheo de rigor era inevitable, igual que el barrido electrónico. En la ventana del fondo se encendió una luz. Un joven con un casquete corrió las delgadas cortinas. Sam levantó un lado de los auriculares para dejar libre un oído, comprobó los niveles con el idioma, quizá kurdo, que se estaba hablando en la habitación, y empezó a grabar.

Pasaron un total de diecisiete minutos antes de que llegaran a la cámara del imán. Durante ese tiempo Sam habló un momento con Natalia y escuchó a Paul pronunciar exageradamente el rezo del Asr, el de la media tarde, con la congregación. Entonces se abrió una puerta en la habitación, y el religioso saludó a Saïd y a Lorenzo en árabe. En consideración a Lorenzo, cambiaron al italiano. La propuesta no se hizo esperar.

Paul susurró:

—Hay cierta actividad.

—¿Problemas?

—Tres tipos han interrumpido el rezo. Están hablando.

—No es nada.

—Se dirigen a las escaleras.

—¿Qué cara ponen?

—No están contentos.

Sam sintió que la vieja tensión se acumulaba en su pecho. La conversación con el imán iba bien. Habían pasado a las marcas de las armas.

—Se han ido —dijo Paul.

—Quédate ahí —le ordenó Sam.

—¡Joder!

—¿Qué?

—Otro más. Me está mirando.

—Porque no estás rezando. Ponte a rezar.

—No es por eso.

—Ignóralo y reza.

Silencio, sólo el martilleo de las voces que le hablaban a su dios.

—¿Natalia?

—Todo despejado.

En su oído derecho, el imán mencionó un precio. Como estaba planeado, Lorenzo estaba intentando subirlo. Un golpe en la puerta del religioso lo detuvo. Alguien entró. Se habló en árabe. La comprensión que tenía Sam del lenguaje era imprecisa, pero sabía lo suficiente para entender que estaban hablando de un sospechoso en la sala de rezos. Según el visitante, era evidente por el bulto de su bolsillo que llevaba una pistola.

—¡Cabronazo! —dijo Sam—. Llevas tu pistola.

No hubo respuesta.

—Levántate y sal de ahí antes de que te maten.

No hubo respuesta.

—Será mejor que empieces a caminar.

Siguió sin haber respuesta, tan sólo ruido de movimiento, un gruñido, y entonces un único disparo que golpeó el tímpano de Sam. Una pausa, y luego la voz vacilante de Paul a través del silbido de su dañado oído izquierdo. «¡Joder!» En el derecho, la habitación del imán se había quedado en silencio. Lorenzo dijo:

—¿Qué ha sido eso?

Movimiento.

Saïd:

—¿Qué están haciendo?

El imán, en árabe:

—Lleváoslos.

Más movimiento. Pelea.

Natalia:

—Paul ha salido. Ha echado a correr. ¿Lo sigo?

Una puerta en los aposentos del religioso se cerró de un golpetazo.

—¿Sam? ¿Qué hago?

No fue hasta el jueves por la tarde, dos días y un par de horas después de que hubiera recibido la noticia, que localizó a Paul Fisher en un bar cercano al Coliseo, encorvado sobre una botella de vino tinto casi vacía al fondo del local. Sam esperó cerca de la parte delantera, observando los temblorosos restos de un hombre que estaba demasiado borracho para verle. Detrás de él, dos italianos golpeaban una máquina de póquer, y reconsideró lo único que había tenido claro que haría en cuanto encontrara a Paul Fisher.

Aunque los dos habían convertido en un juego el ocultar sus verdaderos sentimientos, él y Saïd habían sabido desde el principio, cuando se dirigían a ocuparse de sus diferentes responsabilidades diplomáticas en Nairobi, que habían encontrado algo inaudito. Ambos tenían una rica vida sexual —Sam en los locales de ligoteo de Bay Area, donde podías ser tan explícito como quisieras; Saïd en las discotecas clandestinas de Casablanca—, aunque desde su segunda noche juntos se habían sincerado como nunca lo habían hecho anteriormente con nadie. Quizás, había sugerido Saïd, se comportaban así porque sabían que Sam se iba a marchar a Roma al cabo de un mes. Quizá. Pero seis meses después, en Roma, el teléfono de Sam sonó. Saïd se las había arreglado para que lo trasladaran, después de convencer a sus superiores de que debía de ofrecer su ayuda a los norteamericanos.

—Ésta es la cama de los mentirosos —le gustaba decir a Saïd durante sus encuentros secretos de lo que empezaron a llamar sus vacaciones en Roma. Pero entonces él había utilizado aquella palabra fantástica, *futuro*, y Sam se abalanzó sobre él con una jocunda descripción de El Castro. Saïd estaba embelesado, aunque hizo una contrapropuesta: Río de Janeiro.

—Demasiado calor —le dijo Sam.

—El norte de California es demasiado frío.

En ese momento, al escuchar a los enfadados italianos y el *blip-blip* de la máquina de póquer, Sam se preguntó qué habría ocurrido. ¿Habrían comprado un piso en alguno de los rascacielos de las playas de Río? ¿O su optimismo había sido sólo un síntoma de sus vacaciones romanas y al final las cosas habrían seguido el camino de todas sus relaciones anteriores: a ninguna parte? No había manera de saberlo. Ya no.

Por culpa de aquel borracho sentado en el rincón.

¿Mataría a Paul Fisher? Sam no era de esa clase de agente; la verdad era que jamás había asesinado, y hasta ese momento nunca había querido hacerlo. Sin embargo, mientras se acercaba a la mesa pensó en lo fácil que sería, en lo satisfactorio. Venganza, claro, pero empezó a pensar que la muerte de Paul Fisher sería algo beneficioso para el medio ambiente, la eliminación de un elemento malsano de la superficie del planeta.

Aterrorizado; así era como parecía estar Paul cuando por fin lo reconoció. Borracho y aterrorizado. Sam se sentó y dijo:

—Nos hemos enterado por los *carabinieri*. Dos cuerpos, sin cabezas, han sido hallados en el vertedero de Malagrotta.

La boca húmeda de Paul se esforzó en aspirar aire durante casi medio minuto.

—¿Saben...?

—Sí, son ellos. Al final aparecerán las cabezas.

—¡Por Dios! —Su cabeza se desplomó sobre la mesa sucia, y masculló algo indescifrable en su regazo.

—Cuéntame qué ocurrió —dijo Sam.

Paul levantó la cabeza, confuso, como si la respuesta fuera evidente.

—Me entró el pánico.

—¿Dónde conseguiste el arma?

—Siempre llevo una de repuesto.

—¿Ésta? —dijo Sam mientras se metía la mano en la chaqueta y sacaba la Beretta que Natalia le había dado. La colocó sobre la mesa delante de sí, para que nadie que estuviera detrás de ellos pudiera verla.

—¡Por Dios! —repitió Paul—. ¿Vas a utilizarla?

—La dejaste caer cuando saliste corriendo. Natalia la encontró.

—Cierto…

—Cógela y deshazte de ella.

Tras un momento de titubeo, Paul alargó la mano, haciendo tambalear la botella de un golpe. Con un rápido movimiento se metió la pistola en el estómago y la mantuvo debajo de la mesa.

—Está descargada —le dijo Sam—, así que no te molestes en intentar pegarte un tiro.

El sudor de la frente de Paul se acumuló y resbaló por su sien.

—¿Qué va a pasar?

—¿A ti?

—Claro. Pero con todo. Con la operación.

—La operación está liquidada, Paul. Y sobre ti todavía no he tomado una decisión.

—Debería volver a Ginebra.

—Sí. Quizá deberías hacerlo —dijo Sam, y se levantó. No, no iba a matar a Paul Fisher. Al menos no allí, no entonces.

Salió del bar y cogió un taxi hasta la Porta Pinciana y recorrió caminando la estrecha vía Sardegna, pasando por delante de escaparates y bares hasta la embajada. Mientras se descargaba de monedas, llaves y teléfono a instancias de los porteros, Randall Kirscher apareció por el pasillo con paso marcial.

—¿Dónde demonios has estado, Sam? —Aunque había pánico en la voz de su oficial al mando, no comentaron nada mientras subían las escaleras hasta su despacho de la tercera planta. Dentro, dos desconocidos, uno con guantes de goma, contemplaban una caja de cartón. Aunque Sam ya lo sabía, se adelantó y miró dentro.

—Enviada con un servicio de mensajería de mierda —masculló Randall.

Sam sintió una pesadez caliente en los pies y el estómago, y luego en los ojos. Aunque los hombres de la habitación siguieron hablando, todo cuanto pudo oír fue el zumbido de su oído izquierdo, el residuo del fracaso absoluto.

Nadie lo vio durante tres días. Randall Kirscher recibió innumerables llamadas preguntando por el paradero de Sam, en especial de los italianos, que querían una explicación por los disparos de la mezquita. Pero nadie sabía nada. Lo único que Randall sabía era que, después de ver la cabeza decapitada de Saïd el jueves, Sam había salido de la embajada, sin ni siquiera recoger las llaves y el móvil que había dejado a los guardias.

Al día siguiente el vídeo apareció en Internet, distribuido a través de diferentes servidores de todo el globo. Lorenzo y Saïd arrodillados. Tras ellos colgaba una sábana negra con unos pocos caracteres en árabe, y además un hombre encapuchado con una espada ceremonial. Etcétera. Kirscher no se molestó en verlo todo, y sólo pidió a Langley que sus analistas hicieran su magia con la película. En contestación, le pidieron el informe que Sam no había redactado. Les dijo que iba de camino.

El sábado, dos días después de su desaparición, Kirscher envió a dos hombres a Sant'Onofrio, donde la tarjeta de crédito de Sam había sido utilizada en dos cajeros automáticos para sacar dinero por importe de mil dólares.

Entonces, el domingo por la mañana, como si toda la embajada no hubiera estado en alerta para encontrarlo, apareció en la puerta poco después de las ocho y media vestido con un traje inmaculado, y preguntó cortésmente a los guardias si seguían teniendo el móvil y las llaves que se había olvidado la semana anterior. Randall lo hizo subir a su despacho y esperó a que le diera una explicación. Al principio lo único que Sam le dio fue una serie de referencias indirectas acerca del «trabajo de campo» que había estado haciendo en relación con un trato para obtener información interna sobre los piratas somalíes.

—¿Qué dices? —preguntó Randall, sin dar apenas crédito a lo que oía.

—Me puse en contacto con una de mis fuentes de Ansar. Un miembro de Aslim Taslam estaba en la ciudad, y lo abordé para proponerle que nos vendieran información. No estaba dispuesto a fastidiar mi tapadera poniéndome en contacto con la embajada antes de reunirnos.

—¿Y cuál era tu tapadera?

—Representante de algunas empresas.

—Eso me suena como a la Compañía.

Sam no pareció captar el chiste.

—Hablé con él ayer. Tiene mucha información.

—¿Cómo la verificarías?

La única respuesta de Sam fue un parpadeo.

—¿Y cuánto le ofreciste?

—Medio millón. De euros.

Randall empezó a reírse. No estaba siendo cruel; sencillamente no pudo controlarse.

—¿Quinientos mil para un «cuentista»?

Sam finalmente se puso cómodo en una silla y se limpió la nariz. Lo que siguió fue dicho en voz tan baja que Randall tuvo que inclinarse hacia él para oír:

—Es el que les cortó las cabezas.

Las nubes se abrieron, y entonces Randall lo entendió todo.

—Rotundamente no, Sam. Tómate unas vacaciones.

—Se llama Nabil Abdullah Bahdoon. Es somalí. No es un soldado raso, sino uno de los cabecillas de Aslim Taslam. Necesitan dinero desesperadamente, y podemos aprovecharnos de él.

—De ellos.

Sam arrugó la frente.

—De ellos, no de él. Esto no es una venganza. No somos el Mossad.

—Entonces considéralo de esta manera —dijo Sam—. Tenemos la oportunidad de decapitar al grupo antes de que cojan velocidad.

—¿Decapitar?

Sam se encogió de hombros.

Randall reprimió un suspiro.

—Retrocede. Empieza de nuevo desde el principio.

—Una bomba —dijo Sam sin titubeos—. En el ordenador del banco. Nabil querrá estar cerca para presenciar la transferencia.

—¿Aquí en Roma?

Sam titubeó.

—Eso no está resuelto. Lo más probable es que no sea aquí.

—¿En Somalia?

—Puede.

—¿Y vas a pasar una bomba por las aduanas?

—Puedo conseguir que la fabriquen en la zona. Tengo contactos.

Randall reflexionó sobre lo poco precisa que era en general la idea, pasando rápidamente por los detalles uno a uno. Entonces topó con un muro.

—Espera un instante. ¿Y cómo se detona esa bomba?

—Con el número clave de la transferencia.

—¿Y quién va a realizar la transferencia?

Sam tosió mentalmente.

—Yo.

—¿Otra vez?

—Teclearé el código.

—Te vas a suicidar.

Sam no respondió.

—¿Puedo preguntar por qué?

—Es personal.

—¿Personal? —dijo Randall, gritando a su pesar—. La verdad es que debería aconsejarte que vieras al psicólogo.

—Tal vez deberías.

Siguió un silencio, y Randall encontró una pluma en la mesa a la que dar vueltas.

—Es ridículo, Sam, y lo sabes. Sé que estás alterado por lo ocurrido a Lorenzo y Saïd, pero no fue culpa tuya. ¡Joder!, puede que ni siquiera fuera culpa de ese idiota de Paul Fisher. Sencillamente, ocurrió, y no voy a perder a uno de nuestros mejores agentes además de esto. Lo entiendes, ¿verdad?

El rostro de Sam no dio muestras de que lo entendiera ni de lo contrario.

—Trastorno de estrés postraumático. Eso es lo que está pasando aquí, ¿sabes? Es una enfermedad.

Sam lo miró pestañeando lentamente.

—No insistiré en lo del terapeuta, todavía no, pero insisto en que te tomes unas vacaciones. ¿No se supone que tienes que participar en una carrera de coches la semana que viene?

—Un rali.

—Bien. Escribe un informe sobre el fiasco y luego tómate tres semanas.

Sam ya estaba de pie, asintiendo con la cabeza.

—Mantente a salvo —le dijo Randall—, y piensa en lo del terapeuta. De manera voluntaria. No te voy a perder.

Pero Sam ya había salido por la puerta.

Aquella mañana se había desatado una tormenta inesperada en la ladera sur del nevado monte Kenia, así que hacia el mediodía estaba empapado de barro, y al final de la tarde éste era ya una costra reseca que había convertido su ropa en una dura piel de lagarto escamosa. Pero siguió adelante. El asiento vacío del acompañante lo distinguía de la mayoría de los europeos y norteamericanos que tomaban parte en el rali, y cuando le preguntaron, les contó que su compañero se había retirado a causa de las obligaciones profesionales, una excusa que todos comprendían.

Al final de cada día, bebían juntos en las tiendas levantadas por sus anfitriones kenianos. Los italianos eran chillones, los franceses contemporizadores, los británicos socarrones y los norteamericanos irritantemente alborotadores. Una colmena de caricaturas multinacionales hermanadas por la velocidad y la cerveza, los negocios y los relatos fantásticos sobre las mujeres con las que habían estado. Todo aquello conformaba, reflexionaba Sam, el elemento vital de la masculinidad occidental.

Era viernes, la antevíspera de que acabara la carrera, cuando a través de sus ojos agotados y las gafas embarradas vio a Benjamin Muoki, de pie entre los organizadores con camisetas vestido con traje, una mano en la cadera y ninguna expresión en el rostro. En la otra mano sostenía una botella de cerveza. Sam se abrió paso entre los gritos y risotadas de los demás pilotos, se levantó las gafas e hizo un gesto con la cabeza a Benjamin, que captó la señal y se alejó del campamento como si tal cosa. Sam registró su tiempo, se enjuagó y se puso unos pantalones cortos, una camisa azul de algodón cerrada hasta arriba y unas sandalias de piel que sacó de su bolsa impermeable. Para entonces, Benjamin era una silueta recortada contra el telón de fondo de las montañas que se iban desvaneciendo. Sam tuvo que correr para alcanzarlo.

—Toma —dijo Benjamin, levantando su cerveza—. La necesitas más que yo.

Compartieron la botella en silencio, caminando lentamente, hasta que Benjamin se acordó y dijo:

—Casi eres el último en entrar.

—Me jode la lluvia.

—Rezaré para que se despeje el cielo.

—El sol es aún peor.

Como se conocían desde hacía tres años, ambos hombres intercambiaban contraseñas no para identificarse mutuamente, sino para indicar si uno o el otro estaba expuesto a algún peligro.

—Aunque realmente —dijo Benjamin—, ¿estás conduciendo a gusto?

—Sobrevivo.

—Es una carrera difícil.

Se callaron y se volvieron para mirar el bullicio del campamento. Las luces parpadeaban para contener la oscuridad invasora. Un viento polvoriento sopló en su dirección, levantando pequeños tornados antes de amainar.

—¿Recibiste las instrucciones? —preguntó Sam.

—Estoy aquí, ¿no?

—Me refiero a todo lo demás.

—Sí.

—¿Y?

—¿Qué te gustaría que dijera? ¿Que creo que es peligroso? He dicho eso de tus planes demasiadas veces para seguir haciéndolo.

—Pero ¿ves algún defecto evidente?

—Sólo que acabarás muerto.

Sam no respondió; estaba demasiado cansado para mentir convincentemente.

Benjamin le miró a la cara.

—¿Una vida por una vida? Es un precio muy alto.

—Algo más que una vida, esperemos.

—Esperemos —dijo Benjamin en voz baja—. Tuve una conversación con tu gordo agregado. No creo que sepa nada al respecto.

A Sam le pareció que su expresión revelaba demasiado.

—¿Se lo dijiste?

—No, Sam. Sólo estuve tanteando un poco. Se me da bien.

—Bueno.

—Esto no está en los manuales, ¿verdad?

—Está por encima de sus competencias —mintió Sam, aunque era una mentira fácil—. ¿El ordenador está listo?

—Para el lunes.

—Regresaré el próximo miércoles.

—Te lo daré entonces.

—A mí no. Se lo darás a otra persona.

Una luz pareció encenderse en los ojos siempre astutos de Benjamin.

—¿Alguien incluso más insensato que tú?

—Ya te diré quién. Se lo darás a él, pero no dirás ni una palabra al respecto. Eres lo bastante buen mentiroso para eso, ¿no?

La expresión de Benjamin mostró cierta indecisión.

—¿Es un hombre muy idiota?

—Es un hombre nervioso. Tú dale el maletín. Él sabrá lo que tiene que hacer con él.

—¿Sabe que morirá?

—Estás lleno de preguntas, Benjamin. Te estamos pagando bastante bien, ¿no es así?

—Vosotros siempre pagáis bien, Sam.

El lunes, mientras estaba sentado enfrente de Paul Fisher en el aeropuerto de Ginebra, se preguntó por qué estaba llevando aquello tan lejos. ¿Lo estaba llevando demasiado lejos? No había visto a Paul desde el bar de Roma, y al encontrarse frente a frente una vez más la perspectiva de matarlo allí, en ese momento, le resultaba mucho más seductora. Más fácil. Más sana.

Pero había empezado a enamorarse de la ecuanimidad de su plan. Una bomba eliminaría no sólo al hombre indirectamente responsable del horripilante asesinato de Saïd, sino también al hombre que había impulsado la hoja a través de los músculos y los huesos. Ya era sólo una cuestión de persuasión. Así que después de inventarse lo de la tecnología que dejaría vacías las cuentas bancarias, aseguró a Paul que no estaría solo; Sam estaría allí, a su lado, para autorizar la transferencia con su dedo índice. Aquello pareció tranquilizarlo. Luego le dijo lo que ambos sabían, que él no estaba hecho para aquella clase de trabajos y que nunca lo había estado. «Considéralo una oportunidad de redimirte», dijo Sam, y le pareció como si, por medio de las mentiras, se hubiera desviado hacia una verdad más profunda de la que jamás habría podido encontrar de actuar con honradez.

La fascinación que sentía por el plan no había dejado de impulsarlo adelante, ni siquiera cuando, el viernes, el asesino de Saïd le dijo su verdadero nombre y el nombre de su patrón. Sam había invertido demasiado trabajo en el plan para dejar que se viniera abajo en ese momento, así que improvisó. Acomodó el descubrimiento en su patraña, e incluso animó a Nabil a asesinar a Paul. Admitió que el asunto era personal. Era una imprudencia, sí, pero su sentido de la rectitud y la belleza de su plan le habían vuelto loco de alegría.

Y, sin embargo, era demasiado tarde. Sólo reparó en su error cuando le agarraron en la calle y lo condujeron fuera de la ciudad a aquella casa asignada con precisión. No obstante, incluso entonces se aferró a la esperanza. Seguían queriendo el dinero, y si fuera necesario tecleará el número clave él mismo. Preferiría que Paul estuviera a su lado para que asumiera también la explosión, pero se las arreglaría con lo que fuera posible.

Lo que jamás había esperado era al político sentado con un güisqui escocés en el salón, el gordo de ojos redondos que horrorizado lo miró de hito en hito cuando lo metieron a rastras en la casa. Sus miradas se cruzaron, pero ninguno dijo nada. La sorpresa los mantuvo mudos a los dos. Sus secuestradores lo arrastraron hasta el sótano y cerraron la puerta con llave, y Sam se sentó a la mesa, pensando en las implicaciones de que Daniel Kwambai trabajara con Aslim Taslam.

Como si le hubiera leído los pensamiento, unos diez minutos más tarde Kwambai abrió la puerta y entró vestido con una arrugada chaqueta de lino que se estiraba en uno de sus lados por algo pesado que llevaba en el bolsillo. Cerró la puerta y miró fijamente a Sam.

—¿Qué estás haciendo aquí? —dijo en un susurro con voz de falsete.

—Juegas en ambos lados. ¿No es así, Daniel?

Kwambai meneó la cabeza y se sentó enfrente de él.

—No me juzgues, Sam. No estás en situación.

—¿No te pagamos lo suficiente?

—Nadie paga lo suficiente. Lo sabes. Pero quizá después de que traigas este dinero pueda dejar de jugar en todos los lados. Si el dinero es legítimo. ¿Lo es?

—Claro que lo es. ¿Y la información va a ser legítima?

—No me han contado mucho, pero no, no creo que lo sea.

Sam fingió decepcionarse.

—Entonces, ¿vas a ayudarme a salir de aquí?

—No antes de que se haya transferido el dinero.

—¿Y luego?

Kwambai no respondió. Parecía estar pensando en algo, aunque Sam estaba pensando en el bulto del bolsillo del político.

—¿Y bien?

—Estoy sopesando muchas cosas —dijo Kwambai—. Por ejemplo, cómo soportarías el interrogatorio de Nabil.

—Ni mejor ni peor que la mayoría de los hombres, probablemente.

—Y me pregunto qué dirías.

—¿De ti? —Sam negó con la cabeza—. No creo que tengas que preocuparte por eso. Si no sigue esa línea de interrogatorio, no habrá razón para responder.

Una sonrisa de tristeza cruzó la cara de Kwambai.

—¿Y si sólo te pide un motivo para acabar con el dolor?

Sam sabía a dónde quería llegar, pero las cosas se habían vuelto lo bastante confusas para entonces como para que apenas estuviera seguro de lo que quería responder. Era evidente que tenía que decir que protegería la relación de Kwambai con la Compañía hasta su último aliento, pero nadie se creería tal cosa, y menos que nadie Kwambai. La verdad era que reconocía aquella expresión de tristeza en la cara del político. Era la misma expresión que había puesto poco antes de aceptar aquel trato inicial, un año antes, de establecer contacto con los extremistas somalíes que estaban haciendo negocios en Kenia. La expresión significaba que, aunque apenas podía reconocerlo ante sí mismo, Kwambai ya había tomado una decisión.

Así que repitió la mentira que había utilizado para animar al cobarde de Paul Fisher.

—Con todo me sigues necesitando. Por la transferencia. —Levantó las manos y agitó los dedos en el aire—. Mis huellas.

Pero nada cambió en el rostro de Kwambai.

—Entonces sácala —dijo Sam.

—¿Qué?

—El arma. Sácala y haz lo que tengas que hacer. Personalmente no creo que puedas. No aquí, en tu propia casa. No con tus propias manos. ¿Y cómo se lo explicarías a Nabil? Él me quiere. Al igual que tú, quiere el dinero. Él… —Se interrumpió porque se dio cuenta de que estaba divagando. El pánico empezó a apoderarse de él.

Aunque respetuosamente, Kwambai sacó el revólver del bolsillo y lo colocó en la mesa, apuntando a Sam de forma muy parecida a como éste había apuntado a Paul Fisher con la Beretta. Al contrario que ésta, aquélla era un arma vieja, un Colt 45 modelo de la Segunda Guerra Mundial. Los ojos de Kwambai estaban enrojecidos.

—Me gustas, Sam. De verdad que sí.

—Pero no lo suficiente.

—No —dijo Kwambai cuando levantó la pistola y disparó tres veces antes de que pudiera pensar lo que estaba haciendo.

BENJAMIN

Benjamin había vivido la mayor parte de su vida tomando decisiones repentinas y decidiendo sólo después si habían sido o no correctas. La intuición había sido su guía principal. Incluso en los servicios ocasionales que había realizado para los norteamericanos y los británicos había empezado de esa manera. Así que durante toda la tarde, mientras intentaba dar con un amigo que estuviera dispuesto a llevar a Paul Fisher hasta la frontera, había estado batallando con ello, sopesando la vida de Fisher contra las comodidades de su familia. Si los norteamericanos prescindían de él, lo más probable era que George no fuera al campamento de fútbol ese año, que la fiesta de la confirmación de Elinah fuera más modesta de lo que habían planeado, y que Murugi, su abnegada aunque intratable esposa, empezara a interrogarle por la mengua en el presupuesto mensual. ¿Valía todo eso la vida de un extraño?

No fue hasta que regresaba al hotel en la furgoneta Toyota de su amigo que realmente logró convencerse de que había hecho lo correcto. Todos estamos empleados por alguien, se dijo filosóficamente, pero al final es el trabajo por cuenta propia el que nos motiva. La sentencia le encantó y provocó una misteriosa sonrisa de orgullo en sus labios, lo cual sólo hizo que la decepción fuera mayor cuando llegó al hotel y se enteró de que todos sus esfuerzos habían sido en balde.

La primera pista se la dio la presencia del jefe Japhet Obure en el vestíbulo, hablando con el director y el barman del hotel. El jefe de la policía local puso los ojos en blanco al ver a Benjamin.

—Secuestran a un norteamericano y entonces apareces tú, Ben. ¿Por qué no estoy sorprendido?

—Ya me conoces, Japhi. Puedo oler el escándalo a un kilómetro de distancia.

La decepción de Benjamin fue asombrosamente descomunal, mucho mayor de lo que había imaginado. No había conocido a Paul Fisher. ¿Le habría gustado? Lo cierto era que no. Le había gustado Sam, pero no el endeble que fingía frialdad para sobreponerse a una evidente cobardía. Y no era que Paul Fisher hubiera sido inocente; ninguno de los norteamericanos que deambulaban por su país lo era. Pero su desaparición dolía igual.

—Parece ser que ni siquiera había deshecho el equipaje —dijo Japhet, una vez que se encontraron los dos en su habitación.

Benjamin, junto a la puerta, observó al jefe tocar la colcha arrugada y la polvorienta mesilla de noche. Pero lo que éste no advirtió fue el espacio vacío, justo al lado de la tarima del equipaje, donde había estado el maletín. Cuando Japhet abrió los armarios empotrados y los cajones, Benjamin lo observó por encima del hombro, pero el importantísimo maletín no estaba allí. ¿Por qué no se lo había llevado con él cuando se marchó?

Sabía la respuesta, pero era tan banal como para resultar vergonzosa. Él, como cualquiera, no quería ir corriendo por la ciudad transportando una bomba.

En cuanto se hubieron recogido todas las huellas, se hubo entrevistado a una larga cola de testigos y la noche cayó, el jefe Obure lo invitó a una copa. Benjamin llamó a Murugi y le dijo que llegaría tarde.

—¿Por culpa del norteamericano secuestrado? —Ya había salido en las noticias.

A las nueve él y Japhet estaban sentados en la terraza de un café, bebiendo unas botellas frías de Tusker y observando a un trío de niños de doce años aspirar pegamento de unas bolsas de plástico al otro lado de la calle.

—Me rompe el corazón ver eso —dijo Japhet.

—A estas alturas ya deberías estar sesenta veces muerto. —Benjamin atendió su móvil cuando sonó con un timbre monótono. Al mismo tiempo, el de su jefe interpretó un reciente éxito de discoteca.

Una casa al nordeste de la ciudad, no lejos del recinto de las Naciones Unidas en Runda Estate, se había derrumbado a causa de una explosión. Benjamin conocía la casa, y tiempo atrás, cuando Kwambai todavía gozaba del favor del Gobierno, la había visitado. Sin embargo, el hecho de que la bomba hubiera acabado en una de las casas del político era una sorpresa.

—Hora de hacer una excursión al campo —dijo Japhet cuando los dos colgaron.

Tardaron cuarenta minutos en llegar a Runda Estate y dirigirse más al norte, donde siguieron la columna de humo hasta el infierno de la colina. Los bomberos se habían marchado para repostar agua, y Pili, uno de los ayudantes de Benjamin, estaba parado en el largo patio delantero, mirando fijamente las llamas. Estaba empapado en sudor.

—La explosión se produjo en el interior. Eso es lo que dice el jefe de bomberos.

—¿Y qué esperaban? —preguntó Japhet.

Puesto que su jefe no contestó, Pili dijo:

—Un coche bomba.

—Vale, vale.

Tanto Pili como Japhet contemplaron a Benjamin acercarse solo a la casa en llamas. Se detuvo donde la temperatura ascendía espectacularmente y empezó a sudar de manera visible; su camisa se oscureció en el centro y la mancha se extendió hacia fuera.

Oyó la voz de Japhet a sus espaldas.

—¿En qué estás pensando, Ben?

—En que es hermoso, nada más —respondió, porque era verdad. Las llamas no se quedaban quietas. Se combaban, serpenteaban, se quebraban y ascendían, de manera que nunca podías captar su verdadera forma. Quizá no tuvieran una auténtica forma. La madera estalló, y algo en lo más profundo del infierno explotó.

—¿Sabes lo que está pasando aquí, Ben?

El coche de bomberos regresó haciendo sonar la sirena. Algo más lejos, unos faros avanzaban por la larga carretera que conducía hacia ellos. Serían absolutamente todos: representantes del Gobierno, líderes religiosos, los norteamericanos, las Naciones Unidas, la prensa.

Cogió del brazo a Japhet y lo condujo hasta su coche.

—Vamos, te invito a una copa donde quieras.

—Una oferta extraña y maravillosa —dijo Japhet—. ¿Has robado algo?

—Me he ganado hasta el último céntimo que tengo —respondió Benjamin, haciendo girar las llaves en su dedo—. Es sólo que me apetece olvidar.

—¿Esto?

—Si lo olvido, puede que desaparezca —dijo, sonriendo amablemente mientras entraba y arrancaba el coche. Pasaron en un abrir y cerrar de ojos junto a los vehículos que llegaban, dejaron atrás las colinas y volvieron a la ciudad. Fue como si la casa incendiada no hubiera existido jamás. A pesar del calor asfixiante, Benjamin incluso había dejado de sudar.

Visite nuestra web en:

www.edicionesplata.com